ΚΑΘΡΕΦΤΗΣ ΤΟΥ ΚΟΣΜΟΥ

ΚΑΘΡΕΦΤΗΣ ΤΟΥ ΚΟΣΜΟΥ

Τζούλιαν Μπελ

Με 372 εικόνες, από τις οποίες οι 267 έγχρωμες

ΕΠΙΣΤΗΜΟΝΙΚΗ ΕΠΙΜΕΛΕΙΑ Κωνσταντίνος Ιωαννίδης

ΜΕΤΑΦΡΑΣΗ Γιώργος Λαμπράκος, Ελεάννα Πανάγου

ΜΕΤΑΙΧΜΙΟ

Για την Τζένι

ΜΕΤΑΙΧΜΙΟ

Πρώτη έκδοση Οκτώβριος 2009

Τίτλος πρωτοτύπου Julian Bell, *Mirror of the world: A New History of Art*, Thames & Hudson 2007

© 2007, Julian Bell
Κατόπιν συμφωνίας με την Thames & Hudson
© 2008, 2015, 2018, 2021 Εκδόσεις ΜΕΤΑΙΧΜΙΟ (για την ελληνική γλώσσα)

ISBN 978-960-455-605-2
ΒΟΗΘ. ΚΩΔ. ΜΗΧ/ΣΗΣ 4605
Κ.Ε.Π. 1580, Κ.Ε. 16916

Εκδόσεις **ΜΕΤΑΙΧΜΙΟ**
Ιπποκράτους 118, 114 72 Αθήνα
τηλ.: 211 3003500, fax: 211 3003562
metaixmio.gr · metaixmio@metaixmio.gr

Κεντρική διάθεση
Ασκληπιού 18, 106 80 Αθήνα
τηλ.: 210 3647433, fax: 211 3003562

Βιβλιοπωλεία **ΜΕΤΑΙΧΜΙΟ**
* Ασκληπιού 18, 106 80 Αθήνα
  τηλ.: 210 3647433, fax: 211 3003562
* Πολυχώρος, Ιπποκράτους 118, 114 72 Αθήνα
  τηλ.: 211 3003580, fax: 211 3003581

Εκτύπωση και βιβλιοδεσία έγιναν στην Κίνα
από τη C&C Offset Printing Co. Ltd

ΠΡΟΛΟΓΟΣ

Οι άνθρωποι λένε ιστορίες και φτιάχνουν αντικείμενα για να σαγηνεύσουν τα μάτια. Ενίοτε οι ιστορίες τους αναφέρονται σε αυτά τα αντικείμενα. Αυτό το είδος αφήγησης, που αποκαλείται ιστορία της τέχνης, συνήθως έχει τη ρίζα της στην επιθυμία ενός ατόμου να αναλογιστεί το πώς θα ήταν να είναι κάποιος άλλος σε κάποια άλλη εποχή, καθώς και να αναρωτηθεί το τι έφτιαχναν εκείνα τα άλλα χέρια. Πέραν αυτού, οι ιστορικοί της τέχνης προσπαθούν καμιά φορά να εξηγήσουν γιατί η κατασκευή των πραγμάτων αλλάζει και διαφέρει από τόπο σε τόπο και από εποχή σε εποχή. Αυτή είναι η επιδίωξη τούτου του βιβλίου.

Η αφήγηση ιστοριών αυτού του είδους διέπεται ωστόσο από μια εγγενή αμηχανία. Ένα *έργο* τέχνης επιζητά να τραβήξει την προσοχή σας και να τη διατηρήσει αμείωτη· μια *ιστορία* της τέχνης την ωθεί παραπέρα, ανοίγοντας μια λεωφόρο μέσα από τα σπίτια της φαντασίας. Σε μια γενική επισκόπηση της ιστορίας της τέχνης, όπως αυτή που ακολουθεί, η ένταση μπορεί να είναι ιδιαίτερα αισθητή. Σε κάθε περίπτωση ο αφηγητής και ο ακροατής ενδέχεται να μπουν στον πειρασμό να σταματήσουν και να κοιτάξουν για περισσότερη ώρα.

Γιατί λοιπόν να επιμείνουμε σ' ένα τέτοιο σχήμα; Ζούμε μέσα σε ένα συνωστισμό εικόνων. Δρόμοι και οθόνες σε όλο τον κόσμο παρουσιάζουν ένα συνονθύλευμα από ανόμοια, αποκομμένα αντικείμενα οπτικής πληροφορίας. Στα μάτια μας φτάνει ένα ασυνάρτητο σύνολο από καλλιτεχνικές παραπομπές –η Ιαπωνία του 19ου αιώνα, η Γαλλία του 13ου αιώνα, η Ρώμη του 16ου αιώνα, η Αυστραλία των Αβορίγινων– και θα ήταν τουλάχιστον χρήσιμο να γνωρίζουμε το απαραίτητο λεξιλόγιο: τι ήρθε από πού. Επιπλέον, θα ήταν χρήσιμο να κατανοήσουμε τη γραμματική του. Πώς σχετίζονται αυτές οι εικόνες μεταξύ τους; Πώς ριζώνουν στην εμπειρία άλλων ανθρώπων; Τι μοιραζόμαστε, αν μοιραζόμαστε κάτι, με τους δημιουργούς τους;

Ερωτήματα σαν αυτά γεννούν ιστορίες παρά επιστημονικές βεβαιότητες. Την ακόλουθη ιστορία την αφηγείται στην Αγγλία των αρχών του 21ου αιώνα κάποιος που προσπαθεί να απλώσει το χέρι του σε χιλιετίες κατασκευής αντικειμένων και σε έξι ηπείρους, ελπίζοντας να προσφέρει μια βάση πάνω στην οποία οι αναγνώστες θα μπορέσουν να συνεχίσουν φτιάχνοντας τις δικές τους ιστορίες. Σκοπός της είναι να αποτελέσει μια γενική εισαγωγή σε αντικείμενα και ζητήματα που αφορούν την παγκόσμια ιστορία της τέχνης, παρά ένα σύνολο συμπερασμάτων γι' αυτά. Δεν ασχολείται τόσο με το να προσδιορίσει ή να επαναπροσδιορίσει τι μπορεί να συνιστά τέχνη, αλλά με το να περιγράψει τι θεωρείται σήμερα τέχνη. Αντικειμενικός στόχος είναι το εύρος παρά το βάθος, η ευελιξία παρά η αυστηρότητα.

Εντούτοις μπορούμε να εκλάβουμε τη *μέθοδο* του βιβλίου με αρκετά στενό τρόπο. Θα υφάνω την αφήγησή μου γύρω από αντικείμενα που μου φαίνεται πως αναπαράγονται αποτελεσματικά σε μια σελίδα. Η τέχνη δεν είναι σε καμιά περίπτωση ένα ζήτημα συνεπτυγμένων πινάκων που μπορούν να μπουν εύκολα σε κορνίζα, όμως κάπως έτσι θα μοιάζει εδώ. Ως προς αυτό, οφείλω να παραδεχτώ μια προσωπική προκατάληψη. Φτάνω σε αυτό το εγχείρημα έχοντας αναλώσει το μεγαλύτερο μέρος της ζωής μου εργαζόμενος ως ζωγράφος. Ως εκ τούτου, έχω συνηθίσει να στέκομαι σε ένα δωμάτιο αντικρίζοντας ένα συγκεκριμένο αντικείμενο που ελπίζω πως θα έχει τη δική του ζωή και γλώσσα. Αντιμετωπίζω τις εικόνες εδώ με τον ίδιο εν πολλοίς τρόπο. Το είδος της τέχνης στο οποίο εστιάζει αυτό το βιβλίο αναφέρεται συνεπώς λιγότερο σε αυτό που μας περιστοιχίζει –περιβάλλοντα, κτίρια, διάκοσμος, σύνεργα, είδη ρουχισμού, κοσμήματα– και περισσότερο σε αυτό με το οποίο κατά κάποιον τρόπο ερχόμαστε *αντιμέτωποι*, από πίνακες μέχρι ειδώλια και μνημεία. Η ακινησία των μεμονωμένων εικόνων εισάγει έναν ακόμα περιορισμό στην πραγμάτευση. Δεν θα αναφερθώ επί μακρόν σε αυτό που κινείται μπροστά στο μάτι ή σε αυτό που το κάνει να κινείται, κάτι που σημαίνει πως αναγκαστικά θα περιθωριοποιηθούν όχι μόνο τα φαντασμαγορικά θεάματα και τα βίντεο, αλλά και οι πολλές συναρπαστικές ιστορικές αλληλεπιδράσεις ανάμεσα στην εικονοποιία και τη γραφή.

Καθώς έγραφα αυτό το βιβλίο, εργαζόμουν με βάση τρεις χαλαρά προσδιορισμένους κανόνες. Πρώτον, αν δεν υπάρχει πραγματικά κανένας τρόπος να δείξει κανείς κάτι, ας μην μιλήσει γι' αυτό. Όποιος επιλέγει περίπου τριακόσια πενήντα έργα ως εισαγωγή στο εύρος της ιστορίας της παγκόσμιας τέχνης περπατά πάνω σε ένα λεπτό, τεντωμένο σκοινί. Πολλοί θα απογοητευτούν με όσα δεν αναφέρονται· πολλοί περισσότεροι θα ένιωθαν ανία αν ανέφερα υπερβολικά πολλά ονόματα χωρίς να τα συνοδεύω με εικόνες. Όταν ήταν απολύτως αναγκαίο να κατονομάσω κάποιο σημαντικό σχήμα ή φαινόμενο που δεν μπορούσε να απεικονιστεί, προτίμησα μια πολιτική του τύπου «μοιάζει μάλλον με». Ειδάλλως, θεώρησα καλύτερο να αγνοήσω ό,τι δεν μπορούσα να παρουσιάσω αποτελεσματικά.

Δεύτερον, να διατηρήσω τα πράγματα σε μια χρονολογική σειρά. Αυτή η φιλική προς τον αναγνώστη οδηγία αποδείχτηκε πως δεν ήταν πάντα *απαρέγκλιτα* δυνατή, αφού η πραγμάτευση μετατοπίζεται από τη μία χώρα στην άλλη, ελπίζω όμως πως, στο βαθμό που είναι λειτουργική, θα επιφέρει μια αίσθηση που θα διαφωτίσει τόσο τις διαφορές από περιοχή σε περιοχή, όσο και τις διαπολιτισμικές συγγένειες.

Ο τίτλος μου, *Καθρέφτης του κόσμου*, υποδεικνύει την τρίτη προκείμενη βάσει της οποίας εργάστηκα. Θεωρώ την ιστορία της τέχνης ένα πλαίσιο εντός του οποίου η παγκόσμια ιστορία, με όλο της το εύρος, αντανακλάται συνεχώς πίσω σ' εμάς – παρά ένα παράθυρο που βλέπει σε κάποια ανεξάρτητη αισθητική επικράτεια. Θα θεωρήσω ως δεδομένο πως οι μαρτυρίες της καλλιτεχνικής αλλαγής σχετίζονται κατά κάποιον τρόπο με τις μαρτυρίες της κοινωνικής, τεχνολογικής, πολιτικής και θρησκευτικής αλλαγής, όσο ανεστραμμένες ή αναδιαμορφωμένες και αν αποδεικνύονται αυτές οι αντανακλάσεις.

Οι καθρέφτες μπορούν να λειτουργήσουν μόνο με βάση το φωτισμό που κάθε φορά προσφέρεται, και εντούτοις μπορούν να μας δείξουν τα πράγματα εκ νέου. Ο τίτλος μου υποδεικνύει επίσης αυτό που θέλω να πιστεύω – ότι τα έργα τέχνης μπορούν να αποκαλύπτουν πραγματικότητες που ειδάλλως θα είχαν παραμείνει αθέατες, ότι μπορούν να λειτουργούν ως πλαίσια για την αλήθεια. Εκείνο που ωστόσο θα κυριαρχήσει στην ιστορία που αφηγούμαι είναι η κατασκευή αυτών των αντικειμένων, παρά η έσχατη υπόστασή τους. Η ιστορία της τέχνης με ενδιαφέρει κυρίως επειδή μοιάζει να με φέρνει εγγύτερα σε κάποια εξαιρετικά πράγματα και στους ανθρώπους που τα έφτιαξαν. Ελπίζω να μπορέσω να μεταδώσω ένα μέρος αυτού του ενδιαφέροντος όσο και αυτής της απόλαυσης.

1

ΟΡΙΖΟΝΤΑΣ

Ζώο και άνθρωπος
πριν από το 31.000 π.Χ.

Φανταστείτε πως κρατάτε σφιχτά μια μάζα πυριτόλιθου στο αριστερό σας χέρι. Η μια άκρη βρίσκεται στην παλάμη σας, η άλλη αιωρείται πάνω από το έδαφος. Με το δεξί σας χέρι κατεβάζετε μιαν άλλη μάζα για να χτυπήσετε την ελεύθερη άκρη του υπό γωνία με μια σειρά ρυθμικών, απότομων, γερών χτυπημάτων. Καθώς πετάγονται οι πέτρινες φολίδες, ο χειροπέλεκύς σας αποκτά σχήμα. Ο ακανόνιστος κόνδυλος που πήρατε από το έδαφος γίνεται κάτι με σταθερή κόψη και ισορροπημένο βάρος. Η εκπαίδευση που έχετε λάβει παρακολουθώντας τους μεγαλύτερούς σας σας υποδεικνύει πώς πρέπει να είναι το αντικείμενο, ανεξάρτητα από το αν διαθέτετε ή όχι το λεξιλόγιο για να περιγράψετε αυτήν τη γνώση.

Εντούτοις, ο πυριτόλιθος που μαζέψατε σήμερα το πρωί δεν μοιάζει με όσους έχετε μεταχειριστεί μέχρι τώρα. Παρουσιάζει κιόλας σε μικρή κλίμακα το είδος της ισορροπίας που τα χτυπήματά σας θα του προσδώσουν συνολικά: μία από τις πλευρές του σημαδεύεται από ένα απολιθωμένο όστρακο. Σημειώνετε πού βρίσκεται το όστρακο με τον αριστερό σας δείκτη και ύστερα σφυροκοπάτε μιαν άκρη από την άλλη πλευρά ώστε οι φολίδες, αφού αποκοπούν, να αφήσουν άθικτο αυτό το ιδιαίτερο γνώρισμα. Όταν τελειώσετε τη δουλειά σας, μια μεγαλύτερη συμμετρία απηχεί τη μικρότερη συμμετρία του οστράκου, με τις αιχμές και τις καμπύλες του να έχουν τεθεί σε αντίθετες κατευθύνσεις. Το αντικείμενο που κατέχει αυτές τις ιδιότητες είναι ξεχωριστό [**2**]: ασκεί στα μάτια μια ορισμένη θελκτική δύναμη.

Ανήκετε στο ανθρώπινο είδος; Συζητήσιμο. Τον συγκεκριμένο χειροπέλεκυ τον εγκατέλειψαν στην Αγγλία πριν από τουλάχιστον εκατό χιλιάδες χρόνια. Ο homo sapiens, το δικό μας είδος, είχε εξελιχθεί στην Αφρική είκοσι ή τριάντα χιλιάδες χρόνια νωρίτερα, θα έπρεπε όμως να είχε περιπλανηθεί πολύ μακριά και πολύ βόρεια, οπότε υπεύθυνο ήταν μάλλον ένα στενά συγγενικό «ανθρωποειδές», ένας ανθρωπόμορφος πίθηκος, ο homo erectus. Εντούτοις, ό,τι συνήθως συμβαίνει στην τέχνη συνέβη και εδώ. Ο πελεκητής του πυριτόλιθου κατασκεύασε ένα πράγμα καλά, αξιοποιώντας όσο καλύτερα μπορούσε την ικανότητά του/της. Οι τομές στην πέτρα ανέδειξαν αιχμές, καθαρές γραμμές, εκεί όπου πριν δεν υπήρχαν. Ανέδειξαν καθορισμένες σχέσεις ανάμεσα στο αριστερό και το δεξί, στο πάνω και το κάτω, στο πίσω και το μπροστά. Σε όλα αυτά, εκείνος ή εκείνη ακολουθούσε το ζωικό προηγούμενο και τους νόμους της φυσικής. Όταν τα άλλα είδη κατασκευάζουν πράγματα –τα πουλιά φωλιές, οι αράχνες ιστούς, οι κάστορες φράγματα–, η τάξη δεν είναι προαιρετική αλλά

1 Βραχογραφία με τοξότες που κυνηγούν ελάφια, Καβάλς, Ισπανία, 5000–2000 π.Χ.

2 Αυτός ο χειροπέλεκυς από πυριτόλιθο, που βρέθηκε στο δυτικό Τοφτς, στο Νόρφολκ της Αγγλίας, χρονολογείται το 100.000 π.Χ., σύμφωνα όμως με κάποιες εκτιμήσεις η ηλικία του φτάνει πίσω στα 200.000 χρόνια, αν όχι παλιότερα.

3 Σκαλισμένη πέτρα από τόφο, κατεργασμένη πάνω από 250.000 χρόνια πριν, από την τοποθεσία Μπέρεκχατ Ραμ, Ισραήλ. Ένας ολοένα και μεγαλύτερος αριθμός από αντικείμενα τέτοιας φύσεως –πέτρες ή οστά με σκόπιμα αλλαγμένο σχήμα– έρχονται στο φως καθώς η γνώση των αρχαιολόγων για την Αρχαιότερη Παλαιολιθική περίοδο διαρκώς εμπλουτίζεται. Η σημασία τους παραμένει αμφιλεγόμενη. Στην περίπτωση αυτή είναι βέβαιο πως η πέτρα έχει σκαλιστεί με κάποιο σκοπό· δεν είναι βέβαιο, ωστόσο, ότι η πρόθεση ήταν να παραστήσει την εικόνα μιας γυναίκας. Εντούτοις, αυτό το είδος δραστηριότητας υποδηλώνει ασφαλώς ότι οι μακρινοί πρόγονοί μας συνήθιζαν όλο και περισσότερο να κοιτούν τα αντικείμενα και να αναζητούν νοήματα μέσα τους.

σύμφυτη με το σκοπό τους. Χωρίς αυτήν τα πράγματα δεν θα μπορούσαν να κάνουν αυτό που πρέπει να κάνουν. Τα μάτια, ο εγκέφαλος και τα άκρα, που αυτά καθεαυτά έχουν εξελιχθεί υπό σωματικούς περιορισμούς, συνεργάζονται για να παραγάγουν κάτι που λειτουργεί, που έχει *φόρμα*, που συνεπώς δείχνει ωραίο.

Επιπλέον, ο τρόπος με τον οποίο δουλεύτηκε αυτός ο πυριτόλιθος υποδηλώνει ότι ο κατασκευαστής του είδε κάτι ιδιαίτερο, κάτι μοναδικό σε αυτόν. Ούτε όμως και αυτή η «αισθητική εμπειρία», όπως θα την αποκαλούσαμε, βρίσκεται έξω από το εύρος της ζωικής συμπεριφοράς. Οι κίσσες δεν θα λιμοκτονούσαν αν δεν υπήρχαν τα κοσμήματα: όταν τα κλέβουν, πρέπει να υποτάσσονται σε κάποιο είδος οπτικής σαγήνης. Με ακόμα πιο εντυπωσιακό τρόπο, οι πτιλλονόρυγχοι της Μελανησίας μαζεύουν όστρακα και γυαλιστερά βότσαλα και φτιάχνουν τις φωλιές τους σαν ευρύχωρες και τακτοποιημένες γαλαρίες. Όποιο και αν είναι το βιολογικό κίνητρο αυτών των ενεργειών, δείχνει ότι η έλξη προς το παράξενο, το λαμπερό και το καλοσχηματισμένο αποτελεί μια κοινή δυνατότητα σε πολλά οπτικά συστήματα.

Εκείνο που διακρίνει πλήρως το χειροπέλεκυ από τα ερευνητικά ενδιαφέροντα των βιολόγων δεν είναι η αίσθηση της φόρμας του ή η οπτική του σαγήνη, αλλά η εκπαίδευση που προϋποθέτει. Η συμπεριφορά των ζώων μεταδίδεται κυρίως γενετικά, με την κληρονομικότητα. Όταν απεναντίας η συμπεριφορά μεταδίδεται με τη μάθηση, οι ερευνητές δεν την αντιμετωπίζουν πλέον ως ζήτημα της βιολογίας, αλλά της *κουλτούρας*. Εδώ η εν λόγω κουλτούρα, δηλαδή το πελέκημα της πέτρας, αναπτύχθηκε αργά μεταξύ των ανθρωποειδών για πάνω από δύο εκατομμύρια χρόνια προτού φτιαχτεί αυτό το δείγμα. Στη συνέχεια επρόκειτο να εκλεπτυνθεί ακόμα περισσότερο, δίνοντας λάμες εξαιρετικά λεπτοδουλεμένες στο υπόλοιπο της «Παλαιολιθικής εποχής», που τέλειωσε γύρω στο 10.000 π.Χ. Ίσως όμως αυτή η πρακτική, όποιους σκοπούς και αν εξυπηρετούσε, να μην απέδωσε εντελώς αυτό που τώρα εννοούμε λέγοντας τέχνη. Ας αναλογιστούμε αντ᾽ αυτού κάτι τουλάχιστον εξίσου παλιό με το χειροπέλεκυ –αν και πολύ λιγότερο κομψό– που πιθανώς ικανοποιεί αυτό που έχουμε φτάσει εντέλει να προσδοκούμε.

Αυτό το μικρό κομμάτι ηφαιστειακού βράχου, το γνωστό ως τόφος [**3**], ανακαλύφθηκε από αρχαιολόγους στο Μπέρεκχατ Ραμ, μια τοποθεσία στο Ισραήλ την οποία κατοικούσαν ανθρωποειδή κάποια χρονική περίοδο μεταξύ του 280.000 και του 250.000 π.Χ. Επειδή δεν ήταν βέβαιοι για τι επρόκειτο, οι ερευνητές ανέλυσαν με το μικροσκόπιο τη μοριακή του δομή. Το σχέδιο των ενσφηνωμένων κρυστάλλων στον τόφο επιβεβαίωσε ότι ένας φυσικός πέτρινος σχηματισμός που έμοιαζε μάλλον με κεφάλι και κορμό είχε χαρακωθεί με επιπρόσθετες αυλακιές, κατά τα φαινόμενα για να δοθεί έμφαση στο λαιμό και στις πτυχώσεις των χεριών σε σχέση με το γυναικείο στήθος. Για να επιτελέσει αυτό το έργο –αν κλείνει μέσα του όντως την πρόθεση να αποτελέσει μια πολύ πρώιμη μορφή παραστατικής λάξευσης–, ο κατασκευαστής θα έπρεπε να πάρει μια διακριτή εικόνα από τα ζωντανά σώματα που εκείνος ή εκείνη είχε δει. Θα έπρεπε να μεταφέρει αυτήν την εικόνα, με τη βοή-θεια κάποιου εργαλείου, στο σώμα της πέτρας. Επιπλέον, θα χρειαζόταν κάποιο κίνητρο για να προβεί σε αυτό τον εξαιρετικό ισχυρισμό: *Αυτό είναι εκείνο*.

Κανέναν τέτοιον παράγοντα δεν παρατηρούμε στη συμπεριφορά προγενέστερων ζώων. Πρέπει να υπεισέλθει ένας νέος παράγοντας – όχι η φόρμα, ούτε η οπτική σαγήνη. Πρέπει να αναγνωρίσουμε ότι ένα προϊόν όπως αυτό ακροβατεί στο αόρατο. Ο κατασκευαστής του διαθέτει νόηση. Σε έναν αθέατο χώρο, τα αντικείμενα που βλέπει και νιώθει κανείς στον εξωτερικό κόσμο έχουν οργανωθεί σε κατηγορίες, όπως «γυναίκα» ή «άνδρας», οι οποίες έπειτα μπορούν να εφαρμοστούν σε άλλα αντικείμενα, όπως οι πέτρες. Αυτές οι κατηγορίες φέρουν εντός τους νοήματα και αξίες που ωθούν τα άτομα σε ορισμένους τύπους συμπεριφοράς. Τα ωθούν ιδίως στο να καταστήσουν ορατό αυτό που δείχνει πως υπάρχουν σκέψεις άδηλες: ούτως ειπείν, σύμβολα.

Ο οπτικός συμβολισμός, υπό αυτήν την ευρεία έννοια, θα είναι το βασικό θέμα αυτού του βιβλίου. Θα είναι ένας μακρύς διάλογος ανάμεσα σε αυτό που τα μάτια σας μπορούν να δουν και αυτό που ο νους σας πρέπει να συ-νάγει. Όμως το γιατί και το πώς ακριβώς εμφανίστηκε ο συμβολισμός, όπως και το πότε ακριβώς συνέκλινε σε μια αίσθηση τάξης και οπτικής σαγήνης για να δημιουργηθεί η τέχνη όπως τη γνωρίζουμε, παραμένουν πολύ ανοι-χτά ζητήματα. Μπορεί κάλλιστα τα παραδείγματα που προσφέρει η φύση –όπως το όστρακο στον πυριτόλιθο ή οι καμπύλες του τόφου– να συνέβαλαν στη διαδικασία. Γενικότερα, φαντάζει πειστική η ιδέα ότι η αφηρημένη σκέ-ψη και οι ακουστικές και οπτικές εκφάνσεις της (η γλώσσα και η τέχνη) εμφανίστηκαν ταυτόχρονα με το φαινόμε-νο της θρησκείας (δηλαδή τη στροφή της συμπεριφοράς προς το αόρατο) μέσα από μια μεμονωμένη, αλληλεξαρ-τώμενη εξέλιξη.

Πρόκειται για μια εύλογη υπόθεση. Μπορεί να αποδειχτεί; Πότε πότε στο ιστορικό της Αρχαιότερης Παλαιο-λιθικής βρίσκουμε συμμετρικές εγκοπές σε οστά και πέτρες, που κατά τα φαινόμενα μαρτυρούν διάφορα είδη συλ-λογιστικής διαδικασίας. Όμως κάθε έρευνα πρέπει να προσεγγίζει τις δραστηριότητες των αντιπροσώπων του homo sapiens – δηλαδή ανθρώπων σαν εμάς. Ο homo sapiens ήταν ένα είδος που αρχικά αναπτύχθηκε στην Αφρι-κή, γύρω στο 130.000 π.Χ., από εκεί όμως εξαπλώθηκε στην Ευρασία και αντικατέστησε όλες τις άλλες μορφές αν-θρωποειδών στη διάρκεια των επόμενων εκατό χιλιάδων χρόνων. Στους πρώτους τόπους εγκατάστασης, κομμάτια από κόκκινη ώχρα σχηματίζουν έναν δελεαστικό σωρό. Πάνω σε ένα κομμάτι που βρέθηκε στο σπήλαιο Μπλόμ-μπος στη νότια Αφρική από το 75.000 π.Χ. περίπου, έχει σκαλιστεί ένας κάνναβος. Αν λοιπόν οι πρόγονοί μας ζω-γράφιζαν σχέδια στον γεμάτο με χρωστικές ουσίες βράχο, δεν είναι λογικό να τις χρησιμοποιούσαν και για να σχε-διάζουν τις γύρω επιφάνειες; Το ερώτημα μας φέρνει αντιμέτωπους με το θεμελιώδες όριο της ιστορίας της τέχνης. Το μεγαλύτερο μέρος από αυτά που οι άνθρωποι φτιάχνουν για να βλέπουν διαρκεί λίγο περισσότερο από τις λέ-ξεις που εκφέρουν. Με τον καιρό το συντριπτικά μεγαλύτερο τμήμα της ανθρώπινης εικαστικής δραστηριότητας ήταν πιθανώς εστιασμένο στο δέρμα ή στα μαλλιά του ανθρώπου – ή περιλάμβανε βιοδιασπώμενα νήματα και δέρματα ζώων, ή μορφές που αποδόθηκαν πάνω σε εύφλεκτο ξύλο ή άψητο πηλό, ή σημάδια που έγιναν πάνω στην άμμο. Τα περισσότερα γίνονται στάχτη και σκόνη. Ως επί το πλείστον αντικρίζουμε το κενό.

Το χρονικό της τέχνης των πρώτων εκατό χιλιάδων χρόνων αυτού του είδους είναι έως τώρα εξαιρετικά ομι-χλώδες. Το 30.000 π.Χ. ο homo sapiens είχε εξαπλωθεί στην Ευρώπη και στην Ασία (αν και όχι ακόμη στην Αμε-ρική) και είχε εγκατασταθεί και στην Αυστραλία, μια ήπειρο στην οποία πρέπει να έφτασε κωπηλατώντας. Στην Αυστραλία, απλά αλλά αινιγματικά σύμβολα σε πλευρές βράχων, όπως ημικύκλια, προέρχονται πιθανώς από αυ-τήν τη χρονική περίοδο. Μια παράδοση παραστατικής τέχνης πάνω στους βράχους αναπτύχθηκε βαθμιαία σε αυ-τήν τη βάση από έναν πληθυσμό που έχασε επαφή με τις ηπείρους στα βόρειά του. Εκείνο όμως που καθήλωσε τη μοντέρνα φαντασία έλαβε χώρα στην άλλη άκρη του κόσμου: διότι ξαφνικά, και σε ένα και μόνο έργο, βρισκόμα-στε αντιμέτωποι με όλα όσα προσδοκούμε να βρούμε όταν μιλάμε για «τέχνη».

4 Λάξευμα ενός θηριανθρώπου («ανθρώπου-ζώου») από ελεφαντοστό, από το Χόλενσταϊν-Στάντελ, Γερμανία, περ. 31.000 π.Χ.

Στο φως του πυρσού
Δυτική Ευρώπη, 31.000–10.000 π.Χ.

Αυτό το ειδώλιο από το σπήλαιο Χόλενσταϊν-Στάντελ στη νότια Γερμανία έχει μήκος έναν πήχη και έχει λαξευτεί πάνω σε οστό μαμούθ [**4**]. Στέκεται σαν άνθρωπος, με κεφάλι λιονταριού. Εδώ φαίνεται πως εμφανίζεται η μορφοποίηση όπως τη γνωρίζουμε: χονδρικά γύρω στο 31.000 π.Χ. Ενδεχομένως μια λεπτή γυναίκα που χορεύει, λαξευμένη σε πράσινο σχιστόλιθο, από το Γκάλγκενμπεργκ στην Αυστρία, και μερικά άλογα, βίσονες και πουλιά σε μέγεθος παλάμης από τα κοντινά γερμανικά σπήλαια είναι εξίσου παλιά με αυτήν τη λιονταρίσια μορφή. Τη συναγωνίζονται σε χάρη και σιγουριά. Σε αυτήν τη σειρά τεχνουργημάτων, η αίσθηση της φόρμας και η φινέτσα που οι άνθρωποι είχαν κατακτήσει στην κατασκευή πελέκεων στράφηκαν σε έναν νέο σκοπό, την αναπαράσταση σωμάτων. Τα βασικά κριτήρια της γλυπτικής είναι παρόντα – η συμμετρία, μια αίσθηση αναλογίας, οι κανονικές αποστάσεις στις εγκοπές κατά μήκος των χεριών, το ωραίο στίλβωμα στο σχηματισμό του κεφαλιού. Επιπλέον, στο Χόλενσταϊν-Στάντελ όλο αυτό τοποθετείται σαφώς στην υπηρεσία της φαντασίας. Τα νοήματα που υπάρχουν σε αυτόν το «θηριάνθρωπο», αυτό τον άνθρωπο-ζώο, δεν πρέπει να πηγάζουν απλώς από την ορατή φύση, αλλά και από την υπερφύση του μύθου.

Η αιφνίδια εμφάνιση παρόμοιων λαξευμένων αντικειμένων στην Ευρώπη οδήγησε τους θεωρητικούς στο να εικάσουν πως έγινε κάποια «δημιουργική έκρηξη» – ένα φαινόμενο που εφεξής έμελλε να γεννήσει τα βασικά στοιχεία της παγκόσμιας κουλτούρας. Η υιοθέτηση ολοένα και πιο δομημένων τόπων εγκατάστασης για κάτι που μέχρι τότε ήταν μια νομαδική ζωή χρησιμοποιείται επίσης ως τεκμήριο για τη δραματική νοητική μεταμόρφωση που σημειώθηκε και εξαπλώθηκε με το homo sapiens στα δέκα χιλιάδες χρόνια μετά το 40.000 π.Χ. Αυτό είναι μια περιγραφή, όχι μια εξήγηση γεγονότων. Εστιάζει κυρίως στην Ευρώπη, και η δυναμική της παραμένει εν πολλοίς ζήτημα εικοτολογίας και αντιπαράθεσης. Κάθε θεώρηση του τι συνέβη πρέπει σαφώς να αναγνωρίσει τις ανεξάρτητες εξελίξεις στην Αυστραλία, αν όχι και αλλού. Θα πρέπει αναμφίβολα να αλλάξουμε τη σειρά των γεγονότων αν ανακαλύψουμε περισσότερα για το τι οδήγησε στις εκλεπτυσμένες δημιουργίες που μας προσφέρουν τα γερμανικά και αυστριακά σπήλαια.

Για την ώρα, ωστόσο, συναντάμε αυτή τη «μορφή» –το ζωντανό σώμα που έγινε εκ νέου αντικείμενο της φαντασίας, το πρώτο πράγμα με το οποίο μπόρεσε να συνδεθεί ο δυτικός όρος «τέχνη»– χωρίς κανένα σχεδόν στοιχείο για το πώς αρχικά αναπτύχθηκε. Οι ανακαλύψεις που αφορούν τις προϊστορικές χιλιετίες της Ευρώπης έδωσαν ξανά τροφή σε μια μακροχρόνια αντιπαράθεση μεταξύ των θεωρητικών της τέχνης στη νεότερη Ευρώπη.* Κατά

---

* Το ζήτημα της καταγωγής της τέχνης το είχε ήδη εγείρει τη δεκαετία του 1460 ο Λεόν Μπατίστα Αλμπέρτι (Leon Battista Alberti) στο δοκίμιό του *Περί γλυπτικής* (βλ. Κεφάλαιο 5). Σ.τ.Ε.: Το ζήτημα είχε απασχολήσει τον Αλμπέρτι ήδη από τη δεκαετία του 1430 στο δοκίμιό του *Περί ζωγραφικής*. Πολύ πριν από τον Αλμπέρτι βέβαια το ζήτημα είχε απασχολήσει τον Πλίνιο τον Πρεσβύτερο (23–79 μ.Χ.) στο 35ο βιβλίο της περίφημης *Φυσικής Ιστορίας* του.

πόσον οι ρίζες της τέχνης βρίσκονται στις ανθρώπινες ιδέες –σε ό,τι οι άνθρωποι αποβλέπουν, εφευρίσκουν, φαντάζονται και σχεδιάζουν– και κατά πόσο σε ό,τι προέρχεται από τη «φύση» – σε ό,τι βλέπουν γύρω τους, όπως στα σώματα; Περιττό να πούμε πως δεν υπάρχει οριστική απάντηση. Οι σημαντικότερες όμως προϊστορικές ανακαλύψεις, όταν έγιναν γνωστές στις αρχές του 20ού αιώνα, έμοιαζε να ευνοούν τους θιασώτες του «νατουραλισμού». Πίσω στο 1879, η εφτάχρονη Μαρία ντε Σότολα, ακολουθώντας τον κυνηγό θησαυρών πατέρα της στο ισπανικό σπήλαιο της Αλταμίρα, έτυχε να σηκώσει το βλέμμα της στην οροφή την οποία φώτιζε ο πυρσός του καθώς εκείνος έσκαβε για θαμμένους θησαυρούς. «Mira, papá, bueyes!» Αυτήν την κραυγή έκπληκτης αναγνώρισης –Κοίτα, μπαμπά, βόδια!– θα την απηχούσαν σταδιακά, συχνά απρόθυμα, οι σκεπτικιστές της εποχής καθώς έγινε φανερό πως αυτές οι για καιρό κρυμμένες, μετέωρες εικόνες ζώων ώθησαν το χρονικό όριο της ζωγραφικής πολύ πέρα από τις καταγεγραμμένες μαρτυρίες. Ενώ οι καλλιτέχνες του 20ού αιώνα απαντούσαν στη νεωτερικότητα με ριζοσπαστικές δημιουργίες, το άνοιγμα και άλλων υπόγειων συγκροτημάτων στη βόρεια Ισπανία και στη νότια Γαλλία προκάλεσε επανάσταση ως προς την επίγνωση του παρελθόντος της τέχνης. Ήταν μια επανάσταση που θα συνεχιζόταν για χρόνια. Θεωρείται ότι τα σπήλαια στην Αλταμίρα και στο Λασκό (το πιο γνωστό παλαιολιθικό σπήλαιο της Γαλλίας) ζωγραφίζονταν ίσως από το 17.000 π.Χ. και μετά. Αλλά η ανάλυση τοιχογραφιών με ραδιοάνθρακα σε ένα άλλο γαλλικό σπήλαιο, το Σοβέ, που ανακαλύφθηκε μόλις το 1994, πρόσθεσε πάνω από δέκα χιλιάδες χρόνια προϊστορίας στην παράδοση της ζωγραφικής. Τώρα φαίνεται πως είναι σχεδόν εξίσου αρχαία με την πρακτική της λάξευσης μορφών.

Σε αυτήν την ιλιγγιώδη, σχεδόν ασύλληπτη απόσταση των 30.000 χρόνων, η σιγουριά της τέχνης στο Σοβέ [**5**, **6**] ξεπηδάει με μια δύναμη που αδράχνει τη φαντασία – παρά το γεγονός ότι, όπως σε όλες τις σημαντικές σπηλαιογραφίες, οι περισσότεροι από εμάς έχουμε πρόσβαση σε αυτές μόνο μέσω φωτογραφιών και αναπαραστάσεων. Πώς *έβλεπαν* αυτοί οι ζωγράφοι, πώς αισθάνονταν τις δυνάμεις των ζώων! Όπως σχολίασε ο Πικάσο (Picasso), όταν επισκέφθηκε το Λασκό στα 1940, «Εμείς δεν έχουμε μάθει τίποτα». Τα εικονογραφικά τεχνάσματα, όπως το κυμαινόμενο βάρος της γραμμής που χρησιμοποιείται για να υποδηλώσει το σώμα του ρινόκερου που ξεχύνεται μπροστά, συνδέονται απευθείας με τη νεωτερική φαντασία. Η σκίαση υποδηλώνει το σχηματισμό των σωμάτων, θαρρείς και αυτοί οι στιλίστες, σαν τους ομότεχνούς τους στην Κλασική Ελλάδα ή στην Ιταλία του 13ου αιώνα, μιμούνταν την όψη των ανάγλυφων λαξευμάτων. Υπάρχει ακόμα και μια νύξη προοπτικής στη συστροφή και στην επικάλυψη κεφαλιών και άκρων.

Από τις απαρχές της, η σπηλαιογραφία στην Ευρώπη εμπεριείχε κατά τα φαινόμενα άκρως νατουραλιστικές απηχήσεις. Αυτό όμως δεν εξηγεί γιατί οι άνθρωποι αναγκάστηκαν να εγκαταλείψουν το φως του ήλιου και να κατέβουν σε κρύα, σκοτεινά και επικίνδυνα περάσματα για να ζωγραφίσουν – επιστρέφοντας συχνά, τη μία χιλιετία μετά την άλλη, στην ίδια το-

5, 6 (πίσω σελίδα) Ζωγραφικές παραστάσεις με ρινόκερους και άλογα από το σπήλαιο Σοβέ, νότια Γαλλία, περ. 28.000 π.Χ. Οι πιο πρώιμες γνωστές ζωγραφικές παραστάσεις στον κόσμο παρουσιάζουν μια σίγουρη και πράγματι εκλεπτυσμένη εικονογραφική γλώσσα. Τα σχέδια από κάρβουνο των επικαλυπτόμενων κεφαλών αλόγων και βισόνων χαρακτηρίζουν μια παράδοση που συνεχίστηκε στη Δυτική Ευρώπη για περίπου 18.000 χρόνια. Η σκηνή με τους δύο ρινόκερους να παλεύουν είναι πιο ασυνήθιστη – οι μορφές στην τέχνη των σπηλαίων σπάνια παρουσιάζονται να έρχονται σε επαφή. Ο ρινόκερος εξαφανίστηκε από την Ευρώπη γύρω στο 10.000 π.Χ., πιθανώς ως αποτέλεσμα του ανθρώπινου κυνηγιού.

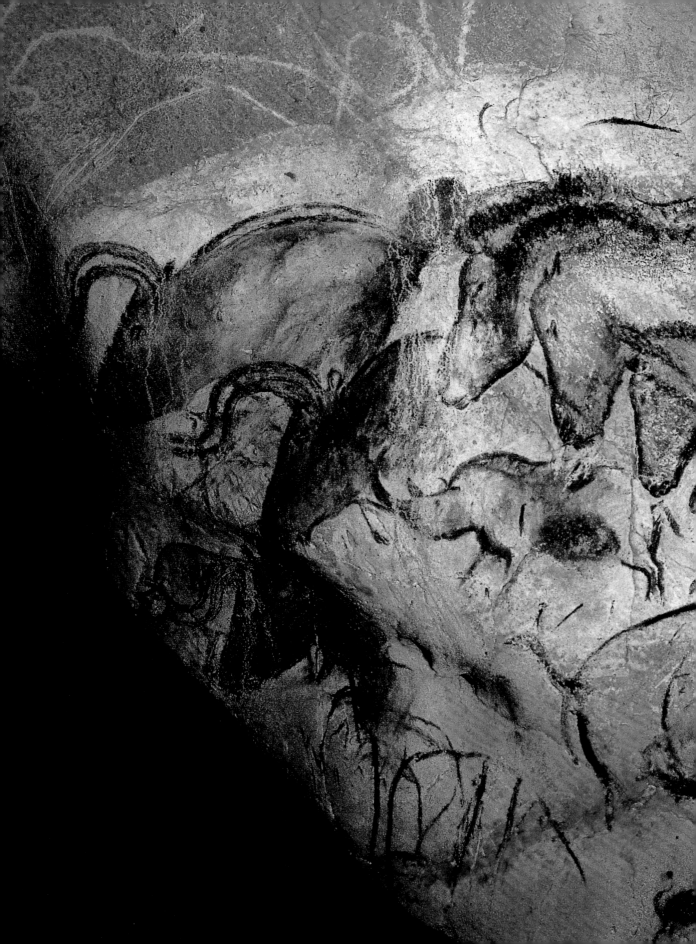

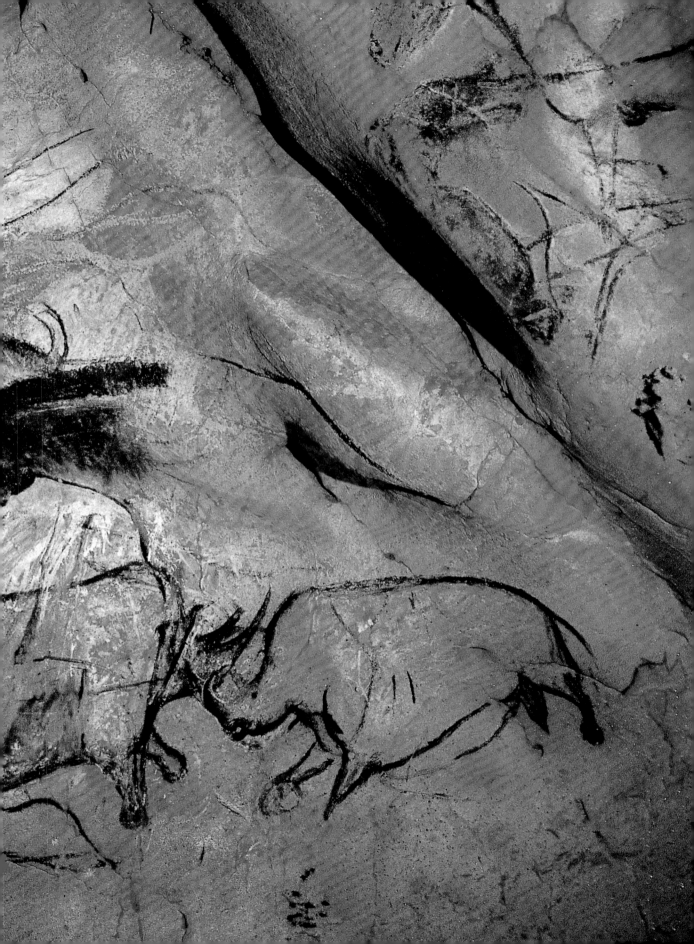

ποθεσία. Αυτό ήταν προφανώς ένα τελετουργικό με πολλούς συμμετέχοντες: αποτυπώματα ή περιγράμματα από παλάμες που έγιναν με τη χρήση χρωστικών ουσιών, τις οποίες φυσούσαν με το στόμα σε πολλές επιφάνειες βράχων, περιλαμβάνουν και παλάμες παιδιών. Σε πολλά τοιχώματα σπηλαίων η σχεδίαση ζώων μοιάζει να μην έχει ως κίνητρο τόσο τη δημιουργία ορατών εικόνων, όσο την επιθυμία των ανθρώπων να επιστρέψουν για να προσθέσουν ένα ίχνος σε μια τοποθεσία που κατέστη σημαντική λόγω προηγούμενων σημαδιών, και ίσως γι' αυτό μερικά από αυτά έχουν γίνει ένα συνονθύλευμα από επικαλυπτόμενες ακατάληπτες μουτζούρες. Και όμως, στις οροφές των μεγαλύτερων θαλάμων στην Αλταμίρα και στο Λασκό βλέπουμε τη συνήθη εικονοποιία με άλογα, βίσονες και ελάφια σε λίγο ως πολύ τακτικούς σχηματισμούς. Αυτές οι οροφές είναι τόσο ψηλές ώστε οι καλλιτέχνες που εργάστηκαν σε αυτές πρέπει να ήταν ανεβασμένοι σε σκαλωσιές. Όταν φωτίζονταν με λύχνους και πυρσούς, αυτές οι εικόνες θα παρουσίαζαν ένα φευγαλέο, απρόσιτο θέαμα σε όποιον κοίταζε πάνω – ένα παλαιολιθικό ισοδύναμο με τις σημερινές μας εμπειρίες από την κινηματογραφική οθόνη ή το τρενάκι του τρόμου.

Όπως αυτές, το σπήλαιο αποτελούσε μια ζώνη αποστασιοποίησης από τις συνθήκες της καθημερινής ζωής. Όσοι έμπαιναν σε αυτήν ζούσαν κυρίως κυνηγώντας και συνεπώς μετακινούνταν, ακολουθώντας τα ζώα κατά τη μετανάστευσή τους. Τα μεγαλύτερα σπήλαια βρίσκονται κυρίως σε κοιλάδες που διακλαδίζονται στους μεταναστευτικούς δρόμους, και οι άνθρωποι μπορεί να συνέκλιναν σε αυτές ανά εποχή. Ορισμένα άτομα πρέπει να ήταν οδηγοί. Με άλλα λόγια, η Παλαιολιθική εποχή διέθετε τους ειδικούς της στην τέχνη, αν όχι καλλιτέχνες πλήρους απασχόλησης. Εξάλλου, όποιος και αν λάξευε στο Χόλενσταϊν-Στάντελ διέθετε μια ξεχωριστή ατομική δεξιότητα. Περνώντας στην περίοδο μεταξύ του 15.000 και του 12.000 π.Χ., θα δούμε πως όποιος μηχανεύτηκε το γλυπτικό επινόημα που βρέθηκε στην τοποθεσία Λα Μαντλέν της Γαλλίας [7] πρέπει να παρακινήθηκε –και ελπίζουμε να ανταμείφθηκε– από ένα κοινό με γερά αντανακλαστικά ως προς τα υψηλά επιτεύγματα. Ο βίσονας που διπλώνεται για να απομακρύνει τα έντομα από το πλευρό του έχει αποτυπωθεί στο περιορισμένο πλαίσιο ενός ταράνδινου κέρατος, δίνοντας την εντύπωση ότι στρέφεται εναντίον του. Είναι μια πνευματώδης, παράδοξη ανταπόκριση στα όρια που θέτει η φύση, η οποία προβάλλεται έντονα στην παλαιολιθική αισθητική. Για να δώσουμε ένα αντίστροφο παράδειγμα, στο σπήλαιο της Νιό μια σκοτεινή κοιλότητα ανάμεσα σε βράχους, που σχηματίστηκε γεωλογικά παίρνοντας το περίγραμμα ενός ελαφίσιου κεφαλιού, καλύφθηκε με καρβουνιασμένα ελαφίσια κέρατα. Η ευφυής σκέψη και η εκλεπτυσμένη εκτέλεση μπορούν επιπλέον να αποτελούν αντικείμενα ανταλλαγής. Η τοποθεσία Λα Μαντλέν αποτέλεσε ένα σημαντικό κέντρο για την κατεργασία της πέτρας και του οστού στη Νεότερη (δηλαδή την πιο πρόσφατη) Παλαιολιθική, και μετακινούμενοι κυνηγοί μετέφεραν τα προϊόντα της πολύ μακριά. Προς το τέλος αυτής της περιό-

7 Θραύσμα ενός λαξευμένου ελαφίσιου κέρατος που δείχνει ένα βίσονα να γλείφει το πλευρό του, περ. 14.000 π.Χ., από την τοποθεσία Λα Μαντλέν, Δορδόνη, Γαλλία. Αυτό το μικρό αντικείμενο –10 εκατοστά, μπορείς να το κρατήσεις μες στην παλάμη σου– πιθανώς χρησίμευε ως εκτοξευτής δοράτων, ένα εργαλείο που χάριζε στο βλήμα του κυνηγού πρόσθετη ορμή. Ήταν ένα καλλιτέχνημα που επιδεικνυόταν στην παρέα των άλλων κυνηγών: θα μπορούσαμε να το θεωρήσουμε και ως ένα ανώτερης ποιότητας παλαιολιθικό μοδάτο αξεσουάρ. Η εξαιρετικά λεπτεπίλεπτη εγχάραξη την οποία παρουσιάζει συναντάται σε πολλά οστέινα θραύσματα αυτής της περιόδου, μερικά εκ των οποίων απεικονίζουν μικρές ανθρώπινες μορφές.

δου, ένα άλλο κέντρο, το Μας ντ' Αζίλ, παρήγαγε έναν έξυπνο, ακόμα και αστείο διάκοσμο για δόρατα – για παράδειγμα ένα ελάφι που αποβάλλει ένα τεράστιο περίττωμα όπου δύο πουλιά κάθονται και το τσιμπολογούν.

Αλλά ας επιστρέψουμε στο ερώτημα: γιατί οι ειδικοί έφτιαχναν την τέχνη τους μέσα στα σπήλαια; Οι απαντήσεις ποικίλλουν ανάλογα με τις διανοητικές τάσεις που κάθε φορά επικρατούν, και κάποιες έχουν απορριφθεί. Κάποτε αυτό θεωρούνταν μια «μαγική πρακτική για το κυνήγι», όμως τα ζώα που οι κυνηγοί σχεδίαζαν και τα ζώα που έτρωγαν δεν φαίνεται να ταιριάζουν. Μια πιο πρόσφατη ερευνητική γραμμή δίνει έμφαση σε τελετουργικά που ελάμβαναν χώρα στα σπήλαια. Τα τοιχώματά τους, σαν άλλες ζωγραφιστές επιφάνειες βράχων στην Παλαιολιθική εποχή, δείχνουν συχνά μεμονωμένα σχέδια με τελείες, καννάβους, μαιάνδρους και σπείρες. Μοιάζουν με τα σχήματα που στέλνει το οπτικό σύστημα του εγκεφάλου και χορεύουν μπροστά στα μάτια, όταν κάποιος βρίσκεται σε έκσταση έπειτα από νηστεία ή λήψη ναρκωτικών. Συνεπώς η μείωση της όρασης την οποία επιτρέπει μια εξωτερική πηγή φωτός μπορεί να ήταν εν μέρει σκόπιμη όταν οι άνθρωποι εγκατέλειπαν το φως του ήλιου. Το σκοτάδι ενθαρρύνει το ρεμβασμό. Με το τρεμοφέγγισμα του πυρσού, τα ζωντανά σχήματα ξεπρόβαλλαν, και δεν υπήρχε διαφορά ως προς το αν προέρχονταν από το νου ή από το βράχο. Η φαντασία *ήταν* φύση και αντίστροφα. Η παραστατική τέχνη πιθανόν εγκαινιάστηκε προτού οι άνθρωποι μπουν στα σπήλαια της Ευρώπης, και όταν τα εγκατέλειψαν καθώς η θερμοκρασία άρχισε να ανεβαίνει γύρω στο 10.000 π.Χ., οι τοιχογραφίες –και μάλιστα η ίδια η τοπική παραστατική παράδοση– ουσιαστικά εξαφανίστηκαν, σηματοδοτώντας το τέλος της Παλαιολιθικής εποχής. Ωστόσο φαίνεται, όσο τίποτε άλλο, πως συμπυκνώνουν τις θεμελιώδεις δυνατότητες της μορφοποίησης.

Απροσδιόριστα συναισθήματα
Αμερική, Αυστραλία, Αφρική, νοτιοδυτική Ασία, μετά το 10.000 π.Χ.

Θα ήθελα να επιμείνω σε μία από αυτές τις δυνατότητες. Η εικαστική τέχνη μπορούσε να προσφέρει μια πρωτογενή πνευματική εμπειρία, τόσο στο θεατή όσο και στο δημιουργό. Ανεξάρτητα από το αν η λιονταρίσια μορφή έλαβε το νόημά της από μια ιστορία, ο πραγματικός ερχομός της στον κόσμο προσέδωσε στο μύθο μια *όψη*. Το αόρατο προσχώρησε στην ορατότητα. Η ζωή των ανθρώπων θα άλλαζε αναλόγως σχήμα ώστε να οικειοποιηθεί τη νέα παρουσία.

Επιτρέψτε μου να προσδώσω σε αυτούς τους αφηρημένους ισχυρισμούς τη δική τους όψη. Το «Άγιο Πνεύμα» [8] είναι το όνομα που έδωσαν οι Αμερικανοί της σύγχρονης εποχής σε μια εικόνα σχεδιασμένη σ' ένα βράχο, ψηλά στη μεγάλη καμπή του Φαραγγιού Χόρσου στη Γιούτα. Το τοπίο, που τώρα πια είναι εξαιρετικά άγονο, θα ήταν αφιλόξενο ακόμα και τότε που οι κυνηγοί ζωγράφιζαν εδώ όταν άρχισε, μετά την Παλαιολιθική εποχή, να αυξάνεται η παγκόσμια θερμοκρασία – σε μιαν άγνωστη περίοδο μεταξύ του 7000 και του 2000 π.Χ. Όπως η Αλταμίρα ή το Λασκό, το Φαράγγι θα ήταν ένα φοβερό μέρος, μια απόμακρη ζώνη. Όπως εκείνα, παρουσιάζει μια δραματική ακολουθία, με μια μεγάλη σειρά από παρόμοιες, μεγαλύτερες του φυσικού μεγέθους μορφές οι οποίες καταλήγουν στη γνωστή ομαδοποίηση. Οι διαφορές είναι ωστόσο πολλές και η πιο προφανής είναι το γεγονός ότι εδώ η παρουσία ανθρωποειδών αντικαθιστά εκείνη των ζώων που υπήρχαν σχεδόν αποκλειστικά στα ευρωπαϊκά σπήλαια. Ο κοφτός τρόπος με τον οποίο την απέδωσαν αυτοί οι πρώτοι Αμερικανοί μοιάζει να προοικονομεί το ένστικτο για το συμπαγές και το μονοκόμματο, που θα επικρατήσει στο μεγαλύτερο μέρος της μεταγενέστερης αρχαίας τέχνης στον Νέο Κόσμο. Το πιο αξιοσημείωτο όμως είναι ότι ένας άγνωστος αριθμός χεριών έχει δημιουργήσει με αυτά τα λακωνικά κρυπτογραφήματα μια εικαστική διάταξη που υποδηλώνει με τρόπο εξαιρετικό το χώρο και μαρτυρά μια ευφάνταστη φόρτιση.

Η ονομασία που της δόθηκε στη νεότερη εποχή φαίνεται να της αρμόζει: αυτή η αρχαία εικόνα με τρομάζει. Είμαι βέβαιος ότι αυτή η φοβερή παρουσία άλλαξε τον τρόπο με τον οποίο οι άνθρωποι βίωναν τον κόσμο τους. Μία από τις πολλές διαδικασίες που φαίνεται να μπήκαν σε λειτουργία, καθώς οι κοινωνίες άρχισαν να διαφοροποιούνται μετά το 10.000 π.Χ., είναι ότι εικόνες σαν αυτή άρχισαν να δημιουργούν καινούργιους πνευματικούς –συνεπώς και υλικούς και εντέλει αρχιτεκτονικούς– χώρους γύρω τους μέσω της απήχησης που είχαν στους θεατές.

Πιστεύω πως εφεξής, μέσω και πέρα από αυτό που αποκαλείται «Αρχαϊκό» στην αμερικανική αρχαιολογία και «Μεσολιθικό» στην ευρωπαϊκή, πρέπει να έχουμε κατά νου τη σχέση ανάμεσα στο τι μπορούμε να δούμε και τι όχι.

Η γενική ερμηνεία που προτείνω έχει ως εξής. Η αρχαία τέχνη περιστρέφεται γύρω από αόρατες δυνάμεις και αρχές που προσδίδουν στον κόσμο το σχήμα που έχει, αλλά που συγχρόνως διαθέτουν κάποιο πρόσωπο. Περιστρέφεται δηλαδή γύρω από αυτό που θα μπορούσαμε να αποκαλέσουμε «θεούς». Επιπλέον, απευθύνεται σε αυτά τα πρόσωπα: αποβλέπει, μέσω της δημιουργίας των εικόνων, στο να εξασφαλίσει για εκείνους έναν τόπο και μια σωματική (συχνά ζωική) μορφή. Φτιάχνοντας εικόνες, όσοι συμμετέχουν σε αυτήν την τέχνη μπορεί συνάμα να ελπίζουν ότι θα αγγίξουν εκείνες τις δυνάμεις ή ότι θα τεθούν υπό την προστασία τους. Κανείς δεν θα καταλάβει πώς λειτουργεί ο σύγχρονος καπιταλιστικός κόσμος αν αγνοήσει την αρχή της πίστωσης, με την οποία συντηρείται το σύστημα. Κανείς πιθανόν δεν θα καταλάβει την προ-νεωτερική εποχή αν δεν επικαλεστεί κάποια εξίσου απρόσωπη αρχή – μπορείτε να την ονομάσετε πνεύμα, θρησκεία ή (αν περιγράφουμε αυτό που στην πραγματικότητα είναι αόρατο) θεϊκό στοιχείο.

Μπορεί να προσέξατε ότι καταφεύγω σε μια ρητορική που βασίζεται στην πίστη. Πώς ξέρω ότι τα πράγματα λειτουργούσαν με αυτό τον τρόπο; Για να είμαι ειλικρινής, δεν το ξέρω. Οι αρχαιολόγοι βασίζονται σε υλικά τεκμήρια και αποφεύγουν για λόγους αρχής τέτοιου είδους προσεγγίσεις. Όταν όμως προκύπτουν ζητήματα ερμηνείας, αυτοί, όπως και οι ιστορικοί της τέχνης, στρέφονται στην ανθρωπολογία για να αφουγκραστούν τι είπαν οι άνθρωποι του πρόσφατου παρελθόντος σε ερευνητές σχετικά με τους μύθους και τα ήθη τους. Για παράδειγμα, όσοι επιχειρούν να ερμηνεύσουν την τέχνη των σπηλαίων άκουσαν τι είχαν να τους πουν οι Βουσμάνοι στη νότια Αφρική σχετικά με την πρακτική των βραχογραφιών, η οποία έσβησε τον 19ο αιώνα καθώς οι Ευρωπαίοι και οι αγρότες Μπαντού καταπάτησαν την περιοχή τους. Αποτελεί μια ενδιαφέρουσα σύνδεση. Δεν είμαστε και πολύ σίγουροι για το πόσο πίσω εκτείνεται η καλλιτεχνική παράδοση των Βουσμάνων, όμως αυτοί, όπως οι κυνηγοί και οι τροφοσυλλέκτες που ζωγράφιζαν στα σπήλαια, απεικόνιζαν με έντονο νατουραλισμό τον ταυρότραγο, που καταλαμβάνει κεντρική θέση στη μυθολογία τους. Οι μαρτυρίες τους στηρίζουν την ιδέα ότι μια παρόμοια τέχνη περιστρεφόταν γύρω από εκστάσεις και οράματα, μολονότι θα ήταν βιαστικό να συμπεράνουμε πως η κλίμακα με βάση την οποία λειτουργεί μια κοινωνία συνδέεται εγγενώς με τις τεχνοτροπίες που υιοθετεί. Οι αμερικανοί κυνηγοί-τροφοσυλλέκτες δεν ζωγράφιζαν νατουραλιστικά. Ούτε και οι αυστραλοί Αβορίγινες, που ήταν το αντικείμενο μιας κλασικής ανθρωπολογικής έρευνας του Μπόλντουιν Σπένσερ και του Φρανκ Γκίλεν στις αρχές του 20ού αιώνα. Οι φωτογραφίες των Σπένσερ και Γκίλεν με τις τελετές των κυνηγών-τροφοσυλλεκτών [9] θυμίζουν μια εικαστική γλώσσα κωδικοποιημένη σε βαθμό αφαίρεσης. Ίσως όμως μας βοηθήσουν να πάρουμε γενικά μια γεύση για το πώς μπορεί να λειτουργούσε ο πολιτισμός προτού έρθει στο προσκήνιο η γραφή ή η αρχιτεκτονική.

8 Το «Άγιο Πνεύμα», βραχογραφία από το Φαράγγι Χόρσου, Γιούτα, πριν από το 2000 π.Χ. Ό,τι γνωρίζουν οι αρχαιολόγοι μέχρι στιγμής για τους λαούς που κατοίκησαν τις νοτιοδυτικές Ηνωμένες Πολιτείες στην «Αρχαϊκή» περίοδο (περ. 8000–1000 π.Χ.) προέρχεται εν πολλοίς από μια τέχνη όπως αυτήν. Οι κυνηγοί άφησαν επίσης πίσω τους πήλινα αγαλματίδια με παρόμοια τεχνοτροπία. Στην περίπτωση αυτή είναι πιθανό οι διαφορετικές μορφές να ζωγραφίστηκαν σε διάφορες εποχές, πιθανώς και σε διάφορες χιλιετίες. Εντούτοις, σε αντίθεση με την ευρωπαϊκή τέχνη των σπηλαίων, στην οποία μεταγενέστερες ζωγραφικές παραστάσεις συχνά επικάλυπταν αλόγιστα τις προγενέστερες, οι νεότεροι καλλιτέχνες που δούλευαν σε αυτό το βραχώδες πλαίσιο έκαναν εμφανώς προσθέσεις στη σύνθεση με ένα πνεύμα σεβασμού για τους προκατόχους τους.

9 Αυτή η φωτογραφία, την οποία τράβηξαν ο Μπόλντουιν Σπένσερ και ο Φρανκ Γκίλεν για τη μελέτη τους *The Northern Tribes of Central Australia*, το 1904, που ερευνά τον πολιτισμό των Αβορίγινων, καταγράφει ένα τελετουργικό κατά το οποίο οι Ουαραμούγκα της κεντρικής Αυστραλίας ζωγραφίζουν την άμμο.

Μπορεί να αντιτείνετε ότι υπάρχουν λόγοι να είμαστε σκεπτικιστές ως προς μια τέτοια υπόθεση. Η κοινωνία των Αβορίγινων ενδεχομένως αναπτύχθηκε ακολουθώντας διαφορετική τροχιά από τους πολιτισμούς αλλού, όμως αυτό δεν σημαίνει ότι παρέμεινε στατική: τα πορίσματα των αρχαιολόγων δείχνουν το αντίθετο. Και έναν αιώνα μετά, όποιος διαθέτει ιστορική εγρήγορση θα υποπτευθεί τον τρόπο με τον οποίο τραβήχτηκε η φωτογραφία, με το βλέμμα στραμμένο σε κάποια ευρωπαϊκή ονειροπόληση της «πρωτόγονης» αρχαιότητας – για να μην αναφέρουμε το επιφυλακτικό βλέμμα που ένας από τους συμμετέχοντες ρίχνει στο φωτογράφο. Ο Σπένσερ έγραψε ότι αυτός και ο Γκίλεν μπόρεσαν να φωτογραφίσουν τους Ουαραμούγκα επειδή τους αντιμετώπισαν ως απόλυτα μυημένους, εντούτοις χαρακτήριζε τους οικοδεσπότες του ως «γυμνούς, ωρυόμενους αγρίους». Από την πλευρά τους, και αυτοί –όπως οι περισσότεροι από εμάς όταν μιλάμε σε ξένους– μπορεί να είχαν κάτι να πουν μα και κάτι να κρύψουν. Η ανθρωπολογία είναι μια διαπραγμάτευση, όχι μια μέτρηση ποσοστών.

Εντούτοις, εδώ υπήρχαν περίπου δεκαεννιά προφανώς πραγματικοί άνθρωποι επικεντρωμένοι στο αποκορύφωμα ενός οχταήμερου τελετουργικού που για αυτούς είχε ολοφάνερα κάποια σημασία. Μόλις αφαιρούσαν τα στολισμένα με φτερά κράνη, οι γονατιστοί άνδρες αποσύρονταν από τον συλλογικό τους ρόλο να αναπαραστήσουν το Γολούνκουα, το «ιριδίζον φίδι» του οποίου το σώμα κείτονταν αναπαριστάμενο στο έδαφος. Εκεί, μια λωρίδα από κάρβουνο ελισσόταν ανάμεσα από μια έκταση με λευκά σημάδια από πηλό και περνώντας μεταξύ δακτυλίων δέντρων που είχαν χαραχτεί στο έδαφος βυθιζόταν σε έναν κεντρικό νερόλακκο. Οι προηγούμενες περιπλανήσεις αυτού του γιγάντιου φιδιού συνέδεαν συμβολικά όλα τα γνωρίσματα της γύρω περιοχής. Ο μύθος χαρτογραφούσε το τοπίο. Γιατί όμως χρειαζόταν αυτή η έντονη επένδυση χρόνου και ενέργειας; Οι Σπένσερ και Γκίλεν βάσισαν το πεδίο της έρευνάς τους στους εξορθολογισμούς του μύθου τους οποίους εισηγήθηκαν ανθρωπολόγοι όπως ο Τζέιμς Φρέιζερ, αλλά οι εν λόγω τελετές, «οι πιο εντυπωσιακές από όσες παρακολουθήσαμε», τους άφησαν με ένα αίσθημα αμηχανίας. «Δεν είναι εύκολο να εκφράσει κανείς με λόγια αυτό που *στην πραγματικότητα είναι ένα μάλλον θολό αίσθημα* των ιθαγενών».*

Η ιστορία της τέχνης ευδοκιμεί πάνω σε «μάλλον θολά αισθήματα» όπως το δέος και η αισθητική απόλαυση. Δεν χρειάζεται να τα εξορθολογίσει: χρειάζεται μόνο να παράσχει ένα πλαίσιο για αυτά. Από αυτήν τη φωτογραφία θα μπορούσα να εξαγάγω διάφορα συμπεράσματα αναφορικά με κάποια θεμελιώδη στοιχεία της προϊστορικής τέχνης. Κατά βάθος το φίδι βυθίζεται στο νερόλακκό του και εξαφανίζεται: πάντα θα υπάρχει κάποιο *αθέατο* σημείο. Μα η εικόνα που δείχνει το πού βρίσκεται αυτό το σημείο παρέχει μια εστίαση για τις δραστηριότητες των ανθρώπων και τον τρόπο με τον οποίο αντιλαμβάνονται το περιβάλλον. Ή, ακριβέστερα σε αυτήν την περίπτωση, για τις δραστηριότητες των ηλικιωμένων ανδρών. Οι γυναίκες μπορεί να είχαν τις δικές τους ξεχωριστές, αποκλειστικές τελετουργίες, αλλά οι νέοι έπρεπε να περιμένουν τη σειρά τους. Και έτσι, οι μεγαλύτεροι και οι νεότεροι, το εσωτερικό και το εξωτερικό ή (σε ένα πιο ιεραρχημένο περιβάλλον) οι ψηλότερες και οι χαμηλότερες θέσεις θα οργανώνονταν γύρω από κέντρα με σημασία. Στις περιφέρειές τους το νόημα θα αναπτυσσόταν σαν βεντάλια με την ύφανση του ρουχισμού ή τη λάξευση των σκευών, μέσω επαναλαμβανόμενων, κωδικοποιημένων σχεδίων και εμβλημάτων όπως εκείνα που φοράνε οι μυημένοι των Ουαραμούγκα.

---

* Baldwin Spencer και F. J. Gillen, *The Northern Tribes of Central Australia* (Λονδίνο 1904), σσ. xiv, 247, 248 (η πλάγια γραφή είναι δική μου).

Αυτό *δεν* σημαίνει πως η προϊστορική τέχνη στο σύνολό της έχει κατ' ανάγκην θρησκευτικό προσανατολισμό. Η περιφέρεια διατηρούσε σαφώς τη δική της γοητεία. Οι βραχογραφίες στην οροσειρά Τασίλι, στην αλγερινή Σαχάρα, περιλαμβάνουν εικόνες με τελετουργική σημασία, δείχνουν όμως πλούσιο ενδιαφέρον για το εδώ και το τώρα [**10**]. Οι άνθρωποι ζωγράφιζαν εδώ περίπου την ίδια περίοδο με τους καλλιτέχνες στη Γιούτα, ίσως μεταξύ του 8000 και του 2000 π.Χ., και κατέληξαν, όπως και εκείνοι, να χρησιμοποιούν την επιφάνεια του βράχου για να υποδηλώνουν τον τρισδιάστατο χώρο, και μάλιστα το τοπίο. Όπως αποκαλύπτει η εικόνα, εδώ η ζωή, σε μια χώρα που τότε ήταν πράσινη και καλά αρδευόμενη, είχε στραφεί στην εκτροφή βοοειδών. Κοινωνικές σκηνές σαν αυτήν –όχι μόνο γυναίκες που συζητούν έξω από τη σκηνή τους, αλλά και χοροί καθώς και μαζικές συρράξεις– αποτελούσαν μια καινοτομία της Μεσολιθικής εποχής. Είχαν επίσης σχεδιαστεί ή χαραχτεί σε τοποθεσίες στην Ιταλία και στην Ισπανία, και προστέθηκαν σε προγενέστερα εικονογραφικά σύνολα στο Μπιμπέτκα της Ινδίας. Νευρώδεις, εκκεντρικές, ζωηρές παρατάξεις μορφών εμφανίστηκαν αργότερα σε πολλά μέρη του κόσμου, όπως στο Χουασάν στην Κίνα και στο Φόσουμ Τάνουμ στη Σουηδία.

Η νέα αυτή θεματολογία πιθανώς αντανακλούσε την πληθυσμιακή αύξηση, καθώς το θερμότερο κλίμα συνδυάστηκε με την όλο και πιο επιδέξια κυριάρχηση της ανθρωπότητας πάνω στο περιβάλλον. Στη διάρκεια της

10 Βραχογραφία με ποιμένες και βοοειδή στο Σέφαρ, όρη Τασίλι, Αλγερία, περ. 5000 π.Χ. Η εξημέρωση των βοοειδών αποτέλεσε το θεμέλιο ενός τρόπου ζωής που εξακολουθεί να υπάρχει ακόμη σε όλη τη σαβάνα, τα βοσκοτόπια με την αραιή βλάστηση που εκτείνονται από τη δυτική ακτή της Αφρικής έως την ανατολική. Αυτές οι λυρικές πρώιμες απεικονίσεις των βοσκών, μέσα σε ένα ήρεμο και ανοικτό περιβάλλον, αποκτούν μεγαλύτερη δύναμη λόγω της θέσης τους – εν μέσω αυτού που τώρα είναι η πιο μεγάλη και άγρια έρημος του κόσμου. Άλλες βραχογραφίες της Σαχάρας δείχνουν χορούς και κυνήγια, ελέφαντες και καμηλοπαρδάλεις. Η άμμος εξακολουθεί να μετακινείται προς τα νότια.

11, **12** Στήλη με ανάγλυφη λάξευση που απεικονίζει πέντε πουλιά, στημένη στο Γκομπεκλί Τεπέ, Τουρκία, περ. 9600 π.Χ.

όψιμης Παλαιολιθικής εποχής οι οικισμοί επεκτάθηκαν, κυρίως στη νοτιοδυτική Ασία. Γύρω στο 9600 π.Χ. μερικοί κάτοικοι αυτής της περιοχής αναβάθμισαν ριζικά τη θρησκευτική τους ζωή, όπως έχουν δείξει πρόσφατες ανασκαφές. *Έχτισαν* ένα κέντρο για αυτήν, σε πολύ ογκωδέστερη κλίμακα από οποιαδήποτε προγενέστερη κατασκευή που γνωρίζουμε. Μία από τις πολλές εκπλήξεις των ανασκαφών που ξεκίνησαν το 1995 στο Γκομπεκλί Τεπέ της νοτιοανατολικής Τουρκίας ήταν το μέγεθος των λίθων που χρησιμοποιήθηκαν για την κατασκευή του κυκλικού ναού που ανεγέρθηκε στο σημείο αυτό την εποχή εκείνη, οι οποίοι ζυγίζουν εφτά τόνους. Οι τεχνικές της πρόστυπης λάξευσης («ανάγλυφης λάξευσης») που έχουμε ήδη δει ότι χρησιμοποιήθηκαν πάνω σε ένα κέρατο στην τοποθεσία Λα Μαντλέν εφαρμόστηκαν και σε αυτές τις κατακόρυφες στήλες [**11**, **12**]. Οι κύκνοι και οι ψαροφάγοι που λαξεύτηκαν σε αυτήν την πέτρα, όπως οι κάπροι και οι αλεπούδες σε άλλες, κατείχαν πιθανώς μια θέση σε κάποια εξαφανισμένη μυθολογία μιας φυλής – μια πρώιμη μορφή εραλδικής παράστασης, θα λέγαμε. Το βέβαιο είναι πως όταν οι καλλιτέχνες τοποθέτησαν τα πουλιά ανάμεσα στις κυματιστές γραμμές που δηλώνουν οικουμενικά το νερό άρχιζαν να αντιμετωπίζουν προβλήματα που εξακολουθούν να απασχολούν τους καλλιτέχνες σήμερα. Τα κτίρια και τα αντικείμενα που φτιάχτηκαν για να τα δεχτούν έχουν συγκεκριμένα περιγράμματα. Ο σχεδιαστής πρέπει να σκεφτεί τι θα κάνει με τον κενό χώρο γύρω από τις μορφές τις τοποθετημένες μέσα σε εκείνα τα περιγράμματα. Πώς να *αναπαραστήσουμε* ένα περιβάλλον γύρω από τη μορφή, αν δεν μπορούμε απλώς να αφήσουμε μιαν ανοικτή, αόριστη επιφάνεια βράχου να κάνει το ευφάνταστο αυτό έργο αντί για εμάς;

Μία άλλη έκπληξη των ανασκαφών στο Γκομπεκλί Τεπέ ήταν ότι αυτό το κατασκευαστικό έργο *προηγήθηκε χρονολογικά* της καλλιέργειας των δημητριακών, που ξέρουμε πως άρχισε σε αυτήν την περιοχή. Η δραστηριότητα σε αυτήν την τοποθεσία μπορεί και να επιτάχυνε την πρώτη μετάβαση του κόσμου στη γεωργία, έναν τρόπο ζωής που επρόκειτο να εξαπλωθεί σε όλη τη δυτική Ευρασία την επόμενη χιλιετία. Η διαμάχη ανάμεσα στη νοησιαρχική σχολή και τη φυσιοκρατική σχολή, η οποία χαρακτηρίζει τη συζήτηση περί τέχνης, χαρακτηρίζει επίσης και τις συζητήσεις των ιστορικών. Στο βαθμό που το Γκομπεκλί Τεπέ υποδηλώνει πως η γεωργία βασιζόταν στη θρησκεία, φαίνεται πως την μπάλα την έχουν οι ιδεαλιστές. Οι υλιστές ενδέχεται ωστόσο να επανέλθουν.

Πολλαπλές επιλογές

Κεντρική Αφρική, Μελανησία, Ιαπωνία, Ευρώπη, μετά το 5000 π.Χ.
Δύο ακόμα σύντομες ανθρωπολογικές παρεκβάσεις προτού στραφούμε πάλι προς τη χρονολογική λεωφόρο. Μια συμβατική αφήγηση θα περιορίσει την αίσθησή μας για το τι είναι δυνατόν και θα μας αφήσει μικρό περιθώριο να σκεφτούμε εναλλακτικές τέχνες όπως αυτές των Μπούτι, που κατασκευάζουν υφάσματα από φλοιούς [**13**]. Αυτή *ενδέχεται* να είναι μια παράδοση που έλκει την καταγωγή της από τη Μεσολιθική εποχή: οι Μπούτι

13 Ύφασμα των Μπούτι από φλοιό, 20ός αιώνας. Η αφηρημένη τέχνη είναι υπό μια έννοια μια κατηγορία που εφευρέθηκε στην Ευρώπη των αρχών του 20ού αιώνα (βλ. Κεφάλαιο 11)· υπό μιαν άλλη, είναι μια θεμελιώδης, και ανυπολόγιστα παλιά, ανθρώπινη δυνατότητα. Είναι αδύνατον προς το παρόν να διακινδυνεύσουμε να μιλήσουμε για τη ζωγραφική των Μπούτι. Τα υφάσματα από φλοιούς τυλίγουν τα βρέφη όταν γεννιούνται και φοριούνται στη διάρκεια διαβατήριων εθίμων και εορταστικών χορών. Ζωγραφισμένα από γυναίκες σε μια τροφοσυλλεκτική κοινωνία όπου οι άνθρωποι έχουν άπλετο ελεύθερο χρόνο, αυτοί οι απρόβλεπτοι διαλογισμοί πάνω στη γραμμή και στο χώρο παραδόξως συγγενεύουν με τις μουτζούρες βαριεστημένων υπαλλήλων.

εμφανίζονται σε αρχαία αιγυπτιακά χρονικά, οι ελληνικές μεταφράσεις των οποίων τους προσέδωσαν το όνομα «πυγμαίοι». Η εγκατάστασή τους, παρ' όλα αυτά, για μεγάλα χρονικά διαστήματα στα τροπικά δάση της κεντρικής Αφρικής, τα οποία χαρακτηρίζονται από ταχύτατες μεταβολές όπως και από ταχύτατη αποσάθρωση, είχε ως αποτέλεσμα τα αρχαιολογικά ευρήματα που σχετίζονται με το παρελθόν αυτής της πρακτικής να είναι ελάχιστα. Σε αυτήν μετέχουν άνδρες που μετατρέπουν κοπανώντας τις ίνες από τους φλοιούς σε υφάσματα, προορισμένα να προσφέρουν πνευματική προστασία σε όποιον τα φορά, και έπειτα οι γυναίκες τα ζωγραφίζουν. Οι καλλιτέχνες εφαρμόζουν ένα κοινό ρεπερτόριο από βασικές γραμμικές ενότητες, πρόθεσή τους όμως είναι κάθε σχέδιο να αναδεικνύει τη μοναδικότητά του. Η αισθητική του έργου τους έχει συσχετιστεί με το τραγούδι τους, που ομοίως προβάλλει μιαν αφηρημένη, διαρκώς ανανεούμενη ποικιλομορφία που ανταποκρίνεται στη ζωή και στην πνευματικότητα του δάσους. Τα ωραιότερα υφάσματα από φλοιούς μοιάζουν παντού να λαμβάνουν υπόψη τους τις επαναλήψεις και τις κανονικότητες, αλλά πάντα με μια προσπάθεια να τις παραμερίσουν.

Οι Μπούτι είναι κυνηγοί-τροφοσυλλέκτες που έχουν συμβιώσει με άλλους τύπους κοινωνιών τουλάχιστον από την περίοδο των αρχαίων Αιγυπτίων. (Σήμερα σφαγιάζονται συστηματικά από τους απογόνους τους.*) Αυτή η διαρκής συνύπαρξη μεγαλύτερων και μικρότερων κοινωνικών μονάδων, κυριαρχικών και περιθωριακών πολιτι-

---

* Βλ. για παράδειγμα την αναφορά του 2004 στο www.minorityrights.org.

σμῶν, είναι άλλος ένας παράγοντας που αξίζει να έχουμε κατά νου στην ιστορία που ακολουθεί. Είναι πολύ εύκολο να παρασυρθούμε από την καθοδηγούμενη από την πρόοδο, απορριπτική ρητορική του δυτικού πολιτισμού περί «καλλιτεχνικών εξελίξεων» και «ξεπερασμένων τεχνοτροπιών». Πρέπει όμως να σκεφτούμε και κάτι ακόμα. Γνωρίζουμε λίγα για το ρόλο κάθε φύλου στην προϊστορία, μολονότι πιθανώς ακόμα και τότε οι πολιτισμικοί ρόλοι καθορίζονταν από το κοινωνικό φύλο. Στις περισσότερες όμως κοινωνίες με τις οποίες ήρθαν αντιμέτωποι οι Μπούτι και με τις οποίες θα ασχοληθούμε εμείς, από τους αρχαίους Αιγυπτίους μέχρι τους Ευρωπαίους που έχτιζαν αυτοκρατορίες τον 19ο αιώνα, ο *άνδρας* έλεγχε τη δραστηριότητα της εικονοποιίας. Ιστορίες για άλλες μορφές δημιουργίας μπορεί να παρουσιάζουν μια πιο ισορροπημένη εικόνα, αλλά έτσι όπως έχουν τα πράγματα, αυτή η προσπάθεια για ένα «συσχετισμό εικόνων» δεν μπορεί να υποκρίνεται πως τιμάει όλη την ανθρωπότητα. Δεν μπορεί παρά να είναι μια μονόπλευρη κατ' ανάγκην παρουσίαση.

Η δεύτερη περιήγησή μου αφορά τη Νέα Ιρλανδία, ένα μεγάλο νησί κοντά στην ακτή της Παπούα Νέας Γουινέας. Μέχρι το πρόσφατο παρελθόν, η Μελανησία –τα διασκορπισμένα νησιά στα βορειοανατολικά της Αυστραλίας– διατηρούσαν μικρής κλίμακας κοινωνίες με οικονομίες επικεντρωμένες στο ψάρεμα, καθώς και στην εκτροφή χοίρων και την καλλιέργεια γλυκοπατάτας. Η θάλασσα, τα ποτάμια και τα βουνά έχουν φροντίσει να κρατάνε μακριά αυτές τις κοινότητες, οι οποίες παρ' όλα αυτά βρίσκονται σε επιφυλακή η μια απέναντι στην άλλη, και οι τελικές πολιτικές διαμάχες φαίνεται πως ενθάρρυναν την ανάπτυξη μιας σειράς από έντονα αισθητικές κουλτούρες, αφιερωμένες στο ανταγωνιστικό θέαμα. Μια παρόμοια γεωγραφία οδήγησε σε μια παρόμοια ιστορία της τέχνης στους άγριους κόλπους της ακτής του Ειρηνικού στον Καναδά, εστία των τοτεμικών στύλων των Χάιντα και των Κουακιούτλ – και ως ένα βαθμό και στην αρχαία Ελλάδα, όπως θα δούμε στο Κεφάλαιο 3. Στην Παπούα, οι χοίροι και οι γλυκοπατάτες τρέφονταν και στολίζονταν ως αντικείμενα μεγάλης καλλιτεχνικής αξίας. Κι εδώ υπάρχουν τα αντίστοιχα του τοτεμικού στύλου, μια πληθώρα μυθικών και προγονικών αναφορών σε υπερμεγέθη, ζωηρά χρωματισμένα, απειλητικά γλυπτά.

Τη βασική αρένα, ωστόσο, για τους καλλιτεχνικούς αγώνες της Μελανησίας την αποτέλεσε το ζωντανό πρόσωπο. Η μεταμόρφωση του εαυτού μπορεί κάλλιστα να ήταν ο στυλοβάτης της εικαστικής κουλτούρας ήδη από τότε που ο πρώιμος homo sapiens άρχισε να συλλέγει τεμάχια κόκκινης ώχρας. Μια *εσωτερική* μεταμόρφωση, με το μυαλό σε παραισθησιακή κατάσταση να αφήνει την ίδια του τη σάρκα για να εισέλθει στο σώμα των άλλων ζώων, μπορεί να εμψύχωνε την παλαιολιθική εικονογραφία του θηριανθρώπου. Συνάμα διαμόρφωσε τα πιο πρόσφατα καταγεγραμμένα υπερφυσικά οράματα των σαμάνων, των πνευματικών θεραπευτών που διαδραμάτισαν κρίσιμο ρόλο σε μικρής κλίμακας κοινωνίες, από τη Λαπωνία και τη Σιβηρία ως την Αμερική. Κανείς όμως δεν ξέρει πότε εμφανίστηκε η μάσκα, το πρωταρχικό μέσο της *εξωτερικής* μεταμόρφωσης. Αλλά στη Μελανησία, όπως και στον Καναδά και την υποσαχάρια Αφρική (βλ. Κεφάλαιο 11), οι κατασκευαστές προσωπείων είχαν ήδη αναπτύξει μια τέχνη με τεράστια πολυπλοκότητα όταν πρωτοέφτασαν οι Δυτικοί.

Από μία άποψη, η κατασκευή μασκών συνεπαγόταν μια αλλαγή στη χρήση των υλικών που προϋπήρχαν και διέθεταν πνευματική δύναμη. Αυτό αφορούσε προπαντός τα κρανία – είτε αυτά των σεπτών προγόνων είτε εκείνα των σφαγιασμένων αντιπάλων, τα οποία γδέρνονταν και χρησιμοποιούνταν ως καλούπια για να κατασκευάσουν πήλινα προσωπεία (ενίοτε με πολύ νατουραλισμό) τα οποία στερέωναν δίπλα δίπλα σαν να ήταν ζωντανά. Από μιαν άλλη άποψη, η κατασκευή προσωπείων συνένωνε και πολλαπλασίαζε τα ζητήματα εις το διηνεκές. Αυτή η μάσκα από τη Νέα Ιρλανδία [**14**] φτιάχτηκε για έναν προσωπικό δαίμονα, ή ένα alter ego, που ζούσε στο δάσος, προσδένοντας κάποιο αρσενικό μέλος μιας μυστικής κοινότητας ενός χωριού με το τοπίο γύρω του. Στο απώτερο άκρο του ένα ψάρι ξεφεύγει από ένα βούκερο που ξεπηδά από μια ψαροκεφαλή, που είναι στην πραγματικότητα το ράμφος μιας κότας, με έναν ακόμα βούκερο στο αυτί της... Ένα ντελίριο από μάτια και κωδικοποιημένα μορφότυπα προκαλεί ανατριχίλα και αποστροφή. Αυτή η μάσκα δεν *θέλει* να γίνει κατανοητή. Όπως και σχεδόν σε καθετί άλλο που ανήκει στον κόσμο των ανδρικών κοινοτήτων, εδώ και αλλού, η επιθετική μυστικοπάθεια βρίσκεται στην ημερήσια διάταξη. Δεν ήθελε καν να διατηρηθεί. Ο δαίμονας έμελλε να πεθάνει μαζί με το μέλος της κοινότητας, και η μάσκα, σαν τα μαλάνγκαν, τα γιγάντια νεκρικά γλυπτά συγκροτήματα της Νέας Ιρλανδίας, πιθανώς θα παραδινόταν εκ πεποι-

14 Μια μάσκα από τη Νέα Ιρλανδία που αναπαριστά ένα πνεύμα των θάμνων, 19ος αιώνας. Οι Μελανήσιοι κράτησαν αποστάσεις από τα πολιτισμικά περιβάλλοντα τόσο των ευρύτερων κοινωνιών της νοτιοανατολικής Ασίας όσο και των κυνηγών-τροφοσυλλεκτών της κοντινής Αυστραλίας, μέχρι το πρόσφατο παρελθόν. Η αγροτική ζωή αναπτύχθηκε στην κυρίως ενδοχώρα, στο νησί της Νέας Γουινέας, γύρω στο 7000 π.Χ. Οι καλλιτεχνικές παραδόσεις πίσω από αντικείμενα όπως αυτό μπορεί εξίσου να έλκουν την καταγωγή τους από την αρχαιότητα, όπως αποκαλύπτει τελευταίως η χρονολόγηση με ραδιενεργό άνθρακα των αρχαιολογικών ευρημάτων. Στον 20ό αιώνα, περιοχές της Μελανησίας όπως η Νέα Ιρλανδία και η κοιλάδα του ποταμού Σέπικ στη Νέα Γουινέα απέκτησαν αξία θησαυρού για ερευνητές και συλλέκτες, λόγω της άγριας, φανταχτερής εντύπωσης που δίνει η τέχνη τους και των τρομακτικά πολύπλοκων αντιλήψεων που ενυπάρχουν σε αυτήν. Συγκεκριμένα, η τέχνη αυτής της περιοχής συνάρπασε εκπροσώπους του γερμανικού εξπρεσιονισμού και του σουρεαλιστικού κινήματος.

θήσεως στη φωτιά. Αυτό μέχρι οι ευρωπαίοι συλλέκτες δημιουργήσουν μια αγορά για τα «πρωτόγονα» εξωτικά αντικείμενα.

Τη μάσκα την απέκτησε στο τέλος του 19ου αιώνα ο Ότο Φινς, ο εθνογράφος που έθεσε τη Νέα Ιρλανδία υπό γερμανική αποικιακή κατοχή. Το φανταχτερό, εύθραυστο στέλεχος και τα νήματα που τη στολίζουν αποδίδουν κάτι που μόνο να υποθέσουμε μπορούμε σε μια τόσο αρχαία τέχνη – το χρώμα, την υπερβολή, την εφήμερη joie de vivre [χαρά της ζωής]. Μπορούμε ίσως να δούμε ένα κατάλοιπο αυτών των ιδιοτήτων σε μερικά από τα πιο εντυπωσιακά προϊστορικά καλλιτεχνήματα, τα «φλογοειδή» δοχεία από τη Νιιγκάτα στην Ιαπωνία [**15**]. Αυτό το δείγμα, που φτιάχτηκε γύρω στα 2500 π.Χ., έχει ύψος 61 εκατοστά, λίγο μεγαλύτερο από τη μάσκα. Και αυτό δηλώνει την άγρια πολυπλοκότητα που μπορεί να γεννήσει το δημιουργικό παιχνίδι. Δεν ξέρουμε αν το αγγείο κατασκευάστηκε υπακούοντας σε κάποιους συμβολισμούς: περιελισσόμενες και σπειροειδείς κινήσεις σαν αυτές φαίνεται να κάνουν την εμφάνισή τους σε πολλούς ρυθμούς σε όλη την αρχαία Ευρασία. Δεν ξέρουμε αν είχε λειτουργικούς σκοπούς (τα περισσότερα «καλλιτεχνήματα» έχουν σε κάποιο επίπεδο). Αναμφίβολα πάντως είναι εξαιρετικά κομψό, με ένα πρόσχαρο ενδιαφέρον για τις απεριόριστα εύπλαστες δυνατότητες της τεχνικής του σπειροειδώς δουλεμένου πηλού. Ανοίγει την προοπτική ενός αισθητισμού του είδους «η τέχνη για την τέχνη».

15 Αγγείο Τζομόν του φλογόμορφου ύφους από τη Νιιγκάτα της Ιαπωνίας, περ. 2500 π.Χ. Η περίπτωση των αγγείων της Νιιγκάτα αποτελεί μία από τις πιο αξιοσημείωτες αποδείξεις για τα αποτελέσματα στα οποία μπορεί να οδηγήσει η επεξεργασία του σπειροειδώς δουλεμένου πηλού – την τεχνική που χρησιμοποιούσαν γενικά οι αγγειοπλάστες προτού εμφανιστεί ο κεραμικός τροχός, ο οποίος φαίνεται πως κατάγεται από το αρχαίο Ιράκ περίπου το 3000 π.Χ. Σε κοινωνίες όπου δεν χρησιμοποιούνταν ο τροχός, η κεραμική ήταν μια τέχνη την οποία ανέθεταν συνήθως σε γυναίκες (πρβλ. αρχαίο Μεξικό, **39**, και αρχαία Αφρική, **65**), γι' αυτό και είναι πιθανώς λογικό να θεωρήσουμε πως εδώ ο καλλιτέχνης ήταν γυναίκα.

Τα κεραμικά της προϊστορικής Ιαπωνίας –γνωστά ως κεραμική «Τζομόν»– έχουν μια παράδοση που εκτείνεται πίσω στα 10.000 π.Χ., τη μακρύτερη στον κόσμο. Αγαλματίδια από ψημένο πηλό έχουν βρεθεί και στο Ντόλνι Βεστόνιτσε, μια τοποθεσία στη Δημοκρατία της Τσεχίας, τα οποία χρονολογούνται δεκαπέντε χιλιάδες χρόνια πριν από εκείνο, αλλά μόνον όταν οι άνθρωποι άρχισαν να αποκτούν μόνιμες εγκαταστάσεις επιδόθηκαν σοβαρά στην αγγειοπλαστική. Η Ιαπωνία την περίοδο Τζομόν ήταν μια χώρα αποτελούμενη από μικρά χωριά που συντηρούνταν από το ψάρεμα και την κηπουρική. Η κάλυψη των αγγείων με ραβδωτούς ή ζωγραφιστούς γραμμικούς ρυθμούς αποτελούσε κοινό τόπο, όπως και στη Δύση, στη σύγχρονη Κορέα, την Κίνα και την Ευρώπη. Ήταν όμως τα εργαστήρια μίας και μοναδικής περιοχής, γύρω από τη Νιιγκάτα στη βορειοδυτική ακτή, αυτά που παρήγαγαν σπειροειδή αγγεία τέτοιας ποιότητας για μια περίοδο μερικών γενεών. Ίσως ένα και μόνο άτομο να πυροδότησε τη μόδα.

Μιλώντας πολύ γενικά, η κεραμική είναι ένα πεδίο στο οποίο έκτοτε η ανατολική Ασία υπήρξε παγκοσμίως ο πρωτοστάτης. Είναι μια τέχνη που συχνά περιθωριοποιείται σε μια ιστορία σχεδιασμένη γύρω από τις δυτικές ιδέες για τη δισδιάστατη εικόνα – όχι τόσο επειδή είναι «λειτουργική», αλλά επειδή μεγάλο μέρος της γοητείας της συσκοτίζεται. Δεν μπορεί κανείς να περπατήσει γύρω από την εικονογράφηση ενός βιβλίου ή να στρέψει αυτό που βλέπει ανάποδα, δεν μπορεί να νιώσει το βάρος ή την κυρτότητά του, πόσο μάλλον να ακούσει τους ήχους του: στο βιβλίο έχουμε μόνο τα μάτια μας. Όμως ο πηλός μπορεί να αντιπαρατεθεί σε όλα αυτά. Η «Γυναίκα του Πάζαρτζικ» [**16**], που μοιάζει να μας κοιτά περισσότερο με το φύλο της παρά με τα μάτια της, αποτελεί ένα τέτοιο δείγμα. Εδώ, η μορφοποίηση και το ψήσιμο νοηματοδοτούν εκ νέου ένα ήδη αρχαίο θέμα. Παραδείγματα γυναικείας μορφής φτάνουν πίσω, όπως έχω ήδη αναφέρει, στην «Αφροδίτη του Γκάλγκενμπεργκ», ένα λυγερόκορμο κορίτσι που χορεύει, σύγχρονο με το θηριάνθρωπο του Χόλενσταϊν. Από μια περίοδο περίπου οχτώ χιλιάδες χρόνια αργότερα, γύρω στα 23.000 π.Χ., προέρχεται μια διασκορπισμένη ομάδα από πολύ διαφορετικές Αφροδίτες, που βρέθηκαν σε τοποθεσίες που εκτείνονται από την Ουκρανία έως τη Γαλλία – αγαλματίδια σχεδόν χωρίς πρόσωπο, με μεγάλα στήθη, κοιλιές και γοφούς που χύνονται και φουσκώνουν σαν ώριμοι καρποί. Αργότερα, όταν η γεωργία διαδόθηκε από τη βάση της στη νοτιοδυτική Ασία, τα θηλυκά ειδώλια απέκτησαν νέο κύρος. Η ένθρονη «Γυναίκα» είναι αναμφίβολα ένα αγγείο προορισμένο για λατρεία. Είναι ένας αισθησιακός εύπλαστος πηλός, αλλά το λοξό, σβησμένο πρόσωπό της τον καθιστά εντελώς στιβαρό. Κατά μήκος της βαθιά χαραγμένης ήβης, το ίδιο περιελισσόμενο «S» που ελίσσεται γύρω από το δοχείο Τζομόν μοιάζει να συμβολίζει τη μετάβαση: μπορεί κάλλιστα να ήταν στημένη πλάι σε τάφο. Φτιάχτηκε περίπου το 4500 π.Χ. στη Βουλγαρία· εκείνη την εποχή τα Βαλκάνια ήταν η πιο εξελιγμένη τεχνολογικά περιοχή της Ευρώπης. Παρόμοιες θεότητες έχουν βρεθεί στην Τουρκία μέχρι τη Μολδαβία και τη Μάλτα, υποδηλώνοντας μια ευρέως κοινή μυθολογία. Ελάχιστες ανδρικές φιγούρες σημαδεύουν το προϊστορικό χρονικό της Δύσης, τότε ή παλαιότερα.

Οι ψαράδες και οι αγρότες των Κυκλάδων, μόλις πεντακόσια χιλιόμετρα νότια του Πάζαρτζικ αλλά πάνω από δύο χιλιάδες χρόνια μετά, φαίνεται πως δημιούργησαν τέχνη έχοντας παρόμοιες αντιλήψεις. Τα ειδώλιά τους ήταν ως επί το πλείστον θηλυκά και προορισμένα για ταφική χρήση. Απέβλεπαν όμως σε ένα διαφορετικό είδος στιβαρότητας [17]. Τα νησιά του κεντρικού Αιγαίου διαθέτουν μεγάλα αποθέματα μαρμάρου και οι καλλιτέχνες καλλιέργησαν μια ευαισθησία για τούτη την εκπληκτική, λεπτόκοκκη πέτρα, η οποία ήταν εξίσου αισθητικά εκλεπτυσμένη με το ακραίο αντίθετό της που βρίσκουμε στην αγγειοπλαστική του Τζομόν. Τα ειδώλια μοιάζουν να διατηρούν την αίσθηση των μεγάλων βότσαλων και κροκαλών που πιθανώς ήταν αρχικά. Έχουν χαραχτεί και

16 «Η Γυναίκα του Πάζαρτζικ», κεραμικό, περ. 4500 π.Χ.

αλλοιωθεί ελαφρώς, αποκτώντας σωματικά γνωρίσματα, και αρχικά έφεραν ένα ελαφρύ στρώμα μπογιάς, μα όπως ακριβώς στην πέτρα δόθηκε ένα θείο νόημα, έτσι και η θεότητα μοιάζει να αντιμετωπίστηκε σαν να ήταν πέτρα. Μια άλλη λέξη για τούτη την αισθητική θα μπορούσε να είναι ο μινιμαλισμός. Γνωρίζουμε σχετικά λίγα για το περιβάλλον μέσα στο οποίο γεννήθηκε σε μια κοινωνία που δεν διέθετε ακόμη γραφή, μα τόσο η ευαισθησία όσο και το ίδιο το μάρμαρο μπορεί να αποτέλεσαν για τους κυκλαδίτες καλλιτέχνες εμπορεύσιμα αγαθά, αφού τα προϊόντα τους έχουν βρεθεί σε πολύ απομακρυσμένους τόπους. Την περίοδο της ακμής τους –2800 έως 2300 π.Χ.– εισερχόμαστε σταδιακά σε έναν κόσμο μεσογειακού εμπορίου και στιλιστικών αντιπαραθέσεων. Το ίδιο το κυκλαδικό φαινόμενο εντέλει θα παραδινόταν στη λήθη, βρίσκεται όμως στην καμπή μιας εποχής κατά την οποία κάποιοι πολιτισμοί παρήγαγαν περισσότερη τέχνη, ενώ κάποιοι άλλοι λιγότερη.

Δεν υπάρχουν λόγια
Πολυνησία, Σκοτία, μετά το 4000 π.Χ.

Ας ανακεφαλαιώσουμε τον τρόπο με τον οποίο διαφοροποιήθηκαν οι κοινωνικές δομές πίσω από την τέχνη. Προχώρησα αργά μέσα από τη σταδιακή ανάδυση μιας αυξανόμενης πολυπλοκότητας. Οι κυνηγοί-τροφοσυλλέκτες, που ζούσαν σε μικρές ομάδες και μετακινούνταν, είχαν απλωθεί στις ηπείρους μετά το 130.000 π.Χ., με τελευταία αυτή της Νότιας Αμερικής. Κατά τόπους επικράτησε η συνήθεια της εγκατάστασης. Κάποια στιγμή μετά την παγκόσμια αύξηση της θερμοκρασίας γύρω στα 10.000 π.Χ., κάποιοι άνθρωποι άρχισαν να εκτρέφουν αγέλες σε περιοχές όπως η Σαχάρα και να καλλιεργούν λαχανικά σε μέρη όπως η Ιαπωνία. Στο μεταξύ στη νοτιοδυτική Ασία, όχι πολύ μετά τη χρονολογία αυτή, η καλλιέργεια έγινε τρόπος ζωής και έκτοτε διαδόθηκε στην Ευρώπη. Ξεπήδησε ανεξάρτητα σε διάφορα άλλα μέρη μάλλον αργότερα.

Οι αρχαιολόγοι χρησιμοποιούν τον όρο «Νεολιθικός» για να περιγράψουν τις κοινωνίες που στράφηκαν στη γεωργία, με αποτέλεσμα η χρονολογία κατά την οποία αυτή η εποχή του «νέου λίθου» εικάζεται πως άρχισε να ποικίλλει από τόπο σε τόπο κατά μήκος του χάρτη. Οι αρχαιολόγοι στο παρελθόν συνήθιζαν να χρησιμοποιούν το επιχείρημα ότι η καλλιέργεια, επειδή παράγει ένα περίσσευμα τροφής, επιτρέπει την πληθυσμιακή αύξηση, πράγμα που σημαίνει ότι (α) υπάρχουν περισσότερα χέρια για να χτιστούν μεγάλες κατασκευές και (β) παρατηρούνται περισσότερες κοινωνικές αντιθέσεις απ' ό,τι στην Παλαιολιθική εποχή, κατά την οποία τα αγαθά μοιράζονται σχετικά δίκαια, και επομένως ο ισχυρός είχε την ευκαιρία να εξαναγκάζει τον αδύναμο να προσφέρει την εργασία του στην υπηρεσία μεγάλων εγχειρημάτων. Η ανέγερση ενός ναού μεγάλων διαστάσεων από κυνηγούς-τροφοσυλλέκτες στο Γκομπεκλί Τεπέ υποδηλώνει ότι αυτή η αλληλουχία μπορεί να αντιμετωπίζει προβλήματα.

Η σειρά των «μεγαλιθικών» εγχειρημάτων που μεταμόρφωσαν τα προϊ-

17 Κυκλαδικό ειδώλιο από το «γλύπτη του Κοντολέοντα», περίπου 2000 π.Χ.

σφέρει στον εγγράμματο –σε εμάς– μιαν αθέλητη, ελαφρώς μελαγχολική ευχαρίστηση καθώς μας απελευθερώνει από τις λέξεις. Κυριολεκτικά αγνοούμε τη σημασία της. Αυτό μας επιτρέπει να ονειρευόμαστε και ίσως να θρηνούμε. Αυτή η ίδια ανεπάρκεια δημιουργεί πάντοτε σκεπτικισμό. Τα ευρήματα των αρχαιολόγων αλλάζουν γρήγορα την εικόνα. Μπορεί αυτή η φιγούρα που νομίζατε πως είδατε σε έναν μακρινό ορίζοντα –μια πέτρα που μοιάζει να αναπαριστά μια γυναίκα, ένα σαμάνο που οδηγεί τους μυημένους κάτω στο σπήλαιο– να είναι απλώς ένας λεκές στο φακό σας.

Όλες οι ερμηνείες είναι φορτισμένες. Θα εμπιστευόσασταν σε έναν Άγγλο να αρχίσει τη δική του ιστορία της τέχνης στην Αγγλία; Θα τον εμπιστευόσασταν να στείλει τα προϊστορικά απομεινάρια στη Σκοτία; Πέτρινες σφαίρες με πολλές όψεις και διάφορα σχέδια, που όλες χωράνε στην παλάμη, έχουν βρεθεί σε πολλά μέρη εκεί. Χρονολογούνται περίπου από το 3200 έως το 2500 π.Χ. Αυτή η σφαίρα [20], από το Τόουι στο Αμπερντινσίρ, είναι ένα μικρό αριστούργημα φτιαγμένο με εκλεπτυσμένη και περίπλοκη τεχνική. Όσοι μπορούν να διαβάζουν αρχαίους στοχασμούς για το σύμπαν μέσα σε σπείρες και μαιάνδρους θα τη βρουν πλούσια σε σημασίες. Οι τρεις λοβοί της συνδέονται επιπλέον με το μοτίβο της τριπλής σπείρας στην προϊστορική, μεγαλιθική Ιρλανδία, και ίσως ακόμα και με τις εύσωμες και βολβοειδείς θεότητες της νεολιθικής Μάλτας, όπου ένας απομονωμένος πολιτισμός φαίνεται πως υπέστη, πάνω από τέσσερις χιλιάδες χρόνια πριν, την ίδια μοίρα με το Νησί του Πάσχα. Μα ποια στην ευχή ήταν η λειτουργία της πέτρινης σφαίρας; Η δική σας εικασία μπορεί κάλλιστα να είναι εξίσου αποδεκτή με τη δική μου.

19 Μοάι (μεγαλιθική κεφαλή) στο Νησί του Πάσχα, 900–1500 μ.Χ.

20 Πέτρινη σφαίρα από το Τόουι, Αμπερντινσίρ, Σκοτία, περ. 3200–2500 π.Χ.

2

ΔΙΑΜΟΡΦΩΝΟΝΤΑΣ ΤΟΝ ΠΟΛΙΤΙΣΜΟ

Πέτρες ιδωμένες μέσα από την ομίχλη

Μεξικό, Περού, Κίνα, Ινδία, μετά το 3000 π.Χ.

Παράξενες πέτρες σημαδεύουν τις απαρχές του πολιτισμού στην Αμερική. Αυτή η κεφαλή από βασάλτη [**21**], με ύψος σχεδόν 3 μέτρα, είναι μία από τις δέκα που οι αρχαιολόγοι έφεραν στο φως στο Σαν Λορέντζο, ένα μέρος κοντά στην ακτή του Κόλπου του Μεξικού όπου μάλλον χτίστηκε η πρώτη πόλη αυτής της ηπείρου. Η επονομαζόμενη «Lanzón» («λόγχη») [**22**], μια γρανιτένια στήλη με πάνω από 4 μέτρα ύψος, η οποία αναπαριστά μια θεότητα με δόντια και μαλλιά από φίδια που γελά χαιρέκακα (εδώ τη βλέπουμε να κοιτάζει δεξιά), είναι στημένη σε μια διασταύρωση διαδρόμων μέσα σε έναν τεράστιο ναό που χτίστηκε στο Τσαβίν ντε Χουαντάρ στις περουβιανές Άνδεις. Η πρώτη πέτρα πιθανώς χρονολογείται περίπου στα 1000 π.Χ., ενώ η δεύτερη μπορεί να φτιάχτηκε έναν ή δύο αιώνες νωρίτερα. Τις αποκαλώ παράξενες εν μέρει επειδή θεωρώ πως αυτή είναι μια αντίδραση στην οποία στόχευαν οι κατασκευαστές τους: απέβλεπαν στο να θέσουν το θεατή σε εγρήγορση και ετοιμότητα, αν μη τι άλλο μέσω του μεγέθους τους. Οι πέτρες είναι όμως παράξενες και επειδή, πολύ μετά την αρχαιολογική ανακάλυψή τους, δεν είμαστε ακόμη σε θέση να πούμε με βεβαιότητα σε τι άλλο απέβλεπαν οι κατασκευαστές τους. Στο Μεξικό, μαρτυρίες των οποίων το περιεχόμενο μπορούμε να αποκρυπτογραφήσουμε συναντάμε αιώνες αφότου αυτές οι γιγάντιες κεφαλές των επονομαζόμενων «Ολμέκων» ανατράπηκαν στη διάρκεια κάποιας μη καταγεγραμμένης αναταραχής, ενώ στο Περού η γραφή παρέμεινε άγνωστη μέχρι την ισπανική κατάκτησή του το 1532 μ.Χ. Για τους αρχαιολόγους, εντούτοις, πέτρες όπως αυτές οριοθετούν τις πρώτες, εγχώριες μεταβάσεις από τις μικρής κλίμακας κοινωνικές δομές σε άλλες μεγαλύτερης κλίμακας – και συνεπώς στον «πολιτισμό».

Τι κάνει τους ανθρώπους να επιζητούν αυτό τον όρο; Μια τυχερή ζαριά στο παιχνίδι της ιστορίας μπορεί να συνιστά μιαν απάντηση. Αν κρίνουμε μόνο με βάση το καλλιτεχνικό σχήμα, οι κεφαλές των Ολμέκων και η «Lanzón» δεν απέχουν πολύ από τα γιγάντια πέτρινα αγάλματα όπως τα μοάι στο Νησί του Πάσχα, ένα φαινόμενο που μόλις εκτοπίσαμε στην προϊστορία. (Είναι απίθανο, παρεμπιπτόντως, να υπήρχε μεταξύ των τριών η οποιαδήποτε αλληλεπίδραση.) Ίσως κατηγοριοποιούμε τα πράγματα με βάση τη γνώση που αποκτούμε εκ των υστέρων και όχι με βάση αυτό που βλέπουμε. Τα μοάι υπήρξαν ένα ιστορικό αδιέξοδο, αλλά το Σαν Λορέντζο και το Τσαβίν φαίνεται πως αποτέλεσαν το προηγούμενο για μελλοντικές πολιτισμικές εκφάνσεις. Στη γεμάτη ένταση δύναμη των κεφαλών των Ολμέκων, οι οποίες είναι ταυτόχρονα τόσο συμπαγείς αλλά και τόσο γήινες, μπορούμε ίσως να διακρίνουμε τους σπόρους της μεταγενέστερης γλυπτικής στην Κεντρική

21 «El Rey», κολοσσιαία κεφαλή από βασάλτη, από το Σαν Λορέντζο, Μεξικό, περ. 1000 π.Χ.

Αμερική – στο έργο των Μάγια και των Αζτέκων που διακρίθηκαν στην οικοδόμηση πόλεων· στις Άνδεις, οι εμπνευστές των σχεδίων την εποχή της αυτοκρατορίας των Ίνκας και των ισπανών κατακτητών επέκτειναν τη συμπαγώς περιελισσόμενη, σχεδόν αφηρημένη σημειωτική γλώσσα που βλέπουμε στη «Lanzón». Γι' αυτό και διαβάζουμε τις αρχαίες πέτρες ως μακρινά σκαλοπάτια που προετοίμασαν τη θέση στην οποία βρισκόμαστε όλοι τώρα, προσδεδεμένοι καλώς ή κακώς σε άκρως περίπλοκες κοινωνίες. Μπορεί να αποστρεφόμαστε το στοιχείο του τρόμου που λανθάνει σε τέτοιες ιδρυτικές πράξεις – τον αρχαϊκό ολοκληρωτισμό που περικλείεται με αποφασιστικότητα σε αυτήν τη μάζα από βασάλτη, ή τον μανιακό, αρπακτικό μορφασμό της «Lanzón». Μήπως οι άνθρωποι *εξαναγκάστηκαν* να συμβιώσουν λόγω του φόβου; Τότε όμως ο πολιτισμός είναι, μεταξύ άλλων, η θέση από την οποία είναι δυνατόν να καλλιεργηθούν ανάμεικτα αισθήματα για τον πολιτισμό.

Έχει άραγε σχέση η ιστορία της τέχνης με τον περαιτέρω προσδιορισμό του πολιτισμού; Ας συμβιβαστούμε, στο σημείο αυτό, με τη χρήση του όρου προκειμένου να περιγράψουμε αυτό που συμβαίνει όταν οι κοινωνίες διευρύνονται: δεν έχει τόση σημασία το πώς. Για παράδειγμα, τα πρώτα μνημεία των Άνδεων –όπως αυτά στο Γκομπεκλί Τεπέ [βλ. **11**, **12**] ή όπως οι ελαφρώς παρόμοιες τοτεμικές στήλες στον Καναδά από την πλευρά του Ειρηνικού– μπορεί κάλλιστα να χτίστηκαν από ανθρώπους που συντηρούνταν κυρίως από το κυνήγι και το ψάρεμα παρά από τη γεωργία, την οποία οι μελετητές συχνά εκλαμβάνουν ως προϋπόθεση του πολιτισμού. Ας επιστρέψουμε όμως από την οικονομία στη μορφή, και ας προσέξουμε ότι στην εικόνα του Τσαβίν κοιτάζουμε, για πρώτη φορά στο πλαίσιο αυτής της αφήγησης, μέσα σε ένα χτισμένο εσωτερικό. Η αρχιτεκτονική ξεπερνάει τους σκοπούς αυτού του βιβλίου, αλλά εφεξής τα δομημένα περιβάλλοντα –που συχνά για μας είναι χαμένα– θα αιωρούνται πάνω από τα όρια των περισσότερων εικόνων, καθορίζοντας υπόρρητα το νόημά τους. Εδώ, οι στενοί διάδρομοι περιόριζαν δραστικά τις κινήσεις και την προσοχή όσων επισκέπτονταν τον ναό, οι οποίοι πιθανώς βρίσκονταν σε παραισθησιακή κατάσταση από την κατανάλωση του χυμού των κάκτων. Τριπλάσιος από το ύψος τους, ο μονόλιθος μπορεί να λειτουργούσε σαν καταλύτης στις πνευματικές τους περιπέτειες, αντιπροσωπεύοντας την κατακόρυφη άνοδο στο υπερφυσικό βασίλειο και συγχρόνως τη φοβερή εξουσία που το κυβερνούσε.

Αξίζει να σημειώσουμε ότι στο τελετουργικό σύμπλεγμα του Σαν Λορέντζο αρχίζουμε να συναντάμε προσωπογραφίες. Οι δέκα κεφαλές εδώ, καθώς και άλλες εφτά σε μεταγενέστερες τοποθεσίες των Ολμέκων, αποπνέουν έντονο κύρος, αλλά καθεμία από αυτές είναι ως ένα βαθμό εξατομικευμένη. Το εικονιζόμενο παράδειγμα είναι χαρακτηριστικό καθώς φέρνει στο νου την εικόνα ενός πλαδαρού, κουρασμένου πολιτικού: θα μπορούσαν οι γλύπτες να είχαν μεγεθύνει ένα πήλινο μοντέλο φτιαγμένο κατόπιν παρατήρησης; Αυτό το είδος του νατουραλισμού, για το οποίο δεν υπάρχουν προηγούμενες μαρτυρίες στο Μεξικό, φαίνεται πως άρχισε να υποχωρεί καθώς έκανε την εμφάνισή της η σειρά των βασιλικών πορτρέτων: στην πραγματικότητα είναι πολύ δύσκολο να καταλήξουμε σε κάποια θεωρία γι' αυτό το πη-

22 «El Lanzón», λαξευμένος μονόλιθος από το εσωτερικό του ναού στο Τσαβίν ντε Χουαντάρ, Περού, περ. 900 π.Χ.

23 Τσόνγκ (ή τσουνγκ) από νεφρίτη, από τον πολιτισμό Λιανγκτσού, περ. 3200-2200 π.Χ. Ένα τσονγκ, ένας δακτύλιος με τέσσερις όψεις, σημαίνει κυριολεκτικά «τετραγωνισμός του κύκλου» και είναι, συνεπώς, μια φόρμα στην οποία μπορούν να αποδοθούν πολλά συμβολικά νοήματα. Σε άλλα παραδείγματα, μονάδες σαν αυτό το γλυπτό από νεφρίτη που εικονίζεται εδώ στοιβάζονται για να σχηματίσουν έναν ψηλό κύλινδρο.

γαινέλα. Τα σάρκινα πρόσωπα που έχουν αποδοθεί προσεκτικά αποτελούν συνηθισμένο γνώρισμα του ρεπερτορίου των κατασκευαστών προσωπείων σε όλους τους τύπους κοινωνιών μικρής κλίμακας, αλλά είναι αλήθεια ότι, μέχρι να φτάσουμε στις μεγάλης κλίμακας κοινωνίες, συναντάμε ελάχιστες εξατομικευμένες μορφές.

Θα ήθελα να διευρύνω τη συζήτηση για το τι συμβαίνει όταν οι κοινωνίες επεκτείνονται προς την Ευρασία – για να γίνει όμως αυτό, πρέπει να κάνω ένα άλμα δύο χιλιάδων χρόνων προς τα πίσω. Η δικαιολογία μου γι' αυτό το χρονολογικό σκαμπανέβασμα είναι ότι η μετάβαση στον πολιτισμό, όπου κι αν συμβαίνει, είναι επί της ουσίας η αρχή ή το έτος μηδέν αυτής της περιοχής για την «ιστορία» και την «παράδοση»· επιπλέον, αν αντιστρέψουμε τα πράγματα, θα κατανοήσουμε καλύτερα τους διαφορετικούς τρόπους με τους οποίους μπορεί να διαμορφώθηκε ο πολιτισμός. Τέτοιες κατά τόπους μεταβολές φαίνεται να έλαβαν χώρα σε τουλάχιστον εφτά μέρη του κόσμου δίχως την παρέμβαση κάποιου σημαντικού εξωτερικού παράγοντα: στο Μεξικό, στο Περού, στην Κίνα, στη νότια Ασία, στο Ιράκ, στην Αίγυπτο και στη Νιγηρία. Θα ήταν μικρότερος ο πονοκέφαλος για όσους συγγράφουν παγκόσμια ιστορία αν όλες αυτές οι αλλαγές είχαν επιλέξει να αρχίσουν ταυτόχρονα (θα πρέπει να αφήσω τη Νιγηρία για ένα κατοπινό κεφάλαιο), και μπορεί πράγματι να ήταν ένας μπελάς λιγότερος για την παγκόσμια ιστορία που θα επακολουθούσε. Εδώ όμως δεν πρόκειται να αναλύσω γιατί ο πολιτισμός ξεκίνησε ταχύτερα στο ένα μέρος απ' ό,τι στο άλλο,* πόσο μάλλον να θρηνήσω ή να πανηγυρίσω την εμφάνισή του· πρόθεσή μου είναι να περιγράψω το πώς επηρέασε την τέχνη.

Οι άνθρωποι αναμφίβολα έσφαλαν όταν συνήθιζαν να εικάζουν ότι όλοι οι πολιτισμοί προήλθαν από μία και μοναδική πηγή (η θεωρία της «διάχυσης»). Και όμως τα καλλιτεχνήματα πρώιμων και πολύ απομακρυσμένων μεταξύ τους πολιτισμών μοιάζουν συχνά *ταιριαστά* όταν τα παρατηρεί κανείς μαζί, όποιος κι αν είναι ο λόγος. Δεν υπάρχει σχεδόν καμιά πιθανότητα να επηρεάστηκε η αρχαία Αμερική από την αρχαία Κίνα, μα αυτό το τσονγκ [**23**] του πολιτισμού Λιανγκτσού, που φτιάχτηκε μεταξύ του 3200 και του 2200 π.Χ., ταιριάζει μια χαρά· με αυτά που μόλις είδαμε. Τόσο οι Ολμέκοι όσο και οι Κινέζοι της Νεολιθικής περιόδου συμμερίζονται το πάθος για τον δυσεύρετο και δύσκολο στην κατεργασία του νεφρίτη. Οι αποστάσεις που έπρεπε να διανυθούν για να εισαχθεί αυτή η απόκοσμη πέτρα και η υπομονετική εργασία που προϋπέθετε η κοπή, η χάραξη και η στίλβωσή της μας οδηγούν στο συμπέρασμα ότι σε κάθε περίπτωση η επεξεργασία της είχε τεθεί υπό την αιγίδα μιας αριστοκρατίας που άκμαζε λόγω των αγροτικών πλεονασμάτων. Γύρω από το στόμιο του ποταμού Γιανγκτσέ, όσοι εργάζονταν γι' αυτήν εξειδικεύονταν σε επακριβώς ζυγιασμένες και επιμερισμένες φόρμες και, ακόμα περισσότερο από τους καλλι-

---

*   Το έργο του Jared Diamond, *Guns, Germs and Steel* (1997) [ελλ. έκδ.: *Όπλα, μικρόβια και ατσάλι: Οι τύχες των ανθρώπινων κοινωνιών*, μτφρ. Κατερίνα Γαρδίκα, Κάτοπτρο, Αθήνα 2007] είναι μια συναρπαστική θεώρηση των οικολογικών παραγόντων που εξηγούν γιατί οι κοινωνίες αναπτύχθηκαν άνισα σε όλο τον κόσμο, καθώς και κάποιων ιστορικών συνεπειών.

τέχνες του Τσαβίν, σε πολλαπλασιαζόμενες και υποδιαιρούμενες συνθέσεις αφαιρετικών προσώπων.

Τι είναι ένα τσονγκ; Δεν γνωρίζουμε επακριβώς. Είναι ένα σύγχρονο όνομα για έναν ορισμένο τύπο κούφιου όρθιου κυλίνδρου εναποτιθέμενου στον τάφο ενός ευγενούς. Ενδεχομένως φτιάχτηκε από νεφρίτη ώστε να μπορεί να επιτελεί κάποια λειτουργία με μεγαλύτερη αποτελεσματικότητα απ' ό,τι αν επρόκειτο σε άλλη περίπτωση για ένα σωλήνα φτιαγμένο από πηλό ή ίνες – ο μετασχηματισμός αντικειμένων με τη χρήση πολύτιμων έναντι ευτελών υλικών αποτελεί παντού το έμβλημα της τέχνης του ελιτισμού. Τα τέσσερα συμμετρικά πρόσωπα που μοιάζουν με προσωπεία κοιτάζουν πιθανώς προς τα τέσσερα σημεία του ορίζοντα, που έχουν κεντρική σημασία στις κινεζικές δοξασίες οι οποίες αργότερα θα γίνονταν γνωστές ως φενγκ σούι. Είναι πιθανό πως ό,τι πέρναγε μέσα από εκείνο το κούφιο πέρασμα, από κάτω προς τα πάνω, ήταν πάντα και εκ φύσεως αόρατο. Μπορούμε να φανταστούμε πως ο πιο γόνιμος τρόπος να συνδεθεί η ανατολική Ασία με την Αμερική είναι το κοινό υπόστρωμα των πνευματικών πρακτικών που περνούσαν τον Βερίγγειο Πορθμό μαζί με τους πρώτους μετανάστες. Ο σαμάνος, το άτομο που καθοδηγεί τους υπερφυσικούς κόσμους, εμφανίζεται και στις δύο πλευρές της γήινης γέφυρας. Αυτό, εντούτοις, θα σήμαινε πως θα έπρεπε να πάμε *πολύ* πίσω – δέκα χιλιάδες χρόνια ή και περισσότερο.

Η αναζήτηση τόσο βαθιών πολιτισμικών ταυτοτήτων και συγγενειών είναι τόσο βασανιστική όσο και η ανίχνευση όλων των πολιτισμών πίσω στην Αίγυπτο ή το Ιράκ, και ομοίως αποτελεί μια γραμμή σκέψης που εύκολα μπορεί να μπλέξει στα γρανάζια του φυλετισμού. Η ομίχλη που περιβάλλει τα θεμέλια του πολιτισμού ωφελεί ασφαλώς μια τέτοια εικοτολογία. Φέρνει στο προσκήνιο θραύσματα όπως τον κορμό από ίασπι με μέγεθος δαχτύλου [24] που ήλθε στο φως κατά τις ανασκαφές στη Χαράπα του Πακιστάν. Τι σκεφτόταν εκείνος που έφτιαξε αυτό το γενναιόδωρα χαλαρό μικρό σώμα; Κάνοντας ένα άλμα από το ένα τέταρτο της Ασίας σε ένα άλλο, μπορεί να διαβάσουμε και σε αυτό το καλλιτέχνημα ένα ενδιαφέρον για το αόρατο· εδώ όμως αυτή η ιδιότητα έχει μετατεθεί στην εμπειρία της *πνοής* που διαποτίζει το σώμα, που το φουσκώνει, το χαλαρώνει και το ζωντανεύει εκ των ένδον.

Στους αρχαιολόγους συνήθως δεν αρέσει αυτός ο κορμός. Είναι υπερβολικά ωραίος. Υπάρχουν το πολύ μισή ντουζίνα κομμάτια φιλοτεχνημένα με τόση λεπτότητα στον «πολιτισμό της κοιλάδας του Ινδού» – τη φάση της ανοικοδόμησης πόλεων, στη διάρκεια της οποίας χτίστηκε η Χαράπα και πολλές άλλες τοποθεσίες της νότιας Ασίας ανάμεσα στο 2600 και το 1900 π.Χ. Μερικοί ειδικοί θα προτιμούσαν ο κορμός να είχε με κάποιον τρόπο ξεγλιστρήσει από ένα πιο πρόσφατο στάδιο της ινδικής τέχνης. Εντούτοις, άλλες εικόνες από την περιοχή του Ινδού ποταμού υποδηλώνουν πράγματι πως αυτό που αργότερα θα ονομαζόταν πράνα γιόγκα –πειθαρχία της «πνοής» ή του «πνεύματος» (στη ρίζα τους αυτές οι λέξεις έχουν την ίδια σημασία)– ασκούνταν ήδη στην περιοχή εκείνη την εποχή. Και αν δεν μπορούμε να εξηγήσουμε την ξαφνική εμφάνιση του εκλεπτυσμένου νατουραλισμού στο σπήλαιο Σοβέ και στο Σαν Λορέντζο, γιατί να είμαστε υποχρεωμένοι να το κάνουμε εδώ;

24 Ανδρικός κορμός από ερυθρό ίασπι που βρέθηκε στη Χαράπα, περ. 2200 π.Χ. Σε πολλές θέσεις που έχουν ανασκαφεί και αφορούν τον πολιτισμό του Ινδού, ο οποίος εκτεινόταν σε όλο το Πακιστάν και τη βόρεια Ινδία, ένας πολύ μικρός αριθμός αντικειμένων ξεχωρίζουν για την υψηλή ποιότητά τους. Τα περισσότερα είναι σφραγίδες: μία δείχνει μια θεότητα με κεφάλι βουβάλου να κάθεται σε αυτό που τώρα θα αποκαλούσαμε στάση του λωτού. Εδώ βλέπουμε ένα από τα δύο μικροσκοπικά πέτρινα ειδώλια από τη μεγάλη πόλη Χαράπα, αμφότερα ακέφαλα και δίχως άκρα. Παραμένει ασαφές τι ακριβώς θα συμπλήρωνε τις κόγχες.

Συνολικά, ωστόσο, τα ερείπια των πόλεων του Ινδού ποταμού αντιτίθενται στους περισσότερους ισχυρισμούς αναφορικά με τα γνωρίσματα που ο «πολιτισμός» οφείλει να επιδεικνύει. Δεν δείχνουν σχεδόν κανένα σημάδι της όποιας ελίτ: δεν υπάρχουν παλάτια ή ναοί, μονόλιθοι ή μνημεία, ούτε ιεραρχίες στην εικονοποιία, και λίγα θα απαιτούσαν περισσότερη δεξιοτεχνία απ' ό,τι οι χάντρες από καρνεόλιο ή αχάτη. Οι ανασκαφές φέρνουν στο φως κυρίως ταπεινά ειδώλια από τερακότα, σκαλισμένα για παιχνίδι ή για μαγεία, πράγματα που αλλού θα τα αντιπαρέρχονταν ως προϊόντα κάποιας υποκουλτούρας. Ο Γκρέγκορι Πόσελ, μια αυθεντία στην τέχνη της περιοχής (ο οποίος παρεμπιπτόντως υπερασπίζεται την αρχαιότητα αυτού του κορμού από ίασπι), υποστηρίζει πως εκεί υπήρχε ένας σκόπιμος, ιδεολογικός «μηδενισμός»: ήταν ένα ενσυνείδητο πείραμα ζωής που αποτόλμησαν οι άνθρωποι και το οποίο εμπεριείχε λίγο ως πολύ την αποφυγή της υψηλής τέχνης και της παράδοσης. Δεν υπάρχει ένας και μόνο τρόπος για να γίνουν τα πράγματα.

Γραμμές εδάφους
Ιράκ, Αίγυπτος, 3100-2200 π.Χ.

Στον πολιτισμό του Ινδού ποταμού υπάρχει ωστόσο ένας μεγάλος αριθμός σφραγιδόλιθων που χρησιμοποιούνταν για το σφράγισμα των συναλλαγών και τον συνδέουν με τις πόλεις των Σουμερίων στο νότιο Ιράκ με τις οποίες είχε έρθει σε επαφή μέσω του ναυτικού εμπορίου. Έστρεψα αυτήν τη συζήτηση προς τα πίσω, προς αυτό που συνήθως αποκαλείται «λίκνο του πολιτισμού», επειδή αισθάνομαι πως οι Σουμέριοι καθόρισαν τις ιδέες των ιστορικών πάνω στο τι συνιστά μια κοινωνία μεγάλης κλίμακας. Πολλές από τις πιο γνωστές διανοητικές συνήθειες της Δύσης προέρχονται εντέλει από τους Σουμερίους: η αντιπαράθεση μεταξύ βασιλέων και ιερέων (δηλαδή μεταξύ του πολιτικού και του πνευματικού)· οι ιδέες της για τη λογοτεχνία· πιθανώς ακόμα και η εφταήμερη εβδομάδα. Η Σουμερία λοιπόν μοιάζει σαν να κατέχει τη μαγική συνταγή, ενώ οι άλλες χώρες απλώς τα διάφορα συστατικά. Ομοιώματα ηγετών· μεγάλης κλίμακας αρχιτεκτονική· τελετουργικά σύνεργα από εξεζητημένα υλικά· προσεκτικά ελεγχόμενη χρήση νατουραλιστικών επιδράσεων – ο πολιτισμός που αναπτύχθηκε μετά το 3500 π.Χ., αρχικά στην

25 Αποτύπωμα από σουμερικό σφραγιδόλιθο που απεικονίζει άνδρες και ζώα, περ. 2800 π.Χ. Οι εικόνες που αποτυπώνονται σε πηλό επιτελούσαν σημαντική λειτουργία στα συστήματα ιδιοκτησίας και γραφειοκρατίας τα οποία ανέπτυξαν οι Σουμέριοι. Η εικονοποιία που παρουσιάζει τους ανθρώπους να κρατούν ζώα σε απόσταση αντανακλά έναν πολιτισμό που προϋπέθετε υψηλό βαθμό ελέγχου και συντονισμού προκειμένου να επιβιώσει μέσα στο εύθραυστο οικολογικό περιβάλλον του νότιου Ιράκ. Από τεχνικής άποψης, ο σφραγιδόλιθος προαναγγέλλει την εγχάραξη για την παραγωγή πολλαπλών τυπωμάτων, και είναι αξιοσημείωτο ότι αυτή η δυνατότητα επρόκειτο να αναπτυχθεί πάνω από τρεις χιλιάδες χρόνια αργότερα, αρχικά στην ανατολική Ασία.

Ουρούκ και ύστερα σε αντίπαλες πόλεις στις παραποτάμιες πεδιάδες, τα εμπεριείχε όλα. Αυτός ο πολιτισμός ενδιαφερόταν προπαντός για την αυτοσυντήρησή του, επινοώντας συστήματα καταγραφής. Οι πλάκες από μαλακό παραποτάμιο πηλό, πάνω στις οποίες καταγράφονταν στοιχεία σχετικά με την ιδιοκτησία και το εισόδημα, και αργότερα το *Γιλγαμές*, το πρώτο γνωστό έπος του κόσμου, ήταν επίσης εντυπωμένες με σχέδια που προέρχονταν από χαραγμένους κυλίνδρους φτιαγμένους από στεατίτη και λαζουρίτη, οι οποίοι χρησιμοποιούνταν ως σφραγίδες εξουσίας.

Με άλλα λόγια, με εικόνες σαν αυτό το αποτύπωμα [**25**] που προέρχεται από σφραγιδόλιθο του 2800 π.Χ. περίπου, αρχίζουμε να μπαίνουμε στον κόσμο της δυνάμει αναπαραγόμενης πληροφορίας που τώρα μας περιβάλλει. Σύμφωνα με αυτό το μοντέλο, ο πολιτισμός τυποποιεί. Περιθωριοποιεί το ιδιόμορφο χάρισμα της χειροτεχνίας που ακόμη μπορούμε να δούμε σε αγροτικές παραγωγικές φόρμες όπως την αγγειοπλαστική. Στη θέση αυτού προάγει το δόκιμο, το τελειοποιημένο, το στρωτό. Εδώ η εικόνα μοιάζει περισσότερο με έναν κώδικα που παρουσιάζει έναν κομψότερο ρυθμό από τις παρόμοιες λωρίδες σφραγιδόλιθων με άνδρες, ταύρους και λιοντάρια που είχαν χαραχτεί τους προηγουμένους αιώνες. Έχει μεσολαβήσει μια αίσθηση «ύφους», όπως θα λέγαμε, που εκλεπτύνει την αλληλεπίδραση της μορφής και του αρνητικού χώρου που είδαμε προηγουμένως να διερευνάται στο Γκομπεκλί Τεπέ [βλ. **11**, **12**]. Δεν είναι σαφές πόσο στενά συνδέονται οι μορφές στο σφραγιδόλιθο με τις αφηγήσεις του *Γιλγαμές*, παρότι καθεμιά από αυτές φανερώνει μια σύγκρουση δυνάμεων ανάμεσα σε ήρωες, άλλοτε ανθρώπους, άλλοτε θεούς. Τα ζώα πρέπει να υποτάσσονται στο δέος· τα ζώα πρέπει να γνωρίζουν την ήττα. Θέματα ελέγχου και ανταγωνισμού ζωντανεύουν το σχέδιο.

Όπως τόσες προσωποποιημένες κούκλες, εκατοντάδες, σχεδόν πανομοιότυπα ειδώλια τοποθετούνται στο εσωτερικό των σουμερικών ναών κοιτάζοντας θρηνητικά με τα μεγάλα τους μάτια κάτι που κατείχε κεντρική θέση και ενσάρκωνε μια πνευματική δύναμη. Αντιπροσώπευαν, αρκετά κυριολεκτικά, τους πολίτες που επιθυμούσαν να διατηρήσουν μια οπτική επαφή με μια προστατευτική θεότητα, ενώ οι ίδιοι ασχολούνται με τις δουλειές τους κάπου αλλού, και οι οποίοι είχαν πληρώσει για αυτές τις αναπαραστάσεις, που λειτουργούσαν τρόπον τινά ως ασφαλιστήρια. Τέτοια φαινόμενα υπογραμμίζουν το γεγονός ότι τεράστιες ζώνες της αρχαίας καλλιτεχνικής δημιουργίας δεν είχαν αρχικά την πρόθεση να απευθυνθούν στους θνητούς. Μεγάλο μέρος της, επιπλέον, σφραγιζόταν στον αθέατο χώρο του τάφου. Τα περισσότερα μεγάλα «είδωλα» (αν μπορούμε να χαρακτηρίσουμε έτσι ένα αντικείμενο που αντιπροσώπευε ένα θεό) της Σουμερίας έχουν χαθεί, αλλά στην Αίγυπτο, μια χώρα που σπάνια κινδύνευε από εισβολές και όπου αυτή η αρχή εφαρμόζεται ακόμα περισσότερο, τα αρχαιολογικά ευρήματα είναι πλουσιότερα.

Ο αιγυπτιακός πολιτισμός αναπτύχθηκε μερικούς αιώνες μετά τον σουμερικό, ανεξάρτητα, αν και μπορεί να υιοθέτησε από αυτόν την έννοια της γραφής. Αν η κατασκευή πόλεων υπήρξε η αποφασιστική εξέλιξη στο Ιράκ, το γεγονός που σηματοδότησε την έναρξη της επικράτησης τριάντα δυναστειών υπό αιγύπτιους φαραώ στο διάστημα τριών χιλιετιών υπήρξε η ενοποίηση της λωρίδας των περιοχών που εκτείνονταν ανάμεσα στο δέλτα του Νείλου στη Μεσόγειο και τα ορμητικά σημεία του ποταμού στα αφρικανικά υψίπεδα. Αυτήν τη συνένωση της χώρας την ακολούθησε μια αντίστοιχη τυποποίηση των εικόνων. Η ρευστότητα και ο άτυπος χαρακτήρας της ποιμενικής τέχνης –θυμηθείτε, για παράδειγμα, τις σκηνές από καταυλισμούς, οι οποίες είχαν ζωγραφιστεί πολύ πιο δυτικά σε μιαν άλλοτε γόνιμη Σαχάρα (βλ. σ. 21)– έδωσαν τη θέση τους στη σαφήνεια και την ακρίβεια. Ο νέος κρατικός πολιτισμός σκεφτόταν με όρους βαθμίδων, ιεραρχιών και περιχαρακωμένων χώρων. Όλα αυτά υπαγόρευαν ότι οι μορφές θα έπρεπε να στέκουν επίπεδες στην ίδια «σειρά καταχώρισης» ή γραμμή εδάφους όπως και στον σουμερικό σφραγιδόλιθο. Επιπλέον, οι σωματικές τους αναλογίες θα έπρεπε να υπόκεινται στη «γεωμετρία». (Ο όρος, που σημαίνει «μέτρηση της γης», αποδίδεται στους Έλληνες, δηλώνει όμως μια έννοια που φαίνεται αρχικά να υιοθετήθηκε από τους Αιγυπτίους.) Ήδη την εποχή της Τέταρτης Δυναστείας είχε αρχίσει να εξελίσσεται βαθμιαία ένα περιεκτικό βιβλίο με κανόνες αναπαράστασης, το οποίο θα γινόταν γνωστό ως «ο κανόνας». Ο Μενκαουρέ και η Χαμερερνεμπτί, ένας φαραώ και η σύζυγός του περίπου από το 2470 π.Χ.,* ξεπηδούν και οι δύο από αυτόν [**26**].

26 Ο Μενκαουρέ και η Χαμερερνεμπτί, βασιλικό άγαλμα από διορίτη, περ. 2470 π.Χ.

Αυτό το άγαλμα, του οποίου το μέγεθος φτάνει τα τρία τέταρτα του φυσικού μεγέθους, ανασκάφτηκε σε ένα ναό κάτω από την πυραμίδα της Γκίζας, την οποία έχτισε ο Μενκαουρέ για να διασφαλίσει το κατάλληλο πέρασμα της ψυχής του στους ουρανούς. Μπορεί και αυτό να είχε ως πρωταρχικό σκοπό την ουράνια προσοχή παρά την πολιτική προπαγάνδα. Ένα «τέλειο» –δηλαδή βάσει του βιβλίου με τους κανόνες– ομοίωμα θα μπορούσε να χρησιμεύσει ως υποκατάστατο σκεύος υποδοχής της ψυχής σε περίπτωση που τα σωματικά απομεινάρια του κατόχου της υπέκειντο στη φθορά. Ο Μενκαουρέ (ή Μυκερίνος) ήταν εγγονός του Κούφου (ή Χέοπα), του φαραώ για τον οποίο ανεγέρθηκε η Μεγάλη Πυραμίδα, η πιο επιβλητική κτιριακή κατασκευή του κόσμου. Ήταν ένα επίτευγμα δύσκολο να επαναληφθεί, και τόσο η προτίμηση του Μενκαουρέ για μια πυραμίδα ακόμα μικρότερη από εκείνη του πατέρα του Κάφρε (ή Χεφρήνου) αλλά και η ελαφρώς ημιτελής φύση του αγάλματός του μπορεί να αντανακλούν συνθήκες υπερβολικής οικονομικής στενότητας.

Οι χονδροειδώς σμιλευμένες επιφάνειές του μας κάνουν να αναλογιστούμε: τι χρειάζεται για να φτιαχτεί ένα τέτοιο αντικείμενο; Οι αρχαιολόγοι έχουν ανασυνθέσει τη συνταγή. Αποσπάστε ένα ορθογώνιο κομμάτι από διορίτη από ένα λατομείο στην Άνω Αίγυπτο. Σημειώστε με κιμωλία έναν κάνναβο με 18 οριζόντιες διαχωριστικές γραμμές στο μπροστινό μέρος και στις πλαϊνές όψεις. Χρησιμοποιήστε τες για να ελέγξετε το σχέδιο του σώματος που σκοπεύετε να κατασκευάσετε: οι ώμοι βρίσκονται στη γραμμή 16, η ζώνη στην 11, τα γόνατα στην 6 κτλ. Σε κάθε όψη κόψτε και αφαιρέστε το ανεπιθύμητο βάρος. Μεταφέρετε με κάρο το πρόχειρα σκαλισμένο άγαλμα για σαράντα χιλιόμετρα από το λατομείο στον Νείλο, έπειτα με σχεδία για άλλα χίλια μέχρι τα βασιλικά εργαστήρια στην Γκίζα. Εδώ το έργο θα το αναλάβουν λεπτότερα εργαλεία, ώσπου ο βράχος να αποκτήσει τα κοιλώματα που βλέπουμε μεταξύ των άκρων. Μια μακρόσυρτη εργασία τριψίματος με χαλαζίτη και γυαλίσματος με λεπτό πηλό θα

ξηρασία– συνέβαλαν πιθανώς σε αυτές τις ταραχές, απομακρύνοντας πολλούς κατοίκους των πόλεων, οι οποίοι στράφηκαν στην κτηνοτροφία. Μεγάλης κλίμακας οικισμοί στις περιοχές του Ινδού ποταμού και στην κεντρική Ασία φαίνεται πως εγκαταλείφθηκαν οριστικά γύρω στα 1800 π.Χ.

Ένας άλλος παράγοντας που επιτάχυνε την αλλαγή ήταν η νέα τεχνολογία του ιππήλατου άρματος, που απλώθηκε την περίοδο αυτή σε όλη την Ευρασία, από τις στέπες γύρω από τα ρωσικά Ουράλια έως το Ιράκ και την Αίγυπτο. Φτάνοντας σε εκείνη την περιοχή του κόσμου, επιτάχυνε τους ανταγωνισμούς για την εξουσία, μετατρέποντας τα καθεστώτα που έδειχναν έντονο ενδιαφέρον για το παρελθόν και την ευπρέπεια σε στρατιωτικές αυτοκρατορίες. Σε αυτούς τους αιώνες οι πιο εντυπωσιακές παραλλαγές πάνω στα γνωστά καλλιτεχνικά πρότυπα εμφανίστηκαν στη βορειοδυτική περιφέρεια αυτής της περιοχής, στα νησιά του Αιγαίου πελάγους, στα οποία δεν μπορούσαν να φτάσουν οι έφιπποι εισβολείς. Οι άνθρωποι που ζούσαν στην Κρήτη –οι επονομαζόμενοι «Μινωίτες» – και ύστερα στις Κυκλάδες, στα βόρεια της Κρήτης, επιδόθηκαν στο θαλάσσιο εμπόριο και την εγκατάσταση σε πόλεις μεγάλης κλίμακας, όπως μοιάζει να δείχνει ένα απόσπασμα από μια τοιχογραφία στο κυκλαδικό νησί της Θήρας [**32–36**]. Η αυθεντική παράσταση έχει ύψος μικρότερο από το διπλάσιο ύψος αυτού του βιβλίου, αλλά έχει δεκαπλάσιο μήκος, και κάποτε απλωνόταν στον τοίχο του σπιτιού κάποιου εμπόρου στην τοποθεσία Ακρωτήρι, ανάμεσα σε πολλές άλλες πανομοιότυπες σκηνές που περιέτρεχαν το δωμάτιο. Στη νησιωτική πόλη που βλέπουμε να απεικονίζεται, ένας στόλος κωπηλατεί στο ανοιχτό πέλαγος προς ένα άλλο λιμάνι στη δεξιά άκρη. Τις βάρκες καταλαμβάνουν καλοντυμένοι άνθρωποι, και από τις ταράτσες κοιτάζουν οι κά-

32–36 (κάτω και στην πίσω σελίδα)
«Μικρογραφική ζωφόρος του στόλου», νωπογραφία από το Ακρωτήρι, Θήρα, Ελλάδα, περ. 1550 π.Χ. Οι λεπτομέρειες της παράστασης είναι ανοικτές σε ερμηνεία, όμως αυτή είναι κατά τα φαινόμενα μια σκηνή της σύγχρονης ζωής όπως τη συνέλαβε ένας εικαστικός ποιητής που ζούσε σε ένα νησί στο Αιγαίο της Εποχής του Χαλκού. Εδώ το πνεύμα μοιάζει με εκείνο των πολύ προγενέστερων βραχογραφιών από το Τασίλι στη Σαχάρα (βλ. **10**). Αυτή είναι μια άλλη θέαση μιας ανθρωπότητας που μαρτυρά μια καλή σχέση με το περιβάλλον της, και παρότι η ζωφόρος είναι περιορισμένη πάνω και κάτω, οι μορφές μοιάζουν σαν αθώοι συμμέτοχοι σε έναν κόσμο δίχως περιορισμούς.

τοικοι της πόλης· αυτή ήταν κατά πάσα πιθανότητα κάποια ετήσια τελετή με την οποία οι έμποροι γιόρταζαν τις θαλάσσιες ασχολίες τους. Δύο άνθρωποι συζητούν στο στόμιο ενός ποταμού, ενόσω πάνω στα βουνά ένα λιοντάρι κυνηγά ελάφια· και από τη θάλασσα ξεπηδούν δελφίνια.

Στους αιώνες γύρω από το 1600 π.Χ., οι ζωγράφοι αναπολούν τις γαλήνιες εικόνες μέσα στους αιγυπτιακούς τάφους, και πράγματι αυτό το φανταχτερό, απόκοσμο μπλε είναι μια χρωστική ουσία εισηγμένη από την Αίγυπτο. Εκεί, η ζωγραφική με το πινέλο, η δημιουργία χρωματικών μοτίβων και η επίχριση πάνω στο λευκό ασβεστοκονίαμα μπορούσαν να είναι εξίσου επιδέξιες και περίτεχνες. Μα τίποτα δεν φαίνεται να θυμίζει αυτήν την καλπάζουσα, χαλαρή πτήση του βλέμματος πάνω στον κόσμο καθώς περιπλανιέται, αναρωτιέται και τον ονειρεύεται εκ νέου. Οι αιγυπτιακοί κανόνες αντικαταστάθηκαν στην αιγαιακή ζωγραφική από μιαν αγάπη για τους μαιάνδρους και τα σχήματα που δελεάζουν το μάτι – ελικοειδείς διακοσμήσεις, ιλουζιονιστικές ταινίες, όμορφες γυναίκες και χαριτωμένους νέους. Υπήρχαν εξίσου ελάχιστες ενδείξεις για ύπαρξη ιεραρχιών και εκδηλώσεις θριάμβου που εμφανίζονται σε πολιτισμικά περιβάλλοντα του Νότου και της Ανατολής. Όλο αυτό μοιάζει να ανταποκρίνεται σχεδόν τέλεια στις σύγχρονες φαντασιώσεις των τουριστών για κάποιον ηδονικό αστικό παράδεισο. Μήπως υπερβολικά τέλεια; Όταν ο αρχαιολόγος Άρθουρ Έβανς αποκάλυψε τα ερείπια των κρητικών ανακτόρων της Κνωσού το 1902, δεν δίστασε να ζωγραφίσει τα κενά ανάμεσα στα θραύσματα του ασβεστοκονιάματος σύμφωνα με την τεχνοτροπία της Αρ Νουβό, που ήταν της μόδας τότε στην Ευρώπη (βλ. σ. 368). Οι εικόνες από το Ακρωτήρι φαίνονται πιο αξιόπιστες επειδή ο Σπυρίδων Μαρινάτος, ο οποίος ξεκίνησε τις ανασκαφές το 1967, έφερε έναν πιο επιστημονικό, αν και μάλλον λιγότερο δημιουργικό, αέρα σε μια πραγματική χρονική κάψουλα – μια πόλη που είχε ξαφνικά επικαλυφθεί από τη σκόνη μιας ηφαιστειακής έκρηξης όχι πολύ μετά τη δημιουργία των τοιχογραφιών. Μετά την καταστροφή αυτή, άλλες πόλεις στο Αιγαίο επρόκειτο να κατακτηθούν από πολεμιστές της ηπειρωτικής Ευρώπης, τους γνωστούς τώρα ως Μυκηναίους. Θα παραλάμβαναν την εικονογραφία και τις τεχνικές που είχαν αναπτυχθεί, θα τους προσέδιδαν όμως μια πιο πολεμική χροιά.

Δείγματα της αιγαιακής ζωγραφικής έχουν επίσης βρεθεί στην άλλη πλευρά της Μεσογείου σε ένα αιγυπτιακό παλάτι. Η εξοικείωση με διαφορετικά πολιτισμικά περιβάλλοντα ήταν ένας παράγοντας που άλλαξε την όψη ενός άλλοτε αυτόνομου και πλέον ιμπεριαλιστικού έθνους. ΄Ενας άλλος παράγοντας ήταν η ανάπτυξη της φιλοσοφίας – δάσκαλοι και συγγραφείς που επιχειρούσαν να στοχαστούν και να συνθέσουν όλα τα τρέχοντα ρεύματα της σκέψης. Κατά τη διάρκεια της 18ης Δυναστείας, στη μέση του επονομαζόμενου «Νέου Βασιλείου» (που διήρκεσε τέσσερις αιώνες ξεκινώντας από το 1550 π.Χ. περίπου), ο γιος του κατακτητή φαραώ Αμενχοτέπ Γ΄ επιδόθηκε ολόψυχα σε μια τέτοια θεώρηση. ΄Αλλαξε το όνομά του από Αμενχοτέπ σε Ακενατόν για να δείξει ότι περιφρονεί τις θεότητες γύρω του και αφοσιώθηκε σε έναν και μοναδικό, υπερβατικό ήλιο-θεό, τον Ατόν. Μετέφερε την πρωτεύουσα του έθνους, χτίζοντας μια πόλη σε μια νέα τοποθεσία που τώρα είναι γνωστή ως Αμάρνα. Εδώ βάλθηκε να αλλάξει και την εθνική εικονοποιία. ΄Εδωσε εντολή σε έναν από τους επιφανείς γλύπτες του, τον Μπεκ, να αναπαριστά όλα τα πράγματα «σε μαάτ».

Τι είναι το μαάτ; Στη συγκεκριμένη περίπτωση είναι ένα θωράκιο [**37**] που πιθανώς φτιάχτηκε στο εργαστήριο του Μπεκ, με την τεχνική του «χαμηλού αναγλύφου» στην οποία ειδικεύονταν οι αιγύπτιοι γλύπτες. Δείχνει τον Ακενατόν, τη σύζυγό του Νεφερτίτη και τρεις από τις κόρες τους να έχουν μαζευτεί κάτω από τις ευεργετικές ακτίνες του Ατόν. Με κάνει να μαζεύομαι. Είναι μάλλον σαν να κοιτά κανείς τη βρετανική βασιλική οικογένεια να εμφανίζεται σε ένα σόου με διασημότητες, ή –για να επανέλθουμε

37 Μπεκ, ανάγλυφο του Ακενατόν και της οικογένειάς του, περ. 1375 π.Χ. Αυτό το ανάγλυφο, που αρχικά ήταν επιχρωματισμένο, ήταν στημένο μπροστά σε ένα βωμό στην Αμάρνα, τη νέα πρωτεύουσα της Αιγύπτου επί Ακενατόν. Με τις ζωντανές του λεπτομέρειες (το παιδάκι, για παράδειγμα, που τραβά το αυτί της μητέρας του) μπορεί να πρόσφερε στους θεατές ένα είδος υποκατάστατου για το ανακτορικό παράθυρο της Αμάρνα, στο οποίο η βασιλική οικογένεια εμφανιζόταν αυτοπροσώπως.

σε προηγούμενα παραδείγματα– είναι σαν να έπαιρνε ο Μενκαουρέ συγκαταβατικά τη θέση του Σενέμπ, διεκδικώντας την ίδια τρωτότητα. Υποθέτω πως η όποια επίμονη φιλομοναρχική σπίθα υπάρχει μέσα μου, που θέλει τους βασιλιάδες να είναι βασιλιάδες, πρέπει κατ' ανάγκην να προσκρούσει στην αξιολύπητα ταπεινωτική, γλυκερή συγκίνηση που προκαλεί η εικόνα. Γιατί να την παρουσιάσουμε λοιπόν; Η ερεθιστικά αποκρουστική τέχνη (δεν πρόκειται για μια επιστημονική κατηγορία, γι' αυτήν όμως μπορούμε πιθανώς όλοι να βρούμε παραδείγματα) προσφέρει στους ιστορικούς της τέχνης την απόλαυση του ειδήμονα, και αυτό το βιβλίο δεν είναι στην πραγματικότητα ο κατάλληλος τόπος για να ενδώσουμε σε αυτήν. Αυτό που ωστόσο θέλω να υπαινιχθώ είναι το πόσο πολύπλοκα έχουν ήδη καταλήξει να γίνουν τα γεγονότα και τα αισθήματα που εμπεριέχονται στην τέχνη, πάνω από τρεις χιλιάδες χρόνια προτού η σύγχρονη κουλτούρα αρχίσει καν να κάνει λόγο για τη «συναισθηματικότητα» και το «κιτς».

Το μαάτ που ο Ακενατόν απαιτούσε από τις εικόνες ενίοτε μεταφράζεται ως «αλήθεια». Αυτό θα τον καθιστούσε κάτι σαν εκπρόσωπο του ρεαλισμού, που είχε την πρόθεση να ξεφύγει από τα αιγυπτιακά «στερεότυπα» και να επιτρέψει στον κόσμο να μάθει πόσο εύθραυστο και άχαρο ήταν το σώμα του. Παρά το σεβασμό που μπορεί να επιδείκνυαν οι Αιγύπτιοι για το σωματικά ασυνήθιστο, τι είδους σεβασμός για την «αλήθεια» θα είχε εξαναγκάσει τους γλύπτες του να χωρέσουν όλες τις μορφές γύρω του μέσα στον ίδιο ψηλόλιγνο, ανδρόγυνο ζουρλομανδύα; Δεν νομίζω πως είναι λογικό: δεν νομίζω πως ο Μπεκ δούλευε με πρότυπο τη φύση. Το μαάτ θα μπορούσε να μεταφραστεί και ως «ορθή τάξη». Είναι πολύ πιθανό πως ο Ακενατόν, όπως και πολλοί άλλοι επαναστάτες, είχε σκεφτεί πως επέστρεφε σε κάποιον *πρωταρχικό* τρόπο θέασης των πραγμάτων – ο οποίος συνεπαγόταν τη σύλληψη του ανθρώπινου σώματος προτού το φύλο και η συναισθηματική συστολή κατηγοριοποιήσουν και περιπλέξουν τη ζωή μας. Δεν μπορούμε όμως να είμαστε βέβαιοι, και είναι πολύ αργά για να του πάρουμε συνέντευξη.

Αρκετά βέβαιο, αντίθετα, είναι το ότι σε ένα άλλο καλλιτεχνικό εργαστήριο στην Αμάρνα του Ακενατόν, ο γλύπτης Τούθμωσης θα είχε επίσης σεβαστεί κάποια αρχή σαν το μαάτ. Το πορτρέτο της Νεφερτίτης από τον Τούθμωση [38] κεντρίζει τα συναισθήματά μου με έναν εντελώς αντίθετο τρόπο από εκείνο του Μπεκ. Ειλικρινά, δεν λέω μέσα μου *«Αυτό είναι όμορφο»· λέω «Αυτή* είναι όμορφη». Βέβαια, κάποια μικρά τεχνάσματα δεξιοτεχνικής μαγείας συμβάλλουν ώστε αυτό το φυσικού μεγέθους έργο από ζωγραφισμένο ασβεστόλιθο να προκαλεί αυτήν την αντίδραση, όπως για παράδειγμα ο γυαλιστερός δεξιός βολβός του οφθαλμού από χαλκό και χαλαζίτη. (Όταν οι ανασκαφείς την έφεραν στο φως το 1912, μυστηριωδώς εγκαταλειμμένη σε μια αποθήκη με γλυπτές σκόρπιες κεφαλές, το άλλο μάτι έλειπε.) Πίσω όμως από αυτές τις νατουραλιστικές επιδράσεις κρύβονται σε μεγάλο βαθμό τα ίδια ένστικτα για ελικοειδή επιμήκυνση και για κλειστές, ολοκληρωμένες οπτικές ακολουθίες που αποτελούν τη βάση στο ανάγλυφο του Μπεκ – εφαρμοσμένα, χωρίς αμφιβολία, με πολύ περισσότερη

38 Προτομή της Νεφερτίτης από τον Τούθμωση, επιχρωματισμένος ασβεστόλιθος, περ. 1340 π.Χ. Ο Μοχάμετ Άχμες εσ-Σενούσι ήταν ο πρώτος που είδε το χρώμα στο περιδέραιό της να αναδύεται κάτω από το φτυάρι του πάνω από τρεις χιλιάδες χρόνια μετά, στις 6 Δεκεμβρίου του 1912. Η κραυγή του ξύπνησε τον υπεύθυνο της ανασκαφής Λούντβιχ Μπόρχαρντ, που διέκοψε τη σιέστα του και έτρεξε να βοηθήσει να τη βγάλουν από τα συντρίμμια. Ο Μπόρχαρντ φρόντισε να επιστρέψει το εύρημα αυτό μαζί του στη Γερμανία αντί να δοθεί στις αρχές της Αιγύπτου. Αφότου εκτέθηκε στο Βερολίνο το 1923, το αριστούργημα του Τούθμωσης αποκρυστάλλωσε όσο και οποιοδήποτε άλλο σύγχρονο έργο τέχνης τις δυτικές ιδέες του 20ού αιώνα για τη γυναικεία ομορφιά.

δεξιοτεχνία και λεπτότητα. Θα λέγαμε πως το μαάτ είναι ένας ύπουλος, αόρατος ρυθμιστής που κρατά πονηρά τα προσχήματα· κάτι απροσδιόριστο, κάτι λεπτότερο από τη γεωμετρία του βιβλίου με τους κανόνες. Ήταν πάντοτε παρόν ως λανθάνουσα κατάσταση, όμως σε ένα πλαίσιο σαν της Αμάρνα –προγραμματικό, αμφιλεγόμενο, καινοτόμο– άρχισε να γίνεται καταφανώς αισθητό. Αυτήν την παράδοση την είχε ήδη αιχμαλωτίσει η ένταση μεταξύ φύσης και *ιδεώδους*.

Πλήρης κύκλος
Μεξικό, 1200-800 π.Χ.

Με αυτούς τους δύο όρους καταλήγουμε σε έναν ορισμένο στενό χαρακτηρισμό του περιεχομένου της «πολιτισμένης» τέχνης, ίσως και σε έναν τρόπο να κατατάξουμε ορισμένα αισθήματα γι' αυτήν, είτε θετικά είτε αρνητικά, μέσα σε μια γνωστή ιστορική παράδοση. Όμως η τέχνη προϋπάρχει των πολιτισμών, και σε αυτούς μπορεί να μην υπάρχει τίποτα το αναπόφευκτο ή το μόνιμο. Μετά τη βασιλεία του Ακενατόν, οι σύνθετες κοινωνίες στη δυτική Ασία και στην ανατολική Μεσόγειο άρχισαν και πάλι να καταρρέουν. Τη ριζοσπαστική του ιδεολογία την εγκατέλειψε γρήγορα ο βραχύβιος διάδοχός του, ο Τουταγχαμών (αυτός με τον διάσημο χρυσό τάφο), και ύστερα ο Ραμσής Β΄, ο οποίος επέστρεψε σε μια συντηρητική, στρατιωτική πολιτική θριάμβων, ανεγείροντας μερικά από τα πιο επιβλητικά μνημεία του έθνους. Εντέλει, ωστόσο, το Νέο Βασίλειο της Αιγύπτου έμελλε να καταρρεύσει στη διάρκεια μιας παρατεταμένης περιόδου αναταραχών που ρήμαξαν το Ιράκ, τη Συρία και τα μέρη όπου σήμερα βρίσκονται η Τουρκία και η Ελλάδα, αφανίζοντας τα μυκηναϊκά βασίλεια. Αυτή η «Σκοτεινή Περίοδος» γύρω στα 1000 π.Χ. οφείλεται στην εμφάνιση των σιδερένιων όπλων, η οποία διατάραξε τη στρατιωτική ισορροπία μεταξύ των μεγάλων αυτοκρατοριών. Η πρωτοβουλία έτεινε να περάσει σε μικρότερες πολιτικές οντότητες.

Θα μπορούσαμε επίσης να αντιστρέψουμε την ιστορική προοπτική προβάλλοντας τη δική τους σκοπιά. Εξάλλου τα χωριά και οι φυλές προϋπάρχουν, κατά κανόνα, των πόλεων και των κρατών στην ιστορία: η μικρότερη μονάδα τρέφει αρχικά τη μεγαλύτερη, παρά το αντίστροφο. Οι δημιουργικές καινοτομίες μπορεί συχνά να εκδηλώθηκαν και με αυτό τον τρόπο. Για παράδειγμα, πολλοί αρχαιολόγοι θεωρούν τα γιγάντια πέτρινα μνημεία του Σαν Λορέντζο λιγότερο σημαντικά, σε ό,τι αφορά την εξέλιξη της μεταγενέστερης μεξικάνικης τέχνης, από την εγχώρια παραγωγή αγγειοπλαστικής των χωρικών που είχαν απλωθεί σε όλες τις κοιλάδες της Μεσοαμερικής. Μοιάζει πολύ πιθανόν, τότε όπως και τώρα, η αγγειοπλαστική να ήταν μια τέχνη την οποία ασκούσαν σε αυτήν την περιοχή κυρίως οι γυναίκες. Παρήγαγε μια πλούσια ποικιλία αναπαραστατικών επινοήσεων σε πηλό με την τεχνική της χειροποίητης κουλούρας, οι οποίες ήταν σοβαρές, εύσωμες, εκλεπτυσμένες, απέριττες. Από τα αγαθά που συνόδευαν έναν θαμμένο σαμάνο στην τοποθεσία Τλατίλκο, που τώρα την έχουν καταπιεί τα προάστια της Πόλης του Μεξικού, προέρχεται ένα αγγείο με τη μορφή ενός ακροβάτη [**39**]. Με τον όγκο του να ρέει γύρω από μια σκανδαλιάρικη οπτική εκζήτηση και το προσεγμένα συνεπτυγμένο μισό πόδι και μισό στόμιο, ο ακροβάτης-μπουκάλι στέκει αφ' εαυτού ενάντια σε μια τέχνη με πολύ πιο μεγαλεπήβολες φιλοδοξίες. *Αυτό*, με τον τρόπο του, είναι αναμφισβήτητα όμορφο.

Αυτός, θα έλεγαν κάποιοι, δεν είναι. Ίσως όμως στην αρχαία αμερικανική παράδοση, της οποίας αυτό το έργο είναι αντιπροσωπευτικό, μια μορφή είναι κάτι που διαφέρει πολύ από το συμπαγές κομμάτι που έχει δημιουργηθεί με θαυμαστό τρόπο και μπορεί να αναπαριστά το ιδεώδες τους. Εδώ, τα πρόσωπα είναι πράγματι πήλινα δοχεία – ασταθή και κούφια σκεύη, γεμάτα με φευγαλέα ζωντάνια, ενέργεια, συγκίνηση, αίμα. Δεν έχουν τίποτα το αιώνιο όπως η πέτρα, εντούτοις ο αγγειοπλάστης επιδίδεται σε εντυπωσιακές μεταφορές για τις μεταμορφώσεις τους. Ο Τούθμωσης, ο γλύπτης της Νεφερτίτης, δεν είχε να πει και πολλά πάνω σε αυτό, παρ' όλη του την εξιδανίκευση.

Αυτή η κυκλική φιάλη χρονολογείται γύρω στο 1000 π.Χ., όντας σύγχρονη όχι μόνο με την κεφαλή των Ολμέκων που δείξαμε στην αρχή, αλλά και με τις μεγάλες πολιτικές αναταραχές που σημειώθηκαν γύρω από την ανατολική Μεσόγειο. Προς στιγμήν, αμφότεροι οι χρονολογικοί τροχοί αυτής της αφήγησης λίγο ως πολύ κινούνται στον ίδιο ρυθμό. Μπορούμε να κυλήσουμε σε μια νέα χιλιετία.

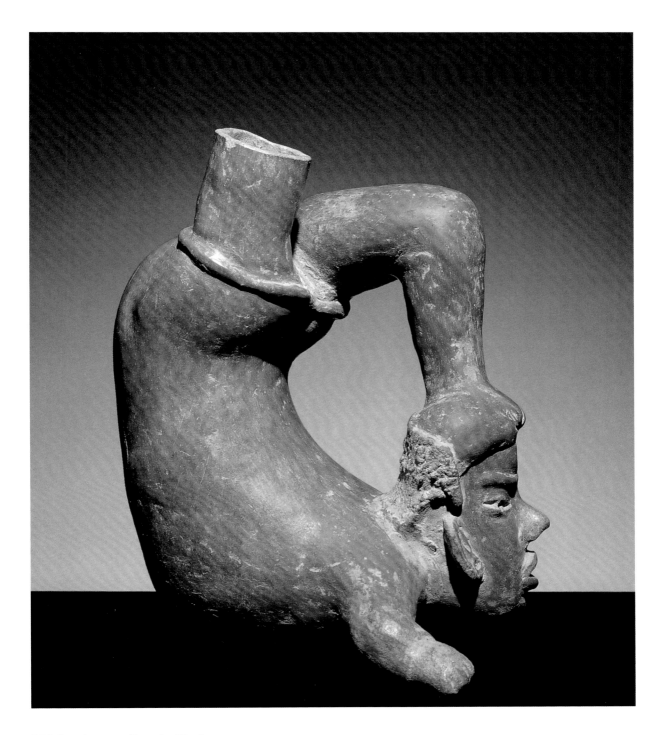

39 Ανθρωπόμορφη φιάλη από το Τλατίλκο,
Μεξικό, 1200–800 π.Χ. Μεγάλο μέρος της τέχνης
του αρχαίου Μεξικού απεικονίζει τις ακραίες
καταστάσεις που μπορεί να βιώσει το ανθρώπινο
σώμα – για παράδειγμα τις συστροφές των
ακροβατών (όπως εδώ), τα βασανιστήρια στα
οποία υποβάλλονταν οι εχθροί, το θάνατο ή τη
γέννηση ενός παιδιού (βλ. **134**).

3

ΚΛΑΣΙΚΟΙ ΚΑΝΟΝΕΣ

Προτάσεις και διακηρύξεις

Βόρεια Ασία, Συρία, Ιράκ, 800–600 π.Χ.

Ήταν τοποθετημένο στο στήθος του αλόγου που ανήκε σ' έναν νομάδα φύλαρχο· επρόκειτο για ένα ορειχάλκινο εξάρτημα για τα χαλινάρια στο μέγεθος ενός πιάτου [**40**]. Όταν πέθανε ο φύλαρχος, τα άλογά του σφαγιάστηκαν, και τα κουφάρια τους τοποθετήθηκαν γύρω του μέσα σε έναν μεγάλο ταφικό τύμβο, ένα κουργκάν. Αυτό συνέβη κάποια στιγμή γύρω στο 750 π.Χ. στην Τούβα. Η Τούβα, που σήμερα είναι μια από τις δημοκρατίες της Ρωσικής Ομοσπονδίας, βρίσκεται ανάμεσα στα δάση της Σιβηρίας προς τον βορρά και τα όρη και τις ερήμους της Μογγολίας προς τον νότο, αποτελώντας τμήμα του μακριού περάσματος από βοσκοτόπια ή «στέπες», το οποίο εκτείνεται από την Κίνα έως την ανατολική Ευρώπη. Κατά μήκος αυτού του περάσματος, οι ιδέες και οι τεχνικές μετακινούνταν ανατολικά και δυτικά μαζί με τους καβαλάρηδες και τα κοπάδια και τις αγέλες που βοσκούσαν. Αυτή είναι πιθανότατα η πορεία που ακολούθησε αρχικά η τεχνική της χύτευσης του ορείχαλκου ταξιδεύοντας από τους αγροτικούς πολιτισμούς της κεντρικής Ασίας σε εκείνους της Κίνας. Ήταν ενδεχομένως αυτή η τελευταία που προμήθευσε τον νομάδα καλλιτέχνη με το συμβολισμό του – το ζώο που καταβροχθίζει τον εαυτό του, μια σκέψη που θα μπορούσε να αντιπροσωπεύει την εναλλαγή των εποχών ή και την ίδια τη φύση του χρόνου. Αυτός ο δίσκος για τα χαλινάρια έδωσε σ' αυτό το πολύπλοκο παράδοξο τη μορφή του πρώτιστου ντόπιου κυνηγού, της λεοπάρδαλης του χιονιού. Βρίσκεται στην αρχή μιας παράδοσης στο πλαίσιο της οποίας οι νομάδες της στέπας δημιούργησαν εμβλήματα εξουσίας που βασίζονταν στην οικεία πανίδα – ελάφια, κατσίκες, καμήλες και αετούς σε σφιχτοδεμένους ρυθμούς από ορείχαλκο και χρυσό. Αυτό που έχει ονομαστεί «ζωόμορφη τεχνοτροπία» επρόκειτο αργότερα να ασκήσει επίδραση και να συγχωνευτεί με τις πιο αφηρημένες τεχνοτροπίες που χρησιμοποιούσαν οι φυλές της βόρειας Ευρώπης, και ακόμα και σε αυτό το σημείο φαίνεται πως υπάρχει μια τεχνοτροπική συγγένεια –σε διάστημα δύο χιλιάδων ετών και απόσταση έξι χιλιάδων χιλιομέτρων– ανάμεσα στην ελαστική σπείρα της λεοπάρδαλης και τους δακτυλίους της σκοτσέζικης πέτρινης σφαίρας που είδαμε στο τέλος του Κεφαλαίου 1.

Οι άνθρωποι που ζούσαν νότια από τις νομαδικές φυλές των στεπών αποκαλούσαν γενικά τους νομάδες Σάκα ή Σκύθες. Πολιτισμικά περιβάλλοντα σαν αυτό που ανέπτυξαν οι τελευταίοι αποτελούν μία όψη της ιστορικής κατάστασης που άρχισε να αναδύεται στους αιώνες μετά το 1000 π.Χ. – μια εποχή ενίοτε γνωστή ως «Εποχή του Σιδήρου», καθώς ένα νέο μέταλλο που λιώνεται δυσκολότερα άρχισε να επηρεάζει την τεχνολογία και τις συνθήκες διεξαγωγής του πολέμου. Εφεξής δεν μπορούμε πλέον να

40 Σπειροειδής πλακέτα με πάνθηρα, σκυθικός ορείχαλκος, από την Τούβα, Ρωσία, περ. 750 π.Χ.

σκεφτόμαστε απλώς με όρους αυτόνομων «πρωτογενών» πολιτισμών. Η ιστορία της τέχνης θα γίνεται όλο και περισσότερο δέσμια της αλληλεπίδρασης ανάμεσα στο μεγάλο και το μικρό, ανάμεσα στα εδραιωμένα κέντρα εξουσίας και τους ευκίνητους μεσολαβητές, ανάμεσα σε έργα που μοιάζουν με αυταρχικές διακηρύξεις και άλλα που είναι μάλλον προτάσεις υπό συζήτηση. Τα αντικείμενα που θα διερευνήσει αυτό το κεφάλαιο καλύπτουν ένα εύρος που κυμαίνεται από έναν μεγαλοπρεπή κρατικό ναό έως ένα μπατζάκι παντελονιού. Για να αντεπεξέλθω σε αυτήν την πολυεπίπεδη αλληλεπίδραση, θα αγνοήσω προσωρινά τις μεγάλες ζώνες της υφηλίου και θα εστιάσω μόνο στην Ασία και στην περιοχή της Μεσογείου. Η ιστορική τύχη καθορίζει τούτη την επιλεκτική τακτική. Αυτές ήταν οι περιοχές, στη διάρκεια της ακόλουθης χιλιετίας, όπου οι τεχνοτροπίες απέκτησαν ρίζες που ακόμα και σήμερα διαθέτουν παγκόσμιο πολιτισμικό κύρος – οι παραδόσεις τις οποίες αποκαλούμε τώρα «κλασικές».

Στο πλαίσιο του τότε γνωστού κόσμου, οι σκύθες νομάδες μπορούν να θεωρηθούν ως μια περιθωριακή υποκουλτούρα που επινόησε μια εξεζητημένη και χαρακτηριστική παραλλαγή στην τέχνη την οποία δημιούργησαν τα μεγαλύτερα κράτη που εκτείνονταν νοτιότερα. Υπήρχαν όμως υποκουλτούρες και στον πυρήνα του. Η κατάρρευση των μεγάλων αυτοκρατοριών της Αιγύπτου και της νοτιοδυτικής Ασίας κατά τους αιώνες γύρω στο 1000 π.Χ. επέτρεψαν σε άλλες, μικρότερες πολιτικές οντότητες να εμφανιστούν ανάμεσα στα παλιά κέντρα εξουσίας. Οι πόλεις της Συρίας και της Φοινίκης –σήμερα στη μεσογειακή ακτή του Λιβάνου– λειτουργούσαν από καιρό ως μεσάζοντες στο εμπόριο, και σε αυτό το σημείο, με ένα κλίμα ελευθερίας να καθοδηγεί την αγορά, τα εργαστήριά τους έγιναν οι κύριοι προμηθευτές πολυτελών προϊόντων. Μια ιδέα για την πολιτισμική ατμόσφαιρα αυτής της περιοχής γύρω στα 800 π.Χ. παραμένει σε ένα θραύσμα στο μέγεθος της παλάμης, το οποίο πιθανώς αποκολλήθηκε από την κορυφή του θρόνου ενός τοπικού ηγέτη [41]. Αποκρυσταλλώνει κάποιον ξεχασμένο θρύλο, θαρρείς και πρόκειται για φρούτο βουτηγμένο στη ζάχαρη. Με αυτήν τη νωθρή λέαινα, που σφίγγει στην αιμοβόρα αγκαλιά της τον ωραίο νεαρό αφρικανό πρίγκιπα που φορά παντελόνι με χρυσές ρίγες, εισερχόμαστε σε μια νέα περιοχή αισθητικής, εκλεπτυσμένα ερωτικής και υπερβολικά επιτηδευμένης. Γύρω τους μια λικνιζόμενη συστάδα από κρίνα και παπύρους συνθέτει μιαν ατμόσφαιρα πολυτελούς διακόσμησης. Ο πάπυρος ήταν ένα φυτό που ευδοκιμούσε στην Αίγυπτο, και το αγόρι, έτσι όπως απεικονίζεται, είναι πιθανόν να κατάγεται από τη Νουβία, τα εδάφη στα κατάντη του Νείλου· ο λαζουρίτης των κρίνων θα μπορούσε να προέρχεται μόνο από το Αφγανιστάν, ενώ το ελεφαντοστό με το οποίο είναι φτιαγμένοι –το κατεξοχήν υλικό για λεπτεπίλεπτη σμίλευση μικρής κλίμακας– μπορεί κάλλιστα να είχε εισαχθεί από την Ινδία, αφού ήδη τότε η Συρία είχε πιθανώς εξολοθρεύσει τον ντόπιο πληθυσμό των ελεφάντων για χάρη της τέχνης. Μονάχα τρία από τα μικρά άνθη από ερυθρό καρνεόλιο που κάλυπταν αυτήν την εκλεκτική συγχώνευση βρίσκονται ακόμη στη θέση τους, υποδηλώνουν, ωστόσο, την αγάπη για τα λαμπερά, περίπλοκα χρωματικά μοτίβα που είχαν καθιερωθεί στη νοτιοδυτική Ασία. Οι Φοίνικες κατείχαν επίσης την προερχόμενη από την Αίγυπτο τεχνική της υαλοτεχνίας και εφοδίαζαν διά θαλάσσης τις δυτικές αποικίες τους στη Βόρεια Αφρική, τη Σικελία, τη Σαρδηνία και την Ισπανία με φιάλες κυματιστού μπλε και κίτρινου.

Ο θρόνος στον οποίο ανήκε το γλυπτό βρέθηκε ωστόσο ανατολικά. Μεταφέρθηκε, πιθανώς ως λάφυρο πολέμου, σε ένα ασσυριακό παλάτι στη Νιμρούδ, πλάι στον ποταμό Τίγρη του βόρειου Ιράκ. Τα μικρά κράτη, που στριμώχνονταν στην περιφέρεια της Συρίας και της Φοινίκης, δημιουργούσαν συχνά ευκαιρίες για συστηματικούς στρατιωτικούς εκφοβισμούς, και στους αιώνες μετά το 880 π.Χ. η Ασσυρία απέκτησε βαθμιαία ισχύ και έγινε η κυρίαρχη δύναμη στην περιοχή. Είναι μια αυτοκρατορία που διώκεται ανηλεώς στη Βίβλο, το βιβλίο του οποίου οι εμπνευστές –οι Ισραηλίτες, που ζούσαν στην ενδοχώρα, στα νότια της Συρίας– αποτέλεσαν κάποια από τα άλλα θύματά της. Αυτό το μικρό έθνος διαμόρφωσε σταδιακά ένα μοναδικό σύνολο πολιτισμικών αρχών στις οποίες η εικονοποιία είχε απορριφθεί πλήρως και τα γραπτά έγιναν ο κύριος τόπος αναζήτησης του θείου. Ενώ όμως η διαμάχη των Ισραηλιτών με όλα τα πολιτισμικά περιβάλλοντα γύρω τους μπορεί να οξύνθηκε εξαιτίας των δεινών που υπέστησαν στα χέρια των Ασσυρίων, οι ανταγωνιστές τους ήταν ένας λαός που μιλούσε επίσης τη σημιτική γλώσσα και διέθετε μια έντονα λογοτεχνική κουλτούρα. Οι ασσύριοι βασιλιάδες συνέλεγαν γραπτές πηγές που έφταναν πίσω μέχρι το σουμερικό *Γιλγαμές*, όχι μόνο στις βιβλιοθήκες τους αλλά και στα ανάγλυφα που κάλυπταν τους τοίχους των παλατιών τους, αναβιώνοντας και επεκτείνοντας τις περιγραφικές φιλοδοξίες του Ναράμ-σιν χίλια τετρακόσια

41 Θραύσμα με ένθετη διακόσμηση από ελεφαντοστό που απεικονίζει μια λέαινα να καταβροχθίζει ένα αγόρι, φοινικικό έργο από τη Νιμρούδ, περ. 750 π.Χ. Οι αρχαίοι πολιτισμοί της Φοινίκης (του Λιβάνου) και της Συρίας είναι κυρίως γνωστοί από τις μαρτυρίες που συναντάμε στην εβραϊκή και την ελληνική γραμματεία. Αυτοί ήταν οι άνθρωποι που επινόησαν το αλφάβητο, ανέπτυξαν εμπορικούς δεσμούς με τη μακρινή Βρετανία και περιέπλευσαν την Αφρική. Τα απομεινάρια των εικαστικών επιτευγμάτων τους είναι σχετικά λίγα, επειδή τις πόλεις τους τις αφάνισαν συστηματικά οι κατακτητές – πρώτα οι Ασσύριοι, έπειτα οι Έλληνες υπό τον Αλέξανδρο και τέλος οι Ρωμαίοι, που κατέστρεψαν την Καρχηδόνα, την έδρα των Φοινίκων στη Βόρεια Αφρική.

χρόνια νωρίτερα [βλ. **28**, **29**]. Πολλές από αυτές προσφέρουν εξαντλητικά λεπτομερείς ιστορίες στρατιωτικών εκστρατειών που διεξάγονταν σε πανοραμικές τοποθεσίες, καταβάλλοντας τεράστιες προσπάθειες να ακολουθήσουν τους τρόπους με τους οποίους είχαν αναπαρασταθεί πρωτύτερα οι ιστορίες και οι χώροι.

Το παλάτι του Ασουρμπανιπάλ, πολυμαθούς βιβλιόφιλου και αδυσώπητου κατακτητή, στη Νινευή, ήταν διακοσμημένο με λίθινα θωράκια που έφεραν γλυπτές και (όταν πρωτοφτιάχτηκαν, γύρω στο 640 π.Χ.) ζωγραφικές παραστάσεις, οι οποίες κατέγραφαν τα τελετουργικά του κυνήγια λιονταριών και άγριων όνων [**42**]. Συναγωνίζονται τα εντυπωσιακότερα χωρία της Παλαιάς Διαθήκης σε ό,τι αφορά την αφηγηματική ροή των επεισοδίων, την αίσθησή τους για το στιγμιαίο, το ξαφνικό και το τυχαίο, και την επίκλησή τους στο συναίσθημα, με τη διαφορά ότι οι τραγικοί πρωταγωνιστές είναι ζώα. Ο βασιλικός τοξότης (που για λίγο δεν διακρίνεται) είναι απεναντίας απρόσβλητος και απρόσωπος. Ο όνος που βάλλεται ακριβώς μόλις τα λαγωνικά τον φτάνουν, η φοράδα που τρέπεται σε φυγή και στρέφεται απεγνωσμένα προς το πουλάρι της, τα θύματα που συντρίβονται μπρος και πίσω – όλα αυτά αγγίζουν τις πιο ευαίσθητες χορδές μας καθώς ανταποκρίνονται στο ρεαλισμό έτσι όπως τον αντιλαμβανόμαστε σήμερα.

42 Ασσυριακό ανάγλυφο που απεικονίζει κυνηγημένους όνους, από τη Νινευή, Ιράκ, περ. 640 π.Χ. Οι όνοι τρέπονται σε φυγή μπροστά στον καταιγισμό βελών που εξαπολύονται από το άρμα του ασσύριου βασιλιά Ασουρμπανιπάλ στη διάρκεια ενός τελετουργικού αποδεκατισμού. Δουλεύοντας ανάμεσα σε ιστορικούς και ποιητές της αυλής, οι ασσύριοι καλλιτέχνες ανέπτυξαν μιαν αφηγηματική τέχνη με επινοητικότητα και περιγραφική ακρίβεια που δεν είχε προηγούμενο. Η ελαστικότητα που χαρακτηρίζει τη χωρική οργάνωση των περιγραμμάτων φανερώνει ένα ελεγχόμενο χάος και μια επινοητικότητα σε ό,τι αφορά το σχεδιασμό του αναπαραστατικού χώρου.

45 Κύλικα, έργο του Ζωγράφου του Τριπτόλεμου, που απεικονίζει τη μάχη ανάμεσα σε έναν έλληνα και έναν πέρση στρατιώτη, περ. 480 π.Χ. Η κύλιξ είναι ένα φαρδύ, ρηχό κύπελλο, και μια σκηνή όπως αυτή, ζωγραφισμένη στο εσωτερικό της, θα αποκαλυπτόταν βαθμιαία καθώς ένας αθηναίος συμποσιαστής θα έπινε το κρασί του. Άλλοι σημαντικοί τύποι ελληνικών αγγείων ήταν ο κρατήρας, ένα αγγείο για την ανάμειξη του κρασιού με νερό, που έφερε μια παράσταση στην κύρια όψη του, η οινοχόη, ή κανάτα για το κρασί, με μια πλαισιωμένη παράσταση ζωγραφισμένη στο φαρδύ τμήμα της και η λήκυθος, μια ψηλή, στενή φιάλη για λάδι που συχνά χρησιμοποιούνταν στις ταφικές τελετές και ως εκ τούτου φέρει μια εικονοποιία με πιο σκοτεινό χαρακτήρα. Στην Κλασική Αθήνα, η αγγειογραφία ήταν ένας δυναμικός, ανταγωνιστικός χώρος στον οποίο η κομψότητα, το πνεύμα και η εκλεπτυσμένη γραμμή έχαιραν ιδιαίτερης εκτίμησης· από αυτήν την άποψη, αυτή η μικρής κλίμακας αστική τέχνη μοιάζει σε κάποιο βαθμό με το ουκίγιο-ε, την ιαπωνική χαρακτική του 18ου αιώνα (βλ. Κεφάλαια 8 και 9).

ζητά, να εξετάζει και να αξιολογεί κριτικά τα ίδια τα εξειδικευμένα ενδιαφέροντά της, έχοντας αποσπαστεί εν μέρει από τα καθήκοντα που καλούνταν να επιτελεί έναντι αμοιβής.

Αυτή η κύλικα από το 480 π.Χ. παρουσιάζει επίσης επικαιρικό ενδιαφέρον. Η μορφή που καταρρέει, έτοιμη να βρει το θάνατο από τη σπάθη ενός οπλίτη, αναπαριστά τον εισβολέα τον οποίο οι Έλληνες, με αρχηγό την Αθήνα, είχαν –προς έκπληξη και ανακούφισή τους– μόλις αποκρούσει. Το κάλυμμα που φοράει στο κεφάλι του προέρχεται από τη Φρυγία, στη σημερινή Τουρκία· τα ενδύματα και η θήκη του τόξου του από τους περιπλανώμενους, μισθοφόρους Σκύθες· είναι γενικά ένας Ανατολίτης που αντιπροσωπεύει τον περσικό στρατό τον οποίο συγκροτούν «εκατομμύρια άνδρες». Από την Τουρκία και τη Βουλγαρία (τη «Θράκη») έως την Αίγυπτο, και μέσω του Ιράκ μέχρι τα σύνορα της Ινδίας, απλωνόταν τώρα μια ενιαία, αχανής Περσική Αυτοκρατορία. Η ζωτική ενδοχώρα της βρισκόταν στο κεντρικό υψίπεδο του σημερινού Ιράν: μια ασφαλής ζώνη ευημερίας και τάξης, όπου οι στρατιωτικές ήττες στη μάχη του Μαραθώνα (490 π.Χ.) και τη ναυμαχία της Σαλαμίνας (480 π.Χ.) φάνταζαν μακρινές μην έχοντας και τόση σημασία. Ο αυτοκράτορας Ξαγιάρσα (ή Ξέρξης) εξακολουθούσε να προσλαμβάνει Γιόνα (Έλληνες) εργάτες για να φτιάχνουν ανάγλυφα [**46**] που θα διακοσμούσαν το αυτοκρατορικό παλάτι στην Πάρσα (Περσέπολη), όπως και ο πατέρας του όταν άρχισε αυτό το εγχείρημα το 519 π.Χ. Η πολυεθνική εργατική δύναμη που κατασκήνωνε γύρω από τους βραχώδεις πρόποδες υπηρετούσε μια ιδεολογία του είδους των Ηνωμένων Εθνών. Εδώ οι αξιωματούχοι ήταν Πέρσες, μα «κάθε είδος ανθρώπου» (σύμφωνα με τη φρασεολογία τους) έκανε την εμφάνισή του στις ζωφόρους που ήταν τοποθετημένες εκατέρωθεν των κλιμακοστασίων και των επιβλητικών αιθουσών του παλατιού, ο καθένας με τη δική του ξεχωριστή περιβολή, κομίζοντας τις προσφορές του τόπου του στο λαμπερό φως της αλήθειας, της δικαιοσύνης και της αυτοκρατορικής κυριαρχίας. Αξεδιάλυτες ιδιότητες, προφανώς: παρότι οι Πέρσες σχεδίαζαν με την ακρίβεια των Ασσυρίων πολύ πριν από αυτούς, η τέχνη τους δεν είχε τίποτα από την επιθετικότητα και τη ρεαλιστική αγωνία που παρουσιάζουν τα ανάγλυφα λιοντάρια του Ασουρμπανιπάλ. Απεναντίας, όλα ήταν ήρεμα και εξιδανικευμένα. Κυριαρχούσε η επανάληψη της μονάδας. Μια κοφτή και εξαι-

ρετικά στιλπνή τεχνική απομονώνει τις μακριές σειρές με μορφές, που παρουσιάζονται στο μισό του φυσικού με-
γέθους, σε έναν εναλλακτικό ονειρικό κόσμο, όπου κάποιες από αυτές αναπαράγουν παιχνιδιάρικα τις σκιές από
τα βήματα των θεατών.

Δεν γνωρίζουμε αν οι Γίονα που επέστρεφαν στις πέτρινες αυλές της Αθήνας έκαναν λόγο για την «Περσέπολη»,
όπως αποκαλούσαν το παλάτι. Μετά τη δεκαετία του 440 όμως η Αθήνα, με τη ναυτική της κυριαρχία εδραιωμένη
στο Αιγαίο, είχε αποκτήσει τη συνείδηση μιας αυτοκρατορίας. Ο ηγέτης της, ο Περικλής, αποφάσισε πως ήταν
καιρός να χτίσουν πάνω στην Ακρόπολη –το βράχο που επόπτευε την πόλη– έναν μεγαλειώδη ναό που θα αντικα-
θιστούσε το ιερό που έκαψαν οι πέρσες εισβολείς του 490 π.Χ. Παρήγγειλε στο χτίστη και γλύπτη Φειδία να σχε-
διάσει ένα ναό για την προστάτιδα της πόλης, την Αθηνά. Ο Παρθενώνας –δηλαδή ο ναός προς τιμήν της «παρθέ-
νας» θεάς– πάντρεψε αρχιτεκτονικά την αδρομερή, πολεμική «δωρική» παράδοση της Ελλάδας με τα πιο ρευστά,
καμπυλόγραμμα στοιχεία του πολιτισμού της – τον «ιωνικό» ρυθμό. Κατά τρόπο ευφυή, οι γωνιακοί κίονες φτιά-
χτηκαν φαρδύτεροι από τους πλαϊνούς τους έτσι ώστε να δίνουν την εντύπωση ότι βαστούν τον όγκο τους κάτω από
τον ηλιόλουστο ουρανό· οι οπτικές διορθώσεις και αυτό που τώρα θα αποκαλούσαμε εφαρμογές της «προοπτικής»
αποτελούσαν ένα πρόσφατο επίτευγμα σε αυτό τον ανθρωποκεντρικό, κριτικό και αναλυτικό κόσμο της τέχνης.
Αυτή η αρχή δεν φαίνεται να εκτεινόταν, ωστόσο, στη ζωφόρο που περιέβαλλε την εξωτερική κιονοστοιχία του κε-
ντρικού όγκου του κτιρίου, αφού οι λεπτομέρειές της θα έμεναν στη σκιά κάτω από τα γείσα που βρίσκονταν 9 μέ-
τρα από το έδαφος. Και όμως αυτή η ζωφόρος [47], που τώρα κομμάτια της βρίσκονται διασκορπισμένα σ' όλη την
Ευρώπη, αποτελεί το πιο ουσιαστικό στοιχείο που απομένει από το ερειπωμένο πια μνημείο αντικατοπτρίζοντας
το κύρος της Αθήνας.

Απεικονίζει ομάδες πολιτών καθώς κατευθύνονται προς μια ετήσια ιερή γιορτή. Είναι καλοντυμένοι, όμορφοι,
νέοι· είναι η *πόλις* στη μορφή ενός εξιδανικευμένου συνόλου πολιτών. Τα άλογά τους, σε αυτό το τμήμα όπου πα-
ρουσιάζονται να τρέχουν σχηματίζοντας μια μεγάλη σειρά, τινάζουν τα πόδια τους και σχεδόν απειλούν να ρίξουν
τους αναβάτες τους· όμως οι ιππείς, με ήπιες, σταθερές κινήσεις, τα τιθασεύουν, αφού η δύναμη, σύμφωνα με τις
αξίες αυτού του πολιτισμού, πρέπει εντέλει να υποτάσσεται στον ορθό λόγο. Οι καμπυλώσεις των μυών και των εν-
δυμάτων ρυθμίζονται από περιγράμματα – από κυματιστές καθαρές γραμμές, συγχρόνως περιγραφικές και διακο-
σμητικές, που ήδη καθιστούσαν την ελληνική τέχνη διεθνώς εξαγώγιμη (και υπερήφανη για τον εαυτό της). Ανεξάρ-
τητα από το αν ο Παρθενώνας αποτέλεσε μια εύστοχη απάντηση στην Πάρσα, και όποια επιχειρήματα και αν υπο-
στηριχτούν υπέρ του Περικλή και της δουλοκτητικής «δημοκρατίας» του έναντι του Ξαγιάρσα και της δουλοκτητι-
κής «απολυταρχίας» του, οι αθηναίοι συγγραφείς ακόνιζαν ήδη ένα λεξιλόγιο που αντέτασσε στις «ανατολικές» ή

46 Ανάγλυφο με σατράπες από κλιμακοστάσιο
της Αίθουσας Συμβουλίου στην Περσέπολη,
Ιράν, περ. 470 π.Χ. Ο «σατράπης» ήταν ο
κυβερνήτης επαρχίας της Περσικής
Αυτοκρατορίας, ο οποίος συνέλεγε τους φόρους
για λογαριασμό του ορισμένου από το θεό
μονάρχη και ήταν επιφορτισμένος με τη
συντήρηση των δρόμων. Σε άλλα ανάγλυφα
από την Περσέπολη βλέπουμε τους ίδιους τους
υπόδουλους λαούς να προχωρούν εξίσου
σταθερά προς το φως της αυτοκρατορικής
εξουσίας. Εικόνες με λιοντάρια που παλεύουν
με ταύρους επίσης ποικίλλουν τις αίθουσες του
παλατιού, αλλά η βιαιότητά τους μειώνεται από
την εξαιρετική λεπτότητα με την οποία ο
συμπαγής μαύρος ασβεστόλιθος έχει
εγχαραχτεί και στιλβωθεί. Το μνημειώδες
τελετουργικό σύμπλεγμα αντλεί την
υποβλητικότητά του από τη συσσώρευση και τη
συνοχή της άψογης δεξιοτεχνίας.

47 Τμήμα της ζωφόρου του Παρθενώνα το οποίο δείχνει ιππείς να λαμβάνουν μέρος στην πομπή των Παναθηναίων, 447–432 π.Χ.

«ασιατικές» και «αφρικανικές» κουλτούρες –τους προγόνους τους από την άλλη πλευρά των ωκεανού– αυτές της «Ευρώπης» στη δική τους ακτή. Οι δύο ομάδες αναγλύφων υποδηλώνουν κάποιες αντιθέσεις που τροφοδοτούν αυτήν την επιχειρηματολογία μέχρι σήμερα. *«Και... και... και...»*: έτσι συνδέονται οι περσικές μορφές, με τρόπο υπνωτιστικό ή, θα μπορούσαμε να υποστηρίξουμε πειστικά, μονότονο. *«Πίσω από το οποίο... ωστόσο... για να μην μιλήσουμε για...»*: έτσι εξελίσσονται οι συνδυασμοί στον Παρθενώνα, διαμορφώνοντας αυτό που οι έλληνες καλλιτέχνες θα ονόμαζαν «ρυθμό» και που άλλοι μπορεί να θεωρούσαν προπαγανδιστική ρητορική.

Ο Παρθενώνας ολοκληρώθηκε το 432 π.Χ., σε μια χρονική στιγμή κατά την οποία η Αθήνα είχε εμπλακεί σε πόλεμο, στον οποίο τελικά ηττήθηκε, με την αντίπαλό της, τη Σπάρτη. Εντούτοις, παρότι η Αθήνα συρρικνωνόταν πολιτικά, ως κέντρο πολιτισμικής καινοτομίας εξακολουθούσε να αναπτύσσεται. Μπορούμε να πάρουμε μια ιδέα για το εξαιρετικό εύρος των δυνατοτήτων που διανοίγονταν στα εργαστήριά της μέσα από δύο έργα που δημιουργήθηκαν έναν αιώνα αργότερα. Το ένα είναι μια επιτύμβια στήλη [**48**], που βρέθηκε στην κοίτη ενός ποταμού. Ακόμα και αποκομμένοι από το μνημείο που κάποτε τους ενσωμάτωνε, οι στοχασμοί του δημιουργού της εξακολουθούν να συγκινούν, σκοτεινοί και απόκοσμοι. Τι ακριβώς είναι οι νεκροί; Σε ποιο επίπεδο υφίσταται τώρα ο ήρωας που σφαγιάστηκε στη μάχη; Μοιάζει να στέκει εκεί, ένας άνδρας που έχει μεταβεί σε κάτι που ξεπερνάει τη φύση, στο «ιδεώδες» – και όμως, μπορούμε να προσθέσουμε κάτι παραπάνω από το ότι *δεν* βρίσκεται ανάμεσά μας, ότι είναι ένα κενό που απομυζά τις σκέψεις μας; Ο τεθλιμμένος πατέρας εκπέμπει τον μόνιμο τρόμο που εποπτεύει τα πάντα και διατρέχει όλο το αρχαιοελληνικό δράμα. Το παιδί που έχει διπλωθεί στα δύο και το λυπημένο σκυλί εγείρουν τη συμπάθεια του θεατή ακόμα πιο άμεσα.

Ενώ αυτές οι μορφές γαντζώνονται μάταια σε ό,τι έχει χαθεί, ένα άλλο έργο από το 330 π.Χ. περίπου, ένας ορειχάλκινος έφηβος που βρέθηκε στο βυθό του Αιγαίου κοντά στον Μαραθώνα [**49**], σηκώνει χαριτωμένα κάποια αθέατη, ευάρεστη προσφορά, ίσως κρασί. Η επιτύμβια πλάκα μοιάζει να

48 (απέναντι) Επιτύμβιο ανάγλυφο
με νεαρό κυνηγό από τον ποταμό Ιλισσό,
περ. 330 π.Χ.

49 Ο «Έφηβος του Μαραθώνα»,
ορειχάλκινο άγαλμα της σχολής του
Πραξιτέλη, περ. 330 π.Χ.

είναι φτιαγμένη σύμφωνα με την τεχνοτροπία ενός διάσημου, αλλά χαμένου για εμάς, γλύπτη της «Όψιμης Κλασικής» περιόδου, του Σκόπα· αυτό το έργο μοιάζει να είναι φτιαγμένο σύμφωνα με την τεχνοτροπία ενός άλλου, του Πραξιτέλη. Όποιος το έφτιαξε διεύρυνε αρχές που έθεσε ενενήντα χρόνια πρωτύτερα μια άλλη κορυφή στην ομίχλη της ιστορίας της τέχνης, ο Πολύκλειτος. Ο Πολύκλειτος θεωρείται πως ήταν ο εμπνευστής ενός κανόνα για την αγαλματοποιία στην Ελλάδα, που ακολούθησε εκείνον της Αιγύπτου – ο οποίος έκανε για πρώτη φορά λόγο για το σύστημα της αναλογίας στην τέχνη και προσδιόριζε τις αντιθέσεις μεταξύ τεντωμένων και χαλαρωμένων μελών που θα συνέβαλλαν σε έναν λογικά ικανοποιητικό ρυθμό. Αλλά το 330, η γνώση αυτή είχε ήδη κατακτηθεί και οι λεπτότερες αποχρώσεις ήταν αυτές που απασχολούσαν την καλλιτεχνική κοινότητα. Το ορειχάλκινο δέρμα του αγοριού δημιουργεί μια αίσθηση σχεδόν πορώδη παρά άκαμπτη – ένα φίλτρο μέσα από το οποίο η προσοχή του θεατή μπορεί να γλιστρήσει σε μιαν ονειροπόληση δίχως εστίαση, μακριά από την έντονη, ατομική εγρήγορση στην οποία μας υποβάλλει το μάρμαρο του Κριτίου. Σε τι απέβλεπε; Όχι στη θρησκεία ασφαλώς. Αυτό το έργο τέχνης είναι ένα έργο φτιαγμένο ως *Τέχνη*.

4

ΜΕΣΑΙΩΝΙΚΟΙ ΚΟΣΜΟΙ

Εικόνες χωρίς κοινό σημείο αναφοράς
Νιγηρία, Περού, Ευρώπη, 500 π.Χ.–500 μ.Χ.

Υπήρχαν τρεις βασιλείς: ένας στην Αφρική, ένας στη Νότια Αμερική και ένας στην Ευρώπη [**65**, **66**, **67**]. Κάπως έτσι θα μπορούσε να ξεκινήσει η ιστορία. Όμως ο αφηγητής παίρνει πρώτα μιαν ανάσα και προβαίνει σε μια αποποίηση των ευθυνών του. Τι έχει συμβεί σε αυτό το βιβλίο μέχρι τώρα; Ο homo sapiens έχει περιπλανηθεί σε όλες τις ηπείρους και έχει επινοήσει διάφορους τρόπους να φτιάχνει αντικείμενα που ασκούν ακαταμάχητη έλξη. Όλες αυτές οι προσπάθειες ενέχουν έναν αθέατο παράγοντα –τον διανοητικό, τον πνευματικό, όπως και αν το ορίσετε–, ειδάλλως όμως εξελίσσονται ποικιλοτρόπως στους διάφορους τόπους. Ύστερα από λίγο αναπτύσσονται εδώ και εκεί ευρύτερες κοινωνίες και σε αυτές η εικονοποιία αποκτά νέες διαστάσεις: αλληλεπιδρά με τη γραφή και την οικοδομική δραστηριότητα, και συντελεί στην εμφάνιση πολιτισμών με υψηλής ποιότητας εικαστικές δημιουργίες, που τις χαρακτηρίζει το κύρος του «κανόνα». Και ανάμεσα στα ποικίλα κέντρα εξουσίας και παράδοσης αναδύονται καλλιτεχνικοί μεσολαβητές που ανταλλάσσουν και συγχωνεύουν τεχνοτροπίες και τεχνικές.

Τι συμβαίνει λοιπόν μετά το σημείο αυτό; Μήπως η ιστορία συνεχίζεται ωσότου αυτή η διαμεσολάβηση υφάνει αξεδιάλυτα τον παγκόσμιο ιστό των εικόνων που μας περιβάλλουν σήμερα; Όχι, δεν νομίζω ότι προχωρά τόσο ομαλά. Στην πραγματικότητα, το υφάδι εφεξής περιπλέκεται περισσότερο. Το να στοχαζόμαστε πάνω στην παγκόσμια ιστορία στη χιλιετία μετά το 200 μ.Χ. σημαίνει ότι στοχαζόμαστε πάνω στα πολιτισμικά συστήματα που διαπλέκονται και διαφοροποιούνται όλο και πιο σταθερά. Ως αποτέλεσμα, η ακόλουθη επιχειρηματολογία θα υφανθεί προς διαφορετικές κατευθύνσεις – στρεφόμενη πότε προς τις διαμάχες, πότε προς τις αρμονίες. Σήμερα διαθέτουμε βέβαια κάτι που αποκαλείται «παγκόσμια κληρονομιά της τέχνης», μια μεγάλη αποσκευή που περιέχει όλα αυτά τα συναρπαστικά αντικείμενα που έφτιαξαν κάποτε οι άνθρωποι. Όταν πραγματευόμαστε την παγκόσμια ιστορία της τέχνης, παίρνουμε από αυτήν ό,τι ταιριάζει στο θέμα μας και την επιχειρηματολογία μας. Εντούτοις, *εκείνη την εποχή* οι καλλιτέχνες και οι πολιτισμοί που δημιούργησαν αυτά τα αντικείμενα μπορεί κάλλιστα να αγνοούσαν ο ένας την ύπαρξη του άλλου. Αν λοιπόν ένα από τα τεχνάσματα της παρουσίασής μου τους κάνει να μοιάζουν με συγγενείς, φίλους ή εχθρούς, τότε χρειάζεται προσοχή: τα πράγματα μπορεί να είναι πιο παράξενα απ' ό,τι παρουσιάζονται εδώ.

Υπήρχαν τρεις βασιλείς. Ο ένας ζούσε εκεί όπου σήμερα βρίσκεται η Νιγηρία. Θα μπορούσε να είναι σύγχρονος με κάποιον ήρωα του τελευταίου κεφαλαίου, αφού ο πολιτισμός που κατασκεύαζε προσωπογραφίες (ή εικό-

65 Καθιστός αξιωματούχος, τερακότα Νοκ, 250 π.Χ. (;). Αυτή είναι μία από τις πιο καλοδιατηρημένες τερακότες που ήρθαν στο φως από τον αρχαίο πολιτισμό Νοκ της Νιγηρίας. Η πλειονότητα των άλλων ευρημάτων συνίσταται σε αποκομμένες ή τεμαχισμένες κεφαλές, πλασμένες και χαραγμένες με τέχνη.
Παρ' όλα αυτά, παρατηρείται αξιοσημείωτη ποικιλία στις κλίμακες, στα σχέδια και την εκφραστικότητα των έργων Νοκ. Μοιάζει λογικό να θεωρούμε τον πολιτισμό Νοκ ως τον παλαιότερο γνωστό πρόγονο των πολυάριθμων τοπικών παραδόσεων της δυτικής Αφρικής, οι οποίες θα αποκτούσαν εντέλει διεθνή ακτινοβολία κατά τον 20ό αιώνα.

νες των προγόνων) σαν τη δική του άκμασε περίπου από το 500 π.Χ. μέχρι το 200 μ.Χ. Οι αρχαιολόγοι προσπαθούν να διαβάσουν σε αυτά τα ειδώλια από τερακότα τη μορφή που παρουσίαζε εκείνη η κοινωνία, αφού είναι απογοητευτικό το πόσο ισχνά είναι τα τεκμήρια. Την ονόμασαν πολιτισμό «Νοκ», από την ομώνυμη πόλη με τα βοσκοτόπια και την αραιή βλάστηση που εκτείνονταν στα βόρεια του ποταμού Νίγηρα, όπου πρωτοήρθαν στο φως τα ειδώλια. Αυτή φαίνεται να είναι η περιοχή από την οποία κατάγονται οι Μπαντού, οι οποίοι αργότερα εξαπλώθηκαν μακριά προς τα δυτικά, τα νότια και τα ανατολικά σε όλη την υποσαχάρια Αφρική. Ήταν επίσης η περιοχή όπου πρωτοάρχισαν να λιώνουν το σίδηρο, μια πρακτική που παραδοσιακά θεωρείται το θεμέλιο του πολιτισμού. Με αυτά όμως τα ειδώλια επιστρέφουμε απότομα σε εκείνη τη μυστηριώδη ομίχλη μες στην οποία ξεκινήσαμε στο Κεφάλαιο 2. Συνδέονται άραγε ιστορικά με την Αίγυπτο, γεφυρώνοντας μια απόσταση τριών χιλιάδων χιλιομέτρων σπαρμένη με βοσκοτόπια, και με τον Νείλο; Είναι πολύ πιθανό: μπορεί να μην αποτελεί σύμπτωση το ότι η ράβδος στο περιβραχιόνιο του βασιλιά αποτελεί ένα από τα διακριτικά του αξιώματος που θα φόραγε κάποιος φαραώ. Αλλά και μόνον ως ζήτημα που αφορά τις καλλιτεχνικές επιλογές, είναι ενδιαφέρον να συγκρίνουμε αυτό τον θλιμμένο και αρρενωπό αξιωματούχο με τον άχαρο Ακενατόν που είδαμε στη σ. 51. Και οι δύο μορφές μοιάζουν να έχουν λάβει το σχήμα τους μέσα από ισχυρές, εξιδανικευτικές μεταφορές. Αν λάβουμε υπόψη μεταγενέστερα τεκμήρια από την υποσαχάρια Αφρική, εδώ το μεγαλείο του μυαλού δηλώνεται με το μέγεθος του κεφαλιού. Κάθε γνώρισμα αυτής της μορφής μοιάζει να υπάρχει με σκοπό να αναδείξει την ίδια του τη γραμμικότητα, σαν μια λέξη που γλιστράει στη γλώσσα μας για χάρη και μόνο του ήχου της. Η καλλιτέχνιδα έφτιαξε πήλινους κυλίνδρους και τους άφησε να στεγνώσουν προτού τους σκαλίσει με μια λεπίδα,* εγχαράσσοντας τις γραμμές σαν να δούλευε πάνω σε ένα κομμάτι ξύλο. Και αυτό μπορεί να υποδηλώνει τον βασικό λόγο για τον οποίο εξακολουθεί να υπάρχει αρκετή σύγχυση ως προς την ιστορία της αρχαίας Αφρικής: με εξαίρεση, απ' ό,τι φαίνεται, κάποιες τερακότες, σχεδόν όλη η υψηλή τέχνη σε αυτά τα μέρη κατέληξε σε βιοδιασπώμενη τροφή για τους τερμίτες.

Πόσο ενοχλητικά *στερείται* την εξιδανίκευση το κεφάλι που έφτιαξε ένας Μότσε αγγειοπλάστης στο Περού, στην ακτή του Ειρηνικού [66]. «Μοντέρνο» είναι η λέξη που ενδεχομένως να αναζητούσαμε απέναντι στον αμείλικτο νατουραλισμό που απορρέει από το πορτρέτο αυτού του ηγέτη. Με μια γοητεία που προκαλεί ναυτία, όλες οι λεπτές ασυμμετρίες με τις οποίες ο χρόνος πλάθει ένα πρόσωπο έχουν ξαναπλαστεί σε μια παρουσία εξίσου αμφίθυμη και απειλητική με αυτήν οποιουδήποτε σύγχρονου πολιτικού. Αυτός όμως έζησε κάποια στιγμή μεταξύ του 200 και του 500 μ.Χ., και το να τον επανατοποθετήσουμε στην ιστορία σημαίνει να ξαναδούμε πόσο παράξενο, ασυνεπές φαινόμενο είναι ο νατουραλισμός. Οι Μότσε ανήκαν σε μία από τις μεγαλύτερης κλίμακας περουβιανές κοινωνίες που υιοθέτη-

---

* Και πάλι, αν κρίνουμε από μεταγενέστερα τεκμήρια, όσοι δούλευαν με πηλό σε αυτήν την περιοχή ήταν παραδοσιακά γυναίκες.

τους άραβες κατακτητές της ως η πρωτεύουσα μιας αυτοκρατορίας που εκτεινόταν από το Αφγανιστάν έως το Μαρόκο και που ετοιμαζόταν μόλις να κατακτήσει την Ισπανία. Υπό αυτές τις συνθήκες οι χαλίφες, οι διάδοχοι του Μωάμεθ, μπορούσαν να αξιοποιήσουν όποιες καλλιτεχνικές πηγές ήταν του γούστου τους. Μπορεί απλώς τα ψηφιδωτά του τεμένους να ήταν κάτι σαν εορταστική επίδειξη με πυροτεχνήματα, σαν ένα είδος εικαστικού χρυσωρυχείου που καθιστά τα ερωτήματα για την εικονογραφία άτοπα.

Μια διακριτή πρόθεση μοιάζει ωστόσο σαφής. Μολονότι οι χαλίφες εκείνης της εποχής, οι Ουμαγιάντ, διακοσμούσαν τα παλάτια τους με εικόνες γυμνόστηθων χορευτριών, οι μορφές λείπουν επιδεικτικά από αυτό το σύνολο φύσης και αρχιτεκτονικής που παρουσιάζεται στο τέμενος. Σε προσωπικά του σχόλια ο Προφήτης είχε εκφράσει την ανησυχία του για τις εικόνες που προσποιούνταν ότι έμοιαζαν «ζωντανές», και κάπως έτσι αισθάνονταν και οι Εβραίοι για το θέμα αυτό· γενικότερα, το Κοράνιο ζητά από τους ανθρώπους να αναζητούν τα σημάδια του Θεού σε όλα τα πράγματα, όχι όμως να τολμούν να τον υποβιβάζουν στο δικό τους επίπεδο. Στον πρώην ναό της Δαμασκού, δεν θα υπήρχαν πια αγάλματα, μόνο ένας ανοιχτός χώρος και ένα μιχράμπ, που θα υποδείκνυε την κατεύθυνση της προσευχής.

Στην πραγματικότητα, στο σημείο αυτό η σύγκρουση ανάμεσα στις εικόνες και την ευσέβεια θα προσλάμβανε μεγαλύτερη ένταση στους κόλπους του χριστιανισμού παρά στο Ισλάμ. Στη Βυζαντινή Αυτοκρατορία, που παρέπαιε ακόμη εξαιτίας των στρατιωτικών πληγμάτων, κάποιες απόψεις ανάμεσα σε κύκλους που ασκούσαν μεγάλη επίδραση προωθούσαν με τρόπο ριζοσπαστικό μια θέση που απέρρεε από την εβραϊκή καταγωγή της εκκλησίας: η προσευχή μπροστά σε εικόνες συνιστά καθαρό παγανισμό. Από το 726 έως το 842 η πολιτική υπεροχή ταλαντευόταν ανάμεσα στους «εικονοκλάστες» –αυτούς που έσπαγαν εικόνες– και τους «εικονόδουλους», που ένιωθαν ότι μια εικόνα του Ιησού θα υποδείκνυε στην ψυχή τη σωστή κατεύθυνση. Στη διάρκεια των εμφύλιων πολέμων για την τέχνη που επακολούθησαν, τεράστιες ζώνες της προγενέστερης χριστιανικής εικονοποιίας γύρω από την ανατολική Μεσόγειο καταστράφηκαν, διακόπτοντας τις παραδόσεις των παλιών εργαστηρίων. Αυτός είναι ο λόγος για τον οποίο γνωρίζουμε καλύτερα την πρώιμη βυζαντινή τέχνη από τις παραλλαγές της στην Ιταλία.

Η εικονομαχία ήταν μία μόνο από τις πολλές ρήξεις που στιγμάτισαν τη χριστιανική ιστορία της τέχνης από το 450 έως το 950. Ο Ιουστινιανός διέρρηξε τον τελευταίο δεσμό με την κλασική παιδεία όταν έκλεισε την ακαδημία στην Κωνσταντινούπολη το 529. Οι εκστρατείες του στην Ιταλία μπορεί να κόμισαν μεγαλείο στη Ραβένα, όμως μεγάλα τμήματα της χώρας τα ερήμωσαν. Εν μέσω του συνεχιζόμενου, ξέφρενου στρατιωτικού αγώνα κατά τον επόμενο αιώνα, η περιοχή δεν διέθετε πια την οικονομική δύναμη για να διατηρήσει τις μορφές της υψηλής τέχνης. Τα χυτήρια ορείχαλκου σφραγίστηκαν, οι μαρμαρογλύπτες άφησαν κάτω τα καλέμια τους. Η αγροκαλλιέργεια υποσχόταν μια καλύτερη ζωή σε αντίθεση με τα επαγγέλματα στις πόλεις, και όσες βελτιώσεις σημειώθηκαν στο βιοτικό επίπεδο τους επόμενους αιώνες οφείλονται κυρίως στη γεωργία.

71 Ψηφιδωτό με πόλεις, δέντρα και ρυάκια, περ. 710, Μεγάλο Τέμενος, Δαμασκός, δεξιό προστώο. Το Μεγάλο Τέμενος της Δαμασκού αποτέλεσε το τολμηρότερο αρχιτεκτονικό εγχείρημα της εποχής του στον δυτικό κόσμο. Προσέδωσε μια μεγαλοπρεπή παρουσία στη ριζικά νέα θρησκευτική πίστη του Ισλάμ, ήταν όμως κατά πολλούς τρόπους περιεκτικό και από πολιτισμικής άποψης: ενσωματώνει κίονες από έναν παλαιότερο ναό του Δία στους περιμετρικούς τοίχους του, καθώς και από ένα ναό που σύμφωνα με ισχυρισμούς περιείχε το κεφάλι του Αγίου Ιωάννη του Βαπτιστή. Τα ιμπρεσιονιστικά ψηφιδωτά του τεμένους με τα μεγάλα κτίρια και τα δάση διατηρούν μια διάθεση ήρεμης ονειροπόλησης την οποία συναντάμε συχνά στην αρχαία ρωμαϊκή εσωτερική διακόσμηση.

Ενόσω ο πολιτισμός στις πόλεις έφθινε, ξεπήδησαν εναλλακτικές κοινωνικές μορφές και νέα καλλιτεχνικά σχήματα. Οι φορείς μετάδοσης της γνώσης άλλαξαν. Τον 5ο αιώνα ο κύλινδρος από πάπυρο –το είδος του βιβλίου που συνόδευε την κυρία από την Καρχηδόνα– άρχισε να παραχωρεί τη θέση του στην ακριβότερη αλλά ανθεκτικότερη περγαμηνή, τον κώδικα: επί της ουσίας έναν δεμένο τόμο σαν αυτόν που κρατάτε. Οι ορθογώνιες σελίδες από δέρμα ζώου έδωσαν στους καλλιτέχνες –τους «εικονογράφους», όπως έγιναν αργότερα γνωστοί– τη διπλή ευκαιρία να ασκήσουν τόσο τις επινοητικές τους ικανότητες όσο και τις διακοσμητικές. Φυσικά, τα κείμενα που είχαν στη διάθεσή τους ήταν συνήθως τα βιβλία της Αγίας Γραφής. Σε αβέβαιους κατά τα άλλα καιρούς, αυτά αποτελούσαν τους αξιόπιστους δείκτες της αλήθειας. Χωμένος σε μια τσάντα, ο Λόγος του Θεού μπορούσε να ταξιδεύει ταχύτερα από άλλες εκδηλώσεις του πολιτισμού, και νέα δίκτυα αναπτύχθηκαν για να επιταχύνουν το δρόμο του. Στον ίδιο αυτόν αιώνα, τον 5ο, ορμώμενοι από ένα κίνημα που είχε τις ρίζες του στην Αίγυπτο και τη Συρία, ένας μεγάλος αριθμός ατόμων εγκατέλειψαν την κοινωνία για να ακολουθήσουν τον ακραίο, μοναχικό πνευματικό βίο του ερημίτη, ενώ παράλληλα μηχανεύονταν τρόπους επικοινωνίας που ενθάρρυναν μεταξύ τους την επιλογή αυτή. Ένα τέτοιο σύστημα έφτασε διά θαλάσσης και ρίζωσε στην Ιρλανδία, πολύ μακριά από την παλαιότερη αυτοκρατορική επικράτεια.

Ως αποτέλεσμα, μετά το τέλος του 7ου αιώνα ένα νησί ανεπηρέαστο από την κλασική τέχνη επικεντρώθηκε γύρω από την ευρωπαϊκή πολιτισμική δυναμική. Ομαδοποιημένοι σε κοινότητες μοναχών, οι χριστιανοί της Ιρλανδίας οργάνωσαν αποστολές προς τα ανατολικά, γύρω από τις Βρετανικές Νήσους και βαθιά μες στην ηπειρωτική Ευρώπη. Στα νεοϊδρυθέντα μοναστήρια, η κύρια λατρευτική πράξη έγινε το ίδιο το έργο της εικονογράφησης. Αξιοποίησε αφενός τις αρχαίες παραδόσεις της ευρωπαϊκής μακρινής Δύσης –την αγάπη για τη σπειροειδή γραμμή που είδαμε στη σφαίρα από την προϊστορική Σκοτία [βλ. **20**], μια αισθητική που συχνά επονομάζεται «Κελτική»– και αφετέρου τις ζώμορφες τεχνοτροπίες που είχαν εξαπλωθεί από τις σκυθικές στέπες στη βόρεια Ευρώπη [βλ. **40**]. Έτσι, τα πουλιά και τα ζώα που καταβροχθίζουν τους εαυτούς τους συμμετέχουν στα αχαλίνωτα, δαιδαλώδη σχέδια [**72**] που επινόησε τη δεκαετία του 710 ένας εικονογράφος στο Λίντισφαρν, ένα νησί που το κατοικούσαν μοναχοί στην ανατολική ακτή της Βρετανίας. Τη σελίδα που βλέπουμε στη φωτογραφία την καταλαμβάνει ένα από τα πέντε σχέδια τα οποία διακοσμούσαν ένα βιβλίο με Ευαγγέλια, που πρέπει να απασχόλησε τον καλλιτέχνη ο οποίος εργάστηκε πάνω σε αυτό πάνω από μια δεκαετία. Η παραδοσιακή ταύτισή του με τον επίσκοπο του Λίντισφαρν, τον Ίντφριθ (Eadfrith), μπορεί να ανταποκρίνεται στην πραγματικότητα, αφού αυτό το έργο προδίδει πράγματι υψηλό κύρος. Συνάμα ήταν ένα έργο εκστατικού διαλογισμού: ο σταυρός πάνω στον οποίο υπέφερε ο Ιησούς έχει θεωρηθεί ως ο άξονας μιας πολυπλοκότητας εξίσου πλούσιας με αυτήν του ίδιου του δημιουργημένου κόσμου. Γραμμικοί δαίδαλοι σαν αυτόν, που είναι σχεδιασμένοι προσεκτικά με μια αποφασιστικότητα και συγχρόνως μια άγρια δυ-

72 Σελίδα «χαλί» με σταυρόσχημο μοτίβο, από τα Ευαγγέλια του Λίντισφαρν, περ. 700.

ναμική, μαρτυρούνται σε μεγάλο μέρος της μεταλλοτεχνίας σε όλη τη βόρεια Ευρώπη, εδώ όμως αποκτούν απολαυστικές χρωματικές τονικότητες, αφού ο καλλιτέχνης επένδυσε επιδεικτικά στον ακριβό και εισαγμένο από μακριά λαζουρίτη, στον πράσινο μαλαχίτη και στον κόκκινο μόλυβδο. Η «Νησιωτική τέχνη» –αυτή η τέχνη των βορειοδυτικών νησιών της Ευρώπης, που άκμασε μέχρι τις εισβολές των Βίκινγκ τη δεκαετία του 800– δεν τσιγκουνεύτηκε ούτε το χρόνο ούτε τον πλούτο, και ενδιαφέρθηκε έντονα και για την αισθητική και για την ευλάβεια, ενώ ο χριστιανισμός που την προϋποθέτει μοιάζει με μια θρησκεία έκπληξης και χαράς.

Ζούγκλες και σπήλαια
Κεντρική Αμερική, Ινδονησία, Ινδία, Κίνα, 300–900

Στο μεταξύ... από την άλλη πλευρά του ωκεανού, οι πόλεις-κράτη των Μάγια άκμαζαν στις τροπικές ζούγκλες του νότιου Μεξικού και της Γουατεμάλας, όπου οι ψηλοί πυραμιδοειδείς ναοί τους υψώνονταν πάνω από τα δάση. Στα δυτικά τους, στο κεντρικό μεξικάνικο υψίπεδο, ήταν χτισμένη μια από τις μεγαλύτερες και πιο συστηματικά σχεδιασμένες πόλεις του κόσμου, το Τεοτιχουακάν. Στα βόρεια, τα «pueblo», τα χωριά της Αριζόνας και του Νέου Μεξικού, άρχιζαν να παράγουν εκλεπτυσμένα, εξαιρετικής ποιότητας κεραμικά· στα νότια ζούσαν οι λιθοδόμοι, οι

73 Κούπα για σοκολάτα από το Καλακμούλ, Καμπέτσε, Μεξικό, περ. 800 μ.Χ. Πολλοί αρχαίοι αμερικανικοί πολιτισμοί παρουσιάζουν εξαίρετη παράδοση στην κεραμική. Μεταξύ του 4ου και του 10ου αιώνα, οι καλλιτέχνες των Μάγια διακρίθηκαν στην εκλεπτυσμένη ζωγραφική με πινέλο σε αγγεία σαν αυτήν την κούπα, η οποία βρέθηκε θαμμένη ανάμεσα στα κτερίσματα ενός τάφου. Οι σκηνές που εκτυλίσσονται στην περιφέρεια των αγγείων αυτών μπορεί να είναι σύνθετες και ενίοτε ακατάσχετα κωμικές, παρότι οι θεότητες τις οποίες απεικονίζουν ανήκουν σε τρομακτικούς μύθους που αφορούν τη μετά θάνατον ζωή. Ο δακτύλιος με τα ιερογλυφικά κάτω από το χείλος της κούπας είναι μια αφιέρωση που περιγράφει τον τελετουργικό σκοπό της και κατονομάζει τον καλλιτέχνη. Η σοκολάτα ήταν ένα ρόφημα με ιερή σημασία για τους Μάγια.

αγγειοπλάστες και οι υφαντές του Περού και της Βολιβίας. Είναι απίθανο να υπήρχε κάποιο άμεσο δίκτυο επικοινωνίας μεταξύ όλων αυτών των κέντρων· δεν μπορούμε καν να πούμε με βεβαιότητα κατά πόσον το Τεοτιχουακάν και οι Μάγια σχετίζονταν μεταξύ τους, ούτε το πόσα όφειλαν αυτοί οι δύο πολιτισμοί στους αρχικούς ιδρυτές των πόλεων στο Μεξικό, τους Ολμέκους, τους οποίους συναντήσαμε στην αρχή του Κεφαλαίου 2.

Ο προσδιορισμός *στο μεταξύ* δηλώνει τη βάση από την οποία ξεκινάει την έρευνά του ο ιστορικός. Δηλώνει ξεκάθαρα ότι αυτός ή αυτή γνωρίζει μόνο ότι ένα πράγμα συνέβαινε ταυτόχρονα με ένα άλλο, όχι το γιατί. Μετά το 800, το μεγαλύτερο τμήμα της Ευρασίας συνιστά ένα ακανόνιστο δίκτυο χαλαρά συνδεδεμένων πολιτισμικών εξελίξεων· όμως οι Μάγια ζωγράφοι –για να πάρουμε ένα χτυπητό και εκλεπτυσμένο παράδειγμα από την αρχαία αμερικανική τέχνη– εργάζονταν πράγματι σε ένα άλλο σύμπαν [**73, 74**]. Ή έτσι φαινόταν. Άραγε η παράλληλη εξέλιξη των τεχνικών της νωπογραφίας και των ανθρωποκεντρικών αφηγήσεων όπως μαρτυρείται μέσα από δύο εντελώς ανεξάρτητες ιστορίες μάς λέει στην πραγματικότητα κάτι για τα αδυσώπητα μοτίβα που συνοδεύουν την εξέλιξη των πολιτισμών; Ο Ντέιβιντ Σάμερς, ο μόνος μελετητής που γνωρίζω να ξέρει αρκετά για να απαντήσει σε αυτήν την ερώτηση, πιθανώς θα θεωρούσε εξαιρετικά ασύνετη κάθε απόπειρα να σκιαγραφηθεί μια παγκόσμια ιστορία της τέχνης σε ευθεία χρονολογική σειρά.*

Ας είναι. Εδώ κατά βάση το έργο μου είναι απλώς να επισημάνω ότι οι άνθρωποι επιδόθηκαν στην κατασκευή μιας μεγάλης ποικιλίας από ασυνήθιστα αντικείμενα, ανεξάρτητα από το αν μπορώ να πω το γιατί. Στην εικόνα της επόμενης σελίδας βλέπουμε τον άρχοντα Τσάαν Μουάν του Μποναμπάκ, φορώντας ένα μεγάλο κράνος ιαγουάρου, να κυνηγάει στη διάρκεια μιας επιδρομής χωρικούς που έχουν πιαστεί αιχμάλωτοι από τη γειτονική περιοχή. Αυτό ήταν το καθήκον του προς την κοινότητα: το αίμα των φυλακισμένων έπρεπε να θυσιαστεί προκειμένου να διατηρηθούν οι καλές σχέσεις με τους θεούς και έτσι να αποσοβηθούν οι κακές σοδειές. Ήταν αναπόφευκτα αναγκασμένος να επιδίδεται σ' αυτές τις φρικαλεότητες, όπως ο ζωγράφος ήταν αναγκασμένος να ακολουθεί ένα σπονδυλωτό σύστημα από συνεπτυγμένες γραμμικές μονάδες –μάτια, μπιχλιμπίδια, κρεμαστά κοσμήματα, λοφία–, το οποίο ήταν στενά δεμένο με την ιερογλυφική γραφή των Μάγια και την απίστευτα εκτενή θεωρία τους για το χρόνο, η οποία κάλυπτε τα πάντα. Κοιτώντας αυτήν την προσεκτικά αποκατεστημένη εικόνα, μπορεί να βρισκόμαστε σχεδόν *παραπλανητικά* κοντά στην πρόθεση του καλλιτέχνη, αφού αυτό που στην πραγματικότητα ζωγράφιζε ήταν ο τοίχος μιας τελετουργικής αίθουσας δίχως παράθυρα στο Μποναμπάκ, ο οποίος δεν θα ήταν πάντα το ίδιο φωτισμένος. Μα όπως ακριβώς είναι δύσκολο να μην θεωρήσουμε ότι η τιρκουάζ χρωστική ουσία των Μάγια αναπαριστά το κατάφυτο περιβάλλον τους, είναι

---

* Βλ. το φιλοσοφικό του magnum opus, David Summers, *Real Spaces: World Art History and the Rise of Western Modernism* (2003). Για την εξέλιξη των πολιτισμικών δικτύων από την Παλαιολιθική εποχή μέχρι σήμερα, βλ. J. R. McNeill και William H. McNeill, *The Human Web* (2003), μια ευφυώς συνοπτική, 320 σελίδων, «πανοραμική εποπτεία» της παγκόσμιας ιστορίας.

74 Ο Τσάαν Μουάν κυνηγά αιχμαλώτους, νωπογραφία από το Μποναμπάκ, Μεξικό, 790.

δύσκολο να μην νιώσουμε ότι μέσα σε αυτούς τους απόκρυφους και περίπλοκους περιορισμούς ο Τσάαν Μουάν και ο καλλιγράφος νωπογράφος της αυλής του αντλούσαν μια άγρια ευχαρίστηση. Αν αφαιρούσαμε τα αλλόκοτα κράνη τους, θα μπορούσε σχεδόν να μας δημιουργηθεί η εντύπωση ότι γινόμαστε μάρτυρες ενός στιγμιότυπου παρμένου από το γήπεδο, όπου οι ποδοσφαιριστές επιδίδονται σε υπερβολές μπροστά στις κάμερες.

Το να αναζητήσουν οι σημερινοί θεατές κάποια κοινά σημεία επαφής με τους Μάγια είναι ίσως δυσκολότερο απ' ό,τι, για παράδειγμα, με τους Ρωμαίους, επειδή κάθε ίχνος αυτού του πολιτισμού έσβησε οριστικά. Έναν περίπου αιώνα μετά τις νωπογραφίες στο Μποναμπάκ, οι πόλεις τους ερημώθηκαν καθώς ο πληθυσμός, πιθανώς αντιδρώντας σε μια οικολογική κρίση, κατευθύνθηκε προς τα δάση δοκιμάζοντας έναν μικρότερης κλίμακας, τυχοδιωκτικό τρόπο επιβίωσης. Σε αυτόν το βαθμό, τουλάχιστον, οι ναοί τους παρουσιάζουν μια παράλληλη πορεία με τη μεγάλη χαμένη υπό-

75 Γωνιακή «τερατόμορφη υδρορρόη» σε έναν εξώστη στο Μπορομπουντούρ, Ιάβα, περ. 830. Οι τερατόμορφες υδρορρόες που ανεγέρθηκαν για να στραγγίζουν το μνημείο του Μπορομπουντούρ από τις πολλές βροχές της Ιάβας είναι γνωστές ως μακάρα – δράκοι των πηγών και των πιδάκων, δαιμόνια του νερού. Ανήκουν σε ένα ενδιάμεσο θρησκευτικό βασίλειο, όπου οι αφηρημένες αρχές του βουδισμού μπερδεύονται με τις πολυπρόσωπες θεότητες της ινδουιστικής μυθολογίας. Η λιθοδομία που βλέπουμε εδώ ανακατασκευάστηκε τη δεκαετία του 1970 όταν το μνημείο αποκαταστάθηκε πλήρως. Το Μπορομπουντούρ βγήκε ξανά στην επιφάνεια, έπειτα από εγκατάλειψη οχτώ αιώνων στην ηφαιστειακή στάχτη και τη βλάστηση της ζούγκλας, στις αρχές του 19ου αιώνα, όταν η Ιάβα βρισκόταν υπό ολλανδική κατοχή.

θέση του 9ου αιώνα, το Μπορομπουντούρ [**75**]. Η κατασκευή του άρχισε περίπου το 775 και συνεχιζόταν μέχρι και το 842, για να εγκαταλειφθεί οριστικά μέσα στη ζούγκλα, για λόγους ασαφείς, μέσα σε λιγότερο από δύο αιώνες. Έχουμε επιστρέψει στην Ευρασία –τουλάχιστον στα νότια όριά της– στο ισημερινό νησί της Ιάβας. Έχουμε επιστρέψει στο βουδισμό. Οι βασιλείς των αναδυόμενων κρατών στη νοτιοανατολική Ασία πίστευαν για αιώνες πως θα αποκόμιζαν αίγλη αν συνέδεαν τον εαυτό τους με την ινδική κουλτούρα και θρησκεία, κατά τον ίδιο τρόπο με τον οποίο οι Βορειοευρωπαίοι συνέδεαν τους εαυτούς τους με τις ρωμαϊκές αξίες. Η δυναστεία Σαϊλέντρα στην Ιάβα εξασφάλισε τα μέσα για να εκφράσει, σε διαστάσεις μεγαλύτερες από ποτέ, τους εισαγόμενους πνευματικούς κανόνες.

Ένας βουδιστής θα μπορούσε να σχεδιάσει νοερά ένα συμπαντικό διάγραμμα, ένα μάνταλα, ένα δαίδαλο στον οποίο θα προσηλωθεί, θα τον διαπεράσει και θα τον υπερβεί. Οι Σαϊλέντρα μετέστρεψαν αυτήν την άσκηση σε μια τριών χιλιομέτρων κλιμακωτή ανύψωση στις αναβαθμίδες ενός πέτρινου όρους που διέκοπταν τη συνέχειά του εκατοντάδες καμπανόσχημες στούπες. Οι υψηλότερες στούπες του Μπορομπουντούρ αποτελούν κούφια δικτυωτά, που περιλαμβάνουν στο εσωτερικό τους Βούδες που διαλογίζονται, και ακόμα ψηλότερα, αυτήν την τιτάνια εγκυκλοπαίδεια της ύπαρξης την επιστεγάζει μια κενή έσχατη κορυφή, η νιρβάνα. Σε αυτήν τη φωτογραφία, ωστόσο, βρισκόμαστε χαμηλά σε μια πιο εγκόσμια αναβαθμίδα, δίπλα σε υπερώα με αφηγηματικά ανάγλυφα φτιαγμένα με την ίδια υπομονή και λεπτομέρεια όπως εκείνα στη Στήλη του Τραϊανού. Βρισκόμαστε στην κρίσιμη χρονική στιγμή κατά την οποία φτιάχτηκε αυτό που στις μεταγενέστερες μεσαιωνικές συνθέσεις, στους χριστιανικούς καθεδρικούς ναούς, θα επονομαζόταν τερατόμορφη υδρορρόη. Όλη η βροχή από αυτά τα βαρύθυμα σύννεφα πρέπει να παροχετευτεί από τούτο το πέτρινο όρος, και ένας τραχύς και επίγειος λαιμός ήταν το μέσο που θα την απόβαλλε. Όταν θα έβγαινε η λιακάδα, αυτός θα επόπτευε απειλητικά όσους βρίσκονταν αποκάτω ως ένα πλάσμα που καταβροχθίζει το κακό, μια απειλή και ένας φύλακας. Και όμως το μοχθηρό του βλέμμα ήταν συνάμα δελεαστικό, καθώς δημιουργούσε ένα σημείο επαφής ανάμεσα στην αφηρημένη πνευματικότητα, που βρισκόταν αποπάνω, και τους ζωηρούς δράκους της λαϊκής μυθολογίας της Ιάβας, που βρίσκονταν αποκάτω.

Η λαϊκή μυθολογία, ωστόσο, δεν βασίζεται σε διανοητικά προγράμματα. Μπορεί να γονιμοποιήσει τα δικά της πρότυπα δημιουργικότητας και τις δικές της υψηλές, ευφάνταστες τέχνες. Πίσω στην πατρίδα της στούπας, στις αυλές και στα χωριά της Ινδίας, οι ιερείς εκτελούσαν τις τελετές τους και οι βάρδοι έψαλλαν τα έπη τους πολύ προτού εμφανιστεί ο βουδισμός πάνω από χίλια χρόνια νωρίτερα, και η άφιξη του νέου δόγματος δεν έκαμψε τη δύναμη αυτών που τώρα αποκαλούμε ινδουιστικές παραδόσεις. Η ηπειρωτική ενδοχώρα είχε γίνει ένας αχανής, συνεκτικός και πολιτισμικά αυτάρκης κόσμος, με μιαν αγροτική οικονομία αρκούντως πλούσια ώστε να χρηματοδοτεί τα μνημειώδη προγράμματα και τα θρησκευτικά εγχειρήματα των αμέτρητων τοπικών ηγετών. Ενώ οι πολιτισμοί της Γκαντάρα και των

76 Η Κάθοδος στον Γάγγη, λάξευση σε βράχο στο Μαμαλαπουράμ, Ινδία, περ. 660. Ένα στοιχείο που χαρακτηρίζει το ινδικό τοπίο επικαλύπτεται από ένα άλλο καθώς ο ιερός ποταμός Γάγγης παρουσιάζεται να κυλάει συμβολικά πάνω στην επιφάνεια ενός μεγάλου βράχου κάπου 1200 χιλιόμετρα νότια του. Ο βασιλιάς που με τη δύναμη της νηστείας του έπεισε τον Σίβα να σταματήσει την ξηρασία στη γη εμφανίζεται να κάθεται σκυμμένος και κάτισχνος, μπροστά από έναν ανάγλυφο ναό στα αριστερά, και να κοιτάζει τον ελέφαντα. Το τεράστιο ανάγλυφο περιλαμβάνει επίσης κωμικές λεπτομέρειες με παιχνιδιάρικα γατιά και ποντίκια.

Γκούπτα δημιουργούσαν τα βουδιστικά αγάλματά τους στον βορρά, οι δυναστείες στους λόφους προς τον νότο ανέπτυξαν μια πολύ διαφορετική τέχνη, που υπηρετούσε όλο και περισσότερο τους ινδουιστικούς σκοπούς. Μια τέχνη τοπιογραφίας υπό μια έννοια – δηλαδή μια τέχνη που προσέγγιζε και αναδείκνυε την πνευματική ζωή που λανθάνει στις ίδιες τις πλαγιές των λόφων. Μπορεί να θεωρήσει κανείς ότι οι εξαιρετικά γιγάντιοι και λεπτοδουλεμένοι, λαξεμένοι στην πέτρα ναοί, οι οποίοι κατασκευάστηκαν στην Ινδία μεταξύ του 100 και του 900, εναρμονίζονται στην πραγματικότητα με την τέχνη των σπηλαίων, η οποία επιχείρησε διστακτικά να αναδείξει τα ζώα μέσα από τη ζωντανή πέτρα πίσω στην Παλαιολιθική εποχή. Ένας γρανιτένιος ογκόλιθος στο Μαμαλαπουράμ [76], στη νοτιοανατολική ακτή της Ινδίας, επιδεικνύει αυτήν τη γλυπτική στην πιο πρόστυπη έκφρασή της· αλλού, οι γλύπτες σκάλιζαν βαθιά στους βράχους, λαξεύοντας μεγάλες κοιλότητες τις οποίες διακοσμούσαν με αγάλματα μέσα στην ευχάριστη ατμόσφαιρα που δημιουργούσε το ημίφως. Αυτός ο ελέφαντας έχει σχεδόν φυσικό μέγεθος. Κοιτάζει προς μια φυσική σχισμή στην επιφάνεια του βράχου που έχει 6 μέτρα ύψος, ένα κανάλι μέσα στο οποίο κάποτε κυλούσε νερό, σύμβολο του ιερού ποταμού Γάγγη. Η πέτρα έμελλε έτσι να μετατραπεί σε μια ιστορία από τη *Μαχαμπχαράτα*, στην οποία η ξηρασία έλαβε τέλος όταν με τη νηστεία ενός βασιλιά ο θεός Σίβα έστειλε το θείο δώρο της ελευθέρωσης των υδάτων. Πάνω τους κουλουριάζονται πνεύματα με τη μορφή νερόφιδῶν, ενόσω άλλα πνεύματα, άλλοτε με τη μορφή θνητών και άλλοτε με τη μορφή ζώων –τεράστια πλήθη, κάτι που έχει μεγάλη αξία στην Ινδία– χαιρετίζουν το συμβάν της γονιμότητας. Χαιρετίζουν εξίσου την υπεραφθονία των Παλάβα, που κυβερνούσαν το Μαμαλαπουράμ γύρω στο 650. Αυτή η δυναστεία χρηματοδοτούσε και βουδιστικά εγχειρήματα (η αποκλειστικότητα της μίας και μόνης πίστης δεν ίσχυε στην Ινδία), ωστόσο στον επόμενο αιώνα η ινδουιστική παράδοση άρχισε να εδραιώνει μια σταθερή κυριαρχία στην ενδοχώρα. Η Ιάβα στράφηκε προς μια παρόμοια θρησκευτική κατεύθυνση αφότου εγκαταλείφθηκε το Μπορομπουντούρ.

Ο βουδισμός παρέμεινε πολύ ζωντανός και αλλού. Στον βορρά τον τροφοδοτούσε εδώ και πολύ καιρό το πολιτισμικό μωσαϊκό της Κίνας. Οι μοναχοί τον είχαν εισαγάγει εκεί τον 1ο αιώνα, ταξιδεύοντας πάνω από τα όρη της κεντρικής Ασίας όπου τα μονοπάτια στα υψίπεδα της Ινδίας επέτρεπαν το εμπόριο Ανατολής-Δύσης μέσα από το Δρόμο του Μεταξιού. Τα δόγματά του ισχυροποιήθηκαν κατά τη διάρκεια των πολιτικά ασταθών αιώνων που ακολούθησαν την κατάρρευση της δυναστείας Χαν το 221. Έχοντας μεταδοθεί μέσω της κεντρικής Ασίας, η βουδιστική εικονοποιία της Κίνας παρέλαβε κάποιες εκφράσεις της ελληνικής τέχνης σε εκείνη την περιοχή, και πίσω από την οφιοειδή χάρη ενός καθιστού μποτισάτβα [**77**] από ένα ιερό χτισμένο σε σπηλιά στην κινεζική πλευρά του Δρόμου του Μεταξιού μπο-

77 Μποτισάτβα και λουοχάν (μαθητής), παράσταση από ένα σπήλαιο στο Μογκάο, Ντουνχουάνγκ, Κίνα, περ. 700. Αρχικά τους συνόδευαν εφτά ακόμα περίοπτες μορφές μέσα σε ένα από τα κινεζικά σπήλαια του Ντουνχουάνγκ. Μεγάλη προσοχή έχει δοθεί στα ωραίότερα σημεία της περιβολής: τα υφάσματα που φορά ο μαθητής αντικατοπτρίζουν τις σύγχρονες ενδυματολογικές συνήθειες στην αυτοκρατορική αυλή των Τανγκ.

78 Απόσπασμα από ένα αντίγραφο κυλίνδρου του Γκου Καϊτσί, γνωστό ως η *Νύμφη του ποταμού Λούο*, περ. 600. Αυτό είναι χονδρικά το ένα τέταρτο ενός κυλίνδρου που συνοδεύει ένα ποίημα με αφηγητή τον πρίγκιπα Καοτσί του 2ου αιώνα. Αναφέρεται στη μελαγχολική επιστροφή του στην αυλή μετά τη συνάντηση με μιαν άπιαστη νύμφη («Οι άνθρωποι και οι θεοί πρέπει να ακολουθούν χωριστούς δρόμους»). Το πρωτότυπο ίσως ζωγραφίστηκε στα τέλη του 6ου αιώνα, ενώ αυτό το αντίγραφο χρονολογείται πιθανώς στη δυναστεία Σονγκ (960–1279).

ρεί να ανιχνεύσει κανείς μια παράδοση που φτάνει πίσω στον Πραξιτέλη. Ο μποτισάτβα ήταν ένας μεσολαβητής που προσέδιδε στα βαθιά δόγματα μια πιο προσιτή γοητεία. Τα άτομα, σύμφωνα με την αρχή αυτή, τα οποία ακολουθούσαν τα βήματα του Βούδα στον «ορθό δρόμο» μπορεί να πέρναγαν στην κατάσταση της νιρβάνας και να απαλλάσσονταν από την ύπαρξη· στο ίδιο αυτό όμως κατώφλι του, κάποιοι ελεήμονες μπορεί να επέστρεφαν για να βοηθήσουν την ανθρωπότητα που υπέφερε, εμφορούμενοι, λόγω της αυταπάρνησής τους, από μια μοναδική δύναμη να μεσιτεύουν και να διδάσκουν. Αυτοί οι πνευματικοί διαμεσολαβητές ινδικής καταγωγής υπερέβαιναν τα όρια του φύλου, λαμβάνοντας μια όλο και περισσότερο θηλυκή μορφή στην Κίνα. (Η μορφή του αγγέλου επρόκειτο να ακολουθήσει μια παρόμοια πορεία στη Δύση.) Οι καλλιτέχνες στο ιερό του σπηλαίου Μογκάο έχτιζαν τους δικούς τους από πηλό και τους ζωγράφιζαν ώστε να γίνονται ένα με το δισδιάστατο φόντο. Στην πραγματικότητα κοιτάζουμε ένα σκηνικό πολυμέσων, ένα από τα εκατοντάδες που έλκυαν τους προσκυνητές στα σπήλαια, τα οποία διαπερνούσαν τους γκρεμούς φαραγγιών που τα διέτρεχαν ποτάμια.

Το έργο χρονολογείται όχι πολύ μετά τα γλυπτά στο Μαμαλαπουράμ, το 700 περίπου. Εδώ οι μορφές μοιάζουν έτοιμες να εμπλακούν σε συζητήσεις – αρχίζοντας με εκείνον τον φιλοπερίεργο, σχεδόν κωμικά επιμελή λουοχάν, ή νεοφώτιστο. Είναι ένα οργιώδες, αβρό, δελεαστικό θέαμα για ένα κοινό με εκλεπτυσμένες προτιμήσεις και προσδοκίες. Η αυτοκρατορία της δυναστείας Χαν μπορεί να διαλύθηκε πολιτικά όπως η σύγχρονή της στα δυτικά, η Ρωμαϊκή Αυτοκρατορία, όμως οικονομικά αυτή η περιοχή αποδείχτηκε πολύ πιο εύρωστη. Η δυναστεία Τανγκ, που αποκατέστησε την ενότητα του έθνους εγκαινιάζοντας μια νέα περίοδο επέκτασης το 618, μπορούσε να βασίζεται σε πολυάριθμες ακμάζουσες πόλεις και μια πληθώρα τεχνολογικών εγχειρημάτων – εδώ ήταν που επινοήθηκε το χαρτί το 105 και εδώ ήταν που είχε πρόσφατα εγκαινιαστεί η μέθοδος της ξυλογραφίας.

Εδώ, στην πιο εγγράμματη κοινωνία του κόσμου, ήταν που διαμορφώ-

83 Ο Χριστός και οι Απόστολοι,
από το κεντρικό τύμπανο στη Λα Μαντλέν,
Βεζελέ, περ. 1120.

ο τύπος της εσωτερικής θέσης για την οποία προοριζόταν ο Εσταυρωμέ-
νος, αυταρχικός και απόλυτος. Σαν ένα άγαλμα του Βούδα, ένας Εσταυρω-
μένος είναι το κυρίως πιάτο για την καρδιά και το νου, ενώ οι ζωφόροι εί-
ναι απλώς τα ορεκτικά. Και οι δύο μορφές, επιπλέον, μπορούν να αποσπα-
στούν από το ναό και να αποκτήσουν μικρότερες διαστάσεις, έτσι ώστε να
δημιουργήσουν ένα πνευματικό κέντρο οπουδήποτε και αν εκτεθούν. Η ιν-
δουιστική παράδοση, που κυριαρχεί σήμερα σε όλη την Ινδία, δημιουρ-
γούσε μόλις τότε το δικό της ισοδύναμο. Ο *Σίβα Ναταράτζα*, ο Σίβα ως «κύ-
ριος του χορού» [**82**], ήταν μια εικόνα που αρχικά χυτεύτηκε σε ορείχαλκο
στα μέσα του 11ου αιώνα στο νότιο βασίλειο των Κόλα, στο σημερινό Τα-
μίλ Ναντού. Με βάση τις προγενέστερες απεικονίσεις του σε τοίχους ναών,
το σχέδιο σύντομα αποκρυσταλλώθηκε σε μια φορητή σύνοψη των δογμά-
των που διατύπωναν πλέον οι ινδουιστές δάσκαλοι. Ο Σίβα –που, όπως και
ο Βισνού, είναι απλώς μία όψη αυτού που στην πραγματικότητα υπάρχει–
χορεύει ώστε να προσδώσει σε αυτήν την πραγματικότητα μια ορισμένη
μορφή. Από τα τέσσερα χέρια του, το τελευταίο δεξιά κρατά ένα τύμπανο
που χτυπά για να κεντρίσει τα αντικείμενα και τα συμβάντα, ενώ από το τε-
λευταίο αριστερά ξεπηδά μια φλόγα που τα διώχνει μακριά· οι ενδιάμεσες
χειρονομίες μάς υπόσχονται προστασία και απαλλαγή από την αυταπάτη –
αυτή είναι ο ξαπλωμένος νάνος τον οποίο ο χορευτής δρασκελίζει. Γύρω
στο 1050 ο διάλογος μεταξύ μελετητών και γλυπτών είχε σφυρηλατήσει ένα
σύμβολο τόσο συμπαγές και συγχρόνως τόσο περιεκτικό, ώστε να μην επι-
δέχεται την παραμικρή αναθεώρηση.

Από το ορειχάλκινο αγαλματίδιο μπορούμε να επιστρέψουμε στη δυτική
ιστορία μέσω μιας εικόνας που σχεδιάστηκε για να κοσμήσει ένα άλλο ση-

ADERVNT SIMVL:ANGLI ET FRANCI:

84 Μια συμπλοκή από τη Μάχη του Χάστινγκς: απόσπασμα από τον Τοιχοτάπητα της Μπαγιέ, περ. 1080.

«Σε αυτήν τη μάχη σκοτώθηκαν και Άγγλοι και Γάλλοι» αναφέρει η λατινική επιγραφή στα αριστερά. Ο Τοιχοτάπητας της Μπαγιέ ανήκει σε μια μακρά παράδοση τέχνης με θέμα τον πόλεμο, η οποία επί της ουσίας επιφυλάσσει ίση μεταχείριση τόσο στο νικητή όσο και στον ηττημένο.

«Εδώ είναι ο Όντο» συνεχίζει η επιγραφή, κατονομάζοντας τον πολεμιστή που πέφτει από το άλογό του στα δεξιά και που μπορεί κάλλιστα να είχε παραγγείλει το έργο. Ήταν επίσκοπος της Μπαγιέ και αδελφός του Γουλιέλμου, του νορμανδού κατακτητή της Αγγλίας.

μείο. Ήδη από την εποχή του Εσταυρωμένου του Γκέρο, η Ευρώπη είχε αρχίσει να χτίζει τους δικούς της πέτρινους ναούς με γρήγορους ρυθμούς, βασιζόμενη για την κάλυψη των δαπανών που απαιτούσαν τα νέα υλικά στην αργή αλλά σίγουρη ανάπτυξη της γεωργίας. Οι μοναχοί συντόνιζαν αυτήν την πρόοδο, και ήταν πράγματι για μια μοναστηριακή εκκλησία που η μορφή αυτή του Χριστού [83] λαξεύτηκε κάποια στιγμή γύρω στο 1120. Η εκκλησία, στο Βεζελέ, στη γαλλική περιοχή της Βουργουνδίας, ήταν επί της ουσίας ο ίδιος επιμήκης χώρος ή η βασιλική που οι χριστιανοί χρησιμοποιούσαν από την εποχή του Κωνσταντίνου, αν και τώρα οι τοίχοι ήταν πιο ανθεκτικά χτισμένοι προκειμένου να υποβαστάζουν μια πέτρινη οροφή. Οι πτέρυγες που έτεμναν τον κεντρικό χώρο κοντά στην αψίδα, τα «εγκάρσια κλίτη», υποδήλωναν τη σχέση του δομημένου κτίσματος με τον εσταυρωμένο Χριστό – σύμφωνα με μια εξίσου αρχαία αναλογία, το κτίσμα ήταν ένα σώμα, η νύφη του Χριστού. Αυτό το γλυπτό, ωστόσο, βρισκόταν έξω από το σώμα: ήταν ένα τύμπανο, ένα ημικύκλιο πάνω από την είσοδο. Με αυτήν τη συμπλήρωση, το κατώφλι απηχούσε τις θολωτές κατασκευές που κυριαρχούσαν στη νέα οικοδομική τέχνη του 11ου και του 12ου αιώνα – αναβιώνοντας μια τυπικά ρωμαϊκή τεχνική που αργότερα οδήγησε τους ανθρώπους να ονομάσουν αυτήν την περίοδο «Ρωμανική». Το τύμπανο επόπτευε την είσοδο στο ναό και τον πέρα κόσμο που απλωνόταν μπροστά του: έβλεπε κάτω στο λόφο του Βεζελέ, πέρα από τις ιδιοκτησίες του μοναστηριού, έξω προς τα δουκάτα και τις κομητείες, οι κάτοικοι των οποίων συγκεντρώνονταν σ' αυτό το σημείο συνάντησης προτού ξεκινήσουν το μακρύ ταξίδι τους με προορισμό το ναό του Σαντιάγκο ντε Κομποστέλα της βορειοδυτικής Ισπανίας.

αυτό το πολύτιμο αντικείμενο από το Βυζάντιο, πληρώνοντας τεράστια ποσά σε έναν πωλητή του οποίου το δικαίωμα επί του λειψάνου ήταν βέβαια εγκληματικό (όπως θα δούμε στο επόμενο κεφάλαιο).

Λεηλασία· πάθος· παθιασμένη ευσέβεια· οι σπόροι του εθνικιστικού μύθου· μυστικιστικές αναλογίες που γεφυρώνουν αμέτρητες κατηγορίες, ζευγαρώνοντας το χρώμα με το νόημα, το αρχαίο με το νεότερο, το υλικό με το πνευματικό... Η Σεν Σαπέλ βυθίζει το θεατή στον πλούσιο δαίδαλο του χριστιανισμού της Ώριμης Γοτθικής περιόδου, στην αποπροσανατολιστική υπερένταση που προκαλεί ρίγη ανατριχίλας και οδηγεί στον κορεσμό. Πιστεύω πως μπορούμε να βρούμε ένα σύστημα το οποίο θα ρίξει φως όχι μόνο σε αυτό το μνημείο, αλλά και στο μεγαλύτερο μέρος της τέχνης που εξέτασα σε αυτήν την ενότητα· για να γίνει όμως αυτό, ίσως θα ήταν καλύτερο να εγκαταλείψουμε το Παρίσι και όλη τη χριστιανοσύνη. Όπως ακριβώς συμβαίνει και με τους μεγάλους καθεδρικούς ναούς, είναι πραγματικά αδύνατον να συλλάβουμε τα μεγάλα μεσαιωνικά τεμένη, όπως εκείνα στην Κόρδοβα ή στο Κάιρο, και να υποβιβάσουμε τη σημασία τους προβάλλοντας μερικές μεμονωμένες φωτογραφικές εικόνες με αξία όχι μεγαλύτερη από εκείνη των ταξιδιωτικών οδηγών. Είναι σχεδόν εξίσου δύσκολο να παρουσιάσουμε την τεράστια, ποικίλη συνέχεια της ισλαμικής παραγωγής μέσα από ένα και μόνο εξαίρετο αντικείμενο από ύφασμα, σίδερο, πηλό ή γυαλί.

Θα κινηθώ σε μια κλίμακα ανάμεσα σε αυτά τα δύο [**90**]. Έχουμε επιστρέψει στη Βαγδάτη, κάπου διακόσια χρόνια μετά τον καλλιγράφο Ιμπν αλ-Μπαγουάμπ. Είναι μια πρωτεύουσα με πολύ λιγότερη δύναμη, αφού οι χαλίφες, όπως οι ρωμαίοι αυτοκράτορες πριν από αυτούς, είχαν εδώ και πολύ καιρό αναγκαστεί να παραχωρήσουν το μεγαλύτερο τμήμα της εξουσίας και της επικράτειάς τους σε στρατιώτες που είχαν έρθει από τον μακρινό βορρά. Αυτοί, οι Σελτζούκοι Τούρκοι από την κεντρική Ασία, στην πραγματικότητα χρηματοδότησαν το μεγαλύτερο μέρος της περίφημης ισλαμικής τέχνης του 11ου αιώνα. Την εποχή που χτιζόταν το μνημείο που βλέπουμε εδώ, η εξουσία των Σελτζούκων είχε επίσης συρρικνωθεί, εν μέσω μιας πανισλαμικής διαίρεσης σε δυναστείες και θρησκευτικά δόγματα.

Αυτό το μνημείο είναι ένα μαυσωλείο και έχει εδώ και καιρό αποδοθεί στον Αλ-Ναζίρ, ένα χαλίφη της όψιμης περιόδου των Αβασιδών, ο οποίος προσπάθησε να αποκαταστήσει τη μακρόχρονη ρήξη μεταξύ σουνιτών και σιιτών κατά τις δεκαετίες του 1190 και του 1200. Η κατασκευή μαυσωλείων δεν ήταν, σύμφωνα με τη ρητή άποψη του Προφήτη, μια ιδιαίτερα αξιέπαινη ισλαμική δραστηριότητα. Εντούτοις, η επιθυμία για τη διατήρηση της μνήμης άρχισε να διακατέχει όλο και περισσότερους μουσουλμάνους μετά τη δεκαετία του 950, ιδίως στο Ιράν και την κεντρική Ασία, και οδήγησε σε μια ποικιλία εντυπωσιακών κατασκευών. Η τεχνική που εφαρμόστηκε εδώ στη Βαγδάτη ήταν γνωστή ως μουκάρνα, κυψελοειδής ή σταλακτιτική θολοδομία, και μοιάζει πιθανό να προέρχεται από τις πλίνθινες κατασκευές στην ενδοχώρα του Ιράκ, όντας μια επινοητική παραλλαγή στην κατασκευή των σφαιρικών τρούλων. Στη φωτογραφία, έχουμε εισέλθει σε μια ψηλή αίθουσα με μια κυψελοειδή στέγη. Κοιτάμε κατευθείαν προς τα πάνω.

Είναι ένας δομημένος χώρος, συνάμα όμως έχει σαφώς σχεδιαστεί για να ειδωθεί ως εικόνα. Θα μπορούσατε να παραφράσετε αυτήν την εικόνα με διάφορους τρόπους. Θα μπορούσατε να αναφερθείτε στις πολλαπλότητες που απλώνονται απεριόριστα. Εξάλλου, ένα μεγάλο μέρος της γοητείας που ασκεί η μεσαιωνική τέχνη οφείλεται στις φυγόκεντρες πολυπλοκότητές της – στις υδρορρόες, στις επιστρώσεις, στις συμπληρωματικές διακοσμήσεις, στα ερωτικά συμπλέγματα, στα αλλόκοτα τέρατα... Ή θα μπορούσατε να απαιτήσετε ευθύς αμέσως να μάθετε τι «ήθελαν να πουν» οι κατασκευαστές. Είναι απίθανο να πάρετε απάντηση. Σε αντίθεση με καλλιγράφους όπως ο Ιμπν αλ-Μπαγουάμπ, οι αβασίδες αρχιτέκτονες ήταν ταπεινοί, απλοί άνθρωποι, και δεν υπάρχουν σοβαρές ενδείξεις για το ότι συμβουλεύονταν βιβλία μυστικιστικής γεωμετρίας. Μπορούμε να δεχτούμε ότι απλώς απολάμβαναν να επιδίδονται σε ακροβατικά με πλίνθους. Εδώ όμως έχουμε να κάνουμε με τον διεισδυτικό γρίφο της ιστορίας της μεσαιωνικής τέχνης, από την εποχή της σαρκοφάγου στο λιθοξοϊκό εργαστήριο και εξής. Γνωρίζουμε από μαρτυρίες ότι οι άνθρωποι εργάζονταν με αισθήματα αγάπης και αφοσίωσης, το νόημα των οποίων σήμερα μας είναι αδύνατον να αντιληφθούμε· ομοίως, θέλουμε να πιστεύουμε πως προσεύχονταν, αλλά και να μάθουμε πώς συζητούσαν, πώς αποφάσιζαν για τα πράγματα, πώς ονομάζονταν... όλα αυτά έχουν χαθεί. Παρ' όλα αυτά θα μπορούσαμε να κάνουμε επίσης λόγο για ενότητα. Πιστεύω ότι δεν θα ήταν αταίριαστο να αναφέρουμε στο σημείο αυτό το όνομα του Αλλάχ.

Πρώιμο νεωτερικό, όψιμο αρχαίο

Κίνα, Ιαπωνία, Καμπότζη, Νιγηρία, 1000–1250

Οι παρατηρήσεις που μόλις κάναμε για τη μεσαιωνική τέχνη δεν αφορούν την Κίνα. Ας εξετάσουμε, για παράδειγμα, τον κρεμαστό κύλινδρο *Αρχές της άνοιξης* [**91**]. Ακριβώς κάτω από το ψηλότερο δέντρο στο αριστερό περιθώριο διακρίνεται η υπογραφή του Γκούο Ξι, καθηγητή στην αυτοκρατορική ακαδημία ζωγραφικής. Ο ίδιος έχει συμπληρώσει την ημερομηνία, το έτος 1072. Αυτές και μόνο οι λεπτομέρειες αρκούν για να μας δείξουν ότι η ιστορία της μεγάλης αυτοκρατορίας ακολούθησε μια μάλλον διαφορετική πορεία από εκείνη της Δύσης ή της Ινδίας: από αυτά τα μέρη σώζονται σαφώς ελάχιστα δείγματα υπογραφών, τίτλων και ακαδημιών ζωγραφικής.

Η ιδιαιτερότητα της Κίνας συνίστατο στο ότι η ανεπτυγμένη, ευπροσάρμοστη, επινοητική οικονομία της συντηρούσε μια πολυάριθμη αργόσχολη τάξη. Για να το θέσουμε κάπως ωμά, υπήρχε ένας μεγάλος αριθμός ιδιοκτητών γης που δεν είχαν να κάνουν και πολλά πέρα από το να ζωγραφίζουν ή να στοχάζονται πάνω στη ζωγραφική. Είναι αλήθεια ότι η τέχνη τους δεν ήταν απρόσβλητη απέναντι στις αναταραχές. Οι αυτοκράτορες αρέσκονταν στο να συσσωρεύουν τους πιο περίτεχνους μεταξωτούς κυλίνδρους στα ξύλινα παλάτια τους, μεριμνώντας ελάχιστα για την πρόληψη κατά των πυρκαγιών: ως αποτέλεσμα, για ένα μεγάλο μέρος της υψηλής τέχνης της δυναστείας Τανγκ (από το 618 έως το 906) διαθέτουμε μόνο ονόματα καλλιτεχνών που έχουν περιληφθεί σε καταλόγους κριτικών και ειδικών. Οι μαρτυρίες αυξάνονται την εποχή του Γκούο Ξι. Αυτός υπηρέτησε τη δυναστεία Σονγκ, που ανήλθε στον αυτοκρατορικό θρόνο μετά το 960. Εντούτοις, όπως συμβαίνει και με το φερόμενο ως χειροτέχνημα του Γκου Καϊτσί περίπου πέντε αιώνες νωρίτερα (βλ. σσ. 106-7), τα μονοπάτια που μας οδηγούν στις επιρροές και τις μιμήσεις χάνονται μέσα στην ομίχλη. Η τεχνοτροπία του Γκούο ακολουθεί αυτήν ενός παλιότερου δασκάλου, του Λι Τσενγκ, που και ο ίδιος επηρεάστηκε από κάποιον άγνωστο σ' εμάς δάσκαλο. Επιπλέον, σε ποιο βαθμό, άραγε, κάποια μεταγενέστερη δημιουργική επεξεργασία αλλοίωσε τους τόνους του σχεδίου του ίδιου του Γκούο;

Φαίνεται ξεκάθαρο, ωστόσο, ότι οι *Αρχές της άνοιξης* είναι ένα σημαντικό ατομικό, ευφάνταστο πείραμα, ενός είδους που για πρώτη φορά συναντάμε σε αυτήν την ιστορία. Η εικόνα του βουνού στην Κίνα αποτελεί ένα μοτίβο τουλάχιστον εξίσου παλιό με εκείνο το μπροσάν από το 120 π.Χ. (σ. 76). Η απεικόνιση του βουνού αποτελούσε από πολύ παλιά ένα θέμα για τις εκλεπτυσμένες ψυχές, που ήταν προσηλωμένες στις ταοϊστικές ονειροπολήσεις της φύσης. Εβδομήντα χρόνια νωρίτερα, ο Φαν Κουάν είχε επινοήσει μια εντυπωσιακή τυπολογία για να αποδώσει το μεγαλείο του, παρουσιάζοντας μια γιγάντια και έρημη ακρώρεια να αιωρείται μέσα στην ομίχλη μπροστά σε μια κοιλάδα που είχε ζωγραφιστεί σε πρώτο πλάνο. Όμως οι υπαίθριες περιπλανήσεις και οι παρατηρήσεις του Γκούο κατέληξαν σε μια θεωρία πολλαπλών προοπτικών, και ο ίδιος βάλθηκε να συμπεριλάβει κάθε ερέθισμα με στόχο τη δημιουργία ενός ολοκληρωμένου εικαστικού συνόλου. Πρέπει να περιπλανηθείτε αργά στις πινελιές του – κινηθείτε δε-

91 Γκούο Ξι, *Αρχές της άνοιξης*, 1072. Ένα πείραμα πάνω στην πολυπλοκότητα του χώρου από έναν θεωρητικό που άντλησε από μια ήδη αρχαία παράδοση. Ο Γκούο Ξι χρησιμοποιούσε ποικίλους σχεδιαστικούς τρόπους για να αποδώσει τους διαφορετικούς τύπους δέντρων και βράχων, σχολιάζοντας ότι το καθένα είχε έναν ορισμένο ηθικό χαρακτήρα – τα όρθια δέντρα υποδήλωναν την προσαρμοστικότητα στις μεταβαλλόμενες πολιτικές συνθήκες, τα ροζιασμένα δέντρα την εσωστρεφή συμπεριφορά κάποιου που κρύβει τις απόψεις του. Όπως πολλά από τα μεγάλα αριστουργήματα της κινεζικής ζωγραφικής, οι *Αρχές της άνοιξης* μεταφέρθηκαν από το Πεκίνο στην Ταϊπέι της Ταϊβάν το 1949, όταν η εθνικιστική κυβέρνηση της Κίνας τράπηκε σε φυγή καθώς προωθούνταν οι κομμουνιστικές στρατιές του Μάο Τσε Τουνγκ.

5

ΕΙΣΟΔΟΙ ΚΑΙ ΠΑΡΑΘΥΡΑ

Συμπόσια και γυμνά δέντρα
Κίνα, δεκαετία του 970–δεκαετία του 1370

Η εταίρα που κρυφοκοιτάζει από την πόρτα μέσα στα ιδιωτικά διαμερίσματα του Χαν Ξιτσάι μπορεί κάλλιστα να αντιπροσωπεύει τη θέση στην οποία βρισκόμαστε εμείς: γινόμαστε μάρτυρες των σοκαριστικών πράξεων που λαμβάνουν χώρα στο εσωτερικό [**96**]. Οι κυβερνητικοί αξιωματούχοι ενδίδουν στο κρασί, τις γυναίκες και το τραγούδι! Σκάνδαλο, σκάνδαλο! Η σκηνή προέρχεται από έναν οριζόντιο κύλινδρο που καταγράφεται για πρώτη φορά στην κινεζική αυτοκρατορική συλλογή γύρω στο 1100, και μπορούμε να φανταστούμε τους σεμνότυφους αυλικούς να συνοφρυώνονται καθώς αυτός ξετυλιγόταν, προσβάλλοντας τις αντιλήψεις τους περί κομφουκιανής ευπρέπειας. Με όλες του τις θαυμάσιες χρωματικές αρμονίες, ισοδυναμεί με ένα στιγμιότυπο τραβηγμένο από έναν παπαράτσι στη διάρκεια ενός πάρτι. Σήμερα βλέπουμε το ατίθασο, αποκαλυπτικό φόρεμα και τους μεθυσμένους να μισοδιακρίνονται στη σκιά πίσω από την κόμμωση της σταρ· εκείνη την εποχή το πρότυπο το αποτελούσε ένα συνεπαρμένο, μεθυσμένο παιχνίδι από βλέμματα και χειρονομίες γύρω από την τραγουδίστρια, καθώς και ο κατάλογος ενός εκλεκτού επιπλοποιού με πορσελάνες, αντικείμενα από μπαμπού και καλαίσθητα παραβάν με παραστάσεις τοπίων. Ούτως ή άλλως, η εικόνα μιλάει από μόνη της: *Κάποιος το είδε αυτό να συμβαίνει. Σας λέμε πως έτσι ήταν.* Η παράσταση αυτή υποτίθεται πως είναι ένα ντοκουμέντο που αποτύπωσε ο Γκου Χονγκτσόνγκ, τον οποίο έστειλε ο αυτοκράτορας να κατασκοπεύσει τα παραπτώματα του υπουργού του, του Χαν Ξιτσάι. Όπως κάθε τύπος αναπαράστασης, υπόκειται σε κάποιους περιορισμούς. Για παράδειγμα, αν καθετί πάνω στον κύλινδρο πάρει μια κλίση 45 μοιρών, τότε η αλληλουχία της δράσης παρουσιάζεται πιο στρωτή καθώς μοιάζει να εκτυλίσσεται μπροστά στα μάτια μας. Η εντύπωση αυτή των πραγμάτων δεν είναι «η πραγματική» – αλλά ούτε είναι και η λάμψη από το φλας στη φωτογραφία του παπαράτσι. Και στις δύο περιπτώσεις αποτελούν τα μέσα που εξυπηρετούν ένα σκοπό. Πώς αλλιώς θα καταφέρουμε να δούμε τις επαίσχυντες όψεις της πραγματικότητας;

Αυτός με άλλα λόγια είναι ένας τύπος «ρεαλισμού» – όχι κατ᾽ ανάγκην ταυτόσημος με το «νατουραλισμό», τον οποίο αντιλαμβάνομαι ως ένα ζωηρό ενδιαφέρον για την «εντύπωση που δίνουν τα πράγματα». Το τι άλλο μπορεί να περιλαμβάνει ο ρεαλισμός είναι ένα ερώτημα που θα τεθεί επανειλημμένα σε όλο αυτό το κεφάλαιο. Είναι ένα κεφάλαιο που θα συμπυκνώσει τα απειθάρχητα θέματα του προηγούμενου κεφαλαίου, συνοψίζοντάς τα σε ένα πιο μεθοδικό, περισσότερο σφαιρικό υλικό. Αυτό οφείλεται κυρίως στο ότι οι δύο αιώνες που ακολουθούν το 1290 είναι η περίοδος κατά την οποία δια-

96 Γκου Χονγκτσόνγκ, *Νυχτερινά ξεφαντώματα του Χαν Ξιτσάι*, περ. 1070 (;). Αυτό είναι το δεξί τμήμα ενός κυλίνδρου που στο ένα τρίτο της συνολικής του επιφάνειας πραγματεύεται με σπινθηροβόλα αυτοπεποίθηση την υψηλή ζωή στην πρωτεύουσα της πλουσιότερης αυτοκρατορίας του κόσμου. Σε άλλα στιγμιότυπα της γιορτής, μερικές φλαουτίστριες ντυμένες με όμορφα φορέματα κάθονται και παίζουν ενόσω οι εταίρες επιδίδονται σε ζωηρούς χορούς και οι κρατικοί υπάλληλοι χαλαρώνουν ερωτοτροπώντας αδιάφοροι ή μεθυσμένοι.

μορφώνεται επί της ουσίας ο σύγχρονος τύπος του φορητού πίνακα, και αυτός τυχαίνει να είναι η βάση γύρω από την οποία περιστρέφεται αυτό το βιβλίο.

Πρώτα όμως θα χρειαστεί να σκιαγραφήσουμε το ιστορικό πλαίσιο. Καλό θα ήταν να αρχίσουμε από τα ακλόνητα γεγονότα που αφορούν την προέλευση του οριζόντιου κυλίνδρου, όμως τέτοιου είδους πληροφορίες η κινεζική ιστορία της τέχνης τις παρέχει απρόθυμα. Ο Χαν Ξιτσάι διετέλεσε υπουργός κατά την τελευταία περίοδο της παλιάς δυναστείας Τανγκ, τη δεκαετία του 970, όμως τα περίκομψα τοπία που διακοσμούν το σαλόνι του μοιάζουν περισσότερο με έργο του επόμενου αιώνα,* όταν την εξουσία την είχε αναλάβει η δυναστεία Σονγκ, η οποία τη διαδέχτηκε. Είναι πολύ πιθανό να πρόκειται για μια αναδρομική τακτική σπίλωσης, που σχεδιάστηκε για να κηλιδώσει τη μνήμη μιας αντίπαλης προσωπικότητας – πράγματι, ένα πολύ ύπουλο είδος ρεαλισμού! Σε κάθε περίπτωση, το έργο καταγράφτηκε στους εγκυκλοπαιδικούς καταλόγους που συνετέθησαν υπό τον Χουιτσόνγκ, τον αυτοκράτορα της δυναστείας Σονγκ από το 1083 έως το 1125. Αυτός ο ηγεμόνας έβαλε τους ειδικούς να ταξινομήσουν τα έργα από ορείχαλκο και νεφρίτη που αντλούνταν μέσα από μια παράδοση χιλιετιών. Στρεφόμενος προς τα σύγχρονα εγχειρήματα, επέβλεπε την παραγωγή μιας σειράς από πορσελάνες που ήταν ιδιαίτερα προσφιλείς στη μακραίωνη και ασύγκριτη κεραμική παράδοση της Κίνας (τα επονομαζόμενα «κεραμικά Ρου»). Ο ίδιος μάλιστα όχι μόνο συνέθετε ποίηση, αλλά ασχολούνταν ερασιτεχνικά και με τη ζωγραφική (ή τουλάχιστον ήξερε πού να αναζητήσει τους κατάλληλους ζωγράφους που θα τον εφοδίαζαν με έργα τέχνης τα οποία θα έφεραν την αυτοκρατορική υπογραφή).

Εντούτοις οι συνέπειες αυτού του διαφωτιστικού πνεύματος ήταν σκληρές. Ο Χουιτσόνγκ συνδύαζε την αφοσίωσή του στο ιδανικό της εθνικής κουλτούρας και της παράδοσης με το άθλιο πολιτικό αισθητήριο. Η βασιλεία του έληξε όταν τον υπερφαλάγγισαν και τον συνέλαβαν οι Τζουρτσέν, μη κινέζοι εισβολείς από τον βορρά. Ως μια πρόγευση του πολέμου που κήρυξε ο Μάο ενάντια στη μορφωμένη ελίτ κατά την Πολιτιστική Επανάσταση της δεκαετίας του 1960, οι Τζουρτσέν εξόρισαν τον επιπόλαιο αυτοκράτορα στην ψυχρή Μαντζουρία, όπου μέχρι το τέλος της ζωής του καθάριζε τα χοιροστάσια μιας φάρμας.

Η εισβολή των Τζουρτσέν υπήρξε επίσης ο προάγγελος πιο άμεσων κακοτυχιών. Παρακάτω παρουσιάζεται μια σύνοψη των λεηλασιών και των κατακτήσεων που καταπόντισαν το μεγαλύτερο μέρος της Ευρασίας μετά το τέλος του 12ου αιώνα:

• Φύλα μουσουλμάνων Τούρκων κατέβηκαν έφιππα τα αφγανικά βουνά για να εκμεταλλευτούν τα πολλά πλούσια μικρά ινδουιστικά βασίλεια στις πεδιάδες του ποταμού. Δεν άρπαξαν μόνο θησαυρούς, αλλά κατέστρεψαν και είδωλα, όπως επέβαλλε το θρησκευτικό τους καθήκον· ως αποτέλεσμα, η ιστορία της βόρειας Ινδίας τον 13ο αιώνα είναι μια αχανής λωρίδα διάσπαρτη με κατεστραμμένους ναούς και αγάλματα. Ίδρυσαν το Σουλτανάτο του Δελχί το 1206.

---

*   Αυτή η θέση προέρχεται από ένα κεφάλαιο του βιβλίου του Richard Barnhart *Three Thousand Years of Chinese Painting*, 1997.

- Η πόλη-κράτος της Βενετίας, αρχικά πολιτικός και πολιτισμικός δορυφόρος του Βυζαντίου, έστειλε εκ νέου έναν σταυροφορικό στόλο με στόχο να επιτεθεί στους μουσουλμάνους και στο ίδιο το Βυζάντιο, με αποτέλεσμα τη λεηλασία της πρωτεύουσας της ανατολικής χριστιανοσύνης από τους χριστιανούς της Δύσης. Μετά τα γεγονότα του 1204, η βυζαντινότροπη βασιλική της Βενετίας στολίστηκε με λαφυραγωγημένα ορειχάλκινα άλογα που είχαν διατηρηθεί από την κλασική εποχή στη γενέτειρά τους, ενώ ένας δυτικός «βυζαντινός αυτοκράτορας»-ανδρείκελο πούλησε ένα από τα πιο πολύτιμα κειμήλια, το ακάνθινο στεφάνι, στο βασιλιά της Γαλλίας.

- Όπως ο αυτοκράτορας Χουιτσόνγκ, οι τελευταίοι χαλίφες της Βαγδάτης αποδείχτηκαν αδέξιοι στη διατήρηση της ειρήνης καθώς προσπαθούσαν να εξαγοράσουν τη μαζική απειλή από τον βορρά, η οποία, παρ' όλα αυτά, ενέσκηψε το 1258. Ο στρατός των Μογγόλων, που είχε ήδη σκορπίσει στην κεντρική Ασία, τη Ρωσία και το Ιράν πυραμίδες κρανίων, εισέβαλε και κατεδάφισε τη μητρόπολη του Ισλάμ πραγματοποιώντας στη συνέχεια μαζικές σφαγές. Η πολιτική και πολιτισμική συνείδηση του Ισλάμ υπέφερε για αιώνες από αυτό το χτύπημα.

- Οι Κινέζοι από την άλλη πλευρά στάθηκαν τυχεροί. Ενώ η Ινδία, το Βυζάντιο και το Ισλάμ συνετρίβησαν, η εισβολή των Μογγόλων που ακολούθησε την επιδρομή των Τζουρτσέν αποδείχτηκε μια σχετικά σταδιακή διαδικασία που προστάτευσε τις περιουσίες. Ένα κρατίδιο απομεινάρι της δυναστείας Σονγκ διατηρήθηκε στα νότια μέχρι το 1279, προτού το απορροφήσει η μεγαλύτερη σε έκταση αυτοκρατορία όλων των εποχών παγκοσμίως.

Μέσα σε μια τέτοια ακολουθία γεγονότων καμιά θρησκεία δεν φαίνεται αρκετά δελεαστική. (Οι σφαγείς Μογγόλοι εκδήλωναν τη συμπάθειά τους προς το βουδισμό, ενώ στην Καμπότζη ένας ινδουιστής βασιλιάς κατέστρεψε τους βουδιστικούς ναούς του προκατόχου του, του Τζαγιαβαρμάν Ζ', επισπεύδοντας την παρακμή του βασιλείου.) Όμως η πνευματικότητα άλλαζε μορφή και εκφραζόταν με νέες, δυνάμει ανατρεπτικές φόρμες. Όπως θα δούμε, ο 13ος αιώνας ήταν η εποχή όπου η λατρεία του Αγίου Φραγκίσκου γοήτευσε τη Δυτική Ευρώπη και όπου ο μυστικισμός των σούφι εξασφάλισε ένα μεγάλο έρεισμα στο Ισλάμ, έχοντας ενισχυθεί ίσως και από την ανατροπή της πολιτικής αρχής. Στην Κίνα την εποχή αυτή μία από τις πολλές βουδιστικές αιρέσεις, η «τσεν» ή «ζεν», άνθισε καλλιτεχνικά, ιδίως στο νότιο κράτος των Σονγκ. Οι *Έξι διόσπυροι* του Μου Κι [**97**] είναι μια ζωγραφική παράσταση που οφείλει, κατά κάποιον τρόπο, πολλά στην επιρροή του ζεν.

97 Μου Κι, *Έξι διόσπυροι*, περ. 1250. Η απέριττη διαχείριση κάθε πινελιάς ενθαρρύνει το θεατή να μπει στη διαδικασία να σκεφτεί ο ίδιος την ανασύνθεση της εικόνας, μια τακτική που παραλληλίζεται με τις λιτές, σκόπιμα ατελείς, διδακτικές διακηρύξεις του τσεν (ή ζεν) βουδισμού. Ο Μου Κι, ένας καλλιτέχνης με επαγγελματική εκπαίδευση, ζωγράφιζε επίσης παραβάν που αποτελούσαν σπουδές πτηνών και πιθήκων. Το έργο του γνώρισε μεγαλύτερη απήχηση στην Ιαπωνία παρά στην πατρίδα του την Κίνα.

Με ποια, άραγε, έννοια; Ποιο ήταν το περιεχόμενο αυτής της αίρεσης; Ένα κείμενο που θα είχε γραφτεί με βάση αυτά που πρεσβεύει το ζεν ίσως να θεωρούσε ότι οι απαντήσεις βρίσκονται μέσα σε αυτές τις ερωτήσεις: τα λακωνικά παράδοξα αποτελούν μια αγαπημένη τακτική του ζεν. Από ιστορικής άποψης, αυτό είναι ένα μάλλον μικρό φύλλο, κομμένο από ένα χάρτινο ρολό, πάνω στο οποίο ο Μου Κι, ένας καλλιτέχνης με υψηλή επαγγελματική δεξιότητα που έγινε ζεν μοναχός στα μέσα του 13ου αιώνα, άφησε μια μαρτυρία που έλαβε σχήμα με λίγο περισσότερες από είκοσι κινήσεις των χεριών. Πιθανώς έργο του ενός λεπτού, γεννήθηκε έπειτα από μια μακρά κυοφορία που τελειοποίησε τα διάκενα και τις τονικότητες της εικόνας στο μυαλό. Θα μπορούσαμε άραγε να πούμε ότι ο Μου Κι δεν σκεφτόταν απολύτως τίποτα *αν όχι τα έξι φρούτα;* Αυτό θα ήταν ένα ακόμα λογοπαίγνιο – ένας άλλος τρόπος να ισχυριστεί κανείς ότι το κενό και η πληρότητα ζωντάνεψαν στην πορεία ενός ξαφνικού, αιφνιδιαστικού χορού.

Από καλλιτεχνικής άποψης, η παραλλαγή του ζεν στο βουδισμό ώθησε στα άκρα την αλληλεπίδραση μεταξύ γυμνών σημείων και κενού χώρου, η οποία μαρτυρείται ήδη από την αρχαιότητα στην Κίνα. Και όμως, μετά τον 13ο αιώνα στην Κίνα δεν υπήρχε μεγάλο περιθώριο για αυτήν. Γνωρίζουμε το «τσεν» ή «ζεν» επειδή έτσι ονομαζόταν στην Ιαπωνία, όπου παρέλαβαν την τέχνη του Μου Κι και όπου το ήθος αυτό ευδοκίμησε, περνώντας από την πατρίδα του στην άλλη πλευρά του ωκεανού. Οι ξαφνικές, αποφασιστικές ενέργειες ταίριαζαν στον πολεμικό κώδικα των σαμουράι που δέσποζαν στα πολιτικά πράγματα εκεί τους επόμενους αιώνες. Η ζωγραφική ζεν ήταν μια εικαστική *πνευματικότητα* για έναν πολιτισμό στον οποίο η τυπική *θρησκευτική* τέχνη εξελίχθηκε ελάχιστα.

Πίσω στην Κίνα, το εκλεπτυσμένο γούστο απομακρύνθηκε πράγματι από το ρεαλισμό σε ένα μεγάλο μέρος της ζωγραφικής παραγωγής κατά την περίοδο Σονγκ, αλλά με έναν λιγότερο απότομο και ασυμβίβαστο τρόπο. Το εκλεπτυσμένο γούστο, δηλαδή αυτό που αντιπροσώπευαν οι «λόγιοι» – το σώμα των μορφωμένων γαιοκτημόνων που είχαν εντρυφήσει στην ιστορία και θεωρία της τέχνης καθώς και στην καλλιγραφία και τις απεικονιστικές τεχνικές, μια κοινότητα που είχε διαμορφωθεί μετά τις αρχές του 11ου αιώνα. Όπως πολλοί διανοούμενοι σε πιο πρόσφατες εποχές, περιφρονούσαν το ξενόφερτο μογγολικό καθεστώς νιώθοντας ανησυχία για την άξεστη και αδιάφορη κυβέρνηση. Όσο περισσότερο η αυλή των «Χαν», όπως προσφωνούσαν οι ηγέτες τους εαυτούς τους, επιδοτούσαν την κακόγουστη προσωπογραφία και τη φανταχτερή βουδιστική αγαλματοποιία, τόσο περισσότερο οι λόγιοι καλλιεργούσαν μια στάση εσωτερικευμένης εξορίας εμμένοντας σε θέματα που είχαν τις ρίζες τους στην «αυθεντική» κινεζική παράδοση. Η κατ' ουσίαν μονοχρωμία των παλιότερων δασκάλων της περιόδου Σονγκ όπως του Γκούο Ξι [βλ. **91**] έγινε ένα κριτήριο ηθικής ακεραιότητας. Όταν ο καλλιτέχνης ζωγράφιζε με το πινέλο και το μελάνι μόνο βράχους ή δέντρα, δήλωνε μια διακριτική αντίσταση: η καρδιά μου είναι ταλαιπωρημένη, μπορεί να λυγίζει στις πολιτικές θύελλες, αλλά αρνείται να σπάσει.

Ο Νι Τσαν, που δημιούργησε το *Εργαστήριο Ρόνγκξι* [**98**], ασκήθηκε σε αυτό το ήθος της συνεσταλμένης εναντίωσης και η σταδιοδρομία του αναδείχτηκε σε έναν από τους πολιτισμικούς θρύλους του 14ου αιώνα. Συμπεριλήφθηκε στους «Τέσσερις Μεγάλους Δασκάλους της δυναστείας Γιουάν [δηλαδή των Μογγόλων]» σε μία από τις κατηγοριοποιήσεις που άρεσαν στους κινέζους ιστορικούς της τέχνης. Ο Νι Τσαν ήταν ένας ευκατάστατος κτηματίας που εγκατέλειψε μεσήλικας το σπίτι του, πιθανώς για φορολογικούς λόγους, και βάλθηκε να περιφέρεται στους πλωτούς διαύλους της κεντρικής Κίνας πάνω σε ένα πλωτό κατάλυμα ανταλλάσσοντας τις προσφορές του πινέλου του με βραδιές εκλεπτυσμένης φιλοξενίας. Από τη μια πλευρά, μια ζωή έκλυτη και χαοτική· από την άλλη, μια τέχνη υπέρτατης λιτότητας, άδεια σαν την καλύβα του ψαρά στην καρδιά του κυλίνδρου του. (Ο τίτλος και η επιγραφή ευχαριστούν το φίλο που παραχώρησε το εργαστήριο όπου ζωγράφισε το έργο του.) Μια σχεδόν στεγνή πινελιά γρατζουνά το μετάξι, υποβάλλοντας την ιδέα μιας έρημης φύσης: είναι μια σχεδόν αισθησιακή λατρεία της ψυχρότητας και της εγκράτειας. Το *Εργαστήριο Ρόνγκξι* ζωγραφίστηκε το 1372, τέσσερα χρόνια αφότου η γηγενής δυναστεία των Μινγκ ανέτρεψε τους Μογγόλους αναλαμβάνοντας τον έλεγχο της Κίνας. Παρ' όλα αυτά, στο διάστημα που ακολούθησε αυτήν την εθνική παλινόρθωση, μια σειρά από εξιδανικευμένες τοπογραφικές μανιέρες αποτέλεσαν το σταθερό ρεπερτόριο στην παράδοση της υψηλής τέχνης. Οι παραλληλισμοί με το μέλλον που επιφυλάχθηκε σε μεταγενέστερες μορφές καλλιτεχνικής πρωτοπορίας έχουν μεγάλο ενδιαφέρον, και κάθε σύγχρονος ζωγράφος μπορεί να βλέπει με συμπάθεια τα bons mots –τα ευφυολογήματα– που αποδίδονται στον Νι Τσαν. Ένας σκεπτικιστής θεατής: «Μπα-

103 (στο πάνω τμήμα της σελίδας)
Αμπρότζο Λορεντζέτι, *Τα αποτελέσματα της καλής διακυβέρνησης*, νωπογραφία στο Παλάτσο Πούμπλικο, Σιένα, 1339.

104 (πάνω) Λεπτομέρεια από *Τα αποτελέσματα της καλής διακυβέρνησης*, που παρουσιάζει την καθημερινή ζωή κάτω από τα προστώα της Σιένας. Ένας πολίτης δένει το γάιδαρό του για να αγοράσει παπούτσια· πίσω, ένας δάσκαλος κάνει μάθημα στην τάξη του. Η οργάνωση του χώρου σε αυτήν την πελώρια νωπογραφία είναι προσαρμοσμένη σε ένα θεατή που την περιεργάζεται διαρκώς και δεν σταματάει να προχωρεί κατά μήκος της – και δεν διαφέρει πολύ από την προοπτική σε έναν κινεζικό κύλινδρο (π.χ. **96**).

με την κοινωνική απανθρωπιά (αυτοί οι βοσκοί που δυσανασχετούν) ή με την περιπαθή θεατρική του τέχνη που απευθύνεται στο συναίσθημα (το ανήσυχο σκυλί του Ιωακείμ). Την ίδια στιγμή όμως, στο βαθμό που η «δυτική ζωγραφική» είναι αυτό με το οποίο ασχολούμαι, υποθέτω πως εδώ αντιλαμβάνομαι αυτές τις αρχέγονες στιγμές της παράδοσης ως προφητικές. Εκεί στέκει ο ναός – η μεγάλη κατασκευή γύρω από την οποία περιστρεφόταν ο μεσαιωνικός κόσμος, αν σε τελευταία ανάλυση περιστρεφόταν γύρω από κάτι. Και η ζωγραφική αρχίζει εκεί όπου τελειώνει – στο κενό, εκτός. Περπατάει αγέρωχα πάνω στη γη, μελαγχολεί, την ονειρεύεται· αλλά δεν προσλαμβάνει κάποιο καθορισμένο σχήμα μέσα σ' αυτήν, όπως και δεν προσλαμβάνει κάποιο καθορισμένο σχήμα μέσα στο ναό· δεν δεσμεύεται από τίποτα· είναι απλώς αποτέλεσμα μιας νοητικής διεργασίας, απλές εικόνες.

Τα δυσάρεστα συναισθήματα που ενέπνευσε το χρήμα ήταν εκείνα που ανέλαβαν να καλύψουν τη δαπάνη αυτής της τέχνης. Ο ίδιος ο Τζότο είχε καλή σχέση με το χρήμα και επένδυσε τα κέρδη του στην αγορά ακίνητης περιουσίας στην πατρίδα του τη Φλωρεντία. Ήταν ένας τεχνίτης που ταξίδευε συνέχεια με μεγάλες ομάδες βοηθών, και οι δραστηριότητές του, όπως και άλλων δασκάλων παρόμοιας κλάσης στην Ιταλία, επεκτάθηκαν στο σχεδιασμό γλυπτών και κτιρίων. Όπως συμβαίνει συχνά με τις ιδρυτικές μορφές, στα χρόνια που ακολούθησαν του αποδόθηκε μια παραγωγή που ξεπερνούσε κατά πολύ τον αριθμό των έργων που θα μπορούσε να είχε αναλάβει, και το κατά πόσον αναμείχθηκε στις παραστάσεις του Αγίου Φραγκίσκου στην Ασίζη παραμένει ένα άλυτο αίνιγμα. Δεκατέσσερα χρόνια μετά το θάνατό του το 1337, ένας άλλος Φλωρεντινός, ο ποιητής Βοκάκιος, έγραψε για εκείνον ότι δόξασε την πόλη τους και πως οι ζωγραφικές του ψευδαισθήσεις «έφεραν ξανά στο φως» μια τέχνη την οποία είχαν επισκιάσει οι φανταχτερές εναλλακτικές εκδοχές που διαδέχτηκαν την αρχαία εποχή. Στις αρχές του 14ου αιώνα, ωστόσο, τα ηνία της ιταλικής τέχνης τα ανέλαβε εξίσου το ανταγωνιστικό τραπεζικό κέντρο στην περιοχή της Τοσκάνης, η Σιένα.

105 (στο πάνω μέρος της σελίδας)
Αμπρότζο Λορεντζέτι, *Τα αποτελέσματα της καλής διακυβέρνησης*, νωπογραφία στο Παλάτσο Πούμπλικο, Σιένα, 1339.

106 (πάνω) Λεπτομέρεια από *Τα αποτελέσματα της καλής διακυβέρνησης*. Η καθημερινή ζωή στην εξοχή της Τοσκάνης, με τους χωρικούς να θερίζουν και να αλωνίζουν τα σιτηρά, ενώ οι αξιωματούχοι περνούν λίγο πιο κάτω έφιπποι.

Εδώ, οι πολιτισμικές αντιθέσεις και οι επίμονες διεκδικήσεις ισχυρών προσωπικοτήτων μετριάζονταν από τα πολιτικώς πιο συνεκτικά δημοκρατικά καθεστώτα των διάφορων πόλεων-κρατών. Μετά το 1287 τη διακυβέρνηση της Σιένας την ανέλαβε ένα συμβούλιο που ονομαζόταν «οι Εννέα», τα μέλη του οποίου κυβερνούσαν εκ περιτροπής και διοχέτευαν με συνέπεια τα τραπεζικά κέρδη σε δημόσια έργα προωθώντας ένα συλλογικό ήθος. Μια γενιά μετά τον Τζότο, ο Αμπρότζο Λορεντζέτι (Ambrogio Lorenzetti) αποτύπωσε αυτό το σκεπτικό σε μια σειρά νωπογραφιών για το Παλάτσο Πούμπλικο της πόλης [**103–6**]. Η *Καλή Διακυβέρνηση* αποτέλεσε μια τεράστια πρόκληση για το συμβούλιο, η *Κακή Διακυβέρνηση* (αργότερα καταστράφηκε ή λογοκρίθηκε) μια άλλη. Η πρώτη φαντάζει ως η πιο φιλόδοξη εικόνα που δημιουργήθηκε στην Ιταλία του 14ου αιώνα, και επίσης η πιο αισιόδοξη. Βλέπουμε το μεσαίο τμήμα μιας τοιχογραφίας με ύψος περίπου 3 μέτρα και μήκος 14 μέτρα. Κάθε λογής πράγματα, κάθε λογής άνθρωποι μπορούν τώρα να αποδοθούν σε αυτό το απείρως ευέλικτο μέσο ζωγραφικής. Ο Αμπρότζο* αντιλαμβάνεται τη σύνθεση ως ένα συνονθύλευμα αποχρώσεων καθώς παρακολουθεί την κίνηση μέσα από δρόμους με γοτθική πλινθοδομή, κοιτάζοντας μέσα σε ένα μαγαζί παπουτσιών, μια τάξη με μαθητές πίσω του, και πέρα από τα παράθυρα των σαλονιών προς τους χτίστες του πύργου, οι οποίοι υψώνουν την πόλη όλο και περισσότερο· ένα τριπλό ζικ ζακ τον εκτοξεύει πάνω από το τείχος της πόλης και κάτω, ανάμεσα στους ελεύθερα σχεδιασμένους θεριστές, που διακρίνονται αμυδρά, ενώ ο δρόμος περιελίσσεται προς τα κάτω και πέρα, προς τους κυματιστούς λόφους της Τοσκάνης. Έτσι θα έπρεπε να είναι τα πράγματα σε μια δημοκρατία, όπως δηλώνει η φτερωτή κλασική αλληγορία για τη δημόσια «Ασφάλεια», με την προειδο-

---

*   Τον αναφέρω ως Αμπρότζο εν μέρει για να τον διακρίνω από τον αδελφό του Πιέτρο (Pietro), έναν άλλο δάσκαλο της Σιένας· επίσης επειδή στην Ιταλία συνηθιζόταν να αποκαλούνται οι περισσότεροι καλλιτέχνες με το μικρό τους όνομα.

ποιητική της αγχόνη· μόνο που δεν ήταν έτσι, αφού το 1337 ο ειδυλλιακός χορός στο δρόμο θα είχε θεωρηθεί ότι παραβαίνει τους σχολαστικούς κοινοτικούς κανονισμούς. Εντούτοις, ως ποιητική σύλληψη και ως οραματισμός, τα πράγματα είναι πράγματι έτσι: η ζωγραφική έκανε τον κόσμο να γνωρίσει τον εαυτό του.

Ύφη και υφές
Ιράν, Ιταλία, Γαλλία, Ισπανία, Ρωσία, 1330–1420

Η ευρωπαϊκή τέχνη δεν είχε δει τέτοια πανοραμικά τοπία πριν από τον Αμπρότζο. Οι μόνοι που γνωρίζουμε ότι προηγήθηκαν του ξετυλίγματος αυτών των μακρινών οριζόντων είναι οι κινεζικοί οριζόντιοι κύλινδροι. Υπάρχει η πιθανότητα άραγε να τους είχε δει εκείνος; Η υπόθεση αυτή δεν μπορεί να αποδειχτεί, παραδόξως όμως δεν είναι απίθανη· και αξίζει τουλάχιστον να κάνουμε μια παρένθεση αφήνοντας τη Σιένα. Οι χορευτές του Αμπρότζο φορούν εξωτικά μεταξωτά επειδή οι εμπορικοί δρόμοι Ανατολής-Δύσης ήταν πιο γρήγοροι μετά τα μέσα του 13ου αιώνα, υπό τον διασιατικό έλεγχο των Μογγόλων. Αυτή είναι η εποχή που ο Μάρκο Πόλο πραγματοποίησε το διάσημο ταξίδι του από τη Βενετία στο Πεκίνο, η περίοδος που ένας άρχοντας στην ιταλική πόλη της Βερόνας θα μπορούσε να ποζάρει ως ο «Μεγάλος Χαν». Η αίγλη την οποία ακτινοβολούσε το σπουδαίο οικονομικό κέντρο της Κίνας ξεχείλιζε και σε άλλα μονοπάτια του μογγολικού αυτοκρατορικού συστήματος. Οι κινεζικές φωτιές –τις είδαμε στη σ. 76– τριζοβολούν σε μια σελίδα που εικονογραφήθηκε στην Ταμπρίζ, στο Ιράν, τη δεκαετία του 1330 [**107**]. Ένας καλλιτέχνης ξεσήκωσε ένα μοτίβο συνηθισμένο στην πληθώρα των εξαγόμενων τυπωμάτων, κεραμικών και κυλίνδρων, προκειμένου να εικονογραφήσει ένα χειρόγραφο για έναν μογγόλο «χαν» που κυβερνούσε στη νοτιοδυτική Ασία.

Αυτό είναι το σημείο στο οποίο εμφανίζεται έντονα η παράδοση που είναι γνωστή ως «περσική ζωγραφική». «Το πέπλο ανασηκώθηκε από το πρόσωπο της απεικόνισης», όπως το έθεσε ένας από τους μεταγενέστερους χρονικογράφους της* – ακόμα και αν το έκανε για να αποκαλύψει καινούργια πέπλα. Ο ζωγράφος αυτός στην Ταμπρίζ τροφοδοτούσε τους βόρειους κατακτητές προτιμώντας τις κινεζικές επιρροές και δημιουργώντας έναν τύπο βιβλίου με μικρογραφίες για τις οποίες τα κύρια πρότυπα προέρχονταν από τη Βαγδάτη και εν μέρει από το Βυζάντιο. Η πόλη του βρισκόταν στο δυτικό άκρο ενός περσόφωνου κόσμου που εκτεινόταν μέχρι την κεντρική Ασία και το Αφγανιστάν. Τώρα, υπό το νέο καθεστώς, οι τέχνες σε αυτήν την περιοχή έδιναν έμφαση αλλού, ενώ άρχισαν να ξεχωρίζουν ολοένα και περισσότερο οι προ-ισλαμικές παραδόσεις τις οποίες συγκέντρωσε ο ποιητής Φιρντούσι. Εδώ, το εικονογραφημένο κείμενο είναι το *Σαχ Ναμέ* του Φιρντούσι, το έπος των βασιλέων, που στόχο είχε να κολακεύσει διακριτικά τους χαν. Αυτοί οι ανίκητοι «τεχνολογικοί» πολεμιστές, που εφορμούν πάνω στα

107 *Το σιδηρούν ιππικό του Ισκαντέρ*, σελίδα από το Μεγάλο Μογγολικό *Σαχ Ναμέ*, που εικονογραφήθηκε στην Ταμπρίζ τη δεκαετία του 1330. Προκειμένου να σκορπίσει τη σύγχυση στον εχθρό κατά την κατάκτηση της Ινδίας, ο Ισκαντέρ (ο Αλέξανδρος στον περσικό θρύλο) έχει κατασκευάσει μηχανικά σιδερένια άλογα. Το χειρόγραφο του έπους του Φιρντούσι από όπου προέρχεται αυτό το φύλλο είναι γνωστό ως *Σαχ Ναμέ* του Ντεμότ, από το όνομα του παρισινού εμπόρου βιβλίων που του έσχισε τις σελίδες το 1906 για να αυξήσει τα κέρδη του πουλώντας τις εικόνες κομμάτι κομμάτι. Είναι σαν η *Πιετά* του Μιχαήλ Άγγελου να έπαιρνε το όνομα του παράφρονα που της επιτέθηκε με ένα σφυρί το 1972, συντρίβοντας το πρόσωπο της Παρθένου.

---

*   Ο Ντοστ Μοχάμετ, που έγραφε τον 16ο αιώνα.

113 Διακόσμηση από γυψομάρμαρο πάνω από τη στοά της Σάλα ντε λος Ρέγιες, με θέα την Αυλή των Λεόντων, 1360–90, στο Ανάκτορο της Αλάμπρα, Γρανάδα, Ισπανία. Τα κτίρια στην ακρόπολη της Αλάμπρα χρονολογούνται από τη δεκαετία του 1230, στην αρχή της δυναστείας των ηγεμόνων Νασρίντ, μέχρι τον 16ο αιώνα, όταν ο καθολικός βασιλιάς της Ισπανίας έχτισε συμπληρωματικά ένα αναγεννησιακό παλάτι. Κατά μήκος της αυλής στην «Αίθουσα των βασιλέων» υπάρχει η «Αίθουσα των δύο αδελφών», όπου ο τρούλος δοκιμάζει τα αποτελέσματα από τη διάλυση του φωτός, τα οποία βλέπουμε εδώ, στο πλαίσιο ενός ακόμα πιο φιλόδοξου οραματισμού.

πέδωσαν και ανοικοδόμησαν άλλα στη θέση τους) και συγχρόνως ένα εκτεταμένο παράλληλο με τις εξελίξεις στη σχεδίαση που ελάμβαναν χώρα τότε στη χριστιανική Δύση. Όπως οι όψιμες γοτθικές τεχνοτροπίες της λεπτοδουλεμένης λιθοδομής που κυριάρχησε στη βόρεια Ευρώπη μετά τα μέσα του 14ου αιώνα, η εργασία που έχει γίνει με το ασβεστοκονίαμα σε αυτήν τη φωτογραφία από το εσωτερικό της «Αίθουσας των βασιλέων» εξαϋλώνει τον όγκο του κτιρίου. Η ίδια πίστη στον γεωμετρικό ρυθμό την οποία είδαμε στην τέχνη της Βαγδάτης –ο σχεδιασμός του Ιμπν αλ-Μπαγουάμπ και το μαυσωλείο του Ζουμουρούντ [βλ. **79**, **90**]– υποστηρίζει αυτήν την εντυπωσιακά περίπλοκη επιφάνεια, αλλά η μουκάρνα ή κυψελοειδής θολοδομία έχει οδοντωτό σχήμα έτσι ώστε να τη θρυμματίζει διαχέοντάς τη στο φως του ήλιου. Πιο πέρα ανοίγεται ένας κήπος με ένα αστραφτερό σιντριβάνι στο κέντρο του, αλλά το κέντρο και τα όρια του ανακτόρου είναι παντού, ή πουθενά – κατά συνέπεια, άπειρα.

Ενώ η προγενέστερη ισλαμική τέχνη εντρυφά στα κείμενα του Κορανίου, σπάνια διατυπώνει τα νοήματά του. Εντούτοις, αυτό ακριβώς κάνει υπό μια έννοια η Αλάμπρα. Ένα μεγάλο ποίημα του Ιμπν Ζαμράκ, που πιθανώς ανέλαβε μείζονα ρόλο στο σχεδιασμό του ανακτόρου, είναι σκαλισμένο έτσι ώστε να συνυφαίνεται με τη δομή του. *«Ίσως πιστεύετε* πως είναι οι ουράνιες σφαίρες» γράφει γι' αυτά τα θολωτά περάσματα. «Όταν τις φω-

τίζουν οι ηλιαχτίδες, *ίσως πιστεύετε* πως είναι φτιαγμένες από μαργαριτά-
ρια». Και έτσι, με μια ισχυρή δόση ευγνωμοσύνης προς τον γενναιόδωρο
εμίρη, ολόκληρη η κατασκευή ωθείται στο να μετουσιώνεται σε κάτι «άλ-
λο». Ο θρησκευτικός ουρανός μπορεί να αποτελεί το αποκορύφωμα των
μεταφορών, αλλά η ποιητική διαδρομή προς τα εκεί, μέσα από τη διακρι-
τική επεξεργασία του μυστικισμού των σούφι, γίνεται η ουσία της άσκη-
σης. Ένας λίγο προγενέστερος συγγραφέας από τη μουσουλμανική Ισπα-
νία, ο Αλ-Καρταγιάνι από την Καρταχένα, είχε επιβεβαιώσει την αξία της
αυθεντικότητας: για να την πετύχει, μια ευφάνταστη δημιουργία πρέπει να
προσφέρει «μυστήριο και κατάπληξη». Μια παρόμοια στροφή προς τις
αξίες της καινοτομίας και της μοναδικότητας επηρέαζε τώρα αναμφισβή-
τητα τη γοτθική τέχνη της δυτικής χριστιανοσύνης.

Συγκριτικά, η χριστιανική τέχνη της Ανατολής παρέμενε διαυγής και
νηφάλια. Η *Αγία Τριάδα* [**114**], την οποία ζωγράφισε τη δεκαετία του 1410 ο
Αντρέι Ρουμπλιόφ, ένας ορθόδοξος αγιογράφος που εργαζόταν στη Μό-
σχα, έχει το ίδιο σαφές περίγραμμα που προσέδωσε ο Σιμόνε στο ρετάμπλ
του, όχι όμως τη δηκτική ένταση και την πραγματολογική λεπτομέρεια που
το διασπούν: απεναντίας, επικρατεί μια περίκλειστη και αυτάρκης γαλήνη.
Υπάρχουν ωστόσο πολλοί κοινοί ιστορικοί παράγοντες. Αν δεχτούμε ότι η
ιταλική ζωγραφική είχε κερδίσει ένα νέο βάρος και μια νέα συναισθηματι-
κή δύναμη την εποχή του Τζότο, το γεγονός αυτό αντικατόπτριζε μια αλλα-
γή τόνου που είχε ήδη συμβεί σε μοναστηριακές νωπογραφίες στη Σερβία,
όπου εργάζονταν χριστιανοί ορθόδοξοι ζωγράφοι οι οποίοι είχαν λάβει την
εκπαίδευσή τους στο Βυζάντιο. Αυτή η φρέσκια ορμή εμφανίστηκε κάποια
στιγμή αργότερα στην ίδια αυτή πόλη, αφότου μια ελληνική δυναστεία, οι
Παλαιολόγοι, την επανάκτησαν από τους δυτικούς εισβολείς του 1204. (Η
τέχνη της εποχής των Παλαιολόγων εμφανίζεται με ιδιαίτερο σθένος στα
ψηφιδωτά και τις νωπογραφίες των αρχών του 14ου αιώνα αυτού που τώρα
είναι το Καχριέ Τζαμί [Μονή της Χώρας] στη σημερινή Ιστανμπούλ.) Η κί-
νηση των καλλιτεχνών μέσα και έξω από το Βυζάντιο εκτεινόταν επίσης μέ-
χρι τα πριγκιπάτα της Ρωσίας. Ο ίδιος ο Ρουμπλιόφ είχε μαθητεύσει πλάι
στον Θεοφάνη τον Έλληνα, μια διάσημη προσωπικότητα στο Νόβγκοροντ
και στη Μόσχα στα τέλη του 14ου αιώνα.

Ωστόσο, μια άλλη προσωπικότητα του 14ου αιώνα, ο Άγιος Σέργιος του
Ράντονετς, ήταν αυτός που καθοδηγούσε προσωπικά τον Ρουμπλιόφ. Ο
Σέργιος, όπως ο Άγιος Φραγκίσκος, απέρριπτε τα εγκόσμια πλούτη και κή-
ρυττε την αυστηρή λιτότητα και την κοινοκτημοσύνη. Σε αντίθεση με τον
Άγιο Φραγκίσκο στην Ιταλία, το δικό του μήνυμα επηρέασε ένα κίνημα
που πρέσβευε την εθνική ενοποίηση. Υιοθετήθηκε πολιτικά όταν το Μεγά-
λο Δουκάτο της Μόσχας νίκησε τους Μογγόλους και υπέταξε τα άλλα πρι-
γκιπάτα. Αυτή είναι η σύλληψη της ενότητας, με τις συνδηλώσεις που έχει
για τους Ρώσους, την οποία στοχάζεται η *Αγία Τριάδα*, στο σύμβολο των
τριών αγγέλων που συνέφαγαν στο τραπέζι του Αβραάμ στο βιβλίο της Γέ-
νεσης. Αντιπροσωπεύουν τον Πατέρα, τον Υιό και το Άγιο Πνεύμα, αχώρι-
στοι στην αμοιβαία αγάπη. Το μοναδικό πιάτο με το κρέας προεικονίζει

114 Αντρέι Ρουμπλιόφ, *Η Αγία Τριάδα*,
περ. 1410.

την τελική θεία κοινωνία του Χριστού, την οποία πραγμάτωσε πολύ διαφορετικά ο γλύπτης στο Νάουμπουργκ. Εδώ τα πάντα είναι φωτεινά, λιτά και στραμμένα προς το εσωτερικό. Είναι ένα εικόνισμα –μια «αληθινή εικόνα»–, αλλά ανήκει στην προσευχή ενός μυστικιστή· είναι επίσης ένα εικόνισμα που κατέστησε σχεδόν αμέσως διάσημο το ζωγράφο του. Μετά τον 15ο αιώνα, η τέχνη του Ρουμπλιόφ έγινε ένας από τους συνδετικούς κρίκους της εθνικής αυτοπεποίθησης των Ρώσων.

Ανοίγοντας τα παράθυρα
Βόρεια Ευρώπη, Ιταλία, 1390–1460

Σε κάποιον που γνωρίζει έστω και λίγο την ιστορία του 14ου αιώνα ίσως κάνει εντύπωση το γεγονός ότι δεν έχει αναφερθεί μέχρι τώρα ο αφανισμός του ενός τρίτου του ευρωπαϊκού πληθυσμού. Λίγο προτού ο εικονογράφος του Γκιγιόμ ντε Μασό ζωγραφίσει το μαγικό λιβάδι του 1350, η βουβωνική πανώλη («ο Μαύρος Θάνατος») κυρίευσε την ήπειρο, αποδεκατίζοντας τις πυκνοκατοικημένες, ανθυγιεινές πόλεις, σαρώνοντάς τες επανειλημμένα και τον επόμενο αιώνα, και επιφέροντας οικονομικά πλήγματα και κοινωνικές κρίσεις. Αυτή η καταστροφή δεν αρκεί ενδεχομένως για να εξηγήσει την ατμόσφαιρα της φοβισμένης απόγνωσης που κυριαρχεί στους τοιχοτάπητες της Ανζέρ της δεκαετίας του 1370; Πολύ πιθανό. Το πρόβλημα των ιστορικών της τέχνης που καταφεύγουν σε τέτοιους ισχυρισμούς είναι ότι μεγάλο μέρος της εικονοποιίας της νόσου, του θανάτου και της κόλασης που διατρέχει το χρονικό του 14ου και 15ου αιώνα έχει γερές βάσεις πολύ πριν από την έλευση της πανώλης. Μπορεί η τέχνη να έχει προφητικές δυνάμεις· ειδάλλως, ίσως είναι αφελές να υποθέσει κανείς ότι αντικατοπτρίζει άμεσα τα ιστορικά συμβάντα.

Οι pleurants, ή θρηνωδοί [**115**], που λαξεύτηκαν γύρω στο 1405 για να τοποθετηθούν εκατέρωθεν στο μαυσωλείο του Φιλίππου του Τολμηρού της Βουργουνδίας, μοιάζουν τουλάχιστον με τους αναβαθμούς που μας εισάγουν σε μια εποχή συνεχιζόμενης κρίσης, στην οποία πραγματοποιήθηκε επίσης μια βαρυσήμαντη καλλιτεχνική αλλαγή. Ο Δούκας Φίλιππος, ένας εξέχων πολιτικός της εποχής του, ήταν αδελφός του Λουδοβίκου που παρήγγειλε τους τοιχοτάπητες της Ανζέρ. Το δικό του Δουκάτο της Βουργουνδίας ήταν λιγότερο μια γεωγραφική και περισσότερο μια πολιτιστική οντότητα. Αποτελούνταν από οιονεί ανεξάρτητες διασκορπισμένες ιδιοκτησίες γης που εκτείνονταν από το κέντρο της ανατολικής Γαλλίας μέχρι την Ολλανδία στον βορρά: η τελευταία περιοχή ήταν διάσημη για την υψηλής τέχνης ειδίκευση, από τους κόλπους της οποίας προήλθε όχι μόνο ο σχεδιαστής του τοιχοτάπητα του Λουδοβίκου αλλά και ο γλύπτης του Φιλίππου, ο Κλάους Σλούτερ (Claus Sluter). Το μαυσωλείο ήταν το τελευταίο από μια σειρά εγχειρημάτων που απασχόλησαν τον Σλούτερ μετά τη δεκαετία του 1380 και έφερε έντονα την προσωπική του σφραγίδα. Ενώ ο ίδιος ο Φίλιππος πέθανε σε ώριμη ηλικία από μια λοίμωξη στο θώρακα, είναι δύσκολο να μην δούμε στη συνοδεία του μαυσωλείου, που φτάνει στο ύψος των γονάτων, το τμήμα μιας ευρύτερης ακολουθίας του μακάβριου. Στην επόμενη

115 Κλάους Σλούτερ, *Δύο pleurants*, από το μαυσωλείο του Δούκα Φίλιππου του Τολμηρού, περ. 1405. Πάνω από τις κόγχες τις οποίες καταλαμβάνουν αυτοί και άλλοι τριάντα οχτώ pleurants, ή θρηνωδοί, είναι στημένο ένα ομοίωμα του Δούκα Φίλιππου της Βουργουνδίας συνοδευόμενο από αγγέλους. Ο τρόπος με τον οποίο συνδυάζονται οι βαριές, πλούσια διακοσμημένες μορφές με μια αντίστοιχη αντίληψη περί ηθικής βαρύτητας αποτελεί χαρακτηριστικό της τέχνης της Βουργουνδίας, και μάλιστα της γοτθικής γενικότερα στη βόρεια Ευρώπη κατά τον 15ο αιώνα.

116 Γιαν φαν Έικ, *Η Παναγία του καγκελάριου Ρολέν*, περ. 1434. Ο Φαν Έικ διακηρύσσει εδώ τη δύναμη των καινοτόμων τεχνικών της ελαιογραφίας με στόχο να συλλάβει όλο τον ορατό κόσμο. Η περιέργειά του, που διακρίνεται με σαφήνεια καθώς κινείται από τη διαθλαστική δύναμη του υαλογραφήματος και των κοσμημάτων στην κορόνα της Παρθένου μέχρι τα θαμπά μακρινά βουνά που απλώνονται στο βάθος πάνω από μια φανταστική πόλη, ταιριάζει με τη συναισθηματική του σταθερότητα και την ικανότητά του να ενσωματώνει όλες τις όψεις σε μια συνεκτική ατμόσφαιρα.

κόγχη, δίπλα σ' αυτές τις χωρίς πρόσωπο μορφές, ένας άλλος από τους σαράντα pleurants πιάνει τη μύτη του εξαιτίας της δυσωδίας που αναδίνει η αποσύνθεση· επιπλέον, ακολουθώντας το ρεύμα του 15ου αιώνα, οι γλύπτες αναπαριστούσαν κουφάρια που σάπιζαν, που τα έτρωγαν σκουλήκια και τα ροκάνιζαν φρύνοι. Για την ίδια την τέχνη του Σλούτερ, ωστόσο, ήταν εξίσου σημαντικό να μην είναι καμία από αυτές τις χειρονομίες της θλίψης ίδια με μια άλλη, και όμως, όλες αυτές οι εκφράσεις της μύχιας ψυχής μοιράζονταν μια κοινή γλώσσα σε ό,τι αφορούσε την απόδοση του όγκου και της μάζας. Ίσως κανείς άλλος γλύπτης δεν προσέδωσε στα υφάσματα τόση βαρύτητα.

Αναθέτοντας τη συνέχιση του έργου στο γαμπρό του το 1406, ο Σλούτερ φόρεσε ο ίδιος μια καλύπτρα και προσχώρησε σε ένα μοναστικό τάγμα. Η ευσέβεια στο ξεκίνημα του καινούργιου αιώνα αποτελούσε όλο και περισσότερο ζήτημα τέτοιων προσωπικών δεσμεύσεων. Η Καθολική Εκκλησία ήταν τώρα διαιρεμένη ανάμεσα στις αντίπαλες παπικές έδρες στη Ρώμη και στην Αβινιόν, και τα άτομα που αναζητούσαν απαντήσεις στις αγωνίες της εποχής στρέφονταν αντ' αυτής σε μυστικιστές συγγραφείς και σε μορφές ατομικής πνευματικής προσπάθειας. Συγχρόνως, ο Σλούτερ κληροδότησε στην τέχνη που παρήγε το Δουκάτο της Βουργουνδίας τα σημεία αναφοράς του, δηλαδή την υψηλή τεχνική δεξιότητα και τον πραγματολογικό νατουραλισμό. Όλοι αυτοί οι παράγοντες θα προσλάμβαναν νέα σημασία μετά το 1425, όταν το δουκάτο, το κράτος με τη μεγαλύτερη ευημερία στην Ευρώπη εκείνη την εποχή, προσέλαβε τον Γιαν φαν Έικ (Jan van Eyck).

Ο Φαν Έικ, που σύντομα έγινε ο πιο διάσημος ζωγράφος της ηπειρωτικής Ευρώπης, είχε ως έδρα του το βόρειο τέρμα του δουκάτου, τη φλαμανδική πόλη Μπριζ. Το πορτρέτο που φιλοτέχνησε το 1434, με τον καγκελάριό της, τον Νικολά Ρολάν [**116**], να υποβάλλει τα σέβη του στην Παρθένο και το Παιδί της στο παλάτι της τελευταίας, ξεφεύγει από οτιδήποτε έχουμε δει μέχρι τώρα σε αυτό το βιβλίο. Όλα τα προηγούμενα μοιάζουν ξαφνικά να στερούνται εστίασης σε σχέση με αυτήν την εκπληκτική ακτινοβολία, την τόσο βαθιά, τόσο πλούσια, τόσο μικροσκοπικά διαμορφωμένη: μοιάζει σαν να άνοιξε ένα θολό παράθυρο.* Αυτό που διευκόλυνε, από τεχνικής άποψης, την απεικονιστική αυτή επανάσταση ήταν η μείξη των χρωστικών ουσιών με φυτικά έλαια παρά με αυγά (η τεχνική της «τέμπερας») ή με νερό και κόλλα. Επιστρωμένα πάνω σε μια λευκή επιφάνεια, τα λάδια μπορούν να επιτύχουν ικανό φωτισμό από το βάθος όσο και άλλα υλικά· μπορούν όμως και να δημιουργήσουν μια πολύ βαρύτερη σκοτεινότητα, κόντρα στην οποία ο επιπρόσθετος φωτισμός μπορεί να τοποθετηθεί σε ένα αδιαφανές «ιμπάστο» (πηχτή ζωγραφική ύλη). Καθώς στεγνώνουν πιο αργά, μπορούν να δουλευτούν καλύτερα. Όλες αυτές οι δυνατότητες αξιοποιούνται οδηγώντας το εγχείρημα μέχρι τα όρια της ορατότητας σε μια εικόνα που –όπως υποδηλώνει ο μικρόσωμος παρατηρητής που βρίσκεται στο στηθαίο, στην καρδιά της– διέπεται από τις τέρψεις της όρασης.

Η ελαιογραφία ήταν μια τεχνική που είχε χρησιμοποιηθεί περιστασιακά από τους βόρειους για κάποια περίοδο: λίγο πριν από τον Φαν Έικ, ένας φλαμανδός ζωγράφος ονόματι Ρομπέρ Καμπέν (Robert Campin) είχε ανοίξει το δρόμο με την εφαρμογή παρόμοιων τεχνικών. Ο νατουραλισμός υπήρχε ως τάση εδώ και πολύ καιρό στην ευρωπαϊκή ζωγραφική, και το γεγονός ότι ήρθε στο προσκήνιο κατά τις αρχές του 15ου αιώνα είναι μια εξέλιξη που μπορούμε να την ανιχνεύσουμε στις πλούσιες εικονογραφήσεις των χειρογράφων. Παραμένει το ερώτημα τι ήταν αυτό που οδήγησε στη μετάβαση από τον μεμονωμένο ασφόδελο ή το ωδικό πτηνό του μικρού τοπίου του Μασό στην αναπαράσταση των *πάντων* (κάθε πλεξίδας στα χρυσαφένια μαλλιά της Μαρίας, κάθε δημότη που διασχίζει τη γέφυρα της πόλης, των όλο και πιο αχνών τόνων του μπλε που σβήνουν στα χιονισμένα βουνά τα οποία διακρίνονται στο βάθος) σε μια εικόνα 66 × 62 εκατοστών. Είναι δύσκολο να δώσουμε απάντηση, δεδομένου ότι στον πολιτισμό που ανέπτυξε η Βουργουνδία οι μαρτυρίες των καλλιτεχνών είναι τόσο σπάνιες, όσο πλούσιες είναι οι εικαστικές εκδηλώσεις. Αναμφίβολα ενέπλεκε ωστόσο μια εντελώς νέα πνευματική κατανόηση του τι σημαίνει τα μάτια να λούζονται στο φως των φαινομένων. Διότι παρά τον επίμονο νατουραλισμό της, αυτή η γαλήνια όψη του παλατιού της Παρθένου δεν είναι μια ρεαλιστική απεικόνιση των πραγμάτων που συμβαίνουν σε αυτό τον κόσμο. Ακόμα λιγότερο ρεαλιστικό είναι το πλέον σύνθετο έργο του Φαν Έικ, ένα ρετάμπλ με 24 τμήματα κατασκευασμένο για μια εκκλησία στη Γάνδη, το οποίο ολοκληρώθηκε το 1432. Ο τρόπος που βλέπει τα πράγματα ανήκει μάλλον στη φύση της μυστικιστικής ενόρασης.

Σε ό,τι αφορά τις καινοτομίες που συνέβαιναν ταυτόχρονα στην Ιταλία, η ιστορία της τέχνης έχει στη διάθεσή της περισσότερες πηγές: υπάρχει μια αλληλεπίδραση προσωπικοτήτων, που συνδέονται με την επιθετική πολιτική των μικρών δημοκρατιών και δουκάτων και την ιδιαίτερα ομιλητική λογοτεχνική κουλτούρα. Όταν ο Σιμόνε Μαρτίνι επισκέφθηκε την Αβινιόν τη δεκαετία του 1330, συνδέθηκε φιλικά με έναν Ιταλό που ζούσε εκεί, τον ποιητή

---

* Ή, όπως υποστήριξε ο ζωγράφος Ντέιβιντ Χόκνεϊ (David Hockney) στο βιβλίο του *Secret Knowledge* του 2001, μοιάζει σαν να εστίαισε ένας προβολέας: συμπέραινε πως εκείνο που υπέβαλε την απεικονιστική αυτή επανάσταση ήταν η εικόνα που ένα κοίλο κάτοπτρο μπορεί να στείλει πίσω σε μια επιφάνεια, παρέχοντας στον Φαν Έικ μια λεπτομερή αναπαραγωγή της όψης των πραγμάτων. Η υπόθεσή του προσέκρουσε στις αντιρρήσεις πολλών ειδημόνων σε αυτήν την περίοδο, αν και όχι όλων. Υποπτεύομαι πως πρόκειται για υπερβολή, η οποία όμως εμπεριέχει έναν πυρήνα αλήθειας.

117 Λορέντζο Γκιμπέρτι, *Η ψραγγέλωση*, ορειχάλκινο τετράφυλλο φάτνωμα, φτιαγμένο για τις Βόρειες Πύλες του Βαπτιστηρίου της Φλωρεντίας, περ. 1416. Στην καριέρα του Γκιμπέρτι δέσποσαν δυο μεγάλα καλλιτεχνικά εγχειρήματα: να φτιάξει δύο σειρές φατνώματα για τις πύλες του Βαπτιστηρίου της Φλωρεντίας. Αυτό προέρχεται από την πρώτη, που κατασκευάστηκε όταν η εικαστική γλώσσα που τώρα ονομάζουμε «Αναγέννηση» είχε μόλις αρχίσει να διαμορφώνεται. Ο Γκιμπέρτι συνεχάρη τον εαυτό του για το έργο του σε μια πρώιμη μορφή καλλιτεχνικής αυτοβιογραφίας, το *Commentarii* του 1450: «Τα έφτιαξα με μεγάλη επιμέλεια [...] και με τη μέγιστη εφευρετικότητα και δεξιοτεχνία». Αξίζει να σημειώσουμε, ωστόσο, ότι σε έναν από τους κίονες η χύτευση έγινε κατά λάθος πάνω από το χέρι του μαστιγωτή, θαρρείς και του παγιδεύει το χέρι.

Πετράρχη. Ο διάσημος συγγραφέας σονέτων ήταν συνάμα ένας διανοούμενος με συμμετοχή στα κοινά, ο οποίος παρακινούσε τους συμπατριώτες του να συνδεθούν εκ νέου με το κλασικό παρελθόν τους. Επρόκειτο για ένα θέμα που είχε ήδη διαδραματίσει κάποιο ρόλο στον ιταλικό πολιτισμό όπως είδαμε, αλλά ο Πετράρχης το ανέδειξε σε ζήτημα του «ουμανισμού» – της συστηματικής προσφυγής στα litterae humaniores, στα κλασικά κείμενα που μπορούσαν να κάνουν τους πολίτες «πιο ανθρώπινους». Με τον ερχομό του 15ου αιώνα, όσα κληροδότησαν οι δύο φίλοι περιήλθαν σε σύγκρουση. Διότι ενώ η τεχνοτροπία στον *Ευαγγελισμό της Θεοτόκου* του Σιμόνε τροφοδοτούσε και συνυφαινόταν με τις πλατιές, εκτεινόμενες σε όλη την Ευρώπη τάσεις που τώρα αποκαλούνται «Διεθνές Γοτθικό», μερικοί διανοητικά φιλοπερίεργοι Ιταλοί ενστερνίστηκαν την πρωτοβουλία του Πετράρχη για να δημιουργήσουν την εικαστική γλώσσα που τώρα αποκαλούμε «Αναγέννηση».

Ένα επίχρυσο ορειχάλκινο φάτνωμα θύρας που κατασκευάστηκε στη Φλωρεντία γύρω στο 1416 αντανακλά τη νέα άφιξη [**117**]. Σαν τον τοσκανέζο γείτονά της, τη Σιένα, η Φλωρεντία ήταν μια δημοκρατία που στηριζόταν στο τραπεζικό σύστημα και στο εμπόριο υφασμάτων. Επειδή όμως ήταν χτισμένη στις όχθες ενός ποταμού και όχι πάνω σε λόφους, κατέληξε να ξεπεράσει όλες τις άλλες ιταλικές πόλεις σε μέγεθος, και μετά τα τέλη του 14ου αιώνα να γίνει συγχρόνως το πιο δραστήριο και ανήσυχο καπιταλιστικό κέντρο, που απειλούνταν από τις εξεγέρσεις των εργατών και από τους αρειμάνιους ηγεμόνες των δουκάτων του Μιλάνου και της Νάπολης. Οι ολιγαρχίες που την κυβερνούσαν αρέσκονταν στο να χρησιμοποιούν τη ρητορική του Πετράρχη ως μια κατευθυντήρια έμπνευση. Το 1401, σε μια καινοφανή για την εποχή της κίνηση, προσκάλεσαν καλλιτέχνες να συναγωνιστούν υποβάλλοντας σχέδια βάσει των οποίων θα διακοσμούνταν οι πύλες στο βαπτιστήριο της πόλης. Η προϋπόθεση ήταν να ταιριάζουν με τις παραστάσεις που είχαν φτιαχτεί για μια γειτονική είσοδο τη δεκαετία του 1330. Αυτός είναι ο λόγος για τον οποίο το τετράφυλλο καλούπι αυτού του φατνώματος ακολουθεί τη χαρακτηριστική γοτθική τυπολογία, που χρησιμοποιούσαν συχνά οι γλύπτες στους καθεδρικούς ναούς και μάλιστα ο Τζότο στους πίνακές του. Σε αυτό όμως, ο νικητής του διαγωνισμού, ο Λορέντζο Γκιμπέρτι (Lorenzo Ghiberti), ενσωμάτωσε έναν δυνητικά εκρηκτικό μηχανισμό.

Σε δύο επίπεδα. Ο Χριστός, δεμένος σε μια κολόνα για να μαστιγωθεί προτού σταυρωθεί, δεν είναι ούτε η βασανισμένη από τους πόνους σάρκα την οποία φαντάστηκαν οι καλλιτέχνες που ζωγράφιζαν εσταυρωμένους από την εποχή του Αρχιεπισκόπου Γκέρο και μετά [βλ. **80**], ούτε καλυμμένος από τα πυκνά στρώματα των πτυχώσεων που κυριαρχούσαν στη γλυπτική: απεικονίζεται ως ένα ισορροπημένο και ρυθμισμένο σύστημα από οστά και μυς, όμορφο και αύταρκες. Με άλλα λόγια ο Γκιμπέρτι δεν σπούδασε μόνο τις στάσεις της κλασικής αγαλματοποιίας (βλ. τις τεχνοτροπίες του Σκόπα και του Πραξιτέλη: **48**, **49**), αλλά επέλεξε και την αναλυτική μέθοδο που τις υποστηρίζει. Μια τέτοια προσέγγιση στο γυμνό πιθανώς θα μπορούσε και πάλι να γίνει κανόνας στην τέχνη. Συνταίριαζε την εσωτερική λογική με την εξωτερική παρατήρηση (οι βασανιστές εκατέρωθεν του Χριστού είναι μερικές από τις πρώτες γλυπτικές αναπαραστατικές μορφές για τις οποίες γνωρίζουμε πως έγιναν προπαρασκευαστικά σχέδια).

Και έπειτα, με τη δική του εσωτερική αρχιτεκτονική διευθέτηση, ο Γκιμπέρτι ακολούθησε το πρότυπο ενός από τους ανταγωνιστές του τον οποίο και ξεπέρασε, του Φιλίπο Μπρουνελέσκι (Filippo Brunelleschi). Η παραγγελία για την είσοδο, που αφορούσε είκοσι τέτοια φατνώματα, απασχόλησε τον Γκιμπέρτι είκοσι τρία χρόνια, από τα είκοσι πέντε έως τα σαράντα οχτώ του, ενώ ο σύγχρονός του Μπρουνελέσκι πέρασε στο μεταξύ από τη γλυπτική στη διερεύνηση κατασκευαστικών συστημάτων. Ο τελευταίος, που είχε καταλήξει στη χειρωνακτική εργασία από την κατώτερη αριστοκρατία –ένα νέο είδος κοινωνικής μετατόπισης, σε ό,τι αφορά την ευρωπαϊκή τέχνη– έγινε η πιο καινοτόμος διάνοια στην κατασκευαστική μηχανική από την εποχή του Αβά Σιζέ τη δεκαετία του 1140. Το κορυφαίο επίτευγμά του ήταν η κάλυψη του Καθεδρικού Ναού της Φλωρεντίας με τον μεγαλύτερο τρούλο στη Δυτική Ευρώπη, το 1436. Εδώ όμως, με αυτούς τους κορινθιακούς κίονες, ο Γκιμπέρτι ανταποκρινόταν στη μελέτη των ρυθμών της κλασικής αρχιτεκτονικής που εκπονούσε ο Μπρουνελέσκι, καθώς και στην έμφαση που έδινε ο συνάδελφός του στις σαφείς, λιτές, επαναλαμβανόμενες μονάδες – μια αισθητική αντίθετη με τις πολυπλοκότητες που χαρακτήριζαν τώρα τον γοτθικό ρυθμό.

Ο Γκιμπέρτι ανάλωσε άλλα είκοσι εφτά χρόνια στη δημιουργία ενός επιπρόσθετου συνόλου από φατνώματα για τις πύλες του βαπτιστηρίου, τα οποία εγκατέλειπαν τον τετράφυλλο τύπο και υιοθετούσαν πλήρως τις ιδέες του Μπρουνελέσκι. Οι μείζονες καλλιτεχνικές μορφές της Φλωρεντίας επιδίωκαν να αντλούν η μία από την άλλη και συνεπώς συμμετείχαν σε μια νέα δυναμική – κάτι σαν μια πρωτοποριακή κλίκα, που ήταν ωστόσο προικισμένη με μια επίσημη πατρονία. Ένας τρίτος συμμέτοχος σ' αυτήν τη διαδικασία ήταν ο λίγο νεότερος γλύπτης Ντονατέλο (Donatello). Ένα ανάγλυφο που έφτιαξε για το Βαπτιστήριο της Σιένας γύρω στο 1425 [**118**] αποτελεί τη νεότερη μαρτυρία μιας άλλης ιδέας του Μπρουνελέσκι. Κάποια στιγμή κατά την προηγούμενη δεκαετία, ο μηχανικός είχε παρουσιάσει ένα γεωμετρικό σύστημα για να δείξει πώς οι κατασκευές σε μια επίπεδη επιφάνεια μπορούσαν να δώσουν την εντύπωση που δίνουν στον τρισδιάστατο χώρο. Η «τεχνητή προοπτική» του ταίριαζε ακριβώς με το αποτέλεσμα της οφθαλμαπάτης με το οποίο είχαν περιστασιακά ασχοληθεί ο Τζότο και ο Πιέτρο Λορεντζέτι, σύμφωνα με το οποίο το πλαίσιο μιας εικόνας αντιπροσώπευε το πλαίσιο ενός παραθύρου, που άνοιγε σε μια θέα η οποία εξαπατούσε τα μάτια. Η οργάνωση όλων των γραμμών της εικόνας με βάση ένα και μοναδικό σημείο τομής προσέδωσε στο τέχνασμα ένα νέο διανοητικό σκεπτικό, που συνδεόταν με μια θεωρία οπτικής την οποία είχε διατυπώσει πέντε αιώνες νωρίτερα ο άραβας επιστήμονας Ιμπν αλ-Χαϊτάμ.*

Ο Ντονατέλο, ο πιο ανήσυχος και πολύπλευρος δημιουργός της ομάδας (οι εκ νέου επινοήσεις του αναφορικά με την ανθρώπινη μορφή προηγήθηκαν αυτών του Γκιμπέρτι και θα επανέλθω σε αυτές αργότερα), εφάρμοσε εδώ την αρχή του Μπρουνελέσκι στις δυόμισι διαστάσεις. Το να χάνεται το ανάγλυφο σε ένα επίπεδο φευγαλέας λεπτότητας αποτελούσε μία από τις ιδιαιτερότητες του Ντονατέλο, παρότι σε αυτήν τη διερευνητική απόπειρα οι

---

* Γνωστός στην Ευρώπη ως «Αλχάζεν». Θα μπορούσαμε βεβαίως να πούμε πως και η εικόνα του Φαν Έικ ανοίγει σε μια θέα· αλλά σε αυτήν εδώ το μάτι παρακινείται να περιπλανηθεί, χωρίς να δώσει ιδιαίτερη προσοχή στα περιχαρακωμένα του όρια ή σε ένα γεωμετρικό σύστημα.

118 Ντονατέλο, *Το συμπόσιο του Ηρώδη*, περ. 1425, Βαπτιστήριο, Σιένα. Ο Ντονατέλο πλησίαζε τα σαράντα όταν εφάρμοσε εδώ με τόλμη τη νέα τεχνική της προοπτικής του Μπρουνελέσκι. Είχε ήδη ασκήσει μεγάλη επίδραση στη Φλωρεντία με τα αγάλματα αγίων και προφητών, τα οποία προορίζονταν να στηθούν μέσα σε κόγχες πάνω από το επίπεδο των δρόμων. Οι μορφές του επιδεικνύουν μερικές αξιοσημείωτα ρεαλιστικές στάσεις, και καθεμιά διαθέτει μια εντυπωσιακή, σχεδόν γελοιογραφική ατομικότητα. Εδώ εφαρμόζεται η ίδια δύναμη με την οποία μια αξιομνημόνευτη εικόνα εδραιώνεται στο νου.

διαστάσεις των μορφών δεν μικραίνουν με την ίδια συνέπεια με την οποία μικραίνουν κατ' αναλογία οι στοές. Μας αφηγείται τη βιβλική ιστορία της Σαλώμης (δεξιά σε πρώτο πλάνο), που ευχαρίστησε τόσο πολύ τον πατριό της τον Ηρώδη με το χορό της μπροστά στους καλεσμένους του για γεύμα, ώστε της υποσχέθηκε να εκπληρώσει κάθε της επιθυμία: εκείνη ζήτησε να της φέρουν σε ένα πινάκιο το κεφάλι του ανθρώπου που έχει φυλακίσει, του Ιωάννη του Βαπτιστή. Η αίσθηση του Ντονατέλο για την αποστροφή του Ηρώδη (στα αριστερά) και των συνδαιτυμόνων του (συμπεριλαμβανομένων δύο μαζεμένων, καθηλωμένων αγοριών) είναι άγρια – και ακριβής, θα λέγαμε, αναγνωρίζοντας το ρεαλισμό της. Αυτή η διασπαστική αμεσότητα, που εμφανίζεται επίσης στα αγάλματα που δημιούργησε για τις προσόψεις των δρόμων της Φλωρεντίας, κατέστησε τον Ντονατέλο μια διασημότητα στην πόλη του. Έκανε τη νέα τέχνη να μοιάζει *επικίνδυνη*.

Μια ομοίως τραχιά αίσθηση προκαλεί και ο νεαρότερος της ομάδας, που

119 Μαζάτσο, *Εκδίωξη από τον Παράδεισο*, νωπογραφία στο Παρεκκλήσι Μπρανκάτσι, Σάντα Μαρία ντελ Κάρμινε, Φλωρεντία, 1427. Αυτός ο πίνακας του Μαζάτσο –του «μεγάλου Θωμά»– ταιριάζει με τον *Πειρασμό του Αδάμ και της Εύας* που ζωγράφισε ο πρεσβύτερος συνεργάτης του, ο Μαζολίνο – ο «μικρός Θωμάς». Ο Μαζολίνο δεν διέθετε την τολμηρή, νεωτεριστική αυστηρότητα του Μαζάτσο, απεναντίας ζωγράφιζε σύμφωνα με μια εξευγενισμένη γοτθική τεχνοτροπία. Είναι πιθανό ότι τόσο οι καλλιτέχνες όσο και οι πάτρονές τους αισθάνονταν ότι οι δύο αντιτιθέμενες τεχνοτροπίες αλληλοσυμπληρώνονταν.

έζησε λιγότερο από όλους, ο Μαζάτσο (Masaccio). Πριν από το θάνατό του σε ηλικία είκοσι εφτά ετών το 1428, ο Μαζάτσο δημιούργησε την ψευδαίσθηση ενός παρεκκλησίου για μια φλωρεντινή εκκλησία, τη Σάντα Μαρία Νοβέλα, όπου η προοπτική δοκιμάστηκε για πρώτη φορά σε νωπογραφία (*Η Αγία Τριάδα* του 1427). Στο πραγματικό παρεκκλήσι μιας άλλης εκκλησίας, της Σάντα Μαρία ντελ Κάρμινε [**119**], απογείωσε και πάλι αποτελεσματικά την παράδοση που πήγαζε από το έργο του Τζότο πάνω από έναν αιώνα νωρίτερα. Εδώ συναντάμε μια διαδικασία που εμφανίζεται όλο και πιο συχνά στην ιστορία της τέχνης όσο η τελευταία γίνεται όλο και περισσότερο μια υπόθεση προσωπικοτήτων – ένας καλλιτέχνης δηλώνει με το έργο του σε τι συνίσταται η *πραγματική* κληρονομιά ενός προκατόχου, καθώς η τελευταία αντιπαραβάλλεται με αντίπαλους ισχυρισμούς. Σε σύγκριση με όλα όσα δημιούργησαν οι φλωρεντινοί καλλιτέχνες του 14ου αιώνα ακολουθώντας τον Τζότο, η νωπογραφία του Μαζάτσο με τον Αδάμ και την Εύα να εκδιώκονται από τον Παράδεισο απομονώνει τις ιδιότητες της σταθερότητας, της λιτότητας και της αλήθειας του συναισθήματος. Γαντζώνεται από αυτές και τις αναπτύσσει περαιτέρω. Το φως που διαχέεται από τα δεξιά στις σκηνές του *Ιωακείμ* του Τζότο [βλ. **101**, **102**] γίνεται μια ισχυρή λάμψη, δημιουργώντας σκιές στο έδαφος. Ενδυναμώνει τα σώματα, προσδίδοντάς τους μια μεγαλοπρέπεια άγνωστη σε προγενέστερες γυμνές μορφές. Οι αμαρτωλοί πρόγονοι της ανθρωπότητας αποτελούσαν από καιρό το πρόσχημα για τη γυμνότητα στη διακόσμηση των εκκλησιών, εδώ όμως η ντροπή τους μετατρέπεται με τρόπο ανεπαίσθητο σε δύναμη. Ο Ιωακείμ του Τζότο προσπαθεί να επιστρέψει στο ναό, φοβούμενος το χείλος της αβύσσου: αυτό το ζευγάρι δηλώνει με τις οιμωγές του πως δεν έχει πού αλλού να καταφύγει.

Αυτή είναι η μία πιθανή ερμηνεία· κατά τον ίδιο τρόπο, κάποιοι συγγραφείς μπορεί να τους βλέπουν να προχωρούν αλματωδώς προς το φως της «Αναγέννησης». Η ιστορία της τέχνης έχει την ισχυρή τάση να αντιμετωπίζει όλους τους καλλιτέχνες και τα έργα τους ως σκαλοπάτια που καταλήγουν σε κάποια μελλοντική έκβαση, ευκταία ή μη. Η «Αναγέννηση» είναι ένας νεολογισμός του 19ου αιώνα, που έχει τις ρίζες της στο σχέδιο της πολιτισμικής αναβίωσης που εμπνεύστηκαν ο Πετράρχης και οι μεταγενέστεροι ουμανιστές. Συγγενεύει με τους *Βίους των καλλιτεχνών*, μια ιστορία της ιταλικής τέχνης με μεγάλη επίδραση την οποία συνέγραψε ο Τζόρτζο Βαζάρι (Giorgio Vasari) στη Φλωρεντία του 16ου αιώνα, καθώς ενθαρρύνει την έννοια της «πραγματικής κληρονομιάς»: ο Τζότο οδηγεί στον Μαζάτσο, ο οποίος μαζί με τον Ντονατέλο θα οδηγήσουν στον «θεϊκό» Μιχαήλ Άγγελο, ο οποίος θα υπερακοντίσει τους αρχαίους.

Είναι άραγε αυτός ο καλύτερος τρόπος να αξιολογούμε τις μαρτυρίες; Εδώ [**120**] έχουμε μια εξίσου «προεξαγγελτική» επανερμηνεία της γλώσσας που χαρακτηρίζει τις μορφές και τα τοπία του Τζότο. Αν η νωπογραφία του Μαζάτσο μοιάζει να προαναγγέλλει τα ηρωικά γυμνά του Μιχαήλ Άγγελου, ή ακόμα και τον «ανθρωπισμό» με τη σημασία που έχει ο όρος σήμερα –την αντίληψη ότι εμείς οι άνθρωποι είμαστε μόνοι σε αυτό το σύμπαν–, τότε αυτός ο μικροσκοπικός πίνακας, από το 1440 περίπου, προβάλλει έναν ερη-

127 Σάντρο Μποτιτσέλι, *Αλληγορία της Αφθονίας*, σχέδιο, περ. 1482. Τα βρέφη στη μεσαιωνική χριστιανική τέχνη απεικονίζονται συχνά ως μικροί ενήλικες. Ο Χριστός-Βρέφος, στην απέναντι παράσταση του Μπελίνι, μπορεί να παρουσιάζει τις αναλογίες ενός μωρού, αλλά διατηρεί μια αξιοσημείωτα δαιμόνια αυτοκυριαρχία. Στη Φλωρεντία του 15ου αιώνα, ωστόσο, ήρθε στο προσκήνιο το πούτο (putto), που αναβίωσε από την αρχαία ρωμαϊκή τέχνη – το κοντόχοντρο αγοράκι που μπορεί να παραφρουσκάνει μια αλληγορία, αλλά τη νοστιμίζει με ένα πνεύμα ανάλαφρης αταξίας. Σε άλλα συμφραζόμενα το πούτο, σε μια προσπάθεια συγχώνευσης με την αρχικά εβραϊκή μορφή του χερουβείμ, μπορεί να είναι φτερωτό.

128 Τζοβάνι Μπελίνι, *Madonna degli Alberetti* (*Παναγία των δέντρων*), 1487.

λώς καινοφανείς. Κεντρίζουν τη φαντασία μας: η στιλβωμένη εφηβική σάρκα συμπληρώνεται από μακριές μπούκλες, μεταλλική πολεμική εξάρτυση και μια αχαλίνωτα εξεζητημένη σειρά από φτερά που ξεκινούν από το κράνος του Γολιάθ στη βάση του και φτάνουν μέχρι το εσωτερικό του μηρού. Παρασύρουν το θεατή, έλκοντάς τον κατά έναν πρωτόγνωρο τρόπο προς την αύρα της αισθησιακότητας του καλλιτέχνη.

Όλες οι ενδείξεις μάς οδηγούν στο συμπέρασμα ότι οι σχέσεις δασκάλου-μαθητευόμενου στα εργαστήρια της Φλωρεντίας ήταν συχνά σεξουαλικής φύσης, μολονότι την εποχή εκείνη το ζήτημα των «σεξουαλικών προτιμήσεων» σε καμία περίπτωση δεν ετίθετο όπως τίθεται σήμερα. Την αισθητική που συνοψίζεται στον *Δαβίδ* την καλλιέργησε επίσης ο ζωγράφος Φίλιπο Λίπι (Filippo Lippi), διάσημος από τους *Βίους* του Βαζάρι επειδή σαγήνευσε μια καλόγρια, καθώς και ο μαθητής του ο Σάντρο Μποτιτσέλι (Sandro Botticelli) – στις ανεκδοτολογικές αφηγήσεις λάτρης των αγοριών, και στην τέχνη του [**127**] ένας ονειροπόλος που τον χαρακτήριζε η εμμονή με τη θηλυκότητα. Ήταν μια αισθητική με λεπτές γραμμές και ακτινοβόλες επιφάνειες, η οποία συνδέθηκε με την κυριαρχία των Μεδίκων στη Φλωρεντία κατά το τελευταίο ήμισυ του 15ου αιώνα. Ο Κόζιμο και ο Λορέντζο των Μεδίκων, όχι τόσο αξιόπιστοι ως τραπεζίτες αλλά ευφυείς διπλωμάτες, καθιέρωσαν μια σχετική ειρήνη μεταξύ των μικρών αλλά εριστικών κρατών της Ιταλίας, και η πατρονία τους εδραίωσε την καλλιτεχνική φήμη της πόλης τους. Όπως και άλλοι ηγέτες, ιδίως ο πάτρονας του Πιέρο, ο Φεντέρικο ντα Μοντεφέλτρο στο Ουρμπίνο, συνήθιζαν να προσκαλούν ουμανιστές λόγιους στην αυλή, και ο Μποτιτσέλι, του οποίου η παρουσία ήταν εκεί κυρίαρχη τη δεκαετία του 1480, συνέδεσε την τέχνη του με τα απόκρυφα σχήματα συμβολισμού που είχαν επινοήσει οι ουμανιστές.

Η ακριβής πρόθεση αυτού του σχεδίου του Μποτιτσέλι [**127**] είναι εξίσου αβέβαιη με αυτήν της *Άνοιξης*, μιας μεγάλης και σύνθετης αισθησιακής αλληγορίας του 1482, το ύφος της οποίας σε ό,τι αφορά την απόδοση των ανθρώπινων μορφών παρουσιάζει πολλές ομοιότητες με το παραπάνω· η φινέτσα του σχεδίου υποδηλώνει ωστόσο ότι έγινε με το βλέμμα εν μέρει στραμμένο στην πρωτοεμφανιζόμενη παράδοση της «συλλογής έργων τέχνης». Ο συμβολισμός του είναι σχετικά άμεσος. Τα σταφύλια στο χέρι του ερωτιδέα και το απαλά σχεδιασμένο κέρας της Αμάλθειας δηλώνουν πως η νύμφη είναι η προσωποποίηση της Αφθονίας, ή ίσως του Φθινοπώρου. Υποδείγματα για γυμνά βρέφη, κέρατα της Αμάλθειας και ντυμένες στα τούλια παρθένες στοιβάζονταν ελαφρώς σκονισμένα στα ράφια των ιταλικών εργαστηρίων από τότε που εκχριστιανίστηκε η χώρα· άλλα παγανιστικά σύμβολα, Αφροδίτες και Δίες, είχαν ομοίως διατηρήσει μια αξιοπρεπή μετά θάνατον ζωή, που τους επέτρεπε να κάνουν την εμφάνισή τους εδώ και εκεί σε αλληγορικά σχήματα που τα συμπεριλάμβαναν όλα. Τώρα, σύμφωνα με μια μόδα που γνώρισε μεγάλη απήχηση και προερχόταν από μερικά διάσπαρτα μέγαρα, όλα αυτά ξεσκονίζονται, εξετάζονται ενδελεχώς, τυλίγονται εκ νέου μέσα σε κυματιστές ονειροπολήσεις στολισμένες με μαιάνδρους και σκαλίζονται δημιουργώντας νέα σχέδια. Οι δυνατότη-

μάτα που λάμπουν ζωγραφισμένα με αστραφτερά, σαν κοσμήματα, χρώματα. Αντικαθιστώντας τον καλλιτέχνη που προσέλαβε η Ζουλάικα, έδειξε όλα όσα μπορούσε να προσφέρει αυτή η τέχνη – ακόμα και το απεγνωσμένο δράμα στην καρδιά αυτού του γεμάτου θησαυρούς λαβύρινθου. Και όμως, η ελαφρώς ειρωνική, ιδεαλιστική του φαντασία ενσωμάτωσε μια υπόρρητη επιφύλαξη για όλη αυτήν την εικαστική σαγήνη, υπογραμμίζοντας τα εμπόδια και τα αδιέξοδα, σαν αυτό το ίδιο μέγαρο της τέχνης να ήταν απλώς μια παγίδα ή μια αυταπάτη. Η επιθυμία, οι χαριτωμένες μορφές και η ασύλληπτη, αδιόρατη πραγματικότητα που κρύβεται από πίσω τους: αυτά ήταν τα θέματα που απασχολούσαν τη σκέψη των σούφι, στην οποία τώρα καταδυόταν η υψηλή περσική κουλτούρα. Υπήρχε πάντα μια ορισμένη αμφιθυμία ως προς το κατά πόσον ο άνθρωπος έπρεπε να αρκεστεί στις επιφανειακές ηδονές, ή αν οι τελευταίες απλώς προσφέρονταν για μεταφορική χρήση. Κάποιος ανήσυχος μεταγενέστερος κάτοχος του πίνακα, φοβούμενος την ασέβεια, έξυσε καταστρέφοντας τα χαρακτηριστικά του προσώπου του Γιουσούφ.

Ήταν άραγε όλη αυτή η ποίηση της ενατένισης το καταφύγιο ενός πολιτισμού καταδικασμένου να αφανιστεί, όπως υποστηρίζει ο Παμούκ; Η επίθεση, λοιπόν, επρόκειτο να εξαπολυθεί «από την τέχνη της Αναγέννησης» – τη δύναμη να τοποθετήσουμε τον κόσμο μέσα σε έναν πίνακα, σαν να πρόκειται για ένα φορητό παράθυρο, και συνεπώς να ασκήσουμε έλεγχο επάνω του, τις ρίζες της οποίας ανιχνεύσαμε στη βόρεια Ευρώπη και την Ιταλία μεταξύ του 1250 και του 1490. Από ιστορικής άποψης, μπορώ να καταλάβω την ισχύ αυτής της συλλογιστικής γραμμής. Από *καλλιτεχνικής* άποψης, πιστεύω πως η υπόθεση ότι η ευρωπαϊκή τέχνη αυτής της περιόδου χαρακτηρίζεται από κάποιου είδους «προοδευτική» –ή εν προκειμένω «καταπιεστική»– τάση τείνει να στενέψει την προοπτική μας. Δεν μπορώ να αντισταθώ στο να παρουσιάσω, εν είδει παρέκβασης, μια εικονογράφηση που έγινε κάπου στη Γαλλία γύρω στο 1465 [**131**]. Προέρχεται από ένα βιβλίο που έγραψε ο Βασιλιάς Ρενέ της Ανδεγαυίας (ή που γράφτηκε για λογαριασμό του): τον πίνακα, την πατρότητα του οποίου επίσης διεκδικούσε, πιθανώς τον ζωγράφισε ένας Ολλανδός ονόματι Μπαρτέλεμι ντ᾽ Έικ (Barthélemy d'Eyck).* Όπως και ο καθένας στην Ευρώπη των μέσων του 15ου αιώνα, ο Ρενέ ήταν εξοικειωμένος με «ό,τι συνέβαινε» στη διάρκεια της Αναγέννησης: δούκας της Γαλλίας και βασιλιάς της

---

* Δεν σχετίζεται, από όσο μπόρεσα να εξακριβώσω, με τον Γιαν φαν Έικ.

131 Μπαρτέλεμι ντ᾽ Έικ (αποδιδόμενο), *Η επιθυμία κλέβει την καρδιά*, φύλλο 2r από το *Le Livre du cueur d'amour espris* [Το βιβλίο της καρδιάς που αιχμαλωτίστηκε από τον έρωτα], περ. 1465. Ασυνήθιστοι εισβολείς πλησιάζουν αθόρυβα τον Βασιλιά Ρενέ καθώς εκείνος κοιμάται στο πολυτελές του κρεβάτι με ουρανό, ακροπατώντας στα τουρκικά χαλιά και στην ψάθα: ο φτερωτός Amour [έρωτας] αφαιρεί επιδέξια την καρδιά και η Ardent Désir [η φλογερή επιθυμία] είναι έτοιμη να την παραδώσει στην κυρία που μονοπωλεί τα όνειρά του. Το τραβηγμένο ύφασμα πάνω από τον άδειο καναπέ του ακόλουθου ανεβάζει πονηρά τον ερωτικό πυρετό.

132 Σουλτάνος-Μοχάμετ, *Η αυλή του Γκαγιουμάρς*, σελίδα από το *Σαχ Ναμέ* του Ταχμάσπ, περ. 1525.

Νάπολης, ήταν βαθύς γνώστης του πολιτισμού της Βουργουνδίας και συνάμα φίλος του Κόζιμο των Μεδίκων στη Φλωρεντία. Η εικονογράφηση ενσωματώνει επιρροές και από τις δύο κατευθύνσεις, για παράδειγμα στην εντυπωσιακά πλούσια προοπτική απόδοση των χαλιών που στον Μπιζάντ απεικονίζονται επίπεδα. Όμως η ιστορία που αφηγείται είναι πιο σουρεαλιστική από αυτή του Μπιζάντ. Ο Ρενέ ονειρεύεται, ενόσω είναι ξαπλωμένος και κοιμάται, ότι ο φτερωτός θεός του έρωτα ξεριζώνει την καρδιά του από το στήθος του και τη δίνει σε έναν νεαρό ακόλουθο με το όνομα Φλογερή Επιθυμία (μικρές φλόγες ανεμίζουν στο κάτω μέρος του ενδύματός του). Στις αλληγορικές περιπέτειες που ακολουθούν, η καρδιά του θα εμφανιστεί εκ νέου ως ένας γενναίος ιππότης με πανοπλία.

Και αν η ευρωπαϊκή Αναγέννηση περιστρεφόταν γύρω από αυτήν την εικόνα, όπως η περσική ζωγραφική περιστρέφεται γύρω από τον Μπιζάντ; Ενδεχομένως να αποκτούσε μεγαλύτερο ενδιαφέρον. Θα μας άφηνε το περιθώριο, για παράδειγμα, να αναφερθούμε στα συναρπαστικά πειράματα προοπτικής που διεξήγαγε ένας άλλος γάλλος εικονογράφος, ο Ζαν Φουκέ (Jean Fouquet). Προσωπικά θα συνιστούσα τον αποπροσανατολισμό.

Ένα άλλο αποκορύφωμα της περσικής ζωγραφικής είναι *Η αυλή του Γκαγιουμάρς* [**132**]. Ζωγραφίστηκε από έναν καλλιτέχνη ονόματι Σουλτάνος-Μοχάμετ περίπου σαράντα χρόνια μετά την εικόνα του Μπιζάντ, στη δυτική πόλη Ταμπρίζ και όχι στην ανατολική Χεράτ: οι δύο εικόνες, η μία κατασκευασμένη με τόση σχολαστικότητα, η άλλη με τόσο τολμηρή φαντασία, συνοψίζουν την αντίθεση αυτών των δύο δίδυμων πόλων της περσικής απεικονιστικής τέχνης. Αυτή, όπως και η προηγούμενη παράσταση από την Ταμπρίζ για λογαριασμό ενός μογγόλου χαν, φτιάχτηκε για να εικονογραφήσει ένα χειρόγραφο του παγκόσμιου ιστορικού έπους του Φιρντούσι. Ο πάτρονας που την παρήγγειλε ήταν ο Σάχης Ταχμάσπ, ο δεύτερος μονάρχης μιας γηγενούς δυναστείας με το όνομα Σαφαβίδες, η οποία είχε αποκτήσει τον έλεγχο του Ιράν το 1501. Ο Ταχμάσπ αγαπούσε τις πολιτισμικές παραδόσεις της πατρίδας του και μάλιστα χειριζόταν και ο ίδιος επιδέξια το πινέλο, όπως ο κινέζος αυτοκράτορας Χουιτσόνγκ. Εδώ, στο πρώτο φύλλο του *Σαχ Ναμέ*, που προορίζονταν να αποτελέσει ένα δώρο για την οθωμανική αυλή, ο δημιουργός του αναπαρέστησε την αφήγηση του Φιρντούσι για την καταγωγή της ιστορίας, την οποία είχε δανειστεί από έναν αρχαίο ιρανικό μύθο. Πάνω στους βραχώδεις γκρεμούς του κόσμου κάθεται ο Γκαγιουμάρς, ο πρώτος του βασιλιάς. Όλα γύρω του –οι άνθρωποι, τα ζώα, τα φυτά, η ανόργανη ύλη– βρίσκονται σε μια αβίαστη αρμονία· και όμως στο δεξί του χέρι στέκει ο άγγελος Σουρούς και προειδοποιεί για τις μελλοντικές έριδες εξαιτίας των οποίων ο γιος του Γκαγιουμάρς, που κάθεται στα αριστερά του, θα χάσει τη ζωή του. Λέγεται πως ο Σουλτάνος-Μοχάμετ αφιέρωσε πέντε χρόνια για τούτη τη μικροσκοπική αναδημιουργία αυτού που με σύγχρονους όρους θα μπορούσαμε να θεωρήσουμε ως τη Μεγάλη Έκρηξη, την κατάσταση από την οποία πήγασαν τα πάντα. Πανούργα αστεία –πρόσωπα κρυμμένα στους βράχους, ψίθυροι μεταξύ αυλικών, ζωηρά και λαίμαργα λιοντάρια– αναδύονται μέσα από την ανώμαλη επιφάνεια που δημιουργεί ο χρωστήρας και συμβολίζει το υπέδαφος. Ένα συμπαγές ελκυστικό θέαμα χορταίνει το μάτι του μονάρχη, ξεχειλίζοντας από το περίγραμμά του, απελευθερώνοντας μια πραγματικά συμπαντική δημιουργική δυναμική.

Η επιστροφή σ' ένα παρελθόν που δεν θα το διαιρούσαν τα όρια που θέτουν οι άνθρωποι και οι θρησκείες αποτελούσε μια διαρκής φιλοδοξία των σούφι στο Ισλάμ. Μοιάζει σαν ο Σουλτάνος-Μοχάμετ να είχε χτυπήσει μια πλούσια, μορφοπλαστική φλέβα την οποία διερευνούσε επίσης, μακριά στην Ανατολή, ο κατασκευαστής ενός ορειχάλκινου ινδουιστικού λύχνου [**133**]. Οι φλόγες που ξεπετάγονταν από την κοιλότητα που συγκεντρωνόταν το λάδι σκιαγραφούσαν κάποτε το περίγραμμα του Γκαρούντα μέσα στους φλογισμένους έλικες μιας κληματαριάς. Ο Γκαρούντα ήταν ένας ημίθεος με ιδιότητες αετού, γνωστός και από τις ηλιαχτίδες – ένα πλάσμα του φωτός και του ουρανού, που κρεμόταν από την οροφή του ναού και εξέπεμπε τη θεραπεία. Αυτό το θαυμάσιο έργο μεταλλοτεχνίας που μοιάζει να εξατμίζεται κατασκευάστηκε κάποια στιγμή τον 15ο αιώνα στην Ιάβα, ένα νησί όπου η ινδουιστική κυριαρχία έφτανε ουσιαστικά στο τέλος της. Το μουσουλμανικό ναυτικό εισέβαλε για να αποσπάσει από την αυτοκρατορία Ματζαπαχίτ τον έλεγχο μίας από τις πλουσιότερες εμπορικές ζώνες παγκοσμίως. Μια εναλλακτική ιστορία αυτής της περιόδου μπορεί να εστίαζε στους πολυσύχναστους θαλάσσιους δρόμους που διέτρεχαν την Ιαπωνία και την Κίνα, διαμέσου αυτών των «Νησιών των μπαχαρικών», μέχρι την Ινδία, την Αραβία και την ανατολική Αφρική. Αυτόν τον άλλο κόσμο με τον θρυλικό πλούτο αναζητούσε ο Κολόμβος όταν σάλπαρε από την Ισπανία με κατεύθυνση προς τα δυτικά το 1492.

133 Ορειχάλκινος κρεμαστός λύχνος από την ανατολική Ιάβα, 15ος αιώνας. Αυτό το εκπληκτικό έργο μεταλλοτεχνίας έχει την ίδια πολιτισμική προέλευση με τη μορφή του *Σίβα Ναταράτζα* (**82**), που δημιούργησαν καλλιτέχνες του βασιλείου Κόλα στη νοτιοανατολική Ινδία περίπου τέσσερις αιώνες νωρίτερα. Η επιρροή των Κόλα έφτασε στην Ιάβα και στις δυναστείες που κυβερνούσαν εκεί στο διάστημα που μεσολάβησε ανάμεσα στην εποχή του Μποροβπουντούρ και την εγκαθίδρυση του Ισλάμ στο τέλος του 15ου αιώνα. Εκεί ανεγέρθηκαν πολλοί μεγαλοπρεπείς ινδουιστικοί ναοί.

6

ANA-ΔΗΜΙΟΥΡΓΩΝΤΑΣ ΤΟΝ ΚΟΣΜΟ

Οι ωδίνες της γέννας

Μεξικό, Βόρεια Ευρώπη, 1490–δεκαετία του 1520

«Είδα τα πράγματα που έφεραν στο βασιλιά από τη νέα χρυσή χώρα. [...] Ποτέ στη ζωή μου δεν είδα κάτι που να χαροποίησε τόσο πολύ την καρδιά μου. Γιατί μεταξύ αυτών αντίκρισα θαύματα της τέχνης, και ένιωσα δέος για τη διορατική επινοητικότητα ανθρώπων που ζουν σε ξένες χώρες. Αλήθεια, δεν μπορώ να εκφράσω όλα όσα με έκαναν να σκεφτώ». Με το ταξιδιωτικό ημερολόγιο του γερμανού καλλιτέχνη Άλμπρεχτ Ντίρερ (Albrecht Dürer), ο οποίος επισκέφθηκε τις Βρυξέλλες το 1520, ένα νέο είδος προσωπικότητας έρχεται αντιμέτωπο με έναν κόσμο, η επαφή με τον οποίο είχε εγκαινιαστεί πρόσφατα. Η «χρυσή χώρα» του Ντίρερ ήταν το Μεξικό, που μόλις είχαν κατακτήσει οι Ισπανοί, οι οποίοι επέστρεψαν με τα καράβια τους φορτωμένα λάφυρα προορισμένα για την αυλή του Καρόλου Ε΄. Ακολουθώντας την άφιξη του Κολόμβου στην Αμερική το 1492, η Δυτική Ευρώπη γινόταν με γρήγορους ρυθμούς το κέντρο ενός παγκόσμιου οικονομικού συστήματος. Στο μεταξύ, τα πολιτισμικά συστήματα που είχαν αναπτυχθεί στους κόλπους της ανασχηματίζονταν γύρω από τολμηρότερες και ευρύτερες έννοιες της τέχνης, σε μια διαδικασία στο πλαίσιο της οποίας ο Ντίρερ αναδείχτηκε σε κυρίαρχη φυσιογνωμία.

Οι τέσσερις δεκαετίες γύρω από το 1500 ορίζονται συνήθως από τους ιστορικούς της ευρωπαϊκής τέχνης ως «Ώριμη Αναγέννηση», λόγω της κεντρικής θέσης που καταλαμβάνουν μέχρι σήμερα οι αλλαγές που σημειώθηκαν στη διάρκειά τους στην καλλιτεχνική κληρονομιά της ηπείρου. Πόσο αποκλειστικά ευρωπαϊκές ήταν; Στο πρώτο μισό του κεφαλαίου θα προσεγγίσω αυτό το ερώτημα με αφετηρία τον «Νέο Κόσμο» της Δύσης, ανιχνεύοντας τις νέες εξελίξεις ωσότου η Ιταλία αναφανεί ως ο κεντρικός τους δεσμός. Έπειτα θα συνεχίσω ακολουθώντας τα ίχνη των συσχετισμών και των αντιθέσεων στον επονομαζόμενο «Παλαιό Κόσμο» του όψιμου 16ου αιώνα – για την ευρωπαϊκή ιστορία της τέχνης την εποχή της «Ύστερης Αναγέννησης» ή «Μανιερισμού».

Οι ισπανοί εξερευνητές που ήλπιζαν να φτάσουν στην ανατολική Ασία μέσω του Ατλαντικού ήρθαν αντιμέτωποι με έναν πολιτισμό εξίσου περίπλοκο και πλούσιο, αφότου άφησαν πίσω τους τα αραιοκατοικημένα νησιά της Καραϊβικής και έφτασαν στη μεξικάνικη ενδοχώρα το 1517. Το Τενοχτιτλάν, η πρωτεύουσα από την οποία οι Αζτέκοι διεύρυναν την αυτοκρατορία τους σε διάστημα εκατόν εξήντα χρόνων, ήταν πιθανώς μεγαλύτερη από οποιαδήποτε ευρωπαϊκή πόλη. Παρ' όλα αυτά, τόσο σε ό,τι αφορούσε την τεχνολογία όσο και τη νοοτροπία, αυτό το παρακλάδι του ανθρώπινου πολι-

134 Η Τλαζολτεότλ γεννά το θεό του καλαμποκιού, γλυπτό σε στιλ αζτεκικό-Παρίσι, περ. 1890. Αυτός ο στιλβωμένος γρανίτης της «θεάς της ακαθαρσίας» έχει μόλις 20 εκατοστά ύψος. Από την οπή στο αυτί κρεμιούνταν με κλωστές αναθηματικά αντικείμενα ως προσφορές κατά την προσευχή στη θεά. Η αζτέκικη γλυπτική έχει μια σοκαριστική αμεσότητα, ακόμα και μια θρασύτητα, που μοιάζει ενίοτε με πρόγευση των προϊόντων προώθησης του 20ού αιώνα: άλλα, πολύ μεγαλύτερα γλυπτά λαξεμένα σε πέτρα παριστάνουν υπερμεγέθεις κολοκύθες, κότσαλα καλαμποκιού, έντομα, σκυλιά και κουνέλια.

τισμού έμοιαζε εντέλει απόμακρο, όχι μόνο ως προς τον περιβάλλοντα χώρο αλλά και ως προς την ιστορική του εξέλιξη. Τα μόνα μέταλλα που γνώριζε ήταν ο χρυσός και το ασήμι, που χρησιμοποιήθηκαν αμφότερα στη διακόσμηση· οι μόνοι ξένοι με τους οποίους ερχόταν σε επαφή ήταν αυτοί με τους οποίους είχαν αναπτύξει εμπορικές σχέσεις μερικές εκατοντάδες μίλια στα βόρεια και στα νότια. Έχουμε ήδη εξετάσει ακροθιγώς τα κοινά καλλιτεχνικά γνωρίσματα που διέκριναν όλες αυτές τις αρχαίες αμερικανικές κοινωνίες. Στη διάρκεια δώδεκα ή και περισσότερων χιλιετιών, η τέχνη εδώ παρουσίασε κάποια κοινά σημεία αναφοράς με την ανατολική Ασία που συνοψίζονται σε μια κοινή πίστη στα οράματα και τις κοσμολογίες των σαμάνων. Είχε όμως αναπτύξει εδώ και καιρό τις δικές της αυστηρές και συμπαγείς φόρμες – για παράδειγμα εκείνες που συναντάμε στις βραχογραφίες του «Αγίου Πνεύματος» στη Γιούτα [**8**], τις γλυπτές κεφαλές των Ολμέκων βασιλιάδων στο Μεξικό [**21**], ή τον λαξευμένο μονόλιθο στο Τσαβίν του Περού [**22**]. Οι Αζτέκοι, έχοντας απόλυτη συνείδηση της μακραίωνης παράδοσης μοναρχιών που διαγράφονταν απειλητικά στο βάθος της ιστορίας τους, αγωνιούσαν να αποδείξουν το δικαίωμά τους να κυβερνούν αφομοιώνοντας πολλές από αυτές τις αρχαίες καλλιτεχνικές παραδόσεις – όχι μόνο τη λάξευση του νεφρίτη από τους Ολμέκους, για παράδειγμα, αλλά και τη ρευστή και εύπλαστη κεραμική που είδαμε στη φιάλη-ακροβάτη από το Τλατίλκο [**39**], καθώς και τις εξεζητημένες ιερογλυφικές εικονιστικές τεχνοτροπίες που χρησιμοποιούσαν οι Μάγια στις νωπογραφίες τους [**74**]. Ωστόσο, η ιμπεριαλιστική τους αυτοκρατορία, μεγαλύτερη από κάθε άλλη προηγουμένως σ' αυτήν την περιοχή, είχε ως κινητήρια δύναμη έναν καινοφανή εξτρεμισμό.

Η Τλαζολτεότλ [**134**] ήταν η δική τους «θεά της ακαθαρσίας», που αφουγκραζόταν τις μιαρές επιθυμίες, αφομοίωνε τις σκοτεινές σκέψεις και τη λανθάνουσα τρέλα, έχοντας ως έμβλημα τη σελήνη. Έχοντας όμως αποπλανήσει τον αδελφό της, η βδελυρή Τλαζολτεότλ γεννάει το ευεργετικό παιδίθεό του θερισμού του καλαμποκιού. Λίγο μεγαλύτερο από μια γροθιά, αυτό το χλωμό σαν τη σελήνη πέτρινο γλυπτό συμπυκνώνει όλη τη συναισθηματική αγριότητα και αποφασιστικότητα της ύστερης αζτέκικης τέχνης. Πίσω του κρύβεται η ιδέα ότι όλες οι πλευρές του χρόνου, της φύσης και της συμπεριφοράς συμπλέκονται μεταξύ τους, και πως καθετί γεννά το αντίθετό του. Ήταν μια αρχή που οδήγησε σε ακόμα σκληρότερες εικόνες, όπως τις πήλινες αναπαραστάσεις του θεού της άνοιξης Ξίπε Τοτέκ, στις οποίες τραγουδά θριαμβευτικά άσματα τυλιγμένος από δέρμα που είχε γδαρθεί στη διάρκεια ανθρωποθυσιών. Για να συνεχίσει να λάμπει ο ήλιος, χιλιάδες αιχμάλωτοι έπρεπε να σφαγιαστούν στον μεγάλο ναό του Τενοχτιτλάν. Τα κεραμικά γλυπτά που χρησιμοποιούσαν σε αυτήν τη μαζική λατρεία της πόλης δείχνουν μια ιδιαίτερη προτίμηση στις σπείρες από πηγμένο αίμα προσφέροντας ένα αποκρουστικό θέαμα. Σε αυτό το πιο οικείο επίπεδο κυριαρχεί, ωστόσο, ένα είδος νηφάλιου ρεαλισμού – μολονότι στην πραγματική ζωή κανένα παιδί δεν εκτινάσσεται εμπρός με τόση ορμή όπως το κάνει ο θεός του θερισμού. Ένα είδος τραγικής σοφίας. Ένα πλάσμα λαχταρά να ζήσει: αυτό συνεπάγεται πως ένα άλλο ζει μες στην αγωνία.

135 Γλυπτό των Τότονακ, πρόσωπο που αναδύεται από το α-πρόσωπο, περ. 1500, Τζαλάπα, Μεξικό. Οι Τότονακ ήταν ένας λαός, στο ανατολικό Μεξικό, με καλλιτεχνικές παραδόσεις που συνδέονταν στενά με εκείνες των αζτέκων γειτόνων και κατακτητών τους. Αμφότερες πήγαζαν από τον πολιτισμό των Ολμέκων, που αναπτύχθηκε δύο χιλιάδες χρόνια νωρίτερα. Αυτό το γλυπτό από βασάλτη αποτελεί μια εντυπωσιακή παραλλαγή στο θέμα της εναλλαγής των δύο πλευρών ενός προσώπου, το οποίο συναντάμε στις ιθαγενείς κουλτούρες της Αμερικής που εκτείνονται τόσο βόρεια όσο οι Χάιντα και οι Τλίνγκιτ στην ακτή του Ειρηνικού στον Καναδά.

Το Μεξικό είχε τους δικούς του μεγάλους ποιητές, και ένας στίχος από μια ελεγεία με θέμα τη μεταμόρφωση και την παροδικότητα –«Άραγε μόνο εδώ στη γη έχουμε τη δυνατότητα να αναγνωρίσουμε τα πρόσωπά μας;»– φαίνεται να παραφράζει τη σημασία ενός άλλου γλυπτού που κατασκευάστηκε λίγο πριν από την Ισπανική Κατάκτηση [**135**]. Η πολυπρόσωπη μάσκα –κατά το ήμισυ πρόσωπο/κατά το ήμισυ κρανίο, κατά το ήμισυ άνθρωπος/κατά το ήμισυ ζώο– ήταν πολύ διαδεδομένη στους αρχαίους αμερικανικούς πολιτισμούς, αλλά αυτό το εντυπωσιακά φιλοσοφικό έργο αντιπαραβάλλει το ζήτημα της ύπαρξης έναντι της ανυπαρξίας με αυτό που ο ίδιος ο γλύπτης κατασκεύαζε με τη σμίλη του, δημιουργώντας μια μορφή μέσα από την αμορφία. Τονίζει το γεγονός ότι οι καλλιτέχνες στο αρχαίο Μεξικό δεν είχαν μόνο τον έλεγχο πάνω σε μια τρομακτικά ισχυρή παράδοση, αλλά και την επίγνωση της δύναμης που εκείνη έφερε.

Το έργο αυτό προέρχεται από τις παράκτιες εδαφικές εκτάσεις της Καραϊβικής όπου ζούσαν οι Τότονακ. Καθώς ανήκαν στους λαούς τους οποίους τρομοκρατούσαν οι Αζτέκοι απειλώντας τους με αιχμαλωσία, είχαν κάθε λόγο να συνταχθούν με τους νεοφερμένους ισπανούς εισβολείς του 1519 ενάντια στους πιο οικείους, αλλά πιο επικίνδυνους εχθρούς. Με μια σκανδαλιστική ταχύτητα, όλοι οι στοχασμοί περί παροδικότητας αποδείχτηκαν προφητικοί. Το σύστημα των Αζτέκων κατέρρευσε, και τα υλικά και διανοητικά θεμέλιά του αποδείχτηκαν κατά τρόπο ολέθριο σαθρά όταν ήρθαν αντιμέτωπα με τους ιππείς που έφεραν μαζί τους πυροβόλα όπλα και τη νόσο της πανούκλας. Κατά τη σύγκρουση των πολιτισμών, οι υψηλές τέχνες της αρχαίας Αμερικής σύντομα εξαφανίστηκαν. Το

136 Άλμπρεχτ Ντίρερ, *Αυτοπροσωπογραφία με το κεφάλι να ακουμπά στο χέρι*, σχέδιο με πενάκι και σινική, περ. 1492. Καταγράφοντας την εμπειρία του –κοιτάζοντας για λίγα λεπτά έναν κυρτό βενετσιάνικο καθρέφτη, μουτζουρώνοντας το πίσω μέρος ενός σχεδίου για μια ξυλογραφία με την Αγία Οικογένεια–, ο Ντίρερ δημιούργησε μια εικαστική φόρμα για τον μοναχικό εαυτό σε μια ιδιωτική στιγμή. Το κήρυγμα της εποχής του ενθάρρυνε την ενδοστρέφεια: το άτομο, αντί να βασίζεται σε μιαν αβέβαιη Εκκλησία, πρέπει το ίδιο να ικανοποιεί την ανάγκη του πνευματικού αυτοελέγχου. Η εκπαίδευση που έλαβε από την παιδική του ηλικία στη γραμμοσκίαση προσέδωσε σε αυτήν τη σπουδή του Ντίρερ στην αγωνία έναν καλλιγραφικό, ακόμα και εξεζητημένα κομψό αέρα.

Τενοχτιτλάν και ο παγανιστικός του ναός ισοπεδώθηκαν για να ανοίξει ο δρόμος για την Πόλη του Μεξικού των ζηλωτών χριστιανών κονκισταδόρων, ενώ νέες αρρώστιες, που έφτασαν διά θαλάσσης, αποδεκάτισαν τον γηγενή πληθυσμό. Το 1532 μια παρόμοια μοίρα θα συνέτριβε την αυτοκρατορία των Ίνκας στο Περού, αν και εδώ η εικονιστική παράδοση την οποία αντιπροσωπεύουν τα κεραμικά των Μότσε [βλ. **66**] αποδείχτηκε πολύ λιγότερο ανθεκτική απ' ό,τι στο Μεξικό, καθώς οι σημαντικότερες μορφές τέχνης ήταν η επεξεργασία του λίθου και η υφαντουργία. Από τα πολύτιμα αποικιακά τρόπαια που συγκέντρωσαν και από τις δύο περιοχές, οι άπληστοι Ισπανοί άρπαξαν αντικείμενα από χρυσό και ασήμι, και ήταν αυτά πιθανώς τα λάφυρα που τράβηξαν την προσοχή του έκπληκτου Ντίρερ στις Βρυξέλλες το 1520.

Τι ήταν ακριβώς αυτό που εκείνος κοιτούσε παραμένει άγνωστο: καθετί με κάποια αξία σύντομα το έλιωσαν για να γεμίσουν τα σεντούκια του Καρόλου Ε΄, που μέσω των δυναστικών διασυνδέσεών του με τους Αψβούργους ήταν πλέον βασιλιάς της Ισπανίας και ταυτόχρονα αυτοκράτορας της Αυστρίας και των Κάτω Χωρών. Η αδυσώπητη λεηλασία κάθε υλικού αγαθού δέσποζε στις σχέσεις της Ευρώπης με τις νέες της υπερατλαντικές κτήσεις. Εντούτοις, στους εσωτερικούς κύκλους της –στις αυλές και στις ελίτ των αστικών κέντρων– η γενναιόδωρη περιέργεια την οποία εξέφρασε ο Ντίρερ σηματοδότησε το ύφος του νέου αιώνα. Το ταξιδιωτικό ημερολόγιο, από το 1520, αυτής της εξέχουσας καλλιτεχνικής φυσιογνωμίας της Γερμανίας αντιπροσωπεύει, πότε με δέος που κόβει την ανάσα («Δεν μπορώ να εκφράσω όλα όσα με έκαναν να σκεφτώ») και πότε με ωμή ματαιοδοξία («Εκτίμησαν αμέσως πως είμαι ένας σπουδαίος άνδρας» όπως κομπάζει σε ένα σημείο), μια ευαισθησία που μπορούσε να αναμετρηθεί με τα πάντα, ένα άτομο που ξεχείλιζε από αυτοπεποίθηση. Τα προηγούμενα τριάντα χρόνια αυτός ο διάχυτος εγωισμός είχε διοχετευτεί στις εικαστικές φόρμες. Η αυτοπροσωπογραφία είχε γίνει μια συνήθης εκδήλωση υπερηφάνειας για τους δασκάλους στα εργαστήρια τον 15ο αιώνα, καθώς τα πρόσωπά τους έμπαιναν πονηρά στην άκρη ενός ζωγραφισμένου πλήθους ή λαξεύονταν με τη μορφή ενός σκυμμένου υποστηρικτή του άμβωνα. Όμως οι δίχως όρια μελαγχολικές σκέψεις που ταλάνιζαν τον Ντίρερ και που αποτυπώνονται στα νεανικά του χαρακτηριστικά γύρω στο 1492 [**136**], στο πίσω μέρος ενός προπαρασκευαστικού σχεδίου της Αγίας Οικογένειας, είναι κάτι το καινοφανές. Το ανικανοποίητο του χαρακτήρα του ήταν μια μορφή φιλοδοξίας. Στο είδωλό του καθρεφτιζόταν ένα μονοπάτι για την ψυχή, το οποίο οι ιεροκήρυκες της εποχής παρότρυναν τους χριστιανούς να δοκιμάζουν

139, 140 (απέναντι αριστερά) Ιερώνυμος Μπος, *Κόλαση*, από το τρίπτυχο *Ο κήπος των γήινων απολαύσεων*, περ. 1505. Αποτελεί το δεξιό τμήμα μιας εκπληκτικά πολύπλοκης δημιουργίας που μοιάζει με ρετάμπλ, η οποία επινοεί ένα εικαστικό όργιο με βάση τις επιθυμίες, τους παραλογισμούς και τους φόβους της ανθρωπότητας. Από την εποχή που έκαναν για πρώτη φορά την εμφάνισή τους οι σωτηριολογικές θρησκείες μέχρι την Αναγέννηση, οι αιώνιες οδύνες της κόλασης πρόσφεραν σε όσους είχαν φαντασία ακαταμάχητες ηδονές. Οι διαδεδομένες ηθικοπλαστικές παροιμίες και η παλιά καρναβαλική αρχή του «κόσμου που ήρθε τα πάνω κάτω» τροφοδότησαν το ρεπερτόριο του Μπος. Ένας υπερήφανος και βίαιος ιππότης, που σφιχταγκαλιάζει ένα κλεμμένο δισκοπότηρο, πέφτει θύμα των λαγωνικών που έχουν μετατραπεί σε δράκοντες (κάτω).

141 (απέναντι δεξιά) Ματίας Γκρίνεβαλντ, *Η μικρή σταύρωση*, περ. 1510. «Ο Λόγος έγινε σάρκα» όπως γράφει το κατά Ιωάννη Ευαγγέλιο. Κανένας πίνακας δεν έχει ερευνήσει τις τρομερές συνέπειες αυτής της δήλωσης περισσότερο από αυτόν του Γκρίνεβαλντ. Η σάρκα σισπάται, σπαρταρά, βαρυγκομά, πάλλεται από αγωνία· η σάρκα είναι μια ποταπή αίσθηση, ένα ειδεχθές αναπότρεπτο βάρος. Σε όλα αυτά απομένει να εντοπιστεί το θεϊκό στοιχείο. Οι μυστικιστικές ενοράσεις του Γκρίνεβαλντ απευθύνονταν αρχικά στους τροφίμους ενός νοσοκομείου, αν και αυτό το έργο μπορεί να ζωγραφίστηκε για λογαριασμό ενός ιδιώτη πάτρονα.

142 Τζορτζόνε, *Η καταιγίδα*, περ. 1510. Αυτός ο μικρός μουσαμάς –ύψους 78 εκατοστών– έχει κινήσει την περιέργεια αλλά και έχει σαστίσει τους ερμηνευτές από τότε που καταγράφτηκε ως ένα «τοπίο με μια καταιγίδα, μια τσιγγάνα και ένα στρατιώτη» σε έναν κατάλογο είκοσι χρόνια μετά τον πρόωρο θάνατο του καλλιτέχνη. Οι ακτίνες Χ αποκαλύπτουν ότι ο στρατιώτης ήταν αρχικά μια άλλη γυναικεία μορφή, αλλά η εικονοποιία δεν συμφωνεί με καμιά γνωστή πηγή. Τουλάχιστον ένα μέρος της πρόθεσης του Τζορτζόνε πρέπει να ήταν η δημιουργία μιας εγγενώς αμφίσημης εικόνας – αυτό που ο διάδοχός του Τισιανός ονόμαζε poesia.

μη της ποιητικής υποδήλωσης. Η επικείμενη θύελλα και η σκιά που τρεμοπαίζει υποκαθιστούν αποτελεσματικά την αναγνώσιμη αφήγηση. Αυτή η ριζική ασάφεια συμβαδίζει με τον συνολικό πυρήνα του ζωγραφικού έργου του Τζορτζόνε, ο οποίος, για πρώτη φορά, αξιοποιεί την ανομοιογενή επιφάνεια του μουσαμά, ένα υλικό το οποίο είχε χρησιμοποιηθεί νωρίτερα στη ζωγραφική των Κάτω Χωρών, αλλά μόλις πρόσφατα είχε υιοθετηθεί στη βόρεια Ιταλία. Η σαφήνεια που χαρακτηρίζει κάθε πινελιά καθώς απλώνεται πάνω σε μια τελείως επίπεδη ξύλινη επιφάνεια δεν υφίσταται πλέον, όμως αυτήν την αντικαθιστά κάτι πιο σαγηνευτικό. Ένα βουτηγμένο σε μπογιά πινέλο που τέμνει αιφνίδια το μουσαμά αφήνει ίχνη στις «προεξοχές» του, όχι στις εσοχές του: ο θεατής, που παρακινείται να ολοκληρώσει την επιθυμητή γραμμή στη φαντασία του, καρπώνεται επίσης για λογαριασμό του καλλιτέχνη την αίσθηση της πράξης που την παρήγαγε. Αυτή η υποσυνείδητη εξίσωση, που έκτοτε έχει προσδώσει σε αυτό το μέσο καλλιτεχνικής έκφρασης μεγάλο μέρος της ξεχωριστής απήχησής του, έλκει την καταγωγή της από τους τυχαίους αυτοσχεδιασμούς πάνω στο μουσαμά τους οποίους παρήγαγε το βραχύβιο θαύμα της βενετσιάνικης καλλιτεχνικής σκηνής.

Μια υπόθεση του μυαλού
Ιταλία, 1480–1520

Ο Τζορτζόνε εργαζόταν στη σκιά του Τζοβάνι Μπελίνι, ο οποίος ήταν γύρω στα σαράντα χρόνια μεγαλύτερός του. Ο δάσκαλος που έγινε διάσημος για τις ατμοσφαιρικές μαντόνες του [βλ. **128**] είχε εξασφαλίσει μια θέση ως ζωγράφος στη Βενετσιάνικη Δημοκρατία το 1483 (σε αντίθεση με την ανταγωνιστική Φλωρεντία, η Βενετία υποστήριζε τα μονοπώλια της καλλιτεχνικής αυθεντίας), και με την επιμονή που του εξασφάλιζε η θέση του ως ενός δεξιοτέχνη γηραιότερου δημόσιου άνδρα προσάρμοσε τη δική του τεχνοτροπία προκειμένου να ανταποκριθεί σε εκείνη του προκλητικού αρχάριου, από τον οποίο αποδείχτηκε εντέλει μακροβιότερος. Ήταν σαν το ευρύτερο, πιο αισθαντικό αποτέλεσμα που ο Τζορτζόνε άρχισε να αποκομίζει από την τεχνική της ελαιογραφίας να επιβεβαίωσε αυτό που ο Μπελίνι είχε μάθει όταν απομακρύνθηκε από τον αδρό τρόπο σχεδίασης του κουνιάδου του Μαντένια. Αυτή η αλλαγή στην έμφαση έμελλε να ασκήσει τεράστια επιρροή στη μελλοντική ζωγραφική. Υπήρχε όμως και ένα τρίτο μέλος που συνέργησε στη μετάβαση προς τη νέα τεχνοτροπία του 16ου αιώνα: ο Λεονάρντο ντα Βίντσι.

Την πιο χαρισματική καλλιτεχνική προσωπικότητα στην Ιταλία του τέλους του 15ου αιώνα τη συναντάμε στην αυλή του Λουδοβίκου Σφόρτσα, Δούκα του Μιλάνου. Ο Λεονάρντο είχε εξασφαλίσει μια θέση στην αυλή του Σφόρτσα το 1482, ανταποκρινόμενος στις προσφορές που δέχτηκε για να σχεδιάσει νέες πολεμικές μηχανές. Έμεινε εκεί και συνέχισε να οργανώνει εφήμερα θεάματα, να παίρνει μέρος στις επίσημες διαμάχες για τις τέχνες επιδεικνύοντας τη μεγαλοφυΐα του και εντέλει να αποδεικνύει υποδειγματικά το τι μπορεί να προσφέρει η ζωγραφική στα επίπεδα της λογικής οργάνωσης του χώρου και της δραματικής αφήγησης στον *Μυστικό Δείπνο*, τον οποίο ολοκλήρωσε το 1498 για τη Σάντα Μαρία ντέλε Γκράτσιε της πόλης. Παρ' όλη τη μοναδικά εύπλαστη και εύστροφη δεξιοτεχνία που διακρίνει τη σχεδίασή του, η πειραματική νωπογραφική τεχνική του Λεονάρντο οδήγησε στο ξεφλούδισμα της μπογιάς σχεδόν αμέσως αφότου ολοκληρώθηκε το έργο, αφήνοντας ένα ακόμα βασανιστικό, πελώριο ερείπιο μετά τη μεγάλη σύνθεση ενός *Ευαγγελισμού*, την οποία είχε εγκαταλείψει όταν έφυγε νέος από τη Φλωρεντία για να πάει στο Μιλάνο. Επί της ουσίας σώζονται μόνο δέκα περίπου ολοκληρωμένα ζωγραφικά έργα του, και σε καμία περίπτωση δεν θα μπορούσαν να είναι πολλά περισσότερα. Στην περίπτωση του Λεονάρντο όμως, εκείνο που προκαλούσε και εξακολουθεί να προκαλεί δέος στους ανθρώπους δεν είναι τόσο η προσφορά, όσο η υπόσχεση. Το προϊόν, καθώς είναι εξαιρετικά πολύπλοκο, υποχωρεί μπροστά στο εγχείρημα.

Μέχρι τώρα, στο πλαίσιο της παρούσας αφήγησης, η τέχνη υπήρξε ένας διάλογος ανάμεσα στο ορατό και το αόρατο, αλλά ο Λεονάρντο άλλαξε επί της ουσίας το νόημα αυτής της σχέσης. Ακολουθώντας τη συνήθη πορεία των μαθητευόμενων στα εργαστήρια της Φλωρεντίας τη δεκαετία του 1470, ανέπτυξε από νωρίς το πάθος για τη διανοητική έρευνα. Περιφρονώντας τους συνήθεις φορείς μάθησης –τα λατινικά και το πανεπιστήμιο–

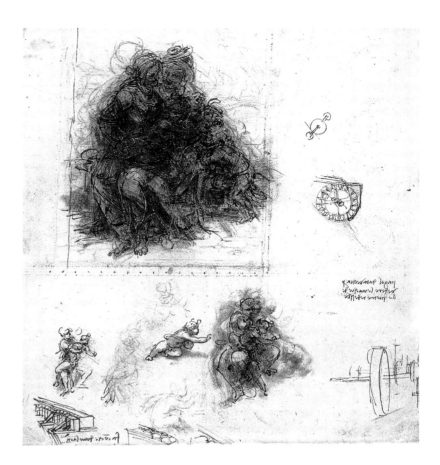

143 Λεονάρντο ντα Βίντσι, Προπαρασκευαστικό σχέδιο για την *Παρθένο και το Θείο Βρέφος με την Αγία Άννα*, περ. 1499: μια αποσπασματική ματιά στο έργο του πιο φιλοπερίεργου μυαλού στην ιστορία της ευρωπαϊκής τέχνης. Ο Λεονάρντο φαίνεται πως θέτει στον εαυτό του ένα είδος ερώτησης –σχετικά με τις περιστροφικές κινήσεις– στα μηχανικά διαγράμματα, και ένα άλλο στα σχεδιάσματα των μορφών – ιδίως στην ομάδα προς τα κάτω δεξιά. Αυτό το φύλλο από τα σημειωματάριά του Λεονάρντο χρονολογείται μάλλον στα τέλη της δεκαετίας του 1490, όταν εργαζόταν στην υπηρεσία του Δούκα του Μιλάνου. Πρβλ. την παράσταση στη μεθεπόμενη σελίδα.

τους αντιστάθμισε μεταγράφοντας κάθε είδους έρευνα σε σχεδιαστική μορφή στα σημειωματάριά του. Το ζήτημα της προοπτικής είχε ήδη γίνει αντικείμενο θεωρητικής ενασχόλησης στις πραγματείες του Αλμπέρτι και του Πιέρο ντέλα Φραντσέσκα, αλλά ο Λεονάρντο τους ξεπέρασε κατά πολύ, αντιμετωπίζοντας όλες τις απροσδόκητες δυσκολίες που ταλάνιζαν τους προγενέστερους ζωγράφους –σε ό,τι αφορά την απόδοση των λουλουδιών, των μυών, των συναισθημάτων, των σκιών– ως ανοιχτά ζητήματα θεωρητικής εξέτασης και πειραματισμού. Χρησιμοποίησε τη ζωγραφική του γραφίδα για να διερευνήσει τα φαινόμενα μέχρι τον πρωταρχικό τους πυρήνα. Πώς διαστέλλονται οι μύες στα μάγουλα όταν κάποιος φωνάζει; Πώς αφρίζει το νερό όταν χύνεται σε μια δεξαμενή; Πώς μεγαλώνει το παιδί μέσα στη μήτρα; Η απόπειρα να βρει απαντήσεις τον μετέτρεψε σε ένα είδος πρακτικού Αριστοτέλη, σε κάποιον που διερωτάται γιατί ο κόσμος ήταν έτσι όπως ήταν, τα συμπεράσματα του οποίου όμως βασίζονταν στην άμεση οπτική εμπειρία –υποβοηθούμενη από το νυστέρι του ανατόμου– παρά σε περιγραφές άλλων και σε αρχές. Ήταν μια ριζοσπαστική φιλοσοφική στάση, που επρόκειτο μετά βίας να γίνει κοινός τόπος έναν αιώνα μετά το θάνατο του Λεονάρντο. Όταν την υπερασπίζεται κατά τις δημόσιες συζητήσεις, υποστηρίζει πως η ζωγραφική είναι μια «υπόθεση του μυαλού», όχι μια απλή δεξιοτεχνία των χεριών. Ισχυρίζεται πως είναι μάλιστα κάτι σαν επιστήμη: μια πορεία δηλαδή προς τη βέβαιη γνώση.

Η επιστήμη του Λεονάρντο λειτουργεί κατά κανόνα με βάση τις μεταβολές της ενέργειας. Η ανάπτυξη, η δομή και η λειτουργία των πραγμάτων μπορεί να αναλυθεί με όρους δυνάμεων που μεταβιβάζονται και διαχέονται. Ένας τρόπος να το σκεφτεί αυτό ήταν φέρνοντας στο νου του τα γρανάζια και τις βίδες· ένας άλλος, που τον διακατείχε όλο και περισσότερο, ήταν η ροή του νερού. Ο πρώτος τρόπος γέννησε προτάσεις για μη υλοποιημένους μηχανισμούς σαν εκείνον που έχει σχεδιαστεί στο αριστερό μέρος αυτού του φύλλου από ένα σημειωματάριο [**143**], ενώ ο δεύτερος έμελλε να μεταμορφώσει όλη την όψη της ιταλικής ζωγραφικής του 16ου αιώνα. Στο δεξιό

144 Λεονάρντο ντα Βίντσι, *Η Παρθένος και το Θείο Βρέφος με την Αγία Άννα*, περ. 1508. Τρεις γενιές της Αγίας Οικογένειας, με τον Ιησού ως βρέφος να παίζει με το ζώο που συμβολίζει την επικείμενη θυσία. Περίπου μια δεκαετία χωρίζει το σχέδιο της προηγούμενης σελίδας από τη σχεδόν σε μέγεθος πόρτας ελαιογραφία σε ξύλο, που εισάγει εξαιρετικές σπουδές γεωλογικών λεπτομερειών τόσο στο πρώτο πλάνο όσο και στο φόντο. Κάτω από τα απαιτητικά, ουδέποτε ολοκληρωμένα στρώματα βερνικιού του Λεονάρντο, το αρχικό σχέδιο παγιώνεται ως μια απόκοσμη ονειροπόληση. Επρόκειτο να δημιουργήσει ένα πρότυπο για τις «πυραμιδοειδείς» συνθέσεις με μορφές τις οποίες υιοθέτησαν οι ζωγράφοι που ακολούθησαν τα βήματα του Λεονάρντο.

μέρος του φύλλου, το ρευστό βάρος αντιπροσωπεύει στην πραγματικότητα τη δική του έμμονη φαντασία. Αντιμετωπίζει τις μορφές με όρους κινούμενων ρευμάτων που ανταγωνίζονται το ένα το άλλο. Όπως επισημαίνει ο Μάρτιν Κεμπ, μια αυθεντία στον Λεονάρντο, κανείς μέχρι τότε δεν είχε προβεί σε έναν τέτοιο «παροξυσμό ιδεών», βυθίζοντας τις εικόνες που σχεδίαζε σε ένα γεμάτο σπασμούς οργανικό κουβάρι. Όταν επιτεύχθηκε η ανασύνθεση που ακολούθησε τη διάλυση αυτή [**144**], η ζωγραφική ήταν μια αλλαγμένη τέχνη. Τα σώματα ήταν λιγότερο ξεχωριστά αντικείμενα και περισσότερο τμήματα συγχωνευμένων όγκων που γλιστρούσαν ο ένας μέσα στον άλλο. Το πιο εντυπωσιακό είναι ότι αυτοί οι όγκοι σχηματίστηκαν μέσα από μια δεξαμενή ρευστής, ακαθόριστης λανθάνουσας δυνατότητας: φτιάχτηκαν σαν να υποχωρούν σε αυτό που ο Λεονάρντο αποκάλεσε σφουμάτο, «καπνό που διαλύεται», μια θαμπάδα στην οποία το βλέμμα χάνει την εστίασή του και πρέπει αντ᾽ αυτού να προβεί σε υποθέσεις – η αμφίσημη ζώνη στην οποία κεντρική θέση κατέχει η *Μόνα Λίζα* του.

Αυτό είναι το σημείο όπου οι ανατομικές μελέτες του Λεονάρντο τείνουν να συναντήσουν το ατμοσφαιρικό ύφος του Μπελίνι και την πλούσια σε υποδηλώσεις ζωγραφική του Τζορτζόνε. Μετά τις αρχές της δεκαετίας του 1500, το ανάλαφρο ύφος που χαρακτηρίζει γενικά την ιταλική ζωγραφική περιορίζεται αισθητά, ενώ αυξάνεται αντίστοιχα η δύναμή της να υποβάλλει την έννοια του μυστηρίου. Αυτό θα μπορούσε να αποτελέσει μια αφετηρία για τις υποθέσεις μας αναζητώντας τη λογική που συνδέει στην πραγματικότητα αυτές τις τρεις γενιές –την Παρθένο Μαρία, τον υιό της και τη μητέρα της– με έναν τόσο παράξενο τρόπο. Αναμφίβολα δεν πρόκειται απλώς για τον κοινότοπο βιβλικό συμβολισμό του θυσιαζόμενου αμνού· είναι βέβαιο πως ρίχνουμε μια ματιά σε κάποιον αποκρυφιστικό συλλογισμό που γεννήθηκε στο μυαλό ενός μάγου... (Όλα όσα γνωρίζουμε για τον Λεονάρντο υποδηλώνουν πως η ερεθιστική γοητεία την οποία εξακολουθεί να ασκεί θα τον χαροποιούσε απεριόριστα.)

Συμπτωματικά, η πολιτική αυτάρκεια της Ιταλίας άρχιζε εμφανώς να συρρικνώνεται. Οι στρατιές του βασιλιά της Γαλλίας είχαν αρχίσει να κινούνται προς τη διασπασμένη και ανυπότακτη χερσόνησο το 1494. Η επέμβαση κατέληξε στην πτώση του καθεστώτος των Μεδίκων στη Φλωρεντία, όπου ένα λαϊκό κίνημα με καθοδηγητή τον ιεροκήρυκα Σαβοναρόλα στράφηκε σύντομα εναντίον της ύποπτης παγανιστικής τέχνης τους, η οποία έγινε παρανάλωμα του πυρός – ένα περαιτέρω σύμπτωμα του θρησκευτικού πανικού που έχουμε ήδη δει στη βόρεια Ευρώπη. Το 1499 οι Γάλλοι κατέλαβαν το Μιλάνο, και ο Λεονάρντο τράπηκε σε φυγή. Έθεσε το φιλόδοξο, στρατιωτικό του δαιμόνιο στην υπηρεσία του Καίσαρα Βοργία, τον πολέμαρχο γιο του εξαιρετικά διεφθαρμένου Πάπα Αλέξανδρου ΣΤ΄, και έπειτα επέστρεψε στη Φλωρεντία για να ξεκινήσει μια νωπογραφία με σκηνές μάχης, που προορίζονταν για την αίθουσα συνεδριάσεων της όλο και πιο επισφαλούς δημοκρατίας. Το 1516, ωστόσο, συνέδεσε την τύχη του με τη νεοφερμένη εξουσία και πέθανε ως ένας άνθρωπος που κόσμησε τη γαλλική αυλή.

Γάλλων στο τέλος του 15ου αιώνα να μετακινείται προς τα βόρεια και τα δυτικά. Το ταλέντο μετανάστευε: για παράδειγμα, ο φλωρεντινός Πιέτρο Τοριτζάνι (Pietro Torrigiani), που ως σπουδαστής είχε σπάσει τη μύτη του Μιχαήλ Άγγελου στη διάρκεια ενός διαπληκτισμού, έφυγε για την Αγγλία προκειμένου να καλουπώσει ένα ομοίωμα του Ερρίκου Ζ΄ που προοριζόταν για τον τάφο του γύρω στο 1510 προτού μεταφέρει τη δραστηριότητά του στη Σεβίλλη, όπου πέθανε στη φυλακή αφότου ήρθε σε σύγκρουση με την Ιερά Εξέταση. Η Ισπανία του 16ου αιώνα, παρότι αυστηρή σε ό,τι αφορούσε τα θρησκευτικά ζητήματα, συμπεριέλαβε ευχαρίστως τον ιταλικό κλασικισμό σε μια εικαστική κουλτούρα που είχε ήδη ενστερνιστεί τον απερίφραστα συναισθηματικό φλαμανδικό ρεαλισμό και τη διακοσμητική γλώσσα των πρόσφατα υποταγμένων μουσουλμάνων της Γρανάδα. (Όλα αυτά τα στοιχεία παρουσιάστηκαν εκ νέου σύντομα στις αποικίες τους στον Νέο Κόσμο.)

Το «ιταλικό στιλ» ενίσχυε το διεθνές του κύρος που έκτοτε έχει διατηρήσει σχεδόν αναλλοίωτα. Η γαλλική μοναρχία ερωτοτροπούσε με την εισαγόμενη μανιέρα στο παλάτι του Φοντενεμπλό, ενώ τα ευπροσάρμοστα εργαστήρια των Κάτω Χωρών άρχισαν να εξευγενίζουν τις εικόνες που έφτιαχναν προσθέτοντας ιταλικού τύπου γυμνά και αρχιτεκτονικούς κλασικισμούς. Ο Ντίρερ εγκατέλειψε τη Γερμανία για τη Βενετία το 1506 προκειμένου να ερευνήσει τις φημισμένες νέες επιστήμες της ιταλικής ζωγραφικής – μια συνάντηση που εντέλει οδήγησε σε ένα μυστηριώδες αλληγορικό χαρακτικό το οποίο μετέτρεψε το συνοφρυωμένο ύφος που είδαμε στην αυτοπροσωπογραφία του σε μια αποτύπωση της Μελαγχολίας, την οποία καταβροχθίζουν σύμβολα ατελεύτητων μελλοντικών πνευματικών αποστολών.

Η Βενετία του 16ου αιώνα, παρότι παράκμαζε πολιτικά και εμπορικά, ήρθε στο προσκήνιο στο πλαίσιο αυτού του διεθνούς εμπορίου τέχνης. Οι φλωρεντινοί καλλιτέχνες έτειναν να ευθυγραμμίζουν το ενδιαφέρον τους για το γυμνό με τις διανοητικές και τις θρησκευτικές τους ανησυχίες, ενώ οι Βενετσιάνοι φάνηκαν πιο έτοιμοι να διαχωρίσουν τις κατά περίπτωση επιλογές τους. Εδώ, ένας πίνακας μπορεί να ήταν μεγάλης κλίμακας και συγχρόνως τολμηρά κοσμικός στην πρόθεσή του. Τα πάντα γύρω από τη γυμνή κυρία του Τισιανού (Tiziano) [**151**], από τις υπηρέτριές της μέχρι το μαργαριταρένιο σκουλαρίκι της, δηλώνουν κομψότητα. Τίποτα, ωστόσο, δεν παρεκκλίνει από το θερμό, διάχυτο σεξουαλικό ερέθισμα που ο καλλιτέχνης πρόσφερε στον Γκουιντομπάλντο ντέλα Ρόβερε, τον αριστοκράτη πελάτη του. («Γυμνή κυρία» ήταν η περιγραφή που δόθηκε αρχικά σε έναν κατάλογο του 1538· μεταγενέστεροι ιδιοκτήτες, ωστόσο, την ονόμασαν «Αφροδίτη του Ουρμπίνο», κατ' αντιστοιχία προς το μυθολογικό έργο για το οποίο διακρινόταν επίσης ο Τισιανός.) Αυτή η σαρκική αμεσότητα επιτεύχθηκε με μια σειρά πινελιών από λευκό του μολυβιού που διέτρεχαν την ανώμαλη επιφάνεια του μουσαμά, και έπειτα με επίστρωση των τελικών λαμπερών ιμπάστο με λαζούρες που τα εναρμόνιζαν. Εφαρμόζοντας αυτές τις τεχνικές, ο Τισιανός επέκτεινε και παγίωσε τα πειράματα με τα λάδια πάνω στο μουσαμά που ξεκίνησε ο Τζορτζόνε, ο οποίος υπήρξε συνεργάτης του στα χρόνια της νιότης του.

Από τον Τζορτζόνε και τον Τζοβάνι Μπελίνι, τον οποίο διαδέχτηκε ως ο ζωγράφος της Δημοκρατίας το 1516, ο Τισιανός διεύρυνε την προσέγγιση στη ζωγραφική που κατέληξε να ονομάζεται «βενετσιάνικη». Τα σώματα και οτιδήποτε υπάρχει γύρω τους (τα πλούσια υφάσματα σε αυτό τον πίνακα, το φέγγος του ουρανού κατά το δειλινό) έχουν πλαστεί από το χρώμα: η ίδια η μπογιά αντιπροσωπεύει την αίσθηση που αποκτούμε όταν τα κοιτάμε. Ήταν ένα όραμα που θεμελίωσε την τέχνη στη σωματική εμπειρία παρά στα εξαϋλωμένα σχέδια, τα οποία αποτελούσαν μια κοινή προσέγγιση των εκπαιδευμένων στη Φλωρεντία καλλιτεχνών (του Μποτιτσέλι, για παράδειγμα, ή του Λεονάρντο). Αυτό το όραμα εναρμονίστηκε αρκετά επιτυχώς με την παρατεινόμενη ζήτηση της θρησκευτικής τέχνης – τα ρετάμπλ για εκκλησίες της Βενετίας ήταν τα πρώτα σκαλοπάτια στη σταδιοδρομία του Τισιανού και παρέμειναν η κύρια παραγωγή του εργαστηρίου του από τη δεκαετία του 1510 μέχρι τη δεκαετία του 1570. Εκείνο όμως που τον κατέστησε έναν καλλιτέχνη με διεθνή ακτινοβολία δεν ήταν τόσο η θρησκευτική φαντασία όσο μια νηφάλια σκληρότητα, εξίσου θαυμαστή με τον τρόπο της με την terribilità του Μιχαήλ Άγγελου. Όποια πρόκληση και αν είχε ενώπιόν του –την απόδοση ένα μαρτυρίου, μιας μυθολογικής σκηνής, ενός πορτρέτου του Καρόλου Ε'– αφοσιωνόταν ολόψυχα σε αυτήν με περισσότερο πάθος από οποιονδήποτε άλλο κοντινό ανταγωνιστή του, ενώ συγχρόνως προσαρμοζόταν στις νεοφερμένες τάσεις, όπως τη διάδοση αντιγράφων των σχεδίων του Ραφαήλ ή τη μανιεριστική απόδοση των συσπάσεων που επιδίωκε ο Ποντόρμο. Προσηλωνόταν στο θέμα του σαν αληθινός εραστής, γνωρίζοντας πότε έπρεπε να επιδείξει δύναμη και πότε ευαισθησία. Κολακευμένοι από τις σίγουρες, επιβλητικές πινελιές του, τις συγχρόνως λυρικές και μεστές, η πελατεία των αριστοκρατών στην Ευρώπη του 16ου αιώνα έβρισκε καταφύγιο σε μια πραγματικότητα όπου μπορούσε να ξεχνά τις έγνοιές της.

Και αυτές ήταν πολλές. Το 1517 ο γερμανός ιεροκήρυκας Μαρτίνος Λούθηρος διακήρυξε τη διαμαρτυρία του ενάντια στις παπικές καταχρήσεις της εξουσίας: η πολυέξοδη εγκόσμια απερισκεψία των παπών όπως του Ιουλίου Β' αντιπαρατέθηκε στη σοβαρότητα της ανθρώπινης ενδοσκόπησης, την οποία είχαν προαναγγείλει ο Ντίρερ και ο Γκρίνεβαλντ, και ο θρησκευτικός αγώνας ξεκίνησε. Το 1527 ένας στρατός τον οποίο έστειλε ο ευσεβής καθολικός Κάρολος Ε' για να πολεμήσει τους Γάλλους στην Ιταλία έσπειρε τον πανικό στη Ρώμη. Οι στρατιώτες του ήταν κυρίως Γερμανοί που είχαν ακούσει τα προτεσταντικά κηρύγματα. Ενώ ο πάπας είχε καταφύγει τρομοκρατημένος σε ένα φρούριο, οι λεηλασίες, οι πυρκαγιές, οι σφαγές και οι βιασμοί συγκλόνιζαν την περιοχή που τα τελευταία είκοσι χρόνια φιλοξένησε στους κόλπους της τις πιο συναρπαστικές πολιτισμικές εξελίξεις στην Ευρώπη. Η Λεηλασία της Ρώμης ανέκοψε απότομα την Αναγέννηση της πόλης, επισπεύδοντας την ομαδική έξοδο των καλλιτεχνών προς ξένες χώρες. Στο μεταξύ οι αναταραχές που σημειώνονταν βόρεια των Άλπεων οδήγησαν σε εκτεταμένες εκκαθαρίσεις της εκκλησιαστικής τέχνης, ακόμα και σε φαινόμενα εικονοκλασίας. Η προτεσταντική λατρεία, έτσι όπως την πρόβαλλε ένας όλο και αυξανόμενος αριθμός μεταρ-

151 Τισιανός, *Αφροδίτη του Ουρμπίνο*, 1538.
Αυτός είναι ένας πίνακας που παραμερίζει
επιδέξια τις συνήθεις κοινωνικές
αντιλήψεις. Το μοντέλο, όπως θα πρέπει να
υποθέσουμε, είναι μια νεαρή την οποία
πλήρωσε ο Τισιανός. Απολαμβάνει την ίδια
της την ομορφιά, απολαμβάνει –σχεδόν
κυριολεκτικά– το ίδιο της το φύλο· εντούτοις,
εντούτοις, τίποτα πάνω της δεν υποδηλώνει
πως είναι μια πόρνη ή ότι αυτό είναι απλώς
μια μορφή πορνογραφίας. Απεναντίας, η
κοπέλα διακρίνεται για τη ζωντάνια της και
φαίνεται να έχει το πάνω χέρι, και ο
Τισιανός τη χαιρετίζει ως την ερωμένη σε
ένα μέγαρο με υπηρέτες. Συγχρόνως, αυτή
η γαλήνια παρουσία παραμένει ένα
ξεχωριστό άτομο παρά κάποια
εξιδανικευμένη Αφροδίτη. Ο πίνακας του
Τισιανού πιθανώς προοριζόταν για τον
νυφικό θάλαμο του πελάτη του. Πώς άραγε
να έζησαν μαζί της, πώς να αγαπήθηκαν;

ρυθμιστών, είχε όλο και μικρότερη σχέση με τη μητέρα του Θεού, το σώμα
του Θεού και το πρόσωπο του Θεού: στράφηκε προς τις εβραϊκές ρίζες του
χριστιανισμού, εναποθέτοντας όλη την πίστη της στο λόγο του Θεού.

Το γεγονός ότι η ζήτηση σε ρετάμπλ έπεσε κατακόρυφα σε πολλά μέρη
της Γερμανίας και της Ελβετίας οδήγησε τους ζωγράφους προς την αντι-
σταθμιστική ενασχόληση με την προσωπογραφία. Ο Χανς Χόλμπαϊν
(Hans Holbein) εγκατέλειψε την πατρίδα του, την πόλη της Βασιλείας, και
εγκαταστάθηκε στο Λονδίνο στα τέλη της δεκαετίας του 1520, αφού με την
αναμόρφωση των εκκλησιών της πόλης οι ζωγράφοι δεν είχαν πια δουλειά.
Οι διασυνδέσεις με τον διεθνή κόσμο του λογοτεχνικού ουμανισμού τού
εξασφάλισαν εργασία στην αυλή του Ερρίκου Η΄. Η δική του τεχνική στην
προσωπογραφία, ψυχρή, κρυστάλλινη και γραμμική, σε αντίθεση με τις
θερμές και αέρινες πινελιές του Τισιανού, μπορούσε εξίσου να προσδώσει
μια κολακευτική αύρα ανωτερότητας. (Λέγεται πως ο Βασιλιάς Ερρίκος
διέλυσε τους γάμους του με την απόγονο μιας ξένης, μακρινής δυναστείας,
όταν ανακάλυψε πως εκείνη δεν συμφωνούσε με τη σαγηνευτική απεικονι-
στική εκδοχή του Χόλμπαϊν.) Αυτή η τεχνική μπορεί κάλλιστα να είχε συ-
μπεριλάβει τη χρήση κατοπτρικών προβολών:* είναι γεγονός ότι κάποια

---

* Αν ισχύει αυτό, θα μπορούσε να θεωρηθεί κληρονομιά της τεχνικής του Γιαν φαν Έικ; Βλ. τη σημείω-
ση στη σ. 160.

1575. Οι πρόσφατοι πίνακες του Τισιανού,
έγραψε ο Βαζάρι τη δεκαετία του 1560
«έχουν εκτελεστεί με φαρδιές, σαρωτικές
πινελιές και με σταγόνες χρώματος, με
αποτέλεσμα να μην μπορεί να τους
κοιτάξει κάποιος από κοντά, αλλά να
μοιάζουν τέλειοι από απόσταση»: μια
μέθοδο που ο Βαζάρι αποκάλεσε «συνετή,
όμορφη και εντυπωσιακή». Αυτή η
αγωνιώδης μυθολογική σκηνή, που απηχεί
με τρόπο δυσάρεστο τη Σταύρωση, ανήκει
στα ριζοσπαστικά έργα που έφτιαξε ο
δάσκαλος σε μεγάλη ηλικία. Είναι δύσκολο
να πούμε αν «ολοκληρώθηκε».

πρόκληση αφορούσε την αντίστασή τους στη συγχώνευση των θρησκειών – ένα μάλλον διαφορετικό πρόβλημα από εκείνο που αντιμετώπιζαν οι χριστιανοί της Ευρώπης.

Ο πατέρας του Άκμπαρ, όπως τόσοι μουσουλμάνοι ηγεμόνες, είχε φτιάξει στην αυλή ένα εργαστήριο αποτελούμενο από πέρσες ζωγράφους. Ο Άκμπαρ επιστράτευσε ντόπιους, τόσο ινδουιστές όσο και μουσουλμάνους, προκειμένου να μαθητεύσουν δίπλα τους. Αυτοί οι αρχάριοι καλλιτέχνες μπόλιασαν με ένα νέο πνεύμα φλογερής ενέργειας την εικονογράφηση των χειρογράφων κατά την πρώτη περίοδο της βασιλείας του. Στα χρόνια που ακολούθησαν την εφεύρεση της τυπογραφίας, η παραγωγή χειρογράφων είχε παρακμάσει στις χριστιανικές χώρες, όχι όμως και μεταξύ των μουσουλμάνων, που λάτρευαν τη «γραφίδα» με την οποία το ίδιο το Κοράνιο διακήρυσσε ότι είχε γραφτεί. Τα αλλεπάλληλα σχέδια πάνω στα οποία δούλευαν τα εργαστήρια του Άκμπαρ άλλαξαν ωστόσο τεχνοτροπία, αφότου κάποιοι πορτογάλοι ιερείς έφτασαν στην αυλή του το 1580 και του παρουσίασαν μια εικονογραφημένη Βίβλο τυπωμένη στην Αμβέρσα και δύο συνθέσεις προορισμένες να κοσμήσουν την Αγία Τράπεζα. Έκτοτε η ιλουζιονιστική «μαγική δημιουργία των Ευρωπαίων», όπως το έθεσε ένας αυλικός, ανατροφοδοτήθηκε μέσα από έναν γόνιμο διάλογο με το έργο των περσών δασκάλων του προηγούμενου αιώνα (βλ. σσ. 174-79).

Για τον κύκλο του Άκμπαρ, η αληθοφανής απόδοση όλων των πραγμάτων σήμαινε ότι αυτά αποκτούν κάποια συγγένεια με τον Θεό, ο οποίος ενώνει όλες τις θρησκείες. Δεν προκαλεί εντύπωση το γεγονός ότι αυτό το εγχείρημα κάθε άλλο παρά απλό αποδείχτηκε. Στον Μίσκιν, έναν από τους πρωτοπόρους καλλιτέχνες της δεκαετίας του 1590, ανατέθηκε η εικονογράφηση ενός έπους αντλημένου μέσα από τις δικές του ινδουιστικές παραδόσεις για χάρη του αναγνωστικού κοινού μιας μουσουλμανικής αυλής [158]. Ο κυανόδερμος Κρίσνα σηκώνει ένα βουνό, που θυμίζει πολύ αυτά της Περσίας, πάνω από ένα πλήθος χωρικών που έχουν αποδοθεί με ακραίο νατουραλισμό προκειμένου να τους σώσει από την οργισμένη καταιγίδα του Ίντρα. Ποιος ήταν ο δημιουργός αυτής της εικόνας; Θα είχε περισσότερο νόημα να τη θεωρήσουμε έργο του ίδιου του Άκμπαρ: η αυστηρή μονοκρατορία των Μεγάλων Μογγόλων εξασφάλιζε στον αυτοκράτορα ένα ρόλο ως προς τον καθορισμό των καλλιτεχνικών κατευθύνσεων σπουδαιότερο από εκείνον οποιουδήποτε ευρωπαίου πάτρονα. Οι βαρυφορτωμένες συνθέσεις τις οποίες ανέθεσε καθιέρωσαν έκτοτε ένα καινούργιο καταφύγιο για τη ζωγραφική στην αυλική ζωή της Ινδίας – μια λιγότερο παροδική κληρονομιά από το Φατεχπούρ Σίκρι, την αυτοκρατορική πόλη της θρησκευτικής ενότητας, η οποία χτίστηκε και εγκαταλείφτηκε μέσα σε δύο δεκαετίες, ο δικός του πύργος της Βαβέλ. Συμπτωματικά, ο μουσουλμάνος ποιητής που αναγκάστηκε να μεταφράσει το ινδουιστικό έπος εργαζόμενος παράλληλα με τον Μίσκιν άσκησε μια ειρωνική κριτική στο υλικό του: «παιδαριώδης παραλογισμός» σχολίασε.

Σε αυτό το στάδιο, η προοπτική να συμφιλιωθεί η διαιρεμένη θρησκευτικά Ευρώπη ήταν πολύ περιορισμένη. Ως προς τον τρόπο που αντιλαμβάνεται την αγωνία μιας εποχής σπαρασσόμενης από την ίδια την ένθερμη αδιαλλα-

7
ΘΕΑΤΡΙΚΕΣ ΠΡΑΓΜΑΤΙΚΟΤΗΤΕΣ

Άλλες εποχές
Κίνα, νότια Ινδία, Αμερική, Ιταλία, 1530–1630

Οι ιστορίες όπως αυτή εδώ μεροληπτούν υπέρ της προόδου. Η ιδέα ότι οι καλλιτέχνες μεταμορφώνουν το πολιτισμικό περιβάλλον γύρω τους και φαντάζονται το ως τότε αφάνταστο –όπως, για παράδειγμα, ο Μιχαήλ Άγγελος, που ζωγράφισε στην Καπέλα Σιξτίνα– συμβάλλει σε μια πιο συναρπαστική ιστορία. Αν όμως επιμείνουμε στην αναζήτηση της καινοτομίας, τότε μπορεί να έρθουμε σε αντίθεση με τα ιστορικά στοιχεία. Τα πολιτισμικά περιβάλλοντα πάντα εξελίσσονται, αν και όχι πάντα με άλματα. Οι Δυτικοί είθισται να πιστεύουν ότι οι μικρής κλίμακας κοινωνίες (όπως, λόγου χάρη, η Αυστραλία των Αβορίγινων) άλλαξαν σχετικά αργά τους όρους αναφοράς τους, αλλά το ίδιο ακριβώς θα μπορούσε να ειπωθεί και για τον μεγαλύτερο απ' όλους τους τοπικούς πολιτισμούς. Κατά τον 16ο αιώνα –όπως, άλλωστε, και κατά το μεγαλύτερο μέρος των δύο τελευταίων χιλιετιών– το πιο πλούσιο και πιο πυκνοκατοικημένο κράτος του κόσμου ήταν η Κίνα, την οποία κυβερνούσε τότε η δυναστεία Μινγκ. Μακριά από το Πεκίνο, την πρωτεύουσα της αυτοκρατορίας, μια ελίτ γαιοκτημόνων ήταν συγκεντρωμένη για τρεις αιώνες γύρω από την παραλίμνια πόλη Σουτσού. Σ' αυτό το ευχάριστα εκλεπτυσμένο περιβάλλον, ο Βεν Τσενγκ-μινγκ ήταν ένας από τους εκατοντάδες που αφοσιώθηκαν στη ζωγραφική τοπίων ή σπουδών φυτών πάνω σε κυλίνδρους, που συνοδεύονταν από ποιητικές επιγραφές. Ήταν μια ευγενής ενασχόληση, καθόσον οι λόγιοι όπως ο Βεν δεν έπαιρναν (κατά κανόνα τουλάχιστον) χρήματα για τα έργα τους, τα οποία κυκλοφορούσαν σ' ένα πλαίσιο συγκρατημένης αβρότητας.

Οι *Εφτά κέδροι* του Βεν [**164**], έργο του 1532, ξεχωρίζουν ανάμεσα στο πλήθος τέτοιων έργων λόγω του νευρώδους δυναμισμού τους και του ξέφρενου, ακανόνιστου ρυθμού που διατρέχει το μήκους τριάμισι μέτρων χαρτί. Μοιάζει να διαχειρίζεται τον εικαστικό χώρο με τρόπο που οι δυτικοί ζωγράφοι δεν θα επιχειρούσαν πριν από τον 20ό αιώνα. Η δύναμή του όμως –αντίθετα με τη δύναμη των σύγχρονων έργων του Μιχαήλ Άγγελου– δεν οφείλεται σε καμία περίπτωση στο ριζοσπαστισμό. Ο Βεν, ο οποίος ζωγράφισε το έργο στα εξήντα του, επανερχόταν σε μια εικόνα που είχε ζωγραφίσει ο σεβαστός του προκάτοχος στη Σουτσού, ο Σεν Τσου, και ανέτρεχε, πέρα από τον Σεν, στο ύφος του Τσάο Μενγκ-φου, ο οποίος ζωγράφιζε περί το 1300. Το ποίημα που συνοδεύει το έργο, το οποίο είναι γραμμένο «σε ένδειξη θαυμασμού προς την παλιά εποχή», αντιμετωπίζει τους κέδρους ως τονωτικά για το ηθικό σύμβολα ανθεκτικότητας και ως «μαγευτικούς αυτόπτες μάρτυρες των καιρών που πέρασαν». «Ποιος ξέρει» προσθέτει μελαγχολικά

164 Βεν Τσενγκ-μινγκ, *Εφτά κέδροι*, 1532. Ο λιτός και επιβλητικός Βεν, ο οποίος ακολουθούσε το ύφος του δασκάλου του Σεν Τσου, ήταν ο πιο σεβαστός απ' όλους τους καλλιτέχνες της επονομαζόμενης «Σχολής Βου», την οποία αποτελούσαν καλλιτέχνες με έδρα τη Σουτσού κατά τη διάρκεια της δυναστείας Μινγκ.

«τι θα συμβεί στο μέλλον;». Με άλλα λόγια, η ορμή εδώ είναι η ορμή της νοσταλγίας· στα χέρια ενός διαπρεπούς τεχνίτη σ' έναν προνομιούχο τόπο, κατά τη διάρκεια μιας ήρεμης πολιτικά εποχής, η ενατένιση του παρελθόντος θα μπορούσε να έχει μια δική της δημιουργική δύναμη.

Ο χρόνος ξεδιπλώνεται διαφορετικά στη νότια Ινδία, η οποία εξακολουθούσε να έχει σημαντική παρουσία στο παγκόσμιο εμπόριο μπαχαρικών και υφασμάτων, και ακόμη δεν είχε περιέλθει στη σφαίρα εξουσίας των Μεγάλων Μογγόλων στον βορρά. Εδώ βλέπουμε την κορυφή ενός γκοπούρα [**165**], ενός από τους τέσσερις πύργους-πυλώνες που υψώνονται 60 περίπου μέτρα πάνω από ένα ναό στην πόλη Μαντουράι. Στην πρωτεύουσα αυτή, η οποία ήταν φημισμένη για τον πλούτο της ήδη από το 300 π.Χ., ένα συγκρότημα κτιρίων αφιερωμένο στη θεά Μινάκσι αναπτυσσόταν για πάνω από διακόσια χρόνια πριν από την ανέγερση του γκοπούρα γύρω στο 1599, και η κατασκευή του συνεχίστηκε μέχρι και τον 18ο αιώνα. Σήμερα, τα 33.000 γύψινα γλυπτά του συγκροτήματος επιζωγραφίζονται ανά δωδεκαετία. Η τέχνη αυτή εξελισσόταν χωρίς απότομες αλλαγές ήδη από την εποχή των λαξευμένων σε βράχο ανάγλυφων παραστάσεων του Μαμαλαπουράμ και του *Σίβα Ναταράτζα* που είδαμε στο Κεφάλαιο 4, και εξακολουθεί να είναι ακμαία και πνευματικά ισχυρή στους δρόμους της σύγχρονης Ινδίας, ανάμεσα σε εκατομμύρια γλύπτες και ζωγράφους καθώς και εκατοντάδες εκατομμύρια προσκυνητές. Η ολοένα εμπλουτιζόμενη, πολυποίκιλη επιφανειακή διακόσμηση –που είναι ανησυχητική, γοητευτική, διασκεδαστική και παραληρηματική– διακηρύσσει μια εμπιστοσύνη στην παράδοση με την οποία, ως επί το πλείστον, τα θρησκευτικά κτίρια στην ιστορικά διασπασμένη Δύση μπορούν να συγκριθούν μόλις και μετά βίας.

Η τέχνη στην Ευρώπη λειτουργούσε με πολύ διαφορετικό τρόπο κατά τον 16ο αιώνα, και οι μεγαλύτερες καινοτομίες θα εμφανίζονταν τον επόμενο αιώνα. Οι καινοτομίες αυτές αποτελούν το βασικό θέμα του παρόντος κεφαλαίου – παρόλο που πολλές από αυτές θα μπορούσαν επίσης να χαρακτηριστούν ως απόπειρες για την εδραίωση μιας νέας σταθερότητας στην εικαστική παιδεία της Χριστιανοσύνης. Παρ' όλη την εναπομείνασα δύναμη της κινεζικής και της ινδικής παράδοσης, οι ευρωπαϊκοί τρόποι σκέψης είχαν πλέον ευρύτερη εμβέλεια. Η νότια Ινδία είχε δοσοληψίες με τη δυτική ναυτιλία ήδη από το 1498 –όπου, δώδεκα χρόνια μετά, οι Πορτογάλοι θα ίδρυαν μια βάση στην Γκόα– και στα μέσα του 16ου αιώνα και η Κίνα θα βρισκόταν αντιμέτωπη με τους «ξένους πειρατές». Εδώ, μια ιησουιτική ιεραποστολή στην αυτοκρατορική αυλή παρουσίασε ευρωπαϊκούς πίνακες, ρολόγια και άλλες τεχνολογικές καινοτομίες. Αυτό πιθανόν ώθησε ορισμένους κινέζους ζωγράφους να προσθέσουν νέους τρόπους πλασίματος στις επί μακρόν καθιερωμένες τεχνικές της προσωπογραφίας [βλ. **96**], σε ό,τι αφορά όμως την τοπιογραφία οι ευρωπαϊκές προσπάθειες αρχικά αντιμετωπίστηκαν με περιφρόνηση – οι κυρίαρχοι λόγιοι δεν θεωρούσαν ότι ο ψευδαισθητισμός του τύπου «παράθυρο στον κόσμο» συνιστούσε «τέχνη». Στην Ιαπωνία οι αφικνούμενοι Δυτικοί ήταν εξωτικά αξιοπερίεργα, τα οποία και γελοιογραφούσαν σε ζωγραφισμένα παραβάν. Η

165 Η κορυφή ενός γκοπούρα (πύργου-πυλώνα) στο ναό της Μινάκσι, Μαντουράι, 1599. Πρόκειται για το πάνω μέρος μιας πυραμίδας με απότομη κλίση που είναι καλυμμένη με πλήθος κεραμικών γλυπτών και αρχικά ανεγέρθηκε το 1599, αλλά έκτοτε επισκευάζεται και επιχρωματίζεται ανά δωδεκαετία. Όπως είναι φυσικό, τα χρώματα εδώ είναι μια εξύμνηση της ζωντάνιας των σύγχρονων συνθετικών χρωστικών ουσιών. Στις μορφές συμπεριλαμβάνονται φύλακες-πνεύματα και δράκοντες (πρβλ. τα μακάρα στο Μπορομπουντούρ, **75**). Οι συγκεντρωμένοι πρίγκιπες χαιρετίζουν το γάμο του Σίβα και της Παρβάτι, οι οποίοι εμφανίζονται στο Μαντουράι με τις τοπικές φανερώσεις του Σουνταρεσβάρα και της Μινάκσι.

χώρα, η οποία αναδυόταν ως ένα ισχυρό συγκεντρωτικό κράτος ύστερα από αιώνες εμφύλιου πολέμου, μάλλον δεν ενδιαφερόταν και τόσο για τους πίνακες των Ευρωπαίων όσο για τις ιεραποστολικές τους δραστηριότητες. Νιώθοντας την απειλή της γοητείας που ασκούσε στον κόσμο ο χριστιανισμός και ανησυχώντας με τις έριδες ανάμεσα στους ιησουίτες και τους φραγκισκανούς, οι σογκούν διέταξαν τη μαζική σταύρωση των μελών και των δύο ταγμάτων το 1597.

Στη διάρκεια της προοδευτικής παγκοσμιοποίησης του 17ου αιώνα, οι μάρτυρες της Ιαπωνίας απεικονίστηκαν ζωγραφικά σε μια άλλη πλευρά των ευρωπαϊκών γραμμών επικοινωνίας –στο Κούσκο του Περού– περίπου τρεις δεκαετίες αργότερα [166]. Τη δεκαετία του 1580 ένας ιταλός μετανάστης εγκαινίασε μια σχολή ζωγράφων η οποία για δύο αιώνες εφοδίαζε με έργα θρησκευτικής τέχνης τις περιοχές των Άνδεων. Το μέλημα του μαθητή της σχολής Λάθαρο Πάρδο δε Λάγος (Lázaro Pardo de Lagos), ο οποίος έκανε το δηκτικό εικαστικό του κήρυγμα για μια μονή των φραγκισκανών, μοιάζει τόσο μεγαλόπνοα διεθνιστικό όσο και γενναία τοπικό – μια πολιτισμική θέση χα-

ρακτηριστική σε πολλές κατοπινές ευρωπαϊκές αποικίες. Η στακάτη συ-
γκέντρωση των σταυρών έχει κάτι από τη συμπιεσμένη δύναμη των προγε-
νέστερων περουβιανών σχεδίων, όπως για παράδειγμα των λιθοδομών και
των τοιχοταπήτων των Ίνκας – παρόλο που το σε ποιο βαθμό οι «επιχώ-
ριες» διανοητικές συνήθειες επανεμφανίστηκαν στη χριστιανική εικονο-
ποιία της Λατινικής Αμερικής μετά την κατάκτηση, σαν να επρόκειτο για
ασυγκράτητα ένστικτα, παραμένει ένα ανοιχτό τεχνοϊστορικό ζήτημα. Η
όλη συσσώρευση ράσων, στειλιαριών και σωτήριων αγγέλων προμηνύει τις
παραφορτωμένες επιφάνειες της μεταγενέστερης λατινοαμερικανικής
καλλιτεχνίας, η οποία σε ορισμένα μέρη συναγωνίζεται τη νότια Ινδία σε
ό,τι αφορά την επιφανειακή διακόσμηση.

Η πένθιμη ευσέβεια των πορτρέτων των μαρτύρων ακολουθεί μια τάση
που είχε ξεκινήσει πολλές δεκαετίες πριν στην Ευρώπη. Η Καθολική
Εκκλησία διεξήγαγε εκτεταμένες συζητήσεις στα μέσα του 16ου αιώνα
προκειμένου να επανεξετάσει τη θέση της στο φως της Προτεσταντικής
Μεταρρύθμισης του Λούθηρου. Κατά τη διάρκεια της επονομαζόμενης
Αντιμεταρρύθμισης, η Εκκλησία απομακρύνθηκε από τη στάση του Πάπα
Ιουλίου Β', ο οποίος είχε επιτρέψει στον Μιχαήλ Άγγελο να καλύψει την
οροφή της Καπέλα Σιξτίνα με εκστατικά παγανιστικά γυμνά. Αντ' αυτού,
αποφάσισε να επικεντρώσει τα μέσα της εικονοποιίας της στη σωτηρία των
ψυχών, άμεσα και σπαρακτικά. Ο πόνος, το πάθος και η μυσταγωγική
μαρτυρία θα έπαιρναν τη θέση της επινοητικότητας, του σκανδαλίσματος
και της σκηνικής ποικιλίας της Αναγέννησης. Η επιταγή αυτή θα επηρέαζε
ευρέως την τέχνη μέχρι και τα τέλη του 17ου αιώνα – κατά κύριο λόγο επει-
δή θα έδινε το έναυσμα για άλλα προγράμματα επιστροφής και μετασχη-
ματισμού μέσα στην ίδια την καλλιτεχνική κοινότητα.

Όπως είδαμε στο προηγούμενο κεφάλαιο, μια αίσθηση «καλλιτεχνικής
κοινότητας» είχε διαμορφωθεί βαθμιαία σε διάφορες ευρωπαϊκές πόλεις
κατά τη διάρκεια του 16ου αιώνα – πράγμα το οποίο σημαίνει ότι οι καλλι-
τέχνες της Ευρώπης έβρισκαν κοινούς τρόπους επικοινωνίας για να εξετά-
σουν τους δικούς τους στόχους και τις δικές τους φιλοσοφίες, που διέφεραν
από τις επιθυμίες των πατρόνων τους. Η διεργασία αυτή έλαβε σημαντική
ώθηση από την πρότυπη «ακαδημία» που ίδρυσε ο Βαζάρι το 1563 στη
Φλωρεντία. Πολύ σύντομα όμως τρεις νέοι καλλιτέχνες της βόρειας Ιτα-
λίας κατάλαβαν ότι η maniera statuina των ομοίων του Βαζάρι –το ψυχρό
σαν μάρμαρο, συνειδητά επίπλαστο ύφος που ακολούθησαν τόσοι ζωγρά-
φοι μετά τον Μιχαήλ Άγγελο, από τον Ποντόρμο και εξής– αποτελούσε αυ-
τό ακριβώς το πρόβλημα προς το οποίο έπρεπε να στραφεί η κοινότητα
κατά την υλοποίηση του ίδιου της του μετασχηματισμού. Το 1582 εγκαι-
νίασαν την ακαδημία των «ορθά καθοδηγημένων» στην ιδιαίτερη πατρίδα
τους, την Μπολόνια, όπου ο Αγκοστίνο Καράτσι (Agostino Carracci) ανέλα-
βε τη διδασκαλία, ενώ ο ξάδελφός του Λουντοβίκο (Ludovico) κυριαρχού-
σε στις παραγγελίες θρησκευτικών έργων και ο αδελφός του ο Ανίμπαλε
(Annibale) στις παραγγελίες κοσμικών έργων. Το γεγονός ότι γινόταν λόγος
για ορθή καθοδήγηση υποδήλωνε ότι η τέχνη που παραγόταν γύρω τους εί-

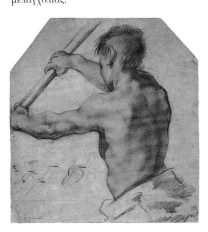

167 *Ανίμπαλε Καράτσι, Σχέδιο νέου που
κρατάει βέργα,* περ. 1584. Η δύναμη της
σχεδιαστικής δεξιοτεχνίας του Ανίμπαλε κι
η σωστή αντίληψη των τεχνικών μεθόδων
έρχονται σε αντίθεση με την παράξενη
λοξοδρόμηση της σταδιοδρομίας του. Η
σταδιοδρομία του είχε ξεκινήσει το 1582 μ'
έναν προκλητικά ρεαλιστικό πίνακα ενός
Κρεοπωλείου (ο οποίος είναι εφάμιλλος με
τον πίνακα του Άρτσεν: **155**), που πιθανόν
ήταν ένα μανιφέστο κατά του μανιερισμού.
Στη συνέχεια μιμήθηκε τον κλασικισμό του
Ραφαήλ στις νωπογραφίες του για το
Παλάτσο Φαρνέζε στη Ρώμη. Όταν ο
προστάτης του δεν τις υποδέχτηκε ευνοϊκά,
ο Καράτσι έπεσε σε κατάθλιψη, κι η
τελευταία *Αυτοπροσωπογραφία* που έκανε το
1604 είναι ένα έργο βαθιάς, αινιγματικής
μελαγχολίας.

χε εκτραπεί – πολύ πιο πέρα, όπως οι ίδιοι θεωρούσαν, από την ισορροπία που είχε κατακτήσει ο Ραφαήλ εβδομήντα χρόνια νωρίτερα.

Ο τρόπος με τον οποίο οριοθέτησε αυτήν την ισορροπία η ακαδημία Καράτσι αποδείχτηκε ιδιαίτερα καθοριστικός. Η μακρόχρονη βορειοϊταλική τάση προς τον αμιγή, άμεσο ρεαλισμό (θυμηθείτε, για παράδειγμα, τα γλυπτά από τερακότα του Νικολό ντελ' Άρκα στην Μπολόνια· **124**, **125**) αντιμετωπιζόταν ως ένα αίτημα για τη «φύση». Οι γραμμικές αρετές και οι εννοιολογικές φιλοδοξίες που συνδέονται με τη Φλωρεντία αντιπροσώπευαν «το ιδεώδες». Το ιδεώδες συμπλήρωνε το φυσικό, και ο ορθά καθοδηγημένος δρόμος προχωρούσε συνετά ανάμεσά τους. Και προχωρούσε συγκροτώντας μεγαλοπρεπείς συνθέσεις, που κουβαλούσαν το φορτίο επιβλητικών νοημάτων, από μονάδες της φύσης όπως σπουδές τοπίων ή σχέδια εκ του φυσικού – όπως, για παράδειγμα, αυτό το σχέδιο του Ανίμπαλε από τη δεκαετία του 1580 [**167**], το οποίο θα γινόταν πρότυπο της μελλοντικής ακαδημαϊκής πρακτικής. Όπως συμβαίνει και με άλλα έργα από την Μπολόνια, μια σχολή που μέχρι και την επόμενη πεντηκονταετία θα έβγαζε πολλούς από τους κορυφαίους ζωγράφους της Ιταλίας, κάπου κάτω από την έντονα, δραματικά τονισμένη συγκέντρωση φώτων και όγκων υπάρχει μια ζεστή, σχεδόν τρυφερή αίσθηση για το μοντέλο. Ανεπαίσθητα, τόσο η χαλαρότητα όσο και η ρητορεία αφήνουν τον Ραφαήλ πίσω.

Ο Ανίμπαλε Καράτσι άσκησε σημαντική επίδραση στην καλλιτεχνική κοινότητα της Ρώμης στα τέλη της δεκαετίας του 1590, όταν χρησιμοποίησε τη μετασχηματισμένη και λιγότερο παγερή τεχνοτροπία του για να ζωγραφίσει μια οροφογραφία στο ανάκτορο του Καρδιναλίου Φαρνέζε. Όντας όμως σε μια πόλη που προσπαθούσε να ανακτήσει την πολιτισμική πρωτοκαθεδρία που είχε χάσει με τη Λεηλασία του 1527, κυκλοφορούσε στο ίδιο περιβάλλον μ' έναν πολύ πιο φίλερι καινοτόμο από τη βόρεια Ιταλία. Ο Μικελάντζελο Μερίζι (Michelangelo Merisi) από την πόλη Καραβάτζο εδραίωνε εδώ και εφτά χρόνια τη φήμη του για τα εξαιρετικά απτά συλλεκτικά του αντικείμενα –τα ζουμερά φρούτα, τα ποτά και τα όμορφα αγόρια που ζωγράφιζε απευθείας από συνθέσεις τις οποίες έστηνε στο εργαστήριό του– και το 1599 η υποστήριξη ενός καρδιναλίου τον προώθησε στη δημιουργία ενός μεγάλης κλίμακας ρετάμπλ. Η συνήθης στρατηγική για τα μεγάλα έργα αυτού του είδους ήταν ο συνδυασμός και η μεγέθυνση προπαρασκευαστικών σχεδίων, όπως αυτή που ακολουθούσε ο Ανίμπαλε Καράτσι. Αντ' αυτού, ο Καραβάτζο (Caravaggio) διεύρυνε σε μια άνευ προηγουμένου κλίμακα τις προγενέστερες τεχνικές του. Προσέλαβε ανθρώπους από το δρόμο για να του ποζάρουν με δραματικό τρόπο υπό το φως των δαυλών στο εργαστήριο και κατέγραψε τα αποτελέσματα κατευθείαν πάνω στον καμβά.

Η μέθοδος του Καραβάτζο ήταν ριζοσπαστικά άμεση («χωρίς ούτε μία πινελιά που να μην προέρχεται από τη φύση», όπως ισχυριζόταν), αν και απαιτούσε επίπονη εργασία απ' όλους τους εμπλεκόμενους – όπως σ' αυτήν εδώ την αναπαράσταση του μαρτυρίου του Αγίου Πέτρου στο σταυρό [**168**], τον οποίο ο άγιος ικέτευσε ταπεινά τους βασανιστές του να μην τον στήσουν όπως είχαν στήσει και το σταυρό του Ιησού. Σε γενικές γραμμές, ανταποκρινόταν

168 Καραβάτζο, *Η σταύρωση του Αγίου Πέτρου*, 1601. Ο Καραβάτζο ήθελε να δει τι εικόνα θα παρουσίαζαν τρεις εργάτες οι οποίοι θα σήκωναν δύο μαδέρια που πάνω τους θα ήταν δεμένος ανάποδα ένας γέρος με περίζωμα, κι έτσι πλήρωσε κάποιους ντόπιους για να αναπαραστήσουν τη σκηνή στο εργαστήριό του. Ακολούθησε από κοντά τις προσπάθειές τους και πάγωσε την εικόνα των σχημάτων που παρήγαγαν στην πιο εντυπωσιακή μορφή της, σχεδόν με τον τρόπο που θα το έκανε κι ένας φωτογράφος. Έτσι, το εκκλησίασμα της Σάντα Μαρία ντελ Πόπολο, όπου ακόμη εκτίθεται ο πίνακας, έβλεπε μπροστά του τα οπίσθια και τη βρόμικη πατούσα ενός χειρώνακτα.

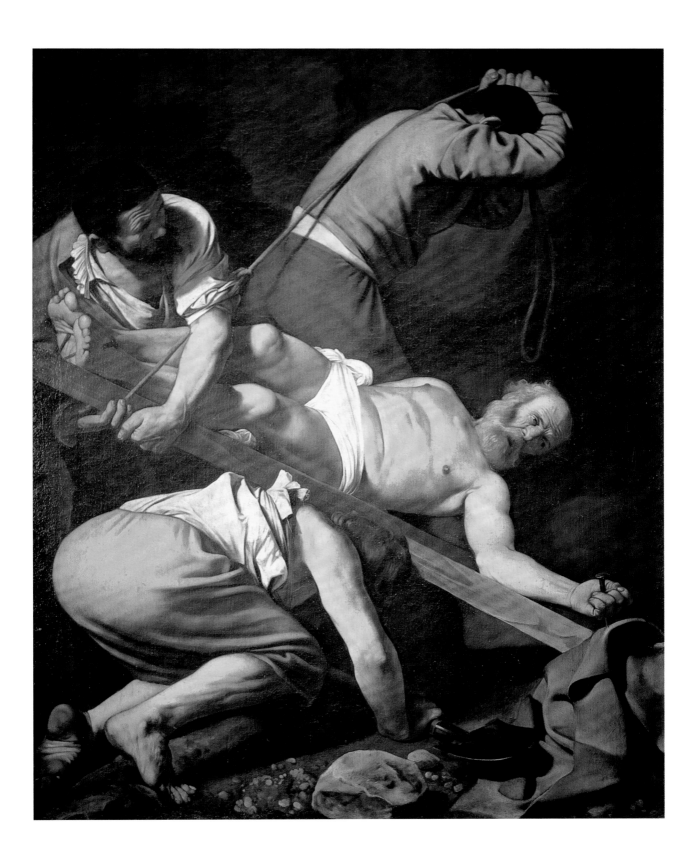

175 Γκοβαρντχάν, *Ο νεαρός πρίγκιπας και η σύζυγός του σε εξώστη*, περ. 1620. Ο Τζαχανγκίρ, ο μεγάλος μογγόλος αυτοκράτορας της βόρειας Ινδίας από το 1605 ως το 1627, ήταν ένας γνώστης της τέχνης που καλλιεργούσε την ατομικότητα των καλλιτεχνών της αυλής του. Ο μικρογράφος Γκοβαρντχάν απεικονίζει εδώ κάποιον αυτοκρατορικό πρίγκιπα που ξεκουράζεται μαζί με τη νιόπαντρη γυναίκα του σ' έναν εξώστη στην Άγκρα ένα καυτό βράδυ του Ιουνίου, λίγο πριν ξεσπάσει ο μουσώνας. Επιπλέον, τα βλέμματα και οι ψίθυροι των τριών γυναικών από το χαρέμι συντελούν σε μια ατμόσφαιρα που είναι τόσο αόριστα ποιητική όσο και η ατμόσφαιρα της *Καταιγίδας* του Τζορτζόνε.

176 Ρεζά Αμπασί, *Εραστές*, περ. 1630. Την καλλιγραφική κομψότητα του Ρεζά την θαύμαζαν και την αντέγραφαν πολύ στο Ιράν του 17ου αιώνα. Τα παλάτια του Ισφαχάν ήταν στολισμένα με μεγάλης κλίμακας νωπογραφίες που απεικόνιζαν οινοπότες και όμορφες κοπέλες, και ήταν φιλοτεχνημένες με τεχνοτροπία αντίστοιχη με αυτήν εδώ.

του να βοηθήσει στην εμφύτευση ενός νέου εθνικού ύφους. Δεν ακολούθησαν όλα τα βασίλεια αυτήν την τακτική –αξίζει να σημειωθεί ότι η ορθόδοξη Ρωσία εξακολουθούσε να κρατάει τις πολιτισμικές της αποστάσεις από την υπόλοιπη Ευρώπη– και σε κάποια άλλα βασίλεια τα μοσχεύματα παρέμειναν αδύναμα: στην Πολωνία με τη νησίδα της ιταλικής αρχιτεκτονικής στο Ζάμοστς, η οποία χτίστηκε τη δεκαετία του 1570· στην οθωμανική Τουρκία, όπου οι μετριοπαθώς ψυχρές τοπικές παραλλαγές της περσικής ζωγραφικής ευδοκιμούσαν ή έφθιναν ανάλογα με τα καπρίτσια διάφορων σουλτάνων· καθώς και στη Δανία, στη Σουηδία και στην Αγγλία, οι οποίες έδειχναν σεβασμό στους μεγάλους δεξιοτέχνες των Κάτω Χωρών.

Παρ' όλα αυτά, αυτή η ιεραρχική προσέγγιση του πολιτισμού ήταν ο κανόνας στη διάρκεια του 17ου αιώνα. Ο Βασιλιάς Κάρολος Α΄ της Αγγλίας, ένας γαλαντόμος φιλότεχνος, έφερε τον Άντονι βαν Ντάικ (Anthony van Dyck), τον πιο ταλαντούχο από τους μαθητές του Ρούμπενς στην Αμβέρσα, στην αυλή του το 1632. Ο Βαν Ντάικ έμεινε εκεί μέχρι τον πρόωρο θάνατό του, το 1641, κι έκανε την αγγλική αριστοκρατία προσωπική του επικράτεια. Οι προσωπογραφίες του [**174**], οι οποίες είναι εξίσου μεγαλοπρεπείς ως προς την κλίμακα και τη λάμψη με οποιοδήποτε έργο του Ρούμπενς και του Τισιανού, καταγράφουν ανασφάλειες που ήταν εντελώς ξένες σε αυτές τις γεμάτες αυτοπεποίθηση προσωπικότητες. Τις ανασφάλειες του Βαν Ντάικ, το δίχως άλλο· οι διπλές όμως προσωπογραφίες στις οποίες ειδικευόταν μοιάζουν επίσης με μεμβράνες που αντιδρούν στις επερχόμενες δονήσεις. Το σύνθετο πάθος που εκμαιεύει από τα καημένα τα πλουσιόπαιδα αλλάζει νόημα στο φως του μέλλοντός τους. Ο νεαρός Τζορτζ Βίλιερς, ο οποίος κοιτάζει σκυθρωπά το 1635, θα γινόταν ένας από τους πιο αδίστακτους πολιτικούς μηχανορράφους της Αγγλίας. Ο άδολος μικρός αδελφός του Φράνσις θα πέθαινε στον εμφύλιο πόλεμο της δεκαετίας του 1640 που έληξε με την εκτέλεση του Βασιλιά Καρόλου και με τις περαιτέρω εικονοκλαστικές επιθέσεις στις καλλιτεχνικές παραδόσεις του έθνους.

Πορτρέτα σαν αυτό μοιάζουν να προσφέρουν σπέρματα ιστοριών. Ποια ιστορία θα μπορούσε να ξετυλιχτεί από τη ζωγραφιά του Γκοβαρντχάν [**175**], που δημιουργήθηκε πιθανόν δεκαπέντε χρόνια νωρίτερα στην αυλή των Μεγάλων Μογγόλων στην Άγκρα; Είναι μια καλοκαιρινή νύχτα κι ο μουσώνας πλησιάζει, είναι ώρα για έρωτα, και ο πρίγκιπας και η νιόπαντρη γυναίκα του κοιτάζονται στα μάτια. Όλα αυτά είναι ολοφάνερα, αλλά μπορούμε να εικάσουμε μόνο ποια είναι η μυστική δευτερεύουσα πλοκή στην οποία εμπλέκονται οι τρεις γυναίκες που περιμένουν. Οι δυνατότητες για την ινδική μικρογραφία επεκτάθηκαν γρήγορα μετά την απομάκρυνση από το περσικό προηγούμενο που είχε καθιερώσει ο Άκμπαρ προς τα τέλη του 16ου αιώνα. Μια εισαγόμενη τέχνη άνθιζε τώρα σε τοπικά χέρια. Ο Γκοβαρντχάν, ένας ινδουιστής, ζωγράφιζε για το γιο του Άκμπαρ, τον Τζαχανγκίρ, και ο πρίγκιπας της εικόνας πιθανότατα ήταν ένας από τους γιους του νέου αυτοκράτορα. Τον Άκμπαρ τον γοήτευε η ζωγραφική εν γένει και η προσδοκία της πιστής περιγραφής όλων των πραγμάτων, αλλά τον Τζαχανγκίρ τον γοήτευσαν οι ζωγράφοι και το προσωπικό τους ύφος, και η ειδημοσύνη του προώθησε την ποικιλία.

Στον Γκοβαρντχάν η ψυχολογική λεπτότητα συνδυάζεται με την ατμοσφαιρική ευαισθησία για την αποπνικτική καταχνιά των πεδιάδων της βόρειας Ινδίας. Ο νατουραλισμός του τροφοδότησε την ποίησή του σε μια τέχνη που, σε μικρότερη κλίμακα, αντικατόπτριζε τάσεις της ευρωπαϊκής ζωγραφικής. Η αλληλεπίδραση ανάμεσα στην Ανατολή και τη Δύση επεκτεινόταν. Οι καλλιτέχνες του Τζαχανγκίρ συχνά ξεσήκωναν ερωτιδείς και πόζες από τα ευρωπαϊκά χαρακτικά, ενώ ταυτόχρονα δύο προσωπογραφίες του Βαν Ντάικ δείχνουν τον Σερ Ρόμπερτ Σέρλι, έναν άγγλο τυχοδιώκτη που προσπάθησε να σπάσει το πορτογαλικό μονοπώλιο στο ασιατικό εμπόριο, και την περσίδα σύζυγό του στα περσικά μετάξια. Στην Περσία –το Ιράν, το οποίο κυβερνούσε η δυναστεία των Σαφαβιδών– το εικαστικό ιδεώδες της πολυεπίπεδης συνθετότητας που είχε καθιερώσει ο Μπιζάντ στα τέλη του 15ου αιώνα τώρα το αντικαθιστούσε μια πολύ διαφορετική ζωγραφική τεχνοτροπία [**176**]. Ο Ρεζά Αμπασί ήταν ένας καλλιτέχνης που, λόγω της δεξιοτεχνικής γραμμής του, τον θαύμαζαν και τον αντέγραφαν όσο κανέναν άλλο στις αρχές του 17ου αιώνα. Οι κυματοειδείς ρυθμοί της γραφίδας του έφεραν την περσική τέχνη πιο κοντά τόσο στην αραβική καλλιγραφία όσο και στη λιτότητα της κινεζικής ζωγραφικής των λογίων. Τα όμορφα αγόρια και κορίτσια και οι πονηροί ηλικιωμένοι δερβίσηδες του Ρεζά προέρχονταν από τη σουφιστική εικονοποιία που είχε εμπνεύσει και τον Μπιζάντ, αλλά η νοοτροπία του ήταν πολύ πιο ιδεοληπτική, πολύ πιο μυωπική και πολύ πιο τολμηρή – στην πραγματικότητα ήταν περισσότερο σκοτεινή. Οι εικόνες ερωτικού περιεχομένου όπως αυτή δεν προορίζονταν αποκλειστικά και μόνον για τις βασιλικές βιβλιοθήκες αλλά ήταν επίσης και υπογεγραμμένα είδη προς πώληση. Το φλασκί με κρασί Σιράζ που απεικονίζεται εδώ ίσως απηχεί κάποια ποιητική μεταφορά, η σταδιοδρομία όμως του ίδιου του Ρεζά εκτροχιάστηκε από μια δεκαετή αλκοολική κραιπάλη.

Το επώνυμο του Ρεζά προέρχεται από τον προστάτη του, τον Σάχη Αμπάς, έναν από τους μεγαλύτερους κατα- σκευαστές πόλεων του 17ου αιώνα. Ο γεμάτος διαύγεια λογικός ανασχεδιασμός της αρχαίας πόλης του Ισφαχάν, στο κεντρικό Ιράν, που πραγματοποίησε ο Αμπάς ήταν οργανωμένος γύρω από μια τεράστια πλατεία με στοές. Στη μια πλευρά της πλατείας οι μεγάλες νωπογραφίες με σκηνές μάχης γύρω από την πύλη της αγοράς καταδει- κνύουν την περιφρόνηση του Ιράν για τις αμφιβολίες ως προς την απεικόνιση της ανθρώπινης μορφής που βασά- νιζαν άλλες ισλαμικές περιοχές· στην άλλη πλευρά της πλατείας μια ευφυώς προσανατολισμένη σειρά εισόδων οδηγεί απότομα στον πιο χρωματικά εκθαμβωτικό χώρο λατρείας σ’ ολόκληρη την ισλαμική παράδοση. Η ψηφι- δωτή οροφή του θόλου του τεμένους [**177**] καταλήγει με εντελώς διαφορετικά μέσα στο ίδιο όραμα θεσπέσιας ενό- τητας που είδαμε φευγαλέα τέσσερις αιώνες νωρίτερα σ’ ένα μαυσωλείο της Βαγδάτης [βλ. **90**]. Οι σύνθετες αφη- ρημένες φόρμες έχουν παραχωρήσει τη θέση τους σε μια πανδαισία λουλουδιών, κι οι γεωμετρικές γραμμές έχουν

177 Οροφή του κεντρικού θόλου του Μαστζίντ-ε-Σαχ («Μαστζίντ-ε-Ιμάμ- Χομεϊνί»), Ισφαχάν, περ. 1611–30. Εδώ βλέπουμε φευγαλέα την ατμόσφαιρα χρώματος και ηλιακού φωτός που δημιουργεί ένα από τα πιο θεαματικά αρχιτεκτονικά σύνολα του 17ου αιώνα. Η γαλάζια εξωτερική όψη της αίθουσας που υποβαστάζει αυτό τον μεγάλο θόλο καθρεφτίζεται ακόμα πιο γαλάζια στα νερά της κεντρικής λιμνούλας στο προαύλιο του τεμένους. Υπάρχει ο επίμονος απόηχος του εικαστικού αποτελέσματος μιας ιδεώδους, θεϊκής πραγματικότητας, κι από αυτήν την άποψη το έργο του Σάχη Αμπάς παραμένει πιστό σε μια περσική αισθητική που ανάγεται στην Περσέπολη.

178 Φραντσέσκο Μπορομίνι, εσωτερικό του θόλου του Σαν Κάρλο άλε Κουάτρο Φοντάνε, 1638. Η τέχνη του Μπορομίνι ερευνούσε σε βάθος τη φύση του χώρου, αποσπώντας πρωτοφανείς εμπειρίες. Όλα καμπυλώνονται συντονισμένα· καμία από τις κεντρικές γραμμές της δομής δεν ακολουθεί την ευθεία. Για να κάνει τη σύνθεση των σταυρών, των ρόμβων και των οκταγώνων να μικραίνει προς το κέντρο του οβάλ θόλου, ο Μπορομίνι μπορεί να χρειάστηκε να προβάλει το σχέδιο αποκάτω, αντιγράφοντας τις σκιές στην οροφή.

αντικατασταθεί από έναν ορμητικό συνδυασμό του τιρκουάζ με το κίτρινο και το κυανό (και πάλι βρισκόμαστε στα όρια αυτού που μπορεί να αποδώσει αποτελεσματικά μια φωτογραφία). Με τις επιβλητικές φόρμες και την απόκοσμη επίδραση που ασκεί στο υποσυνείδητο, το «γαλάζιο τέμενος» του Ισφαχάν, το οποίο ολοκληρώθηκε το 1630, έχει σαφείς ομοιότητες με το Τατζ Μαχάλ, που έχτισε στην Άγκρα ο διάδοχος του Τζαχανγκίρ, ο Σαχ Τζαχάν, ανάμεσα στο 1631 και το 1654. Οι περίτεχνες λαξευμένες σε μάρμαρο και ένθετες λεπτομέρειες που παρήγγειλε ο μεγάλος μογγόλος αυτοκράτορας για το μαυσωλείο της γυναίκας του μοιάζουν να επιδιώκουν συνειδητά να αποτελέσουν το αποκορύφωμα της τέχνης. Όπως και τα πιο γενικευτικά, στομφώδη έργα του Σάχη Αμπάς, το Τατζ Μαχάλ σκοπό είχε να δηλώσει ότι «Κανείς δεν θα μπορέσει ποτέ να ξεπεράσει αυτό εδώ».

Παράλληλα με αυτά τα μεγάλα έργα, στη Δύση προχωρούσε η ανοικοδόμηση της Ρώμης. Το σχέδιο που είχε ξεκινήσει έναν αιώνα νωρίτερα επί Ιουλίου Β΄ τώρα το ξανάρχιζε, ύστερα από τα δεινά της Μεταρρύθμισης, ένας πάπας με νέα αυτοπεποίθηση. Από το 1623 ως το 1644 ο Ουρβανός Η΄ προώθησε τα πληθωρικά κατασκευαστικά σχέδια που αποτελούν, όσο τίποτα άλλο, χαρακτηριστικό δείγμα «του μπαρόκ». Τρεις μορφές κυριάρχησαν στην περίοδο αυτή. Ο πιο οραματιστής, ο αρχιτέκτονας Φραντσέσκο Μπορομίνι (Francesco Borromini), ήταν επίσης και η πιο δύσκολη περίπτωση· είναι γνωστό τοις πάσι ότι αυτός ο βαθύτατα ευσεβής άνθρωπος έδωσε τέλος στη ζωή του με το ξίφος του. Ως αποτέλεσμα, ο εκκλησιαστικός νόμος απαγόρευσε τον ενταφιασμό του στον τάφο που είχε σχεδιάσει για τον εαυτό του στο πρώτο του αριστούργημα, τον Σαν Κάρλο άλε Κουάτρο Φοντάνε [**178**]. Εδώ τα σχέδια του Μπορομίνι, τα οποία έγιναν για ένα μικρό και στριμωγμένο γωνιακό οικόπεδο, βυθίζουν όποιον περνάει τις πόρτες σ' έναν ψυχρό, λευκό χώρο που διαστέλλεται και εξογκώνεται μυστηριωδώς. Αν στρέψουμε το βλέμμα μας προς το θόλο, ο οποίος ολοκληρώθηκε το 1638, θα μας αποκαλυφθεί ο καταιγιστικός γεωμετρικός μυστικισμός του Μπορομίνι, που με τον τρόπο του είναι τόσο ιλιγγιώδης και εξαϋλωτικός, όσο και οι αντίστοιχες δημιουργίες στο Ισλάμ. Η διογκωμένη λιθοδομή, στην οποία ειδικευόταν ο Μπορομίνι, συστρέφει, ρευστοποιεί και αναφλέγει την όλη εμπειρία του χώρου του θεατή. Οι παραλλαγές στις καμπύλες και στη σπειροειδή διακόσμηση έγιναν κοινοί τόποι των μπαρόκ κτιρίων, οδηγώντας την αρχιτεκτονική στην αντίθετη κατεύθυνση από τον πειθαρχημένο κλασικισμό του Παλάντιο.

Οι άλλες δύο εξέχουσες μορφές της μπαρόκ Ρώμης ήταν επίσης αρχιτέκτονες αλλά ασχολήθηκαν και με τις αναπαραστατικές τέχνες. Σε μια νωπογραφία της δεκαετίας του 1630 [**179**] για ένα παλάτι που ανήκε σ' έναν ανιψιό του Πάπα Ουρβανού, ο κατασκευαστής εκκλησιών Πιέτρο ντα Κορτόνα (Pietro da Cortona) έλαβε μέρος σ' αυτό που κατέληξε να γίνει ένας διαγωνισμός ανάμεσα στους εικαστικούς διαδόχους του Ανίμπαλε Καράτσι και ο οποίος διεξήχθη πάνω στις σκαλωσιές. Η συνεισφορά του στην τάση της οροφογραφίας που επικρατούσε στη Ρώμη ήταν το ότι οδήγησε την παράδοση την οποία είχε ξεκινήσει ο Μαντένια πολύ καιρό πριν σε μια νέα έπαρση. Το ψευδαισθητικό αρχιτεκτονικό πλαίσιο (quadratura) εξακολουθεί να αποτελεί τη βάση της εξύμνησης των Μπαρμπερίνι, της οικογένειας του Ουρβανού (οι γιγαντιαίες εραλδικές μέλισσες οι οποίες πετούν μέσα στο κεντρικό στεφάνι), αλλά η θυελλώδης, ταραχώδης συσσώρευση αγγέλων, σύννεφων και φυλλωμάτων που την περιβάλλει ακυρώνει συστηματικά τη λογική της και προκαλεί έντονο παραλήρημα. Το μάτι δεν μπορεί να σταθεί πουθενά, όλα είναι ρευστά.

Ο μεγαλύτερος όμως ιμπρεσάριος της Ρώμης, για σχεδόν εξήντα χρόνια μετά την άνοδο του Ουρβανού στον παπικό θρόνο, ήταν ο γλύπτης Τζανλορέντζο Μπερνίνι (Gianlorenzo Bernini). Η μακρά καλλιτεχνική του κυριαρχία, η οποία άρχισε με τα εκπληκτικά για την ηλικία του γλυπτά που έκανε στα νιάτα του, έμοιαζε με αυτήν του Μιχαήλ Άγγελου έναν αιώνα πριν, είχε όμως πολύ διαφορετική χροιά. Αντίθετα με τον προκάτοχό του, ο Μπερνίνι δεν ήταν σε καμία περίπτωση στα μαχαίρια με τον κόσμο γύρω του· του είχε αφοσιωθεί με προσήλωση. Η άνοδός του οφειλόταν εν μέρει στη μελιστάλαχτη ευγένεια και στο εύστροφο πνεύμα του, εν μέρει στην εκστατική ανταπόκριση στην ατομικότητα που έβγαζε στις προτομές των επιφανών προσώπων και εν μέρει στη μοναδική του ικανότητα να μιμείται διάφορες υφές στο μάρμαρο. Υλοποίησε τον τεράστιο όγκο εργασίας που ανέλαβε αφότου ο Ουρβανός τον διόρισε αρχιτέκτονα του Αγίου Πέτρου, το 1628, δείχνοντας αμείωτο ζήλο για τα καθορισμένα από τον πάτρονά του πνευματικά και πολιτικά θέματα.

Ο Μπερνίνι εργαζόταν ολόψυχα υπό οποιεσδήποτε συνθήκες τού προσφέρονταν (όπως και ο Ρούμπενς, όπως

179 Πιέτρο ντα Κορτόνα, *Ο θρίαμβος των Μπαρμπερίνι*, τοιχογραφία στην οροφή του Παλάτσο Μπαρμπερίνι, Ρώμη, 1632–39. Ο Κορτόνα συνδύασε πολλές παλιές ψευδαισθητικές τεχνικές της νωπογραφίας – συμπεριλαμβανομένων και των τεχνικών που χρησιμοποιούσε ο Βερονέζε (**161**). Ο Βερονέζε έπαιζε με τον γαλήνιο, κλασικό σωστό ρυθμό όταν ζωγράφισε τη βίλα στη βόρεια Ιταλία, αλλά ο Κορτόνα, στο παλάτι της Ρώμης που ζωγράφισε εβδομήντα χρόνια μετά, έδωσε έμφαση στη διαφυγή, στην υπέρβαση και στη διαγραφή κύκλων γύρω από το πλαίσιο. Αυτή η πρόθεση εμπλοκής του θεατή σε μια έντονη σύγχυση σήμερα θεωρείται καθοριστική ιδιότητα «του μπαρόκ», φέρνοντάς το σε αντίθεση με τις αξίες του κλασικισμού.

και ο Τισιανός· ως προς αυτό, αν μη τι άλλο, βλέπουμε τι είναι αυτό που κάνει την καλλιτεχνική τους στάση να διαφέρει από αυτήν της νεωτερικότητας). Μετέτρεψε αυτήν την υποτέλεια σε μια ιδιαίτερα ευφάνταστη πράξη ερμηνεύοντας κάθε ανάθεση ως μια αποφασιστική χειρονομία που μπορούσε να πραγματοποιηθεί με πέτρα. Έτσι περιέγραψε τη μεγάλη διπλή κιονοστοιχία που έφτιαξε μπροστά στον Άγιο Πέτρο (του οποίου το κεντρικό κτίσμα είχε αρχίσει να κατασκευάζεται το 1506, αλλά καθαγιάστηκε μόλις το 1626) σαν τα μητρικά χέρια της Εκκλησίας που απλώνονται για να αγκαλιάσουν τους πιστούς. Τα αγάλματα τα οποία τοποθέτησε μέσα στη βασιλική ωθούν την προσοχή προς τα μπροστά και προς τα πάνω με μεγαλοπρεπή, παθιασμένα ανοίγματα των χεριών, ενώ το χαρακτηριστικό των πρώιμων γλυπτικών του συμπλεγμάτων είναι ότι ζωντανεύουν γύρω από διασπάσεις και τανύσματα.

Η *Έκσταση της Αγίας Θηρεσίας* [**180**] ήταν μια παραγγελία του τέλους της δεκαετίας του 1640 για ένα ρετάμπλ που ο Μπερνίνι προόριζε συνειδητά να αποτελέσει προσωπικό του αριστούργημα, μια απόπειρα αποκρυστάλλωσης του ιδιαίτερου χαρακτήρα του προσωπικού του οράματος. Πρόκειται για την πιστή απεικόνιση ενός αποσπάσματος από τα μυστικιστικά απομνημονεύματα μιας ισπανίδας αγίας της Αντιμεταρρύθμισης, τα οποία είχαν γραφτεί περίπου ογδόντα χρόνια πριν. Ένας όμορφος άγγελος τρύπησε ξανά και ξανά την καρδιά της Θηρεσίας μ' ένα χρυσό βέλος, προκαλώντας της «έναν πόνο τόσο έντονο, που [την] έκανε να βογκήξ[ει] αρκετές φορές, ήταν όμως κι υπερβολικά γλυκός [...] και [την] άφησε να φλέγ[εται] από τη θαυμάσια αγάπη προς τον Θεό». Τα πάντα, λοιπόν, εξαρτώνται από την αίσθηση της κορύφωσης – μιας κορύφωσης όμως που σήμαινε πολύ περισσότερα απ' όσα σημαίνει στο απόλυτα σεξουαλικοποιημένο πολιτισμικό περιβάλλον του σήμερα. Η αιχμηρή ορμή του βέλους μεταφέρει το σώμα και την ψυχή, μέσω του μαρμάρου που διαλύεται σε σύννεφα και τρεμοφέγγει σε πτυχώσεις φλόγας, σ' ένα οπτασιακό ουράνιο επίπεδο.

Οι χειρονομίες και η αίσθηση του αναπάντεχου δεν αξίζουν τίποτα αν δεν υπάρχει κοινό. Αυτό εδώ δεν ήταν ούτε γλυπτική όπως την αντιλαμβανόταν ο Μιχαήλ Άγγελος, δηλαδή ως μια αποκάλυψη του πνεύματος στον όγκο της πέτρας, ούτε και έμοιαζε με τους αφηρημένους ελικοειδείς ρυθμούς του Τζαμπολόνια. Ήταν το έργο ενός απαράμιλλου μαρμαρογλύπτη σε μια πόλη γεμάτη ζωγράφους, και σχεδόν μοιάζει με ισχνή δισδιάστατη εικόνα, η οποία είναι τοποθετημένη σε σταθερή απόσταση από το θεατή, μόνο που το συμπαγές αρχιτεκτονικό πλαίσιο και το φως του ήλιου το οποίο μπαίνει από ένα κρυφό παράθυρο είναι καίριας σημασίας για τον αντίκτυπό του. Στην πραγματικότητα, τον τρόπο σχεδίασης στον οποίο μπορούν να συγκλίνουν όλες οι τέχνες τον εξηγούν καθαρά οι πτέρυγες του ρετάμπλ, όπου μέλη της οικογένειας που παρήγγειλε το έργο απεικονίζονται καθισμένα σε θεωρεία θεάτρου, ενθαρρύνοντας το θεατή να καθίσει στα στασίδια για να τους κάνει παρέα. Έντονη δραστηριότητα, ορμητικά κύματα, απότομες εκπλήξεις, «ρεαλιστικά τεχνάσματα» – βρισκόμαστε στην καρδιά μιας εποχής αριστοκρατικού θεάτρου, σε μια περίοδο όπου η φαντασία και η πίστη ήταν ένα. Η εμπειρία της ζωής στις πολυδάπανες ανακτορικές πόλεις, με τις επιμελώς οργανωμένες γιορτές και τους περίπλοκους κώδικες ως προς την ενδυμασία και την εθιμοτυπία, μετατράπηκε στις αρχές του 17ου αιώνα στο πιο ανυπέρβλητο θέαμα της Χριστιανοσύνης και του Ισλάμ. Γιατί «η σπουδαιότερη τέχνη», όπως έγραψε ο ισπανός επιγραμματοποιός Μπαλτάσαρ Γκρασιάν το 1647, «είναι η τέχνη του φαίνεσθαι».

Αγορές και ίχνη
Ιταλία, Ισπανία, Κάτω Χώρες, 1600–δεκαετία του 1660

Το ξαφνικό άδειασμα ενός δοχείου νυκτός πάνω σ' ένα στρατιώτη σε μια σκηνή από την κομέντια ντελ' άρτε –το ιταλικό θέατρο δρόμου– δείχνει μια άλλη πλευρά των προτιμήσεων του 17ου αιώνα [**181**]. Παράλληλα με τη λα-

180 Τζανλορέντζο Μπερνίνι, *Η έκσταση της Αγίας Θηρεσίας*, 1647–52, Σάντα Μαρία ντέλα Βιτόρια, Ρώμη. Αφού άλλαξε την όψη της Ρώμης κατά τις δύο δεκαετίες στη διάρκεια των οποίων ουσιαστικά έδρασε ως καλλιτεχνικός δικτάτορας, ο Μπερνίνι χρησιμοποίησε μια παραγγελία για ένα οικογενειακό μνημείο σε μια από τις εκκλησίες της πόλης προκειμένου να δημιουργήσει μια συνοπτική έκθεση των δικών του χαρακτηριστικών καινοτομιών. Αυτή η ερμηνεία των απομνημονευμάτων που έγραψε μια ισπανίδα μυστικίστρια ογδόντα χρόνια νωρίτερα επιδεικνύει τον απαράμιλλο τρόπο με τον οποίο μπορούσε να δημιουργήσει διάφορες υφές στο μάρμαρο, καθώς και τις χαρακτηριστικές του μεταλλαγές· το φυσικό φως που μπαίνει από ένα μη ορατό παράθυρο προσλαμβάνει μεταφυσικό νόημα, και το αισθησιακό γίνεται μια παρομοίωση του πνευματικού.

μπερή, θελκτική ιδανικότητα της εποχής, οι καλλιτέχνες ανέπτυξαν επίσης μια συμπάθεια για το χυδαίο, το γελοίο και το παρακατιανό. Οι Καράτσι, θεμελιωτές της αξιοπρεπούς «ακαδημαϊκής» διαδικασίας, έπαιζαν εκτός των ωρών εργασίας με αδρομερείς καρικατούρες, οι οποίες άνοιξαν το δρόμο για τη νεότερη γελοιογραφία. Το σχέδιο αυτό με τα καμώματα των γελωτοποιών είναι του μαθητή τους Γκουερτσίνο (Guercino), που ήταν γνωστότερος στη δεύτερη γενιά μπολονέζων καλλιτεχνών για τις επιβλητικές, θυελλώδεις ποιητικές του αναπαραστάσεις με τα υψηλά θέματα· αποτελεί μέρος ενός εναλλακτικού ιδιωτικού έργου, στο οποίο αποτολμά να κάνει ένα ενθουσιώδες πέρασμα με μελάνι και υδροχρώματα ή κραγιόνια σε ζώνες όπου δεν ήθελε να χρησιμοποιήσει τα ελαιοχρώματά του. Πίσω από τις επιφάνειες του καμβά και του χρωματισμένου ασβεστοκονιάματος που εξέθεταν δημοσίως οι καλλιτέχνες ελάμβανε χώρα μια έντονη εργαστηριακή δραστηριότητα· κι εδώ ακριβώς, ανάμεσα στα έργα με μελάνι, τα δημιουργικά ρεύματα κυλούσαν με μεγάλη δύναμη μετά την ανάπτυξη μιας αυτοσυνείδητης, αυτάρκους καλλιτεχνικής κοινότητας. Τα πρόχειρα σχέδια και οι μουντζαλιές του Γκουερτσίνο οδηγούσαν τις τεχνικές που χρησιμοποιούνταν ήδη από την εποχή του Ραφαήλ σε μια άνευ προηγουμένου αβίαστη ταχύτητα.

Η χυδαιότητα ως ξαλάφρωμα από την προσπάθεια διατήρησης των προσχημάτων δεν ήταν σύνδρομο μόνο των ιταλών καλλιτεχνών. Το δέλεαρ του άσχημου ήταν ευρέως διαδεδομένο στις αρχές του 17ου αιώνα, από τον Χουσέπε δε Ριμπέρα στη Νάπολη, ο οποίος ζωγράφισε μια γενειοφόρο μητέρα να θηλάζει το παιδί της, ως τον Ρεζά στο Ισφαχάν, ο οποίος εγκατέλειψε τις περσίδες καλλονές προκειμένου να σχεδιάσει τους θαμώνες των καπηλειών. Στην πραγματικότητα, η ολοένα διευρυνόμενη και διαφοροποιούμενη αγορά άφησε το περιθώριο να κάνουν την εμφάνισή τους οι ειδικοί σ' αυτήν την γκάμα εικόνων. Ο Άντριεν Μπρούβερ (Adriaen Brouwer) ήταν ένας από αυτούς, ένας Φλαμανδός που σύμφωνα με την περιγραφή των πρώτων βιογράφων του είχε μεγάλες ομοιότητες με τον αηδιασμένο πότη του [**182**] – ήταν ανυπόληπτος, λιγοζώητος και κάποτε γλίτωσε τη φυλακή με τη μεσολάβηση του επιφανούς πάτρονά του Ρούμπενς. Αυτός ο καμβάς του 1631 αποτελεί χαρακτηριστική έκφραση της έντονης προτίμησης για τον υπόκοσμο που είχε αναπτυχθεί στην Ευρώπη ακριβώς μετά τον Καραβάτζο, αλλά και του νέου χειρισμού των ελαιοχρωμάτων, τον οποίο είχε τελειοποιήσει ο ολλανδός δάσκαλός του Φρανς Χαλς

181 Γκουερτσίνο, σχέδιο των γελωτοποιών της κομέντια ντελ᾽ άρτε, δεκαετία του 1630. Τα σχέδια του Γκουερτσίνο, πολλά εκ των οποίων φαίνεται πως έγιναν για την προσωπική του ψυχαγωγία, είναι αριστουργήματα της *ελαφράς* τέχνης· είναι ακαταμάχητα απλά με ιδιοφυή τρόπο. Ο μόνος σύγχρονος του Γκουερτσίνο που τον συναγωνιζόταν σε ταχύτητα στη χρήση της πένας σχεδίου και του πινέλου, αλλά και σε ευστροφία και τρυφερότητα, ήταν ο Ρέμπραντ. Πολύ συχνά το θέμα του είναι οι ανθρώπινες μορφές, οι οποίες όμως κυμαίνονται από τους ανθρώπους γύρω του που ζουν την καθημερινή τους ζωή ως τους αγγέλους και τα βγαλμένα από εφιάλτες τέρατα.

182 Άντριεν Μπρούβερ, *Η πικρή γουλιά*, 1631.

(Frans Hals) – πρόκειται για ένα απροκάλυπτο χτύπημα που μας ρίχνει κάτω, καλώντας μας να μείνουμε στη ζωντάνια των χειρονομιών του ζωγράφου αλλά και της στιγμής την οποία απεικονίζει.

Η διάκριση ανάμεσα σε φλαμανδούς και ολλανδούς καλλιτέχνες σημαίνει ότι οι νότιες Κάτω Χώρες χωρίστηκαν από τις βόρειες κατά τη δεκαετία του 1580, μολονότι οι ισπανοί κυβερνήτες του καθολικού νότου θα συνέχιζαν να αντιμάχονται τη νέα Ολλανδική Δημοκρατία για άλλα εξήντα χρόνια. Από πολιτικής και οικονομικής άποψης, ήταν μια περίοδος ευημερίας για τους Ολλανδούς και μια περίοδος δυσπραγίας για το ισπανικό βασίλειο, σε ό,τι αφορά όμως τη ζωγραφική ήταν μια εξαιρετική εποχή και για τις δύο πλευρές. Η αλληλεπίδραση του ιδεώδους και του φυσικού, καθώς και του ευγενούς και του ποταπού, διαμόρφωσε τον εικαστικό «Χρυσό Αιώνα» και των δύο χωρών.

Η Ισπανία έμοιαζε με τα άλλα κράτη-εισαγωγείς τέχνης ως προς την ενθουσιώδη υποδοχή που επιφύλασσε στις αφίξεις από την Ιταλία, στις οποίες συμπεριλαμβάνονταν, από τη δεκαετία του 1610, και τα αντίγραφα του Καραβάτζο. Εδώ όμως ο πολιτισμός που κρατούσε το ρόλο του οικοδεσπότη είχε δικά του κυρίαρχα καλλιτεχνικά ένστικτα. Η Ισπανία, με τον μαχόμενο χριστιανισμό της, είχε μια παράδοση έντονα συγκινησιακής θρησκευτικής ξυλογλυπτικής, η οποία είχε καθιερώσει ένα μέτρο σύγκρισης για τις εικόνες που προορίζονταν να συγκεντρώσουν το νου και να εξάψουν την καρδιά. Η ανθρωποκεντρική τέχνη μπορεί να είχε γίνει μια σχεδόν περιρρέουσα ατμόσφαιρα στην Ιταλία, αλλά εδώ εξακολουθούσε να είναι ένα πνευματικό κέντρισμα. Ταυτόχρονα, στόχος της «καθολικότατης» μοναρχίας των Αψβούργων ήταν η συγκέντρωση της θρησκείας και της διοίκησης σ᾽ ένα κέντρο, μια πολιτική που διαπότιζε τόσο τις ιεραρχίες των ευγενών και των κληρικών όσο και τα εργαστήρια τα οποία δούλευαν

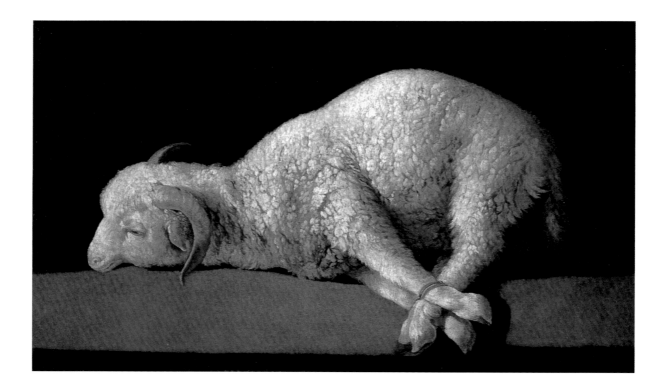

για λογαριασμό τους. Έτσι λοιπόν, λόγω διάφορων παραγόντων, η σφαίρα επιρροής της τέχνης της ζωγραφικής ήταν πολύ πιο περιορισμένη στην Ισπανία απ' όσο ήταν σε άλλες περιοχές της Ευρώπης.

Τα φλογερά, ατομικιστικά οράματα του Ελ Γκρέκο στο εμβριθές Τολέδο είχαν διαμορφώσει μια αντίδραση στις συνθήκες αυτές. Στη Σεβίλλη, το μεγάλο λιμάνι της χώρας προς τις υπερατλαντικές αποικίες, μια μεγαλύτερη και λιγότερο υπεροπτική εργατική δύναμη προμήθευε με ρετάμπλ τα θρησκευτικά ιδρύματα της Ισπανίας και της αμερικανικής ηπείρου, και παρήγαγε επίσης bodegones,* επιτραπέζιες νεκρές φύσεις, για τα σπίτια των εμπόρων. Το δεμένο αρνί που ζωγράφισε ο Φρανσίσκο δε Θουρμπαράν (Francisco de Zurbarán) το 1635 [**183**] ήταν μια εικόνα η οποία πατούσε και στα δύο είδη, όντας ταυτόχρονα ένα σύμβολο των δοκιμασιών του Χριστού και μια ένθερμη πράξη παρατήρησης. Δεν είναι σίγουρο ποιος παρήγγειλε το έργο, αλλά στη συναισθηματική του ταύτιση με το μοναχικό θύμα που ήταν τοποθετημένο πάνω στο τραπέζι του εργαστηρίου του ο Θουρμπαράν ανακάλυψε μια γλώσσα η οποία μπορούσε να μιλήσει τόσο στους αγράμματους ενορίτες όσο και στους εκκλησιαστικούς τους αφέντες. Ο πόνος –όπως είχε καταδείξει η Αγία Θηρεσία στα απομνημονεύματά της– ήταν από μόνος του ένα είδος αλήθειας· άλλα ρεύματα της αντιμεταρρυθμιστικής πνευματικότητας πρότειναν ότι, για μια ευσεβή αντίληψη, τα αντικείμενα σε όλα τα επίπεδα μπορούσαν να είναι σκεύη της θέλησης του Θεού. Το είδος της προσοχής που αφιέρωσε ο Θουρμπαράν ακόμα και στην ταπεινότερη τούφα μαλλιού του φτωχού αυτού πλάσματος ήταν απόδειξη της ευλάβειάς του. Έτσι λοιπόν, η ζωγραφική στη Σεβίλλη αναθεώρησε την προσέγγιση του Καραβάτζο που πρέσβευε ότι η ζωγραφική πρέπει να πηγάζει κατευθείαν από τη φύση· η μαυρίλα έγινε μυστικιστικά φορτισμένη, κι η λάμψη ιερή.

Εντωμεταξύ, στην καθοδηγούμενη από τον προτεσταντισμό Ολλανδία που ήταν στραμμένη προς τις επιχειρήσεις, οι σπουδές αγροτικών ζώων –για να μην αναφέρουμε τα έργα με πουλιά και λουλούδια, τις απεικονίσεις ασημικών και πιατικών, τις «εύθυμες παρέες», τις επιβλητικές προσωπογραφίες, τις αρχιτεκτονικές απόψεις, τις σκηνές με ποτάμια και ανεμόμυλους, και τις προοπτικές εικόνες της Νορβηγίας, της Ρώμης και της Βραζιλίας– διαθέτονταν, ως ζωγραφικά ή χαρακτικά έργα, από εκατοντάδες εργαστήρια και καταστήματα έργων τέχνης. Η «πρώτη μαζική καταναλωτική αγορά τέχνης της ευρωπαϊκής ιστορίας», όπως τη χαρακτήρισε ο ιστορικός Σάιμον Σάμα,

---

* Ο όρος bodegón (από την ισπανική λέξη bodega που σημαίνει κελάρι ή ταβέρνα) χρησιμοποιείται για την περιγραφή των νεκρών φύσεων με τρόφιμα και ποτά, αλλά και γενικότερα για τις σκηνές κουζίνας με στοιχεία νεκρής φύσης. (Σ.τ.Μ.)

187 Ντιέγκο Βελάσκεθ, *Las Meninas*, 1656 (λεπτομέρεια). Μια menina, μια δεσποινίδα δηλαδή των τιμών, δίνει στην Ινφάντα Μαργαρίτα, τη μικρή κόρη του Φιλίππου Δ΄, μια κανάτα νερό πάνω σε δίσκο. Τα δάχτυλα, τα υφάσματα, τα λουλούδια και τα κατσαρωμένα μαλλιά μπαίνουν στον καμβά με απόλυτη ελαφρότητα και οικονομία, τις οποίες ποτέ δεν έφτασε κανένας άλλος ελαιογράφος.

διαφέρον όμως του ζωγράφου για την αντιπαράθεση της μιας πραγματικότητας με την άλλη παρασύρει τους θεατές του σε κυκλικούς γρίφους. Ο καθρέφτης βλέπει προς τα έξω, αντανακλώντας τους πάτρονες του Βελάσκεθ, το βασιλιά και τη βασίλισσα, που κοιτάζουν προς τα μέσα. Όλα αυτά εδώ είναι δικά τους: το ανάκτορο, ο καλλιτέχνης, ο πίνακας. Αλλά, κατ' επέκταση, είναι και δικά μας· ως παρατηρητές δίνουμε ζωή σ' αυτόν τον πίνακα. Δεν βλέπουμε, όμως, τι έχει δημιουργήσει ο ζωγράφος στον καμβά από τον οποίο απομακρύνεται τόσο ατάραχα – εκτός κι αν, στην πραγματικότητα, μας κρύβει αυτόν εδώ τον μεγάλο καμβά, λες και εξαρτάται αποκλειστικά από το καπρίτσιο του το αν θα δούμε κάτι, λες και όλο αυτό το ταμπλό βιβάν είναι αποκλειστικά δικό του.

Το αίνιγμα αντηχεί στο ημίφως της αίθουσας καθώς οι ένοικοι του ανακτόρου λάμπουν ολόκληροι, ζωντανεύοντας από τη συγκρατημένη αλλά σαγηνευμένη προσοχή του Βελάσκεθ – μια εκδοχή του 17ου αιώνα της αταραξίας που εκφράζεται στη στιλπνή, απότομη αδρομέρεια της πινελιάς του. Μια πολύ διαφορετική αλλά εξίσου λεπτολόγα μαεστρία ως προς το εικαστικό γεγονός απαντάται τις δεκαετίες του 1650 και του 1660 στην Ολλανδία, στο σπίτι στο Ντελφτ, όπου ο Γιοχάνες Βερμέερ (Johannes Vermeer) ακολουθούσε την ήσυχη επαρχιακή σταδιοδρομία του. Ο Βερ-

188 Γιοχάνες Βερμέερ, *Η γαλατού*, περ. 1660. Τον πίνακα αυτόν τον θαύμαζαν διάφοροι ολλανδοί ιδιοκτήτες μετά το θάνατο του Βερμέερ, κατά τ' άλλα όμως το όνομα του καλλιτέχνη ήταν σχεδόν λησμονημένο – μέχρι το 1842, όταν δηλαδή τον ανακάλυψε εκ νέου ο γάλλος τεχνοκριτικός Τεοφίλ Τορέ. Η νεότερη φήμη του Βερμέερ προέρχεται κατά κύριο λόγο από τη μονογραφία του Τορέ για τον καλλιτέχνη. Να είναι σύμπτωση, άραγε, ότι το 1842 μόλις είχε ανακοινωθεί η εφεύρεση της φωτογραφίας;

μέερ, όπως και ο Βελάσκεθ με το «ρεαλιστικό» του στιγμιότυπο από το ανάκτορο, θα αποκτούσε ένα εντελώς νέο κοινό μετά την ανάπτυξη της φωτογραφίας τον 19ο αιώνα, κυρίως επειδή προφανώς είχε χρησιμοποιήσει μια camera obscura* κατά τη δημιουργία του μικρού και εξαίσια ελεγχόμενου έργου του. Αν όμως θεωρούσαμε ότι το καλλιτεχνικό του έργο ήταν μια προαναγγελία της μεταγενέστερης τεχνολογίας θα ήταν σαν να λησμονούσαμε ότι, στην εποχή του, δεν υπήρχε καμία οικεία εικαστική εμπειρία με την οποία θα μπορούσαν να συγκριθούν «φωτο- γραφικά» τεχνάσματα όπως οι σαν πίξελ κουκκίδες της νεκρής φύσης που βρίσκονται σε πρώτο πλάνο στη *Γαλατού* [**188**]. Η προσεχτική αντιγραφή αυτού που συνέβη όταν ένας φακός πρόβαλε σε μια οθόνη το φωτισμό του καλα- θιού με το ψωμί μπορεί κάλλιστα να έμοιαζε κάπως αλλόκοτη. Η μέθοδος αυτή βοηθούσε τον Βερμέερ να απομα- κρύνει αυτό που ζωγράφιζε από το πώς το ζωγράφιζε. Οι γυναίκες που παρατηρεί διατηρούν μια αυτάρκη παρου- σία, την οποία ο Βερμέερ, από την άλλη άκρη του δωματίου, φροντίζει να μην διαταράξει. Καθώς φαίνεται περιο- ρίζεται στην ύφανση του άψογου ιστού του φωτός – που πολύ συχνά, όπως εδώ, υπογραμμίζεται με μπλε και με χρυσό. Ο πίνακας, ωστόσο, είναι αφιερωμένος στη σοβαρή, μνημειώδη παρουσία της γαλατούς. Δίχως κάποια έντονη αλληγορία εκ μέρους του ζωγράφου, δημιουργεί μια σχεδόν θρησκευτική αύρα· ο λευκός χείμαρρος που ξεχύνεται από το κεντρικό κενό του πίνακα είναι απροσδόκητος όσο και οποιοδήποτε θαύμα.

Μεγαλύτερος πλούτος και μεγαλύτερη διαύγεια
Κάτω Χώρες, Ιταλία, 1620–1670

Το εγχείρημα του Βερμέερ δείχνει έναν εξειδικευμένο χειρισμό, και μάλιστα ο ζωγράφος επιδόθηκε σε αυτό σε μια εκλεπτυσμένη γωνιά ενός έντονα διαφοροποιημένου κόσμου της τέχνης. Παρ' όλα αυτά, χρησιμοποίησε συνή- θειες κοινές στην ολλανδική ζωγραφική εν γένει. Κάποια άλλα έργα του υποδηλώνουν σε μεγαλύτερο βαθμό μια ιστορία, θίγοντας τη γενικότερη προτίμηση προς την κοινωνική κωμωδία – με σχετικά συγκρατημένο τρόπο στη δική του περίπτωση, και με πιο απείθαρχο τρόπο στην περίπτωση άλλων καλλιτεχνών. Η *Γαλατού* ικανοποιεί επί- σης την τάση προς την αυστηρότητα, για την οποία οι Ολλανδοί, οι οποίοι διαμόρφωναν την αυτοεικόνα τους μέ- σα από τις μάχες τους με τους Ισπανούς και τη θάλασσα, ένιωθαν εθνική περηφάνια. Ο γυμνός, σημαδεμένος από καρφιά τοίχος έχει ένα απέριττο σοβατεπί από γαλανόλευκα πλακίδια –τα οποία είχαν αρχίσει πρόσφατα να κα- τασκευάζονται στην ιδιαίτερη πατρίδα του Βερμέερ, το Ντελφτ– με παραστάσεις Κινέζων που παραπέμπουν στο πολιτισμικό περιβάλλον το οποίο πιθήκιζαν οι κατασκευαστές τους. Ανάμεσα στους Ολλανδούς αυτής της εποχής, όπως και ανάμεσα στους Κινέζους εδώ και πολλούς αιώνες, μια αστική ελίτ με αποθέματα πλούτου έβρισκε περι- θώριο για να απολαύσει νοσταλγικά την αγροτική απλότητα.

Αυτό το παιχνίδι με τη φτώχεια, ωστόσο, μάλλον άνοιξε το δρόμο για την παγκόσμια άνοδο της αλαζονικής επί- δειξης που σήμερα χαρακτηρίζουμε «μπαρόκ». Ο Γιαν Ντάβιντσον ντε Χέεμ (Jan Davidszoon de Heem), ένας ζω- γράφος που εργαζόταν και στις δύο πλευρές της διαχωριστικής γραμμής ανάμεσα στις Κάτω Χώρες, άρθρωσε αυ- τό που θα γινόταν κυρίαρχος χαρακτήρας κατά τα τέλη του 17ου αιώνα. Η *Μεγάλη νεκρή φύση* [**189**] της δεκαετίας του 1650 παντρεύει ένα σωρό από ψευδαισθητικές τεχνικές στις οποίες ειδικεύονται οι Ολλανδοί με το πολυτελές γούστο που είχε καθιερώσει ο Ρούμπενς στη Φλάνδρα. Μερικές δεκαετίες νωρίτερα, οι καλλιτέχνες νεκρής φύσης αρέσκονταν να ισχυρίζονται ότι τα τραπέζια τους με τις κλεψύδρες, τις νεκροκεφαλές και τα εφήμερα λουλούδια ενθάρρυναν τις σκέψεις για τη vanitas, την προσωρινότητα των εγκόσμιων πραγμάτων· εδώ όμως, τα θεσπέσια εδέ- σματα όλων των εποχών για τους γαστρονόμους και τους γνώστες στην ουσία πνίγουν το όλο θέμα. Το κοντινό κά- δρο και οι χρωματικές αρμονίες του Ντε Χέεμ αποτελούν ένα μανιφέστο για τις χαρές του υλισμού.

Το επερχόμενο ήθος αντικατόπτριζε αλλαγές στην πνευματική ατμόσφαιρα της Ευρώπης. Η συντονισμένη διε- ρεύνηση της φύσης που είχε υποστηρίξει ο Λεονάρντο εκατό χρόνια πριν άρχισε να αποκτά ορμή στο γύρισμα του

---

* Λατινικά στο κείμενο: σκοτεινός θάλαμος· το σκοτεινό αυτό κουτί, ή θάλαμος, είχε στη μια του άκρη μια γυαλιστερή επιφάνεια και στην άλλη άκρη μια πολύ μικρή οπή απ' όπου περνούσαν οι ακτίνες του φωτός, σχηματίζοντας πάνω στην επιφάνεια το αντεστραμμένο είδωλο των αντικειμένων έξω από το κουτί. (Σ.τ.Μ.)

189 Γιαν Ντάβιντσον ντε Χέεμ, *Μεγάλη νεκρή φύση*, δεκαετία του 1650. Ο Ντε Χέεμ είπε στον γερμανό ιστορικό τέχνης Γιοακίμ φον Ζάντραρτ ότι μετακόμισε από την Ουτρέχτη στην Αμβέρσα επειδή μόνο σ' αυτό το λιμάνι μπορούσε να προμηθεύεται ολόφρεσκα «σπάνια φρούτα όλων των ειδών, μεγάλα δαμάσκηνα, ροδάκινα, κεράσια, πορτοκάλια, λεμόνια και σταφύλια». Προσέξτε επίσης το μπολ της περιόδου Γουάν-Λι, το οποίο υπογραμμίζει τις εμπορικές σχέσεις με την Κίνα που υποδηλώνουν τα πλακίδια στο κελάρι του Βερμέερ.

17ου αιώνα, την εποχή της οπτικής του Κέπλερ και του Γαλιλαίου. Στις Κάτω Χώρες και στην Ιταλία η τέχνη είχε στενές σχέσεις με τη νέα επιστήμη. Στο Ντελφτ, για παράδειγμα, ο Βερμέερ με την camera obscura ήταν στενός συνεργάτης του Άντονι φαν Λέεβενχουκ (Anthony van Leeuwenhoek) με το πρωτοποριακό μικροσκόπιο. Στην Ιταλία, η ακαδημαϊκή προσέγγιση που είχαν εισαγάγει οι Καράτσι –οι οποίοι είχαν διερευνήσει όλα τα εικαστικά ζητήματα, από τη νοηματική γλώσσα ως το τοπίο– συνετέλεσε σε νέα εικονογραφικά πειράματα. Ήδη είδαμε τα αστρονομικά ενδιαφέροντα του Άνταμ Ελσχάιμερ, στο έργο που έκανε γύρω στο 1609· νομίζω ότι η εμπειρία τού να κοιτάζει κανείς μέσα από τη νέα εφεύρεση του Γαλιλαίου, το τηλεσκόπιο, μπορεί να ήταν αυτό που μιμούνταν ένας άλλος Γερμανός στη Ρώμη, ο Γκόντφριντ Βαλς (Gottfried Wals), με το κυκλικό σχήμα του μικρού του πίνακα σε χαλκό [**190**], τον οποίο φιλοτέχνησε ίσως και δώδεκα χρόνια μετά. Εν πάση περιπτώσει, αυτή η άποψη κάποιου επαρχιακού δρόμου έξω από τη Ρώμη ήταν ένα εντελώς νέο τόλμημα – μια ελαιογραφία που ήταν φτιαγμένη μόνο από το γεγονός της παρατήρησης, όντας απαλλαγμένη από τους κωδικοποιημένους συμβολισμούς και σχεδόν και από τα αντικείμενα, και στηριζόταν αποκλειστικά στις αρμονίες της γεωμετρίας και του φωτός. Κι ήταν τόσο νέο, στην πραγματικότητα, που για άλλα διακόσια χρόνια κανείς δεν θα εκμεταλλευόταν με τόση προσήλωση τις δυνατότητες αυτές.

190 Γκόντφριντ Βαλς, *Επαρχιακός δρόμος πλάι σε σπίτι*, περ. 1620. Όπως και ο άλλος Γερμανός που είχε πάει παλιότερα στη Ρώμη, ο Άνταμ Ελσχάιμερ, ο Βαλς χάραξε δρόμους που άλλοι καλλιτέχνες θα εξερευνούσαν μόνο κατά τη ρομαντική εποχή. Η *Φυγή στην Αίγυπτο* του Ελσχάιμερ (**170–172**) μεταφέρει τα θρησκευτικά αισθήματα στο επίπεδο του τοπίου, προαναγγέλλοντας τον Κάσπαρ Ντάβιντ Φρίντριχ. Αυτός ο στρογγυλός πίνακας, όπως και κάποιες υδατογραφίες των αρχών του 19ου αιώνα, υποστηρίζει ότι μόνο το φως της ημέρας κι ένας επαρχιακός δρόμος είναι επαρκή υλικά για την τέχνη.

Ο Γκόντφριντ (ή, στη Ρώμη, Γκοφρέντο [Goffredo]) Βαλς, ωστόσο, δεν είναι γνωστός για το δικό του έργο αλλά για το ότι υπήρξε μέντορας ενός άλλου καλλιτέχνη που κατέβηκε στον νότο για να αναζητήσει την Ιταλία. Ο Κλοντ Ζελέ (Claude Gellée) από τη Λορένη δούλεψε μαζί του στη Νάπολη, το λιμάνι όπου κατά πάσα πιθανότητα παρατήρησε το ηλιοβασίλεμα και τα άρμενα σ' αυτό τον καμβά του 1639 [**191**]. Περισσότερο ακόμα κι από το έργο του Ελσχάιμερ και του Βαλς, το φυσικό φως είναι ο ήρωας του πίνακα του Κλοντ· οι ανθρώπινες μορφές και τα κτίρια εξασθενούν μπροστά στον ήλιο σαν άγγελοι που επισκιάζονται από κάποια θεότητα. Οι άψογα ενοποιημένες ατμόσφαιρες του Κλοντ, τις οποίες απέδιδε με επαναλαμβανόμενα λεπτά στρώματα βερνικιού, του εξασφάλισαν μια ελίτ πελατεία από την άφιξή του στη Ρώμη, το 1627, και μετά. Η καινούργια όμως αίγλη που προσέδωσε στην τέχνη της τοπιογραφίας κατά τη διάρκεια της πεντηκονταετούς σταδιοδρομίας του ήταν ζήτημα τόσο σκηνογραφίας όσο και επιστήμης. Το *Λιμάνι στο ηλιοβασίλεμα* τυλίγει τα ηλιακά του πυροτεχνήματα σ' ένα πολυδάπανο αρχιτεκτονικό ταμπλό, το οποίο συγκροτείται από το είδος των κλασικών προσόψεων που ήθελαν οι ιταλοί ευγενείς για τα παλάτια τους. Το τουριστικό όραμα του Κλοντ εκτεινόταν επίσης στους αρχαίους μύθους, στους οποίους πρωταγωνιστούσαν νανοειδείς μορφές μπροστά σε σκηνικά από αρχαία ερείπια, καθώς και στις ειδυλλιακές σκηνές της επαρχιακής ζωής, τις οποίες είχε συγκεντρώσει από τα σχέδια που είχε κάνει στην ύπαιθρο νότια της Ρώμης (της Καμπάνια), και θα αποτελούσαν για

της, ίσως να είναι εφικτό ένα ευρύτερο είδος ορθότητας, όπως ακριβώς κι ένα τραγούδι μπορεί να λέει περισσότερα από το λόγο.

Την τονωτική κλασική αισθητική του Πουσέν την επιδοκίμαζαν έντονα οι μορφωμένοι πάτρονες, τόσο στη Ρώμη όσο και στο Παρίσι, στο οποίο αρνιόταν να επιστρέψει. Όπως δείχνει η *Βάφτιση*, η πνευματική ακεραιότητα μπορεί να δημιουργήσει μια δική της ποιητικότητα. Η σχολαστικότητα μπορούσε ακόμα και να γίνει της μόδας. Μια νέα αισθητική αναδυόταν κατά τα μέσα του 17ου αιώνα, μια αισθητική η οποία έβαζε στο περιθώριο τη συγκρουσιακή νευρικότητα που αποτελούσε κινητήρια δύναμη της ζωγραφικής από την εποχή του Καραβάτζο μέχρι και την εποχή του Ρέμπραντ και του Βελάσκεθ. Τη δεκαετία του 1660 ο Γιάκομπ φαν Ρόισνταλ (Jacob van Ruisdael), ένας ζωγράφος από το Χάαρλεμ, έφερε την αναδυόμενη «λεπτή τεχνοτροπία» στην ολλανδική τοπιογραφία, όπως ακριβώς και ο Ντε Χέεμ την είχε φέρει στις νεκρές φύσεις. Το *Εβραϊκό κοιμητήριο* του Ρόισνταλ [**194**] ένωνε –από μια απόσταση 40 χιλιομέτρων– ένα νεκροταφείο για τα μέλη μιας αρχαίας φυλής κι ένα ερειπωμένο ολλανδικό αβαείο που θύμιζε το μακρινό μεσαιωνικό παρελθόν, τυλίγοντας και τα δύο σ' έναν άθλιο καιρό. Το προσχηματικό θέμα –το οποίο υπογραμμίζεται από την υπογραφή του Ρόισνταλ στην ταφόπλακα κάτω αριστερά– είναι πραγματικά παλιό: όλα περνάνε. Οι σκιές όμως είναι πλούσιες, και μαζί με το βροντερό και αστραποβόλο δράμα των στοιχείων και την έντονη ιστορική νοσταλγία μοιάζουν να προαναγγέλλουν το Υψηλό – μια έννοια που σύντομα εισήγαγε στις καλλιεργημένες συζητήσεις ο γάλλος συγγραφέας Νικολά Μπουαλό. Πόσο ωραίο, πόσο θαυμάσιο είναι να ωθεί κανείς τη φαντασία (μόνο όμως τη φαντασία) στο χείλος του νοητού! Έχουμε ήδη περάσει σ' έναν διαφορετικό κόσμο αισθήματος.

ρού γούστου του 17ου αιώνα που επικρατούσε στην Ακαδημία του Παρισιού, καθώς και του ιδεαλισμού και του κλασικισμού που συνδέονταν με το όνομα του Πουσέν. Τη δεκαετία του 1670 ένας σφοδρός πολέμιος του Λε Μπρεν που λεγόταν Ροζέ ντε Πιλ (Roger de Piles) άρχισε να χρησιμοποιεί επιδεικτικά το όνομα του Ρούμπενς, υποστηρίζοντας προκλητικά ότι *σκοπός* της ζωγραφικής ήταν η διέγερση των αισθήσεων. Σε ό,τι όμως αφορούσε την ίδια την καλλιτεχνική πρακτική, οι «ρουμπενιστές» δεν θα έβρισκαν ουσιαστικό υποστηρικτή στη διαμάχη τους με τους «πουσενιστές» πριν από το 1717, όταν η Ακαδημία δέχτηκε στους κόλπους της τον Αντουάν Βατό (Antoine Watteau).

Ο Βατό καταγόταν από το νότιο τμήμα των Κάτω Χωρών, στο οποίο είχε αναπτύξει δράση ο Ρούμπενς, και είχε μαθητεύσει ως σκηνογράφος για το κωμικό θέατρο. Λίγο μετά τα τριάντα του βρήκε τυχαία έναν τρόπο ομαδοποίησης των σπουδών της ανθρώπινης μορφής ανάμεσα σε απαλά, μισοφωτισμένα φυλλώματα. Οι μικροί πίνακες που προέκυψαν είχαν έντονη υποβλητικότητα και εισήγαγαν μια σπαρακτική, διφορούμενη ποιητικότητα σαν κι αυτή που υπάρχει στην *Καταιγίδα* του Τζορτζόνε [βλ. **142**], η οποία όμως ήταν διανθισμένη με εξαίσια αποδομένες μεταξωτές ενδυμασίες και ερωτικές αβρότητες. Η μέθοδος του Βατό γοήτευσε την πελατεία που είχε αναδυθεί κατά τη μακρά διαδικασία συγκέντρωσης της εξουσίας από τον Λουδοβίκο ΙΔ΄. Ο βασιλιάς είχε απομακρύνει με δόλο την αριστοκρατία από τις επαρχιακές βάσεις εξουσίας της προκειμένου αυτή να αποκτήσει μια μόνιμη, εθιμοτυπική αλλά και ακίνδυνη παρουσία στην αυλή. Η παρισινή ζωή μετέφερε τη σφαίρα δράσης της από την πολιτική στην αβροφροσύνη, εγκαινιάζοντας νέες και λεπτών αποχρώσεων δραστηριότητες, όπως αυτές της συζήτησης, της βόλτας στο πάρκο και της θεατρικής ψυχαγωγίας.

204 Αντουάν Βατό, *Ο Ζιλ*, περ. 1716–18. Ο Πιερότος, ο αφελής της κομέντια ντελ᾽ άρτε των ιταλικών θιάσων, ήταν γνωστός και με το όνομα Ζιλ. Ο Πιερότος είναι ο θλιμμένος ανόητος που είναι πάντα άτυχος στον έρωτα και τον κατηγορούν για τα πάντα, αλλά η συστολή του δεν του επιτρέπει να υποστηρίξει την αθωότητά του. Κάποιοι άλλοι σταθεροί ήρωες ήταν ο Ντοτόρε, τον οποίο βλέπουμε στα αριστερά καβάλα στο γαϊδαρό του, και ο Καπιτάνο, ο οποίος βρίσκεται στα δεξιά και είναι ντυμένος στα κόκκινα.

Οι ρεμβασμοί του Βατό [204] διαχέουν αυτό το περιβάλλον μέσα από τα φανταχτερά ρούχα, το παίξιμο της μουσικής και την απότομη στροφή προς τις βουκολικές σκηνές – η καλή κοινωνία που προσποιείται ότι συγκινείται από την αγροτική απλότητα. Έχουμε ήδη δει άλλον έναν τέτοιο θίασο ιταλών ηθοποιών: έναν αιώνα πριν, η κομέντια ντελ' άρτε ήταν οι χυδαίοι μπουφόνοι στους οποίους έστρεφε τη φαντασία του ο Γκουερτσίνο όταν έκανε ένα διάλειμμα από τις παραγγελίες της Εκκλησίας. Τώρα, που είχαν έρθει στο Παρίσι, έγιναν η dernier mot, η τελευταία λέξη της μόδας. Ο Βατό απαθανάτισε περιπαικτικά τους ήρωες (και το γάιδαρό τους) σε μια κλίμακα που συνηθιζόταν μόνο για τις προσωπογραφίες των ευγενών. Η ζουμερή υφή όμως της ζωγραφισμένης επιφάνειας αφήνει μια γεύση αιχμηρής πικρίας. Όπως έχει τοποθετηθεί παράκεντρα στον καμβά, ο πιερότος μοιάζει να ενοικεί το πρόσωπό του με κάποια ανησυχία. Στην αναστάτωσή του μπορούμε ίσως να διαβάσουμε τους δισταγμούς που βασάνιζαν το άλλο παιχνίδι των πλουσίων, τον προσωπογράφο του. Τι είμαι άραγε εγώ, σε σχέση με την τέχνη μου; Είναι άραγε πραγματικά δική μου αυτή η ερμηνεία;

Ο Βατό πέθανε από φυματίωση τέσσερα χρόνια μετά την εκλογή του στην Ακαδημία. Η γοητεία, η ζεστασιά και η παιγνιώδης διάθεση της ζωγραφικής του, όχι όμως και η υπόγεια αγωνία της, βρήκαν πολλούς μιμητές στη Γαλλία και αλλού κατά τις επόμενες δεκαετίες και επηρέασαν τον κόσμο της μόδας που είχε διερευνήσει. Ο Ζαν-Σιμεόν Σαρντέν (Jean-Siméon Chardin), άλλος ένας καλλιτέχνης που μπήκε στην Ακαδημία κατευθείαν από τον πάγκο, μάλλον άργησε περισσότερο να εδραιωθεί. Το ίδρυμα άρχισε να δέχεται τις νεκρές φύσεις του το 1728, αλλά στην «ιεραρχία των ειδών» τα έργα αυτού του τύπου κατατάσσονταν πολύ πιο κάτω από την ιστορική ζωγραφική –τις σημαντικές πράξεις που ζωντάνευαν μορφές ντυμένες με κλασικά πτυχωτά ενδύματα– και δεν έκαναν μεγάλη εντύπωση. Η απεικόνιση άψυχων αντικειμένων θεωρούνταν πως ήταν δουλειά των ειδικών από τις Κάτω Χώρες, όπως ο Γιαν ντε Χέεμ [βλ. 189], και όχι των ανερχόμενων Παριζιάνων. Ο Σαρντέν, ωστόσο, έδειχνε σταθερή και σεμνή επιμονή. Ήξερε πώς να βρει μια θέση στην Ακαδημία, αλλά και πώς να επικεντρώνει τα καλλιτεχνικά του ενδιαφέροντα. Για σαράντα ολόκληρα χρόνια επέστρεφε ξανά και ξανά στα αγαπημένα του αντικείμενα στο εργαστήριο, εστιάζοντας στο κοινότοπο, στο φτηνό αλλά προσφιλές, στο προσιτό. Αθόρυβα, τα φρούτα, τα θηράματα και τα μαγειρικά σκεύη [205, 206] αποδείκνυαν την πρόταση ότι το σπίτι μας είναι η αλήθεια και ότι το ράφι του εργαστηρίου ήταν το κατάλληλο μέρος για να συνεχιστεί ο βαθύς στοχασμός μέσω της ζωγραφικής στον οποίο

205 Ζαν-Σιμεόν Σαρντέν, *Η μπακιρένια βρύση*, 1734.

206 Ζαν-Σιμεόν Σαρντέν, *Καλάθι με αγριοφράουλες*, 1761. Ο Σαρντέν κατέκτησε με αργούς ρυθμούς τη δόξα. Τη συγκεκριμένη νεκρή φύση τη φιλοτέχνησε λίγο μετά τα εξήντα του, όταν οι αρετές της ακεραιότητας και της σεμνότητας που εξέφραζε η τέχνη του άρχισαν να γίνονται της μόδας στους κομψούς Παριζιάνους. «Καθήκον της τέχνης», όπως έγραψε ο κριτικός Ντιντερό, «είναι να συγκινεί και ν' αγγίζει, κι ο τρόπος για να το κάνει αυτό είναι η επιστροφή στη φύση. [...] Ω Σαρντέν! Στην παλέτα σου δεν αναμειγνύεις το λευκό, το κόκκινο και το μαύρο αλλά την ίδια την ουσία της φύσης, ο αέρας και το φως μεταφέρονται με την άκρη του χρωστήρα σου κατευθείαν πάνω στον καμβά».

207 Τζάκομο Τσερούτι, *Γυναίκες που ψτιάχνουν κοπανέλι*, δεκαετία του 1720: η καθημερινή εργασία σ' ένα ορφανοτροφείο της Μπρέσα του 18ου αιώνα, όπου ένα κορίτσι διαβάζει τη Βίβλο. Η Μπρέσα βρίσκεται στη Λομβαρδία, μια περιοχή της Ιταλίας με μακρά παράδοση υποδειγματικής εργατικότητας. Η παράδοση αυτή βρήκε στο πρόσωπο του Τσερούτι έναν παρατηρητικό μελετητή· στους άλλους καμβάδες του ο Τσερούτι καταγράφει αχθοφόρους, γυρολόγους, ζητιάνους και απόβλητους της κοινωνίας που βρίσκονται στους δρόμους.

είχαν επιδοθεί στο παρελθόν ο Βελάσκεθ και ο Βερμέερ. Ο κόσμος του διέφερε από τον δικό τους. Οι αραιές λαζούρες και οι παχιές πάστες δεν μιμούνταν τον τρόπο που τύχαινε να μοιάζουν τα πράγματα αλλά τον τρόπο με τον οποίο γίνονταν στερεά μέσα από τις σταθερές του φωτός και του χώρου. Οι ενοποιητικές φυσικές θεωρίες του Νεύτωνα είχαν γίνει γνωστές ήδη από τις αρχές του 18ου αιώνα και άλλαζαν την αίσθηση του πραγματικού. Τίποτα δισδιάστατο ως τότε δεν είχε τον όγκο της *Μπακιρένιας βρύσης* από τα μέσα της δεκαετίας του 1730 [**205**].

Ένας συναφής καμβάς απεικονίζει ένα βαρέλι και μια πλύστρα να ξεπλένει μια μαύρη κανάτα. Παράλληλα με τις νεκρές φύσεις, ο Σαρντέν ζωγράφιζε απόψεις της ζωής των υπηρετών με σταθερή, γαλήνια τρυφερότητα – αποφεύγοντας ό,τι θα μπορούσε να ενοχλήσει την επιτροπή της Ακαδημίας. Πρόγονος αυτής της θεματολογίας ήταν η ζωγραφική των Κάτω Χωρών (και πάλι θα πρέπει να κάνετε την αντιπαραβολή με τη *Γαλατού* του Βερμέερ, βλ. **188**)· ομοίως, το ενδιαφέρον του Τζάκομο Τσερούτι (Giacomo Ceruti) για τις ράφτρες [**207**] πιθανόν ανάγεται στις ανθεκτικές ρεαλιστικές παραδόσεις της βόρειας Ιταλίας. Έναν αιώνα μετά τους Καράτσι και τον Καραβάτζο, οι αρμονίες του καφέ και του μαύρου που παρατηρούμε στο έργο του Τσερούτι εξακολουθούσαν να αποτελούν χαρακτηριστικό γνώρισμα ενός μεγάλου μέρους της σύγχρονης ιταλικής και ισπανικής ελαιογραφίας. Η ανελέητη όμως σκληρότητα των *Γυναικών που ψτιάχνουν κοπανέλι* δημιουργεί μια συγκλονιστική αντίθεση με κάθε άλλο πίνακα που φιλοτεχνήθηκε στα τέλη της δεκαετίας του 1720. Μερικές σελίδες πιο πάνω, όταν συναντήσαμε ένα καπρίτσιο σ' ένα βενετσιάνικο σαλόνι, φύγαμε για να δούμε τον ευρωπαϊκό πολιτισμό από την άλλη άκρη του τηλεσκοπίου. Ο Τσερούτι, ο οποίος κάνει ζουμ στη ζόρικη ζωή των ορφανών, των νάνων και των ζητιάνων, οδηγήθηκε σ' αυτήν την οπτική γωνία όταν απλώς διέσχισε το δρόμο.

Το πολύ ανησυχητικό σ' αυτήν εδώ την αποκαλυπτική παρουσίαση των κάτεργων είναι η ανεπαίσθητη κλωνοποίηση των προφίλ. Αυτοί, μοιάζει να υποδηλώνει το καλλιτεχνικό εύρημα, είναι «οι φτωχοί», μια μάζα που θα μπορούσε να εκτείνεται σε μια ατέρμονη, ανώνυμη επανάληψη αν συνεχίζαμε να περιεργαζόμαστε το υπόγειό τους. Πιθανότατα δεν σας είναι συμπαθείς, και πιθανότατα ούτε κι εσείς τους είστε συμπαθείς· σας περιεργάζονται κι αυτοί με τα μάτια τους, θερμοπαρακαλώντας σας να τους απαλλάξετε από τα ατενή βλέμματα. Οι πάτρονες του Τσερούτι στη βορειοϊταλική πόλη της Μπρέσα ήταν μεγαλογαιοκτήμονες που ασχολούνταν με τοπικές αγαθοεργίες. Ο πίνακας αυτός ίσως να μας προσφέρει μια φευγαλέα εικόνα άλλης μιας αργά αναπτυσσόμενης τάσης της εποχής – της

ρεία του. Το να κοιτάζει κανείς το έργο του Χόγκαρθ ήταν σαν να διαβάζει. Στις λεπτοδουλεμένες του γραμμοσκιάσεις αφθονούσαν τα κριτικά σχόλια – τα οποία δεν απείχαν και πολύ, όπως πίστευαν κάποιοι, από την καρικατούρα (την εικαστική υποκουλτούρα που εξαπλωνόταν πλέον από την Ιταλία προς την υπόλοιπη Ευρώπη). Ο Χόγκαρθ δεν δεχόταν αυτή τη σύγκριση. Απαιτούσε να αναγνωριστεί ως σοβαρός καλλιτέχνης· παρουσιαζόταν ως ένας Άγγλος που συνδύαζε στο πρόσωπό του τις ιδιότητες του αντιευρωπαίου ανεξάρτητου ζωγράφου ιστορικών θεμάτων, του σπουδαίου προσωπογράφου και του θεωρητικού της τέχνης (με την τελευταία ιδιότητα ανέπτυξε μια ροκοκό θεωρία για το ωραίο, όπου τα πάντα βασίζονταν στα θέλγητρα της καμπύλης σε σχήμα S). Και από ποιον απαιτούσε την αναγνώριση; Από «το κοινό».

«Το κοινό» ήταν άλλο ένα αναδυόμενο χαρακτηριστικό της μητρόπολης του εθνικού κράτους· η ακαθόριστη κοινότητα των εγγράμματων, που είχε διαμορφωθεί από τις συζητήσεις και τις εφημερίδες, κυκλοφορούσε σ' όλα τα καφενεία και σ' όλους τους εμπορικούς δρόμους και διαρκώς αναζητούσε θέματα συζήτησης στα οποία θα μπορούσε να συγκλίνει ως πλήθος και να ισχυριστεί ότι εκπροσωπούσε το εθνικό αίσθημα. Στη Γαλλία, οι εθνικοί θεσμοί έκαναν ένα βήμα μπροστά για να το συναντήσουν· το 1737 η Βασιλική Ακαδημία του Παρισιού εγκαινίασε το Σαλόνι του Απόλλωνα στο Λούβρο στο οποίο οργανώνονταν οι διετείς εκθέσεις έργων των μελών της. Τώρα οι υφολογικές διαφορές όπως αυτές που υπήρχαν ανάμεσα στον Μπουσέ και τον Σαρντέν –οι οποίες ως τότε κυριολεκτικά ενδιέφεραν μόνο την Ακαδημία– θα μπορούσαν να αποτελέσουν πρώτη ύλη για κουβέντα και για τη δημοσιογραφία. Στην Αγγλία, το κοινό πρόσφερε ευκαιρίες σε επιχειρηματίες όπως ο Τζόναθαν Τάιερς, ο οποίος διηύθυνε το ουκίγιο του Λονδίνου,

213, 214 Ουίλιαμ Χόγκαρθ, *Η πορεία ενός ακόλαστου*, εικόνα I, 1735. Ο υπηρέτης πάνω στη σκάλα κρεμάει μαύρα κρέπια στους τοίχους για την κηδεία του τσιγκούνη πατέρα του Τομ Ρέικγουελ. Τα πεσμένα χαρτιά γύρω απ' τα πόδια του Τομ τα έχουν βγάλει βιαστικά από σεντούκια και συρτάρια για να εξετάσουν το χαρτοφυλάκιο του γερο-φιλάργυρου. Ο Τομ κρατεί στο προτεταμένο του χέρι μερικά νομίσματα για να εξαγοράσει τη σιωπή της μητέρας της εγκύου Σάρας Γιανγκ. Στην αρχική ελαιογραφία έχει απλώσει το δεξί του χέρι, αλλά τα χαρακτικά αναπόφευκτα αντιστρέφουν το αρχικό σχέδιο του καλλιτέχνη.

τους Κήπους Βόξολ. Το 1737 παρήγγειλε τον ανδριάντα του αγαπημένου γερμανού συνθέτη της πόλης, του Γκέοργκ Φρίντριχ Χέντελ [**215**], προκειμένου να αυξήσει τις ατραξιόν μιας ζώνης διασκέδασης που ήταν αφιερωμένη στις συναυλίες, τους περιπάτους και τις τυχαίες γνωριμίες.

Ο γλύπτης Λουί-Φρανσουά Ρουμπιλιάκ (Louis-François Roubiliac) ήταν ένας Γάλλος που, όπως και ο Χόγκαρθ, εκμεταλλευόταν στο έπακρο τον ανοιχτό καλλιτεχνικό ορίζοντα της Αγγλίας. Αργότερα θα αναλάμβανε σημαντικές παραγγελίες για προτομές και θα γέμιζε το Αβαείο του Ουέστμινστερ με επιτύμβια μνημεία. Στους Κήπους Βόξολ αφόπλισε το κοινό δημιουργώντας μια εικόνα του αντίθετού του. Εδώ επέτρεπε στο κοινό να δει τον άνθρωπο σε μια ιδιωτική στιγμή πάνω στο βάθρο – με τη σκούφια του στραβοβαλμένη, την παντόφλα του βγαλμένη και τον ίδιο τον Χέντελ να έχει γείρει σε μια καρέκλα της κρεβατοκάμαρας για να προλάβει μια ξαφνική υπαγόρευση της μούσας του. Η λύρα και το χερουβείμ που ασχολείται με την καταγραφή μιας μελωδίας ήταν χαρούμενα δάνεια από το προγονικό ντουλάπι της αλληγορίας του 17ου αιώνα. Ο Χέντελ είχε αρνηθεί να εμφανιστεί με ηρωικό τρόπο, με πλήρη δηλαδή κλασική αμφίεση, κι έτσι μπορούσε να παρουσιαστεί ως ένα πιο οικείο πρότυπο – αυτό του πραγματικά εκλεπτυσμένου ανθρώπου. Αυτή η μορφή αισθήματος διέπνεε όλη την τέχνη της προσωπογραφίας του 18ου αιώνα. Χρωμάτιζε την τεχνική της γλυπτικής. Ο Ρουμπιλιάκ λάξευσε το μάρμαρο επειδή αυτό απαιτούσε η μνημειακή παραγγελία, προσπάθησε όμως όσο μπορούσε να το επενδύσει με την εύπλαστη, ευέλικτη ανεπισημότητα των αρχικών του γύψινων προπλασμάτων.

Εφεξής, το μητροπολιτικό κοινό εμφανίζεται ως ένα ρεύμα που διατρέχει αδιάλειπτα την ιστορία της τέχνης των εθνικών κρατών. Στον πολιτισμό των μέσων του 18ου αιώνα, ωστόσο, συνυπήρχε με άλλες κοινωνικές δυνάμεις. Ο Χόγκαρθ μπορεί να αποδοκίμαζε την «ξένη» τέχνη, αλλά οι αριστοκράτες πάτρονες της εποχής του συνέχιζαν να αναζητούν καθετί το ιταλικό. Ο «Μεγάλος Γύρος», που περιλάμβανε τη Βενετία, τη Φλωρεντία και τη Ρώμη, κρινόταν πως ήταν απαραίτητο μέρος της εκπαίδευσης ενός τζέντλεμαν. Επρόκειτο για την πελατεία που αγόραζε χονδρικά τα χαρακτικά του Πιρανέζι με τα αρχαία μνημεία, και όταν επέστρεφε στην Αγγλία ανακατασκεύαζε τις επαρχιακές επαύλεις με πρότυπο τις βίλες του Παλάντιο στο Βένετο και σχεδίαζε τα πάρκα με πρότυπο τους πίνακες του Κλοντ Λορέν. Τις δεκαετίες του 1750 και του 1760 ο Τζόσουα Ρέινολντς (Joshua Reynolds), ένας ζωγράφος και κριτικός που αντιλαμβανόταν τα συμφέροντά τους, κατόρθωσε να απομακρύνει την κοινή γνώμη από την ξενοφοβική νοοτροπία του Χόγκαρθ. Ο Ρέινολντς ο ζωγράφος απεικόνιζε τις κορυφαίες μορφές της κοινωνίας με έντεχνους φόρους τιμής στους «Παλιούς Δασκάλους» της ηπειρωτικής Ευρώπης. Το 1768 ο Ρέινολντς ο δικτυωμένος εξασφάλισε την πατρονία για μια Βασιλική Ακαδημία των Τεχνών, όπου ο Ρέινολντς ο κριτικός έδωσε στη συνέχεια διαλέξεις, υποστηρίζοντας με μετριοπαθείς τόνους τα οφέλη της ευρείας καλλιτεχνικής παιδείας. Το Λονδίνο ακολουθούσε με καθυστέρηση την πανευρωπαϊκή εκπαιδευτική τάση, εκατόν είκοσι χρόνια μετά το Παρίσι.

215 Λουί-Φρανσουά Ρουμπιλιάκ, *Γκέοργκ Φρίντριχ Χέντελ*, 1738. Ένας Γάλλος φιλοτέχνησε τον ανδριάντα ενός γερμανού συνθέτη ο οποίος μάγεψε το λονδρέζικο κοινό με όπερες που είχαν ιταλικό λιμπρέτο. Η Μεγάλη Βρετανία απέκτησε πρωταγωνιστικό ρόλο στα επιστημονικά και τεχνολογικά ζητήματα στις αρχές του 18ου αιώνα, αλλά στα ζητήματα που αφορούσαν τις τέχνες μάλλον εξακολουθούσε να σέβεται τις απόψεις των ειδικών από το εξωτερικό.
Η ανεπισημότητα των προσωπογραφιών του Ρουμπιλιάκ ουσιαστικά προέρχεται από τον Μπερνίνι· οι περισσότεροι από αυτήν τη γενιά γλυπτών εργάζονται στη σκιά αυτής της σπουδαίας μορφής. Προς τα τέλη του αιώνα, ο Ζαν-Αντουάν Ουντόν θα δημιουργούσε μια αντίστοιχη αίσθηση οικειότητας στις προτομές του.

Η ειρωνεία είναι ότι αυτήν ακριβώς τη στιγμή η ιστορική ορμή της Μεγάλης Βρετανίας ερχόταν από άλλη κατεύθυνση. Ένα δίκτυο από μικρότερες πόλεις και γαιοκτήμονες πάτρονες, το οποίο εκτεινόταν από τα Ουέστ Μίντλαντς ως το Εδιμβούργο, υποστήριζε τα τεχνολογικά εγχειρήματα που θα οδηγούσαν στην πρώτη βιομηχανική επανάσταση του κόσμου. Ο Τζόζεφ Ράιτ (Joseph Wright) –ο Ράιτ από το Ντέρμπι («Wright of Derby»)– επέλεξε να μην φύγει απ' αυτήν την περιοχή, ακόμα και όταν έστελνε πίνακες όπως το *Πείραμα με αεραντλία* [**216**, **217**] σε εκθέσεις στο Λονδίνο. Εδώ βλέπουμε μια τέχνη που έχει γίνει για το κοινό τρεις δεκαετίες μετά την *Πορεία ενός ακόλαστου* του Χόγκαρθ και αποτελεί πρώιμο παράδειγμα αυτού που οι Γάλλοι θα ονόμαζαν αργότερα grande machine.* Όπως και οι πολυάριθμοι μεταγενέστεροι καλλιτέχνες που θα εμφανίζονταν τα επόμενα εκατόν πενήντα χρόνια –όπου διοργανώνονταν ετήσιες εκθέσεις, στην πραγματικότητα– πρόσφερε στην εκλεπτυσμένη κοινωνία ένα εντυπωσιακό κι ενδιαφέρον θέμα συζήτησης. Ένας δαιμόνιος καλλιτέχνης από τα Μίντλαντς ανανέωσε τις σαπουνόπερες του Χόγκαρθ (προσέξτε τη δευτερεύουσα πλοκή με τους ερωτευμένους στα αριστερά) μ' ένα λεπτοδουλεμένο καραβατζιανό κιαροσκούρο που έπανε στο αγκίστρι του το πάντα αμφίσημο μοτίβο της «επιστήμης». Ο πειραματιστής (να είναι άραγε ένας σόουμαν; Ένας μυστικιστής μάγος; Κάποιος που αναζητά την αλήθεια;) έχει δημιουργήσει κενό αέρα μέσα στη γυάλα, κάνοντας την κακατούα που βρίσκεται στο εσωτερικό της να σωριαστεί κάτω. Θα σκοτώσει, άραγε, τη γάτα του Σρέντιγκερ του 18ου αιώνα, όπως αφήνει να εννοηθεί η σκιά του κρανίου στο δοχείο; Ή μήπως θα γυρίσει τη στρόφιγγα προκειμένου να περάσει αέρας και να επανέλθει η ζωή;

Ο ένας κύριος νιώθει καθαρή περιέργεια κι ο άλλος ευλαβική αισιοδοξία. Όλα αυτά γίνονται για το καλό της ανθρωπότητας, όπως διαβεβαιώνει τις κλαμένες ανιψιές του. Τα δάκρυα στα άγουρα πρόσωπα αποτέλεσαν ατού για άλλον ένα νεωτεριστή της δεκαετίας του 1760, τον Ζαν-Μπατίστ Γκρεζ (Jean-Baptiste Greuze) στο Παρίσι· ο αισθησιακός συναισθηματισμός θα διαπότιζε τις αίθουσες εκθέσεων καθ' όλο το διάστημα άνθησης της grande machine. «Το ωραίο» είναι εκ φύσεως «μικρό [...] στρωτό [...], τα στοιχεία του δεν έχουν καθόλου γωνίες, αλλά σβήνουν τρόπον τινά το ένα μέσα στο άλλο [...] και, τέλος, είναι λεπτοφυές» όπως έγραψε ο ιρλανδός κριτικός Έντμουντ Μπερκ σ' ένα δοκίμιο του 1757. Σε αντίθεση με την αίσθηση που βγάζουν τα κοριτσάκια, ο επιβλητικός μάγος και η απόκοσμη σελήνη υπαινίσσονται ένα πιο ισχυρό αίσθημα – «το υψηλό», το οποίο προκαλείται από «ό,τι είναι με οποιονδήποτε τρόπο τρομερό», μια «κατάσταση της ψυχής όπου όλες οι κινήσεις της έχουν διακοπεί». Το ζεύγος όρων του Μπερκ γνώρισε σύντομα απήχηση. Το «υψηλό» του μπορεί ακόμα και να επηρέασε τον Πιρανέζι στη Ρώμη, καθώς ο τελευταίος ξαναχάραζε και σκοτείνιαζε ακόμα περισσότερο τις δυσοίωνες *Carceri* του.

Την εποχή που έγραψε τα παραπάνω ο Μπερκ πιθανότατα δεν είχε δει πολλές από τις παλιότερες εικόνες, όπως για παράδειγμα αυτή του Γιάκομπ φαν Ρόισνταλ [βλ. **194**], που προξενούσαν το διεγερτικό ρίγος του Υψηλού. Η σκιαγράφηση όμως μιας θεωρίας για την ψυχολογία του γούστου ήταν ένας εξαιρετικός τρόπος για να κάνει την είσοδό του στον δημόσιο στίβο ένας επίδοξος πολιτικός.** Οι συζητήσεις για την τέχνη αυξάνονταν. Πρόσφατα είχαν δημιουργήσει τον δικό τους φιλοσοφικό κλάδο, την «αισθητική» – όρο που είχε πλάσει ο Αλέξαντερ Μπάουμγκαρτεν το 1750 στη Γερμανία. Το Υψηλό και το Ωραίο έμπαιναν στον ολοένα διευρυνόμενο κατάλογο θεμάτων των μνηστήρων της τέχνης. Ο σημαντικότερος ζωγράφος αλόγων της Αγγλίας, ο Τζορτζ Σταμπς (George Stubbs), επιδίωκε τη «φυσική αλήθεια» με επιστημονικό πάθος. Ο Ρέινολντς εντωμεταξύ υποστήριζε ότι πρέπει να αντισταθμίζεται μ' έναν κατατοπισμένο σεβασμό για «τη λαμπρή τεχνοτροπία» των Παλιών Δασκάλων.

---

* Γαλλικά στο κείμενο: Η καλλιτεχνική σύνθεση που είναι έργο μιας ιδιοφυΐας και, κατ' επέκταση, η μεγαλειώδης σύλληψη. (Σ.τ.Μ.)

** Ο άγγλος φιλόσοφος και στοχαστής Edmund Burke (1729–97), συγγραφέας του έργου *A Philosophical Inquiry into the Origin of Our Ideas of the Sublime and Beautiful* (1757), μπήκε στον πολιτικό στίβο το 1765. (Σ.τ.Μ.)

216, 217 Τζόζεφ Ράιτ από το Ντέρμπι, *Ένα πείραμα με αεραντλία*, 1768. Την αεραντλία που παράγει κενό αέρα την είχε εφεύρει ο Ότο φον Γκέρικε το 1650 στη Γερμανία, επομένως αυτή η επίδειξη της μηχανής στη Μεγάλη Βρετανία του 1768 δύσκολα θα μπορούσε να θεωρηθεί ότι είχε να κάνει με την επιστήμη αιχμής. Για την ακρίβεια, βλέπουμε έναν εκλαϊκευτή ομιλητή που εμφανίζεται ενώπιον ενός επίλεκτου κοινού από την εκλεπτυσμένη κοινωνία της επαρχίας. Και προκειμένου να εντείνει το σοκ που δημιουργεί στις τρυφερές ψυχές, η ζωή στην οποία απειλεί να δώσει τέλος δεν ανήκει σ' ένα οποιοδήποτε πουλί αλλά στην εξαιρετικά ακριβή και εισαγόμενη κακατούα.

Ο πίνακας του Ουίλιαμ Χότζες (William Hodges) με θέμα τον κόλπο Οταχίτι Πέχα στην Ταϊτή [**218**, **219**] είναι βαθιά ριζωμένος σ' αυτήν τη συζήτηση. Οι τοπιογραφικές απόψεις ήταν ένα μείζον ρεύμα της τέχνης του 18ου αιώνα σ' ολόκληρη τη δυτική Ευρώπη και έδωσαν το έναυσμα για νέες τεχνολογικές βελτιώσεις· Λονδρέζοι όπως ο Χότζες θα πρέπει να γνώριζαν τα τοπία της Βενετίας που παρήγαγε για τουρίστες ο πιο φημισμένος εκφραστής αυτού του ρεύματος, ο Καναλέτο (Canaletto), με τη βοήθεια της camera obscura. Η ζήτηση όμως για μακρινές προοπτικές απόψεις προσέλαβε νέες διαστάσεις όταν ο Χότζες προσελήφθη ως επίσημος σχεδιαστής της δεύτερης αποστολής στον Ειρηνικό που πραγματοποίησε ο Πλοίαρχος Κουκ το 1772. Ο Χότζες για τρία χρόνια μετέφερε την παλέτα και τα λάδια του σ' ένα ανοίκειο νησιωτικό πολιτισμικό περιβάλλον και σε ανοίκειες συνθήκες φωτισμού. Αυτά λοιπόν ήταν τα αποτελέσματα των επιστημονικών ερευνών του Χότζες, τα οποία γνωστοποίησε στην έκθεση που πραγ-

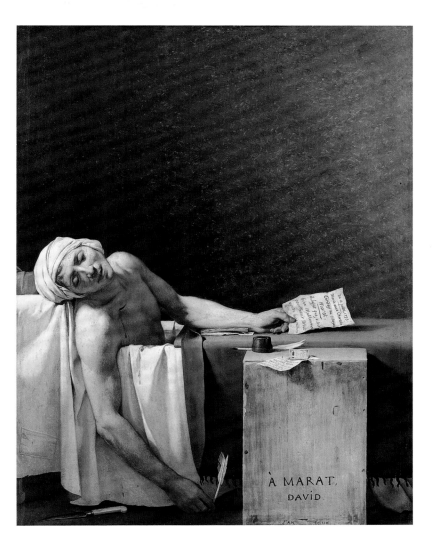

229 Ζακ-Λουί Νταβίντ, *Ο θάνατος του Μαρά*, 1793. Ο Ζαν-Πολ Μαρά ήταν ένας επιστήμονας που έγινε ακτιβιστής πλήρους απασχόλησης με την έλευση της Επανάστασης, και το 1789 ίδρυσε τη δική του εφημερίδα, που ονομαζόταν *L'ami du peuple* [Ο φίλος του λαού], στην οποία προσδιόριζε τους «εχθρούς» του λαού και ζητούσε τον μαζικό τους αποκεφαλισμό. Η Σαρλότ Κορντέ ήταν μια νεαρή υποστηρίκτρια της Επανάστασης από την επαρχία, η οποία είχε εξοργιστεί με τις σφαγές που είχε υποδαυλίσει ο Μαρά. Η Κορντέ τού έμπηξε ένα μαχαίρι στο στήθος και στη συνέχεια αποκεφαλίστηκε, μαζί με εκατοντάδες άλλους από τον πολιτικό της χώρο. Σύμφωνα με τον επικήδειο λόγο που εκφωνήθηκε στην κηδεία του, «ο Μαρά, όπως και ο Ιησούς, αγαπούσε φλογερά το λαό, και μόνο το λαό».

αρνείται να αποκαλύψει κάποιον σπλαχνικό, λυτρωτικό άγγελο και το εξίσου ζοφερό και αόρατο αντίβαρό της, το λουτρό αίματος στο οποίο είναι βουτηγμένος. Το κασόνι στο οποίο ο ζωγράφος έγραψε βιαστικά μια αφιέρωση είναι το ελάχιστο που μπορεί να βάλει για να απομακρύνει την απόγνωση και να τη μετατρέψει σε ευγλωττία. Ο Νταβίντ πρόβαλλε τα γυμνά γεγονότα, τις γυμνές λέξεις και τις γυμνές πινελιές προσπαθώντας να συγκινήσει. Ο θάνατος είχε αλλάξει μορφή, το ίδιο και η αλήθεια.

Η εθνική κρίση στη διάρκεια της οποίας εργαζόταν ο Νταβίντ ήταν μεταδοτική, και μέσα στις επόμενες δύο δεκαετίες θα επηρέαζε ολόκληρη την Ευρώπη. Από τα τέλη της δεκαετίας και μετά, ο Ναπολέων μετέτρεψε τη δυναμική της Επανάστασης σε μια αποστολή ιμπεριαλιστικού εκσυγχρονισμού που εκτεινόταν από την Αίγυπτο ως τη Ρωσία, στη διάρκεια της οποίας ο στρατός του κατέλαβε τον οπισθοδρομικό νότιο δορυφόρο της Γαλλίας, την Ισπανία. Η κατοχή αυτή οδήγησε σε αντιστασιακές ενέργειες των «ανταρτών» στις πόλεις και στην επαρχία. Ο Γκόγια, περιέργως, έγινε ο σημαντικότερος καταγραφέας αυτής της βίαιης και ταραχώδους περιόδου. Η αρρώστια που πέρασε το 1793 και οδήγησε στην απώλεια της ακοής του φαίνεται πως γκρέμισε τα στεγανά της φαντασίας του. Αυτός ο

230 Φρανθίσκο δε Γκόγια, *Γι' αυτό γεννηθήκατε*, οξυγραφία από τα *Δεινά του πολέμου*, περ. 1810–14. Τα *Δεινά του πολέμου* ήταν μια ανέκδοτη σειρά τονικών οξυγραφιών που ξεκίνησε ο Γκόγια πιθανότατα γύρω στο 1810. Την επόμενη δεκαετία συνέχισε να προσθέτει κι άλλες οξυγραφίες στη σειρά αυτή, η οποία όμως δημοσιεύτηκε μόνο το 1863, τριάντα πέντε χρόνια μετά το θάνατό του. Ο Γκόγια, ωστόσο, παρουσίασε το ίδιο τρομερό θέμα σε δημόσια κλίμακα σ' έναν πίνακα που ζωγράφισε για το βασιλιά της Ισπανίας το 1814. Ο καμβάς αυτός αναπαριστούσε τα γεγονότα της 3ης Μαΐου του 1808, όταν τα γαλλικά στρατεύματα σφαγίασαν τους πολίτες της Μαδρίτης που είχαν επιχειρήσει να εξεγερθούν εναντίον τους.

σωρός από φαντασιώσεις, φόβους, αιχμηρά σχόλια και σαρκασμούς μετατοπιζόταν κι αποκτούσε μεγαλύτερη βαρύτητα. Διατήρησε μεν τη θέση του επίσημου προσωπογράφου της αυλής, αλλά έπεσε με τα μούτρα στο είδος της εκκεντρικής χαρακτικής με το οποίο ασχολούνταν στο παρελθόν Ιταλοί όπως ο Τιέπολο και ο Πιρανέζι. Η σειρά *Caprichos* (*Καπρίτσια*) του 1799 προσέδωσε μια νέα δηκτικότητα και μια γκροτέσκα δύναμη στο είδος, περιπαίζοντας όχι μόνο τον συνήθη στόχο του χλευασμού, τον κλήρο, αλλά και τις ανθρώπινες ροπές εν γένει.

Ως αντίδραση στο χάος που επικρατούσε στην Ισπανία, ο Γκόγια επέστρεψε στη χαρακτική το 1810, δημιουργώντας μια συνεχιζόμενη σειρά με τον ανεπίσημο τίτλο *Τα δεινά του πολέμου*. (Δεν κατόρθωσε να την εκδώσει ο ίδιος.) Ένα από αυτά τα χαρακτικά, στο οποίο μια μητέρα απομακρύνει τα παιδιά της από τα στρατεύματα που εφορμούν στην ύπαιθρο, έχει τον τίτλο *Το είδα με τα μάτια μου*, και ο Γκόγια μπορεί κυριολεκτικά να το είδε με τα μάτια του – είχε γυρίσει τις περιοχές γύρω από την ιδιαίτερη πατρίδα του, τη Σαραγόσα, λίγο μετά την πολιορκία που έκαναν οι Γάλλοι το 1808. Σε ποιο βαθμό, άραγε, είδε αυτό με τα ίδια του τα μάτια [**230**]; Κατά πάσα πιθανότητα σε μια φαντασία που τρεφόταν από τις ειδήσεις. Και η φαντασία αυτή, το δίχως άλλο, τρεφόταν επίσης από τον Τιέπολο (που είχε επισκεφθεί κάποτε τη Μαδρίτη, και με το γιο του οποίου, τον Τζαντομένικο, επικοινωνούσε ο Γκόγια), το δεξιοτέχνη των έντονων τονικών αντιθέσεων και της λακωνικής σαρδόνιας ψυχραιμίας κατά τον προηγούμενο αιώνα. Τώρα όμως, που ο «ορθός λόγος» είχε πια κάνει τη δουλειά του, τα θέματα της θρησκείας και της βουκολικής σκηνής είχαν πια υποβαθμιστεί, αφήνοντας πολύ λίγα πράγματα για να δει κανείς – μόνο πτώματα σε μια γυμνή πεδιάδα. Πολύ λίγα και πολύ περισσότερα: μόνο να καταρρεύσει μπορούσε κανείς, ξερνώντας. Αυτοί οι άνθρωποι είχαν άραγε πεθάνει για κάποιον σκοπό; Τα ρούχα υποδηλώνουν την αδιάκριτη σφαγή ισπανών άτακτων ανταρτών και γάλλων στρατιωτών. Τα δεινά ξεπερνούσαν το εθνικιστικό αίσθημα: αυτό ήταν (όπως ο κόσμος έμαθε έκτοτε να λέει) «η ανθρώπινη κατάσταση». Η ηλιθιότητα, η ωμότητα, η αηδία και ο θάνατος: *Γι' αυτό γεννηθήκατε*, όπως γράφει ο τίτλος εδώ.

Αντίθετα με τον Νταβίντ, ο Γκόγια δεν τασσόταν ενστικτωδώς με το μέρος κάποιου – μάλλον το αντίθετο συνέβαινε. Προχωρούσε επιφυλακτικά ανάμεσα στην εναλλαγή των φιλογαλλικών και αντιγαλλικών καθεστώτων, και τελικά άφησε την υπό αντιδραστική διακυβέρνηση Ισπανία για να περάσει τα τελευταία χρόνια της ζωής του στο Μπορντό. Παρ' όλα αυτά, κράτησε καθ' όλη τη διάρκεια της ζωής του σε μια απόσταση τη φαντασία του από το νεοκλασικισμό που ήταν τότε το «μοντέρνο» ύφος της γαλλοκρατούμενης Ευρώπης – κι αυτό, όπως νομίζω, μάλλον εξηγεί το γιατί η τέχνη του μοιάζει τόσο σημαντική στην πιο πρόσφατη εποχή. Ο *Μαρά* του Νταβίντ μάς οδηγεί σ' ένα πολύ σκληρό μέρος από πνευματικής άποψης, όπου το μόνο που μπορούμε να ακολουθήσουμε είναι οι λέξεις και το κενό. Τα ύστερα σχέδια του Γκόγια [**231**], καθώς και οι οραματικοί «Μαύροι Πίνακες» με τους οποίους διακόσμησε το σπίτι του στα τέλη της δεκαετίας του 1810, ομολογουμένως μας οδηγούν σ' ένα ακόμα πιο έρημο μέρος. Το σχέδιο όμως του *Μαρά* είναι εξίσου απόλυτο και άκαμπτο με την καμπύλη του οραματικού θόλου του Μπουλέ, και σήμερα μοιάζουν να φέρουν το στίγμα των πιο εφιαλτικών συσχετισμών της νεωτερικότητας, της ανοίκειας μηχανιστικής παγερότητας. Είναι προτιμότερο να επικεντρώσουμε τη φαντασία στην πλούσια και συμπαγή σάρκα, σ' ένα σώμα, ακόμα και σ' ένα κακοφτιαγμένο σώμα, που ουρλιάζει, δεμένο και πεταμένο σε μια γωνιά, χωρίς κανένα στήριγμα, έχοντας χάσει τα λογικά του απ' το φόβο του. Γιατί τα χνάρια του Γκόγια, καθώς επιμένουν σ' αυτό, πάλλονται από ζωή, κι αυτό φέρνει ένα είδος λύτρωσης – έστω κι αν δεν είναι η σωτηρία στην οποία πίστευε ο Θουρμπαράν όταν επέμενε στην παρομοίωση των δοκιμασιών ενός δεμένου αρνιού με αυτές του Χριστού [βλ. **183**]. Η τέχνη του Γκόγια γυρίζει συχνά στο γνώριμο βάρος και τράβηγμα της σάρκας, κι αυτό τη γυρίζει στις ισπανικές και ιταλικές παραδόσεις που εκτείνονται πίσω της. Ο *Ηλίθιος* ρίχνει έναν μακρύ ίσκιο στη μεταγενέστερη τέχνη, και ρίχνει επίσης έναν βαρύ ίσκιο στο *Αχυρένιο ανδρείκελο*.

231 Φρανθίσκο δε Γκόγια, *Ο ηλίθιος*, 1824–28. Στο ύστερο έργο του ο Γκόγια συχνά επιμένει σε σώματα που νιώθουν εξαρθρωμένα και τερατόμορφα – ακόμα και, όπως σχηματίζει κανείς την εντύπωση, απέναντι στον ίδιο τους τον εαυτό. Ένα αινιγματικό, σαρδόνιο και ενίοτε ξεκαρδιστικό σχόλιο για τα ανθρώπινα ζητήματα πλανάται γύρω τους, αλλά είναι δύσκολο να κατατάξουμε σε κάποιο συγκεκριμένο πλαίσιο εικόνες όπως αυτό το σχέδιο. Το αυθεντικό φύλλο καταστράφηκε στη διάρκεια του Β΄ Παγκόσμιου πολέμου. Ίσως θα έπρεπε να αποσυνδέσουμε την εικόνα αυτή από την ιστορία και να την εντάξουμε σε κάποια ανθολογία με θέμα την κραυγή, τοποθετώντας την μαζί με τον Μουνκ, τον Μπέικον, τον *Λαοκόοντα* και τον Νικολό ντελ' Άρκα για να συγκροτήσουμε μια πινακοθήκη της απόγνωσης.

Όραμα και τοπίο
Μεγάλη Βρετανία, Γερμανία, 1790–δεκαετία του 1840

Ο Γκόγια, ο οποίος επεξεργαζόταν τα caprichos ή τις φανταστικές του εικόνες στη μοναξιά της κώφωσης, μερικές φορές δανειζόταν ιδέες από εισαγόμενα χαρακτικά. Οι καρικατουρίστες του Λονδίνου, ιδίως ο Τζέιμς Γκίλρεϊ (James Gillray), τον είχαν προλάβει μετατρέποντας μια ξεπερασμένη αναπαραστατική γλώσσα σ' ένα μέσο εκρηκτικής διασάλευσης – το μπαρόκ επανιδωμένο ως μπουρλέσκο. Στις βορειοευρωπαϊκές πόλεις του τέλους του 18ου αιώνα η καλλιτεχνική σκηνή ήταν πιο θορυβώδης και πιο πυρετώδης από αυτήν της Μαδρίτης. Εδώ, η εμπειρία των εργαστηριακών παραδόσεων μετρούσε λιγότερο από το ερέθισμα των κριτικών συζητήσεων. Τα ανταγωνιστικά πλήθη των εκπαιδευόμενων στις ακαδημίες ανέπτυξαν μια νέα υποκουλτούρα, όπου οι κοινοί ψίθυροι για τις αποκρυφιστικές ερμηνείες της ιστορίας (όπως, λόγου χάρη, τον ελευθεροτεκτονισμό) συνυπήρχαν με κατηγορηματικές προσωπικές διεκδικήσεις της ιδιότητας της «ιδιοφυΐας». Στην πραγματικότητα, η λατρεία του αρχαϊκού συνοδευόταν από τη λατρεία της εμπνευσμένης φαντασίας, στην οποία δινόταν μια γλώσσα για να μιλήσει. Και οι δύο πρόσφεραν μια πλεονεκτική θέση στον αβέβαιο και γρήγορα μεταβαλλόμενο κόσμο στον οποίο αντιτασσόταν ο καλλιτέχνης. Το πάθος του Βίνκελμαν για τους αρχαίους Έλληνες, το πάθος του Πιρανέζι για τους Ρωμαίους, καθώς και το πάθος του Μπουλέ για τους Αιγύπτιους, έθελγε τους καλλιτέχνες σαν μυστική αποκάλυψη, μοιάζοντας να ανοίγει πόρτες που οδηγούσαν πέρα από το σύγχρονο πολιτισμικό περιβάλλον και τους συμβιβασμούς του. Το από καιρό παραγκωνισμένο μεσαιωνικό παρελθόν επίσης άρχιζε να κινεί την περιέργεια. Στα τέλη της δεκαετίας του 1740, ο άγγλος ντιλετάντης Χόρας Ουόλπολ (Horace Walpole) είχε επιχειρήσει να ξαναζωντανέψει τον «γοτθικό» ρυθμό των κτιρίων, ο οποίος είχε διατηρηθεί στις πιο παλιομοδίτικες επαρχιακές γωνιές της Ευρώπης μέχρι εκείνη την εποχή. Το αρχοντικό του Ουόλπολ με τα βέλη και τα τετράφυλλα που βρισκόταν στο Στρόμπερι Χιλ, στα περίχωρα του Λονδίνου, ήταν ένα εγχείρημα το οποίο έγινε με το ίδιο σχεδόν φιλοπαίγμον πνεύμα που χαρακτήριζε και τα αντικείμενα κινεζικού στιλ, όσοι όμως τον ακολούθησαν σ' αυτήν την περιοχή πήραν πιο σοβαρά τους συμβολισμούς των κατασκευαστών των καθεδρικών ναών.

Ο Ουίλιαμ Μπλέικ (William Blake) ήταν ένας καλλιτέχνης που είχε βγει μέσα από αυτές τις πολιτισμικές ζυμώσεις. Γεννήθηκε στο Λονδίνο, πέρασε τα πρώτα του χρόνια σχεδιάζοντας τα μεσαιωνικά μνημεία του Αβαείου του Ουέστμινστερ και στη συνέχεια εκπαιδεύτηκε ως χαράκτης για ένα δυσάρεστο διάστημα στη Βασιλική Ακαδημία, όπου εκδήλωσε την προσωπική του εναντίωση στην επιδοτούμενη από το κράτος κυριαρχία της ελαιογραφίας. Από τη δεκαετία του 1780 και μετά, παρόλο που πέρασε σαράντα χρόνια κατά κύριο λόγο μέσα στην κακοπληρωμένη, ηρωικά πεισματική αφάνεια, επέμεινε στην εξερεύνηση εναλλακτικών τεχνικών για τη φωτεινή υδατογραφία και την «ιστορημένη εκτύπω-

232 Ουίλιαμ Μπλέικ, *Ο παλαιός των ημερών*, 1794/1824. Σύμφωνα με τον Μπλέικ, την εικόνα αυτή αρχικά την εμπνεύστηκε από ένα όραμα που εμφανίστηκε στην κορυφή της σκάλας του σπιτιού του στα προάστια του Λονδίνου. Οι άγγελοι και τα φαντάσματα επίσης του φανερώνονταν συχνά. Η υποκουλτούρα μέσα στην οποία κινούνταν ο Μπλέικ στα τέλη του 18ου αιώνα εξελίχθηκε στα μέσα του 19ου αιώνα σε μια λατρεία του πνευματισμού. Η παράδοση αυτή θα διαμόρφωνε τελικά την πρωτοπόρα αφαίρεση του Βασίλι Καντίνσκι τον 20ό αιώνα.

του Τέρνερ –έζησε περισσότερο από τον Κόνσταμπλ και πέθανε το 1851– συχνά είναι ζωγραφισμένο λες και ο ίδιος αποτελεί μέρος των διεργασιών της φύσης, λες και είναι ένας σίφουνας που αρπάζει όλες τις νέες χρωστικές ουσίες τις οποίες μπορούσε να προσφέρει η χημεία του 19ου αιώνα. Είχε κερδίσει την ελευθερία γι' αυτούς τους ελιγμούς περιχαρακώνοντας, ήδη από νεαρή ηλικία, την τεράστια επαγγελματική του μαεστρία μέσα από την άρτια γνώση του τοπογραφικού σχεδίου και της ακουαρέλας. Αντίθετα με τον παθιασμένα τοπικιστή Κόνσταμπλ, ο λονδρέζος καλλιτέχνης διατήρησε ένα όσο το δυνατόν πιο ευρύ οπτικό πεδίο, αξιοποιώντας τα πάντα στην ευρωπαϊκή τέχνη, από τους ολλανδούς θαλασσογράφους ως το παράδειγμα του Κλοντ Λορέν, και –όσο του το επέτρεπαν οι αγγλογαλλικοί πόλεμοι– διευρύνοντας τους ορίζοντές του σχεδιάζοντας στη διάρκεια ταξιδιών στο εξωτερικό.

Ο βαθμός της φιλοδοξίας που ωθούσε αυτήν τη μανιασμένα ανεξάρτητη πρακτική πρωτοαποκαλύφθηκε το 1812, όταν παρουσίασε τη *Χιονοθύελλα: ο Αννίβας και ο στρατός του διασχίζουν τις Άλπεις* [**235**] στην ετήσια έκθεση της Βασιλικής Ακαδημίας. Όπως ήταν αναμενόμενο, ο Τέρνερ διαπραγματεύτηκε με λύσσα προκειμένου να εξασφαλίσει τον πιο προβεβλημένο χώρο στην έκθεση για τον μεγάλο πίνακά του· ήταν μεγάλος σόουμαν, αλλά με τους δικούς του όρους. Είχε συνδυάσει μακρινές αναμνήσεις της Ελβετίας με πιο κοντινές αναμνήσεις από ένα χιονοστρόβιλο που είχε δει σ'

235 Τζόζεφ Μάλορντ Ουίλιαμ Τέρνερ, *Χιονοθύελλα: ο Αννίβας και ο στρατός του διασχίζουν τις Άλπεις*, 1812.

ένα βάλτο του Γιόρκσιρ, τις οποίες και είχε διανθίσει με μια παραπομπή γνώριμη στο κοινό από τα μαθήματα αρχαίας ιστορίας. Το όλο «Υψηλό» θέαμα ήταν συντονισμένο έτσι ώστε να αντηχεί μαζί τους, σε όλα τα δυνατά επίπεδα. Να αντηχεί δηλαδή δυνατά και απεριόριστα. Το 1812, το επικό εγχείρημα του Αννίβα θα μπορούσε κάλλιστα να συμβολίζει το επικό εγχείρημα του Ναπολέοντα ή της Μεγάλης Βρετανίας. Δεν χωράει καμία αμφιβολία, ωστόσο, πως εξέφραζε τη διαίσθηση ότι αυτή ήταν μια εποχή αναταραχής που επηρέαζε ολόκληρο τον κόσμο και ότι οι κοινοί θνητοί, οι σκόρπιες αποσπασματικές μορφές στο πρώτο πλάνο, βρίσκονταν αβοήθητοι στο έλεος τεράστιων, ακατανίκητων δυνάμεων.

Οι ζωγράφοι που ακολούθησαν τον Τέρνερ στο χώρο του εκθεσιακού ζοφερού θεάματος, όπως για παράδειγμα ο αμερικανός Τόμας Κόουλ (Thomas Cole) και ο ρώσος Καρλ Μπριούλοφ, μπορεί να έλεγαν πως αυτές οι δυνάμεις ήταν η «Ιστορία» ή η «Φύση» – οι αγαπημένοι νέοι ημίθεοι του 19ου αιώνα. Στην περίπτωση όμως του Τέρνερ, το όλο ζήτημα είχε να κάνει με την εσωτερική ενέργεια, όπως συνέβαινε και στην περίπτωση του Μπλέικ. Οι δημιουργικές ενέργειες ωθούσαν μπροστά τη χρωστική ουσία της *Χιονοθύελλας*, επιτρέποντας στα γεγονότα, στα βουνά και στα καθοδικά ρεύματα αέρα να αναδυθούν στην επιφάνεια. Ο ψυχολογικός αγώνας του Τέρνερ ήταν σχεδόν τόσο ιδιόμορφος και έντονος όσο και ο αντίστοιχος αγώνας του Γκόγια· ο ήλιος ο οποίος κρύβεται πίσω απ' τα ανταριασμένα σύννεφα είναι σαν να δηλώνει ότι παλεύει με αυτό που θα μπορούσε σχεδόν να είναι ο Θεός του.

Τα νέα καθεστώτα
Ιράν, Γαλλία, Δανία, δεκαετία του 1800–δεκαετία του 1840
Ο κόσμος κλονιζόταν την εποχή που ο Τέρνερ ζωγράφισε τον πίνακά του· σε ένα επίπεδο, το επίκεντρο του σεισμού ήταν ο Ναπολέων. Στα δυτικά, η Βραζιλία είχε μόλις υποδεχτεί την πορτογαλική βασιλική οικογένεια που είχε διαφύγει από την καταδίωξη των στρατευμάτων του· στα ανατολικά, η Οθωμανική Αυτοκρατορία προσπαθούσε να χωνέψει τον αντίκτυπο της επίθεσής του στην Αίγυπτο, ενώ η Ρωσία, η οποία είχε συντρίψει τη γαλλική εισβολή του 1812, θα αποδεικνυόταν η καταστροφή του. Σ' ένα άλλο επίπεδο, ο Ναπολέων ήταν απλώς και μόνον η βιτρίνα για μια ευρύτερη μετάβαση – από τις μοναρχίες που ήταν στενά συνδεδεμένες με τη θρησκεία και την αριστοκρατία στα πραγματιστικά καθεστώτα για τα οποία η εξουσία, ο εκσυγχρονισμός και ο «ορθός λόγος» ήταν στην ουσία συνώνυμες έννοιες. Αυτά τα νέα οργανωτικά πλαίσια μπορεί να έβρισκαν τη θρησκεία χρήσιμη και κοινωνικά επιθυμητή, και μπορεί επίσης να αναφέρονταν με ενθουσιασμό στην «παράδοση», αλλά η θρησκεία και η παράδοση είχαν γίνει αυτοσυνείδητες και ανεξάρτητες. Ήταν στην υπηρεσία νέων αφεντάδων. Η τάση αυτή εκτείνεται και πέρα από την Ευρώπη· απαντάται, για παράδειγμα, στην εκσυγχρονιστική κυβέρνηση που εγκαθίδρυσε ο Μοχάμετ Άλι στην Αίγυπτο μετά την αναχώρηση του Ναπολέοντα.

Και η τέχνη πώς εμπλεκόταν σε όλα αυτά; Ένα άλλο νέο καθεστώς ήταν η δυναστεία των Κατζάρ, η οποία κατέλαβε την εξουσία στο Ιράν έπειτα από πολλές δεκαετίες πολιτικού αναβρασμού. Οι Σαφαβίδες που εξωράισαν το Ισφαχάν (βλ. σ. 237) είχαν υποταχθεί σε μια συγκεχυμένη σειρά στρατιωτικών τυχοδιωκτών, και μόνο στα τέλη του 18ου αιώνα ο Φατ Αλή Σαχ, η μακρά βασιλεία του οποίου είχε για έδρα της τη νέα πρωτεύουσα Τεχεράνη, αποκατέστησε την εθνική συνοχή. Από πολιτισμικής άποψης, την αποκατέστησε προβάλλοντας αξιώσεις στο μακρινό παρελθόν του Ιράν. Ύστερα από ένα κενό χιλίων διακοσίων ετών, επανέφερε τη λάξευση αυτοκρατορικών αναγλύφων σε βράχους. Οι Σαφαβίδες βάσιζαν την εξουσία τους στην πίστη στο σιισμό, αλλά ο Φατ Αλή θα βάσιζε τη δική του εξουσία στην εθνική ταυτότητα, ξαναγυρίζοντας στις δόξες της αρχαίας Περσικής Αυτοκρατορίας. Ταυτόχρονα, όλοι οι δημόσιοι χώροι, από τις ξένες πρεσβείες ως τα τεμένη, υποχρεώθηκαν με διάταγμα να αναρτήσουν υπερμεγέθη πορτρέτα του ανώτατου άρχοντα. Τα αυτοκρατορικά εργαστήρια τα φιλοτεχνούσαν έχοντας ως στόχο τους τα αντίστοιχα πορτρέτα του Ναπολέοντα που παρήγαγε εκείνη την εποχή η ομάδα του Νταβίντ στο Παρίσι. Αν μη τι άλλο, η προπαγάνδα αυτή, η οποία πρόβαλλε ένα αντικείμενο αφοσίωσης στολισμένο με υπνωτιστικά πετράδια και γένια μέχρι τη μέση, ξεπερνούσε τα γαλλικά της πρότυπα σε εντυπωσιακή τελετουργική μεγαλοπρέπεια.

Τα ελαιοχρώματα εισήχθησαν στο Ιράν στα μέσα του 17ου αιώνα, όχι πολύ καιρό μετά την εποχή που ο Ρεζά Αμπασί [βλ. **176**] οδήγησε την περσική παράδοση προς μια σαφώς κοσμική κατεύθυνση. Στην εκσυγχρονιστική ατμόσφαιρα της Τεχεράνης των αρχών του 19ου αιώνα, το μέσο απέκτησε νέα ώθηση. Ο καμβάς με την ακροβάτιδα [**236**] ζωγραφίστηκε για να γεμίσει μια γωνία σ’ ένα σαλόνι του παλατιού του Φατ Αλή, του Γκολεστάν. Ο ζωγράφος (ο οποίος μάλλον λεγόταν Αχμάντ) απευθυνόταν σ’ ένα επιδεικτικό, φανταχτερό και αποκλειστικά ανδρικό περιβάλλον, και καταπιάστηκε με ένα απίστευτα τολμηρό έργο, ακόμα και για την εποχή του. Κανένα έργο από τη μακρά γενεαλογία της ανθρωπομορφικής ζωγραφικής πίσω του δεν είχε αντιμετωπίσει την ένταση ανάμεσα στο μοτίβο και την ανθρώπινη μορφή με τέτοια υπερβολική, χαώδη σχεδιαστική λογική. Οι πίνακες της εποχής των Κατζάρ όπως αυτός, με τα ζωηρά χρώματα και τις παχιές επιστρώσεις, παρουσίαζαν ένα νευρώδες και θορυβώδες είδος καινοτομίας, το οποίο ισορροπούσε ανάμεσα στον χαλαρότερο ηδονισμό του παρελθόντος του Ιράν και τη μετατόπιση προς τον ευρωπαϊκό νατουραλισμό που θα επιταχυνόταν κατά τη διάρκεια του 19ου αιώνα.

Η προσφυγή του Φατ Αλή στο αρχαϊκό παρελθόν αντικατόπτριζε πρωτοβουλίες που είδαμε ήδη στην Ευρώπη – μόνο που εκεί οι πρωτοβουλίες προέρχονταν κατά πρώτο λόγο από καλλιτέχνες και κριτικούς. Η δεύτερη γενιά νεοκλασικιστών εξακολουθούσε να πιστεύει ότι η «παράδοση» βρισκόταν κάπου εκεί έξω, και τα άτομα θα μπορούσαν να τη χρησιμοποιήσουν για να αντισταθμίσουν το κατά τα άλλα απρόσωπο παρόν. Τα αποτελέσματα συχνά ήταν πιο ριζοσπαστικά απ’ όσο πιθανόν μπορούμε να αντιληφθούμε σήμερα. «Πρέπει να περάσει κανείς πολλή ώρα κάνοντας υποθέσεις μέχρι να μπορέσει να αναγνωρίσει κάτι» ήταν το σχόλιο ενός κριτικού της εποχής για την *Κυ-*

236 Αχμάντ, *Ακροβάτιδα*, περ. 1815. Οι καλλιτέχνες στο Ιράν των αρχών του 19ου αιώνα προσέγγιζαν την ελαιογραφία περίπου με τον ίδιο τρόπο που ορισμένοι Ευρωπαίοι θα την προσέγγιζαν σχεδόν έναν αιώνα αργότερα – ως ένα επίπεδο συνονθύλευμα χρωμάτων το οποίο ήταν τόσο διακοσμητικό όσο και παραστατικό. Συγκρίνετε τα τεχνάσματα εδώ με αυτά του Κλιμτ σ' έναν πίνακα του 1909 [**274**]. Η προτίμηση για τα φλογερά κόκκινα και τα τιρκουάζ είναι χαρακτηριστική της εποχής. Στα τέλη του αιώνα, ζωγράφοι όπως ο Καμάλ αλ-Μουλκ θα έφερναν σχεδόν φωτογραφικές αξίες στα ιρανικά θέματα.

237 Ζαν-Ογκίστ-Ντομινίκ Ενγκρ, *Η κυρία Ριβιέρ*, 1806. Κάτω απ' τις φούντες της ινδικής κασμίρ εσάρπας βρίσκεται το ξανθό βερνίκι του ολοκαίνουργιου καναπέ. Επιλέγοντας το ψευδομεσαιωνικό ζωγραφισμένο στολίδι του, ο Ενγκρ συλλογίζεται τις δικές του εικαστικές συνήθειες. Αγαπάει ό,τι τυλίγεται γύρω απ' τον εαυτό του, ό,τι γεμίζει με τον εαυτό του (όπως συμβαίνει με το τριφύλλι) και ό,τι δεν αφήνει το νου να ξεστρατίσει. Οι ιδιότητες αυτές θα τον έκαναν, κατά τη διάρκεια της εξηντάχρονης σταδιοδρομίας που ακολούθησε αυτό το έργο για την οικογένεια Ριβιέρ, τον πιο μονομανή προσωπογράφο και τον πιο συντηρητικό παράγοντα στον γαλλικό κόσμο της τέχνης.

ρία Ριβιέρ [**237**], ένα έκθεμα στο Σαλόν του 1806 φιλοτεχνημένο από έναν νέο που είχε μόλις βγει από το εργαστήριο του Νταβίντ, τον Ζαν-Ογκίστ-Ντομινίκ Ενγκρ (Jean-Auguste-Dominique Ingres). Ο συγκεκριμένος κριτικός έβλεπε έναν πίνακα που απέρριπτε το ανάγλυφο πλάσιμο στο οποίο βασίζονταν ο Νταβίντ και οι προγενέστεροί του ζωγράφοι για να επιμείνει σε γραμμές που περιελίσσονταν σ' ολόκληρο τον καμβά και σχεδόν έρχονταν σε αντίθεση με την απεικονιζόμενη. Ήταν ένα «ισοπεδωτικό» αποτέλεσμα σε σύγκριση με τα έργα του Φρίντριχ και του Μπλέικ. Στην πραγματικότητα, ο Ενγκρ σχεδίασε την προσωπογραφία αυτή ως παραλλαγή στη *Madonna della Sedia* (*Παναγία της έδρας*) του Ραφαήλ [βλ. **148**], όπως ακριβώς και σε κάποιους άλλους πίνακές του στράφηκε στην τεχνική του Γιαν φαν Έικ, στην τεχνική της αρχαιοελληνικής αγγειογραφίας, ακόμα και στην τεχνική της περσικής μικρογραφίας. Όλα αυτά τα μακρινά σημεία αναφοράς τον βοηθούσαν να καταλάβει τις πεζές άμεσες ανάγκες πελατών όπως ο κύριος Ριβιέρ, ενός νεόπλουτου κυβερνητικού στελέχους. Η «ιδανικότητά» τους επέτρεπε τις ανεπαίσθητες ελευθερίες που πήρε στο σώμα της γυναίκας του Ριβιέρ – απομακρύνοντας τους γοφούς της από τον κορμό, εξαρθρώνοντας τον αριστερό της ώμο και καλύπτοντας τις παραμορφώσεις με πλούσιες πτυχώσεις, προκειμένου να ολοκληρώσει καλύτερα ένα ρυθμό που εξέφραζε την ανταπόκρισή του στη σεξουαλική της γοητεία. Ωστόσο, οι περισσότεροι θεατές αρχικά δυσκολεύονταν να αποδεχτούν αυτό το είδος σφιχτοδεμένου, ακραίου και απολύτως αυτοτελούς πίνακα. Μόνο κατά τη δεκαετία του 1820, υπό το αποκατεστημένο φιλοβασιλικό καθεστώς που ακολούθησε την κατάρρευση του Ναπολέοντα, μια μερίδα της κοινής γνώμης μεταπείστηκε υπέρ του πεισματικά συνεπούς Ενγκρ. Η επιλογή πελατείας, οι κλασικές του παραπομπές και ο γραμμικός έλεγχος του σχεδίου του του πρόσφεραν μια κάποια θέση στη γαλλική καλλιτεχνική πολιτική. Μέχρι το θάνατό του το 1867, αυτός ο δεξιοτέχνης του αναθεωρημένου νεοκλασικισμού εμφανιζόταν ως η προσωποποίηση των συντηρητικών αξιών, παρά την παράξενη ενστικτώδη ένταση των πινάκων του.

Οι εμβληματικές προσωπογραφίες καλοντυμένων ατόμων που φιλοτέχνησε ο Ενγκρ, μαζί με τις φανταστικές εικόνες των αγαλματένιων θεών και των παλλακίδων της Ανατολής, βρήκαν τη θέση τους στη μεταεπαναστατική εποχή. Μετά το τέλος των πολέμων στην Ευρώπη, το 1815, οι αστοί, οι βασικοί κληρονόμοι της εξουσίας, προσπαθούσαν να εδραιώσουν νέες πολιτισμικές τάξεις. Οι αστοί όμως –δηλαδή οι κάτοικοι της πόλης με ακίνητη περιουσία– δεν ήταν μια μονολιθική ομάδα με ενιαία κριτήρια ως προς το γούστο. Εκτός της πολιτισμικής μητρόπολης του Παρισιού, τα άλλα τμήματα του νέου ευρωπαϊκού κοινού προσέγγιζαν τη ζωγραφική μ' ένα απλώς φευγαλέο ενδιαφέρον για την παράδοση. Κατά τη μεταναπολεόντεια περίοδο πολλοί ζωγράφοι στη Γερμανία, στην Αυστρία και στη Σκανδιναβία, σχεδόν σαν τους προγόνους τους στην Ολλανδία του 17ου αιώνα, ζωγράφιζαν πιστά νατουραλιστικές αποδόσεις του καθημερινού και του περιγραφικού, συχνά με μια χαρούμενη και ζωντανή παλέτα. Αυτό το ρεύμα του γούστου ονομάστηκε εκ των υστέρων Biedermeier, από έναν σατι-

μανία και στην Αγγλία) αλλά με την προσφυγή σε παλιές αναπαραστατικές τεχνικές, τις οποίες ακολουθούσαν οι καλλιτέχνες για να εξυπηρετήσουν νέους σκοπούς.

Πώς θα μπορούσαμε, άραγε, να περιγράψουμε αυτούς τους σκοπούς; «Νιώθω μέσα μου μια τεράστια επιθυμία γι' αυτό που ποτέ δεν μπορεί να επιτευχθεί» έγραψε ο Ευγένιος Ντελακρουά (Eugène Delacroix), ο ζωγράφος που έγινε η προσωποποίηση του γαλλικού ρομαντισμού μετά το θάνατο του Ζερικό, στο ημερολόγιό του, το οποίο εξακολουθεί να αποτελεί το απόλυτο ντοκουμέντο του κινήματος. Οι ενέργειες που ο Ντελακρουά επιχείρησε να απελευθερώσει στους πίνακές του δεν είχαν κάποιο συγκεκριμένο σημείο κατάληξης, αλλά κινούνταν προς όλες τις κατευθύνσεις. Όταν επεξεργαζόταν το *Θάνατο του Σαρδανάπαλου* [**240**] –την πιο παράτολμη επίθεση που έκανε στο Σαλόν κατά τη διάρκεια της δεκαετίας του 1820– ο Ντελακρουά έγραφε σημειώματα με αποδέκτη τον εαυτό του: να μελετήσω τον Μιχαήλ Άγγελο, τα αρχαιοελληνικά αγγεία, την περσική τέχνη, τα κεφάλια των Αφρικανών, «να τα κάνω πολύ ανατολίτικα». Οι κατακτήσεις του Ναπολέοντα είχαν φέρει καλλιτεχνικούς θησαυρούς απ' ολόκληρο τον κόσμο στο Λούβρο, σηματοδοτώντας μια μεγάλη ώθηση στην εξέλιξη των κρατικών μουσείων και, ταυτόχρονα, στη δυτική περιέργεια για τα άλλα πολιτισμικά περιβάλλοντα. Ο Ντελακρουά, γόνος μιας οικογένειας της κατώτερης αριστοκρατίας, που η προτίμησή του για την καινοτομία χρωματιζόταν από την αίσθηση ότι ερχόταν σε αντίθεση με την εποχή στην οποία ζούσε, ρουφούσε αυτά τα ερεθίσματα όπως ακριβώς ρουφούσε και την αφηγηματική ποίηση, τη συνήθη πηγή της εικονοποιίας του (ο *Σαρδανάπαλος* προερχόταν από ένα πρόσφατο ποίημα του Λόρδου Βύρωνα). Το βασικό στήριγμα των αναφορών του Ντελακρουά, το υπέρτατο παράδειγμα της μεγαλοπρεπούς ενέργειας, εξακολουθούσε να είναι η ζωγραφική του Ρούμπενς. Ο Ντελακρουά ξανάπλασε στο εργαστήριό του τα θερμά χρώματα και τις μπερδεμένες μορφές πινάκων που είχαν γίνει διακόσια χρόνια πριν, όπως για παράδειγμα η *Αλληγορία των συνεπειών του πολέμου* [βλ. **173**], με μια τεχνική η οποία απομακρυνόταν από τα υποστρώματα σε γήινα χρώματα του Ρούμπενς και προχωρούσε προς μια συνεχή αμφίδρομη κίνηση των ζωηρών αποχρώσεων.

Η στρατηγική αυτή ίσως να ήταν παρακινδυνευμένη. Το θορυβώδες και μεγαλοπρεπώς αλλόκοτο χάος του *Σαρδανάπαλου* –όπου ένας απαθής τύραννος είναι ξαπλωμένος νωθρά στο κρεβάτι του ενώ δολοφονούνται οι παλλακίδες του κι ένας σκλάβος οδηγεί στη σφαγή ένα φοβισμένο άλογο, το οποίο είχε ξεσηκώσει από τον Ζερικό– προκάλεσε τον ψόγο τόσο των κριτικών όσο και των επίσημων πατρόνων. Όμως η διάθεση του Ντελακρουά για εναντίωση απευθυνόταν στην κρατική εξουσία με σχετικά συγκρατημένο τρόπο. Τρία χρόνια αργότερα, οι ενέργειές τους συνέκλιναν στιγμιαία όταν παρουσίασε με αλληγορικό τρόπο τη λαϊκή επανάσταση του 1830 που είχε ως επα-

240 Ευγένιος Ντελακρουά, *Ο θάνατος του Σαρδανάπαλου*, 1828. Οι εχθροί έχουν περικυκλώσει το βασιλιά της Ασσυρίας στη Νινευή, αλλά δεν θέλουν να πάρουν τα πλούτη του. Προτιμούν να σφάξουν τις γυναίκες και τα άλογα, να φέρουν δαυλούς και ν' αφήσουν «αυτό το φλεγόμενο παλάτι / με τους τεράστιους τοίχους της καπνισμένης ερείπωσης» να γίνει «ένα μνημείο επιβλητικότερο από εκείνα που ύψωσε / η Αίγυπτος στα πλίνθινα βουνά της». Η φαντασμαγορία του Ντελακρουά από το 1828 ήταν μια διευρυμένη παραλλαγή στο ιστορικό δράμα του Βύρωνα *Σαρδανάπαλος*, το οποίο είχε δημοσιευτεί εφτά χρόνια νωρίτερα.

κόλουθο την αλλαγή μονάρχη· το έργο του *Η Ελευθερία οδηγεί το λαό* έγινε στη συνέχεια σύμβολο του γαλλικού εθνικισμού. Λίγο καιρό μετά, ο Ντελακρουά έφυγε από το πεζό Παρίσι για το Μαρόκο, προκειμένου να απαθανατίσει την αρχαϊκή λάμψη των «ανατολιτών» Αράβων και Βερβέρων. (Την ίδια στιγμή, τα γαλλικά στρατεύματα πολεμούσαν για να υποτάξουν τους ίδιους αυτούς λαούς στην άλλη πλευρά των συνόρων, στην Αλγερία.) Μετά την επιστροφή του, ο Ντελακρουά επικεντρώθηκε σε κρατικές παραγγελίες για τοιχογραφίες, ενώ ο Τύπος τον παρουσίαζε ως το «ριζοσπαστικό» αντίθετο του συντηρητικού Ενγκρ, ανακυκλώνοντας την παλιά ανταλλαγή υβρεολογίου για «βενετσιάνους» κολορίστες και «φλωρεντινούς» γραμμικούς σχεδιαστές.

Μια εναλλακτική μορφή εναντίωσης προτείνει η *Οδός Τρανσνονέν, 15 Απριλίου του 1834* [**241**]. Το χαρακτικό αυτό, το οποίο δημοσιεύτηκε τρεις μήνες μετά τα περιστατικό που καταγράφει, μοιάζει να αναδίδει την άμεση πραγματικότητα την οποία κρατούσαν σε απόσταση τα ρομαντικά νεκροκρέβατα όπως ο *Σαρδανάπαλος*. Είναι περιττό βέβαια να αναφέρουμε ότι είναι ένα εξίσου περίτεχνο έργο. Τα μελετημένα τυχαία σπαράγματα από μια ανασηκωμένη πουκαμίσα, μια αναποδογυρισμένη καρέκλα κι ένα πλακωμένο μωρό που παρουσιάζει ο Ονορέ Ντομιέ (Honoré Daumier) αναπλάθουν αυτό που συνέβη όταν μια ακόμα πιο αντιδραστική μοναρχία –αυτή την οποία έφερε η επανάσταση που παρουσίασε με αλληγορικό τρόπο ο Ντελακρουά το 1830– έστειλε το στρατό για να καταστείλει την εξέγερση σε μια εργατική συνοικία του Παρισιού. Ο στρατός μάλλον ξεπέρασε τα όρια – ανέβηκε τις σκάλες του κτιρίου κι άρχισε να πυροβολεί και να χτυπάει με τις ξιφολόγχες στα τυφλά. Το κατηγορώ εδώ δεν έχει τίποτα το αόριστο. Δεν είναι μια πομπώδης κίνηση που κάνει κανείς για να φτάσει το πιστόλι, το ξίφος ή τη ρητορική, όπως συνέβαινε με τη γαλλική πολιτική τέχνη ήδη από την εποχή των *Ορατίων* του Νταβίντ. Όπως έκανε και η ανερχόμενη γενιά συγγραφέων, ο εικοσιεξάχρονος Ντομιέ χρησιμοποιούσε την αίσθηση του τυχαίου γεγονότος ως ένα όπλο ακριβείας στον αναπτυσσόμενο ταξικό αγώνα.

Η *Οδός Τρανσνονέν* χρησιμοποιεί τα εκφραστικά μέσα του απερίφραστου ρεαλισμού, αλλά το μεγαλύτερο μέρος του έργου αυτού του πολιτικά μάχιμου καλλιτέχνη ήταν καρικατούρες. Η παραμόρφωση επέτρεπε στον Ντομιέ να σκέφτεται τα σώματα με πιο ελεύθερο και πιο αστείο τρόπο – το πάχος τους, το βάρος τους και τη ρευστότητά τους. Όπως και ο Γκόγια πριν από αυτόν (ο οποίος εξακολουθούσε να είναι σχεδόν άγνωστος στο Παρίσι), ο Ντομιέ εμφυσούσε μια σκληρή νέα ζωή στην ανθρώπινη μορφή σε μια εποχή όπου ένα μεγάλο μέρος της τέχνης ήταν επίπεδα γραμμικό και σχολαστικά λείο. Στην πραγματικότητα, τόσο ο Ντελακρουά όσο και ο Νταβίντ είχαν δοκιμάσει την καρικατούρα κατά τη διάρκεια της σταδιοδρομίας τους, βγαίνοντας στις ανοιχτές θάλασσες του εμπορίου εικόνων από το κλειστό λιμανάκι της «υψηλής τέχνης» στο οποίο επικεντρώνονται τα επιχειρήματα του παρόντος βιβλίου. Έξω από τα Σαλόν και τις αίθουσες της ακαδημίας βρισκόταν η πιο μεγάλη και πιο άναρχη περιοχή των πιεστηρίων χαρακτικής και των εξειδικευμένων σχεδιαστών και σχεδιαστριών. Και τα μέσα της διευρύνονταν: η λιθογραφία (η εκτύπωση παραστάσεων σχεδιασμένων με μελάνι πάνω σε ασβεστολιθική πλάκα), η τεχνολογία πίσω από την *Οδό Τρανσνονέν*, επινοήθηκε στο Μόναχο το 1798 και επρόκειτο να επιταχύνει και να τελειοποιήσει τη ροή των εικαστικών πληροφοριών καθ' όλη τη διάρκεια του 19ου αιώνα.

Τα Σαλόν έμοιαζαν να περιστρέφονται γύρω από απαίσια αλλού και ιδιότροπα χτες. (Το «ρεύμα των τροβαδούρων», η λεπτολογική αναφορά στο Μεσαίωνα, ήταν μια χαρακτηριστική τάση των αρχών του 19ου αιώνα.) Μήπως τελικά η ζωγραφική λειτουργούσε ως τροχοπέδη της νεωτερικότητας, ενώ άλλα, λιγότερο υπεροπτικά μέσα μπορούσαν να ακολουθήσουν το ρεύμα της αλλαγής; Τον Γκρανβίλ (Grandville) –άλλον ένα συνεργάτη του σατιρικού Τύπου της δεκαετίας του 1830– τον μάγευαν οι ανοίκειες προοπτικές των μηχανών όσο μάγευαν και τον Ντομιέ οι δοκιμασίες των συνανθρώπων του. Οι εικονογραφήσεις του διατύπωναν εικασίες με βάση τις μικροσυσκευές, τις τρέλες της μόδας και τις υποθέσεις για το μέλλον που κυκλοφορούσαν στο Παρίσι και τοποθετούσαν ανάκατα όλες τις κατηγορίες πληροφοριών σε φαντασμαγορίες οι οποίες είχαν λίγη από την υπερβολή του Μπος. Πρόσφερε πρότυπα στη μεταγενέστερη φανταστική τέχνη που πέρασε στην παγκόσμια εικαστική παιδεία, όπως για παράδειγμα στις εικονογραφήσεις του Τζον Τένιελ (John Tenniel) για την *Αλίκη στη χώρα των θαυμάτων·* φαίνεται επίσης πως μάλλον ήταν ο πρώτος καλλιτέχνης ο οποίος δοκίμασε το γνώριμο πλέον τρικ του ζουμαρίσματος από ψηλά στη ζωή των δρόμων της πόλης. Οι μικρές, γεμάτες κίνηση ξυλογραφίες του Γκρανβίλ αποτελούν μια βιομηχανική επανάσταση της φαντασίας, αντικατοπτρίζοντας μια εποχή όπου όλα οδηγούνταν στη μεταμόρφωση και στον αποπροσανατολισμό. Η βινιέτα που βλέπουμε εδώ [**242**] ήταν μια αναφορά της δικής του ονειρικής ζωής, την οποία έφτιαξε λίγο πριν από τον πρόωρο θάνατό του το 1847. Το σχήμα της βινιέτας που βαθμιαία υποχωρούσε έμοιαζε να είναι πλασμένο για το ρομαντισμό, εφόσον έκανε τις εικόνες να αχνοσβήνουν μέσα στο μεγαλύτερο λευκό που μπορούσε να συμβολίζει το νου, ή ακόμα και τη ζωή του καλλιτέχνη, ο οποίος «βρισκόταν συνέχεια εν τω γί-

241 Ονορέ Ντομιέ, *Οδός Τρανσνονέν, 15 Απριλίου του 1834*, 1834.

242 (πάνω) Ζ. Ζ. Γκρανβίλ, *Το τελευταίο όνειρο του Γκρανβίλ·* δημοσιεύτηκε το 1847.

243 (κάτω) Χοκουσάι, *Το όρος Φούτζι ιδωμένο μέσα απ' τον ιστό μιας αράχνης,* 1840.

γνεσθαι και ποτέ δεν τελειοποιούνταν».* Και, βέβαια, δεν ήταν ένα τέχνασμα που μπορούσαν να χρησιμοποιήσουν οι ζωγράφοι του τελάρου.

Τα «χαμηλά» και τα «υψηλά» μέσα έπαιζαν σημαντικό ρόλο στον ιαπωνικό κόσμο της τέχνης ήδη από τα τέλη του 17ου αιώνα, όταν τα φτηνά γοητευτικά χαρακτικά μπήκαν πλάι στη ζωγραφική παραβάν και κυλίνδρων. Τον 19ο αιώνα τα όρια έγιναν λιγότερο σαφή. Τα ουκίγιο-ε, τα οποία στο Έντο της δεκαετίας του 1790 απεικόνιζαν σκηνές από το κέντρο της πόλης με έντονη και χαρακτηριστική ζωντάνια, μερικές δεκαετίες μετά άρχισαν να μεταφέρονται στον ευρύτερο και πιο ευυπόληπτο κόσμο. Οι μεν γαιοκτήμονες αριστοκράτες είχαν πλέον αστικοποιηθεί πλήρως, οι δε αστοί αντλούσαν ευχαρίστηση από τις εκδρομές στην ύπαιθρο. Οι δύο καλλιτέχνες που εκμεταλλεύτηκαν στο έπακρο αυτήν τη μεταβαλλόμενη κοινωνική κατάσταση ήταν ο Χοκουσάι και ο Χιροσίγκε. Μάλιστα ο εξαιρετικός και μακρόβιος Χοκουσάι διοχέτευσε την περιέργειά του σε όλους τους διαθέσιμους τομείς της δημιουργίας εικόνων. Ζωγράφιζε συνέχεια από τη δεκαετία του 1780 ως και τη δεκαετία του 1840, και όπως έλεγε ο ίδιος συνεχώς βελτιωνόταν: «Στα εκατό θα έχω φτάσει σ' ένα θαυμάσιο επίπεδο, και στα εκατόν δέκα κάθε κουκκίδα και κάθε γραμμή θα είναι ζωντανή».

Μετά τις σπουδές στην προοπτική, τις σπουδές λουλουδιών, τις δραματικές σκηνές, τις εικονογραφήσεις ποιημάτων, την πορνογραφία και τις ρηξικέλευθες συλλογές με συγκινητικές πόζες της ανθρώπινης μορφής –τα μάνγκα–, ο Χοκουσάι καθιερώθηκε με τα πολυτελή λευκώματα που απεικόνιζαν απόψεις του όρους Φούτζι [**243**]· η εικόνα εδώ προέρχεται από ένα λεύκωμα που δημοσιεύτηκε το 1840. Το Φούτζι είναι ένα πανύψηλο ηφαίστειο σε απόσταση εκατό χιλιομέτρων από το Έντο, που διακρίνεται τις καθαρές μέρες – ένας μακρινός στόχος για τους φυσιολατρικούς ρεμβασμούς των αστών. Ο Χοκουσάι βρήκε εκατόν δύο ευφυείς τρόπους για να εισαγάγει αιφνιδιαστικά την καινοτομία στο περίγραμμά του, παρεμβάλλοντας το μάτι του νου του στις παραθέσεις σε κάθε πιθανό επίπεδο – χωρίς να έχει μεγάλες διαφορές από τον Ουταμάρο, ο οποίος γλιστράει ανάμεσα στην κοπέλα και τον καθρέφτη της. Στην ξυλογραφία αυτή, το μεγάλο και το αιώνιο πλαισιώνεται από το μικρό και το αδύναμο, μια καινοτομία πλούσια σε αρχαία νοήματα. Το πρόσκαιρο και το ταπεινό συνήθως το λατρεύει μια αισθητική (το ουάμπι σάμπι) που έλκει την καταγωγή της από την προϊστορική λατρεία των πνευμάτων στην Ιαπωνία. Η ίδια παράδοση θεωρεί ότι το Φούτζι είναι το μυθικό προπύργιο της αθανασίας – ένα σύμβολο γεμάτο με προσωπική σημασία, το δίχως άλλο, για κάποιον που είχε το πλάνο ζωής του Χοκουσάι.

Ο Χιροσίγκε, ο οποίος ήταν κατά τριάντα εφτά χρόνια νεότερος του Χοκουσάι, ήταν ο τελευταίος μείζων εκφραστής ενός είδους που παραχώρησε τη θέση του στις νέες μεθόδους εκτύπωσης όταν η Ιαπωνία μπήκε σ' ένα υπερεντατικό πρόγραμμα εκβιομηχανισμού. Και αυτός απεικόνιζε τη φύση, μια φύση όμως που η σημασία της ήταν σχεδόν πάντα περιορισμένη –

---

* Η άποψη αυτή προέρχεται από την εξαιρετική σειρά διαλέξεων του Henri Zerner και του Charles Rosen, *Romanticism and Realism: The Mythology of Nineteenth-Century Art* (1985).

είτε γιατί ήταν ιδωμένη από κάπου είτε γιατί τη χρησιμοποιούσε κάποιος. Οι καιρικές συνθήκες, τα υλικά και οι διαθέσεις μεταβάλλονται ταυτόχρονα. Οι διαφορετικές εντυπώσεις του έργου *Ένας κούκος που πετάει πάνω απ' το ποτάμι* [**244**], δημοσιευμένου στο τέλος της σταδιοδρομίας του το 1857, κυμαίνονταν από την απογευματινή διαύγεια ως το βροχερό σύθαμπο, και το λιτό σχέδιο επέτρεπε στον λανθάνοντα απόηχο του μελανιού, του χαρτιού και του ξύλου να περάσει σε πρώτο πλάνο. Η γαλήνια παραποτάμια ποιητικότητά του έχει κοινά στοιχεία με ελαιογραφίες που δημιουργήθηκαν στη διάρκεια της προηγούμενης δεκαετίας σε χώρες όπως η Δανία του Κρίστιαν Κέμπκε, η Ρωσία του Γκριγκόρι Σορόκα, καθώς και η Αμερική του Τζορτζ Κάλεμπ Μπίνγκαμ (George Caleb Bingham). Οι κανονιοφόροι του αμερικανού πλοίαρχου Πέρι είχαν ήδη μπει στο λιμάνι του Ναγκασάκι· μέσα στα επόμενα δύο χρόνια, η αμερικανική πίεση θα ανάγκαζε την Ιαπωνία να ανοίξει τις πόρτες τόσο στα δυτικά εισαγόμενα προϊόντα όσο και σ' ένα πολύ διαφορετικό είδος νεωτερικότητας. Αν όμως σταματήσουμε στο ναό πλάι στην όχθη του ποταμού, όπου οι έμποροι που πουλούν κοκκινάδια κρεμούν τη σημαία τους, όλα είναι ήρεμα και γαλήνια. Η φύση βρίσκεται υπό έλεγχο. Από την άλλη πλευρά του ωκεανού μάς γνέφουν τα προάστια.

244 Χιροσίγκε, *Ένας κούκος που πετάει πάνω απ' το ποτάμι*, 1857.

10

Η ΟΡΜΗ
ΤΗΣ ΒΙΟΜΗΧΑΝΙΑΣ

Ύλη και πληροφορία
Γαλλία, Γερμανία, Μεγάλη Βρετανία, 1840–1860

Κάποια στιγμή στα μέσα της δεκαετίας του 1820, ένας γάλλος ευγενής από την επαρχία που λεγόταν Νισεφόρ Νιεπς (Nicéphore Niépce) έβαλε μια μηχανή να κάνει αυτό που ως τότε μπορούσαν να κάνουν μόνο τα ανθρώπινα χέρια και μάτια. Αποτύπωσε το φως του ήλιου που περνούσε μέσα από ένα φακό σε μια πλάκα κασσίτερου επιστρωμένη με χημικά, δημιουργώντας μια εικόνα με τη μέθοδο που ονόμασε «ηλιογραφία». Δεν γνωρίζουμε αν αυτή η άποψη από τις στέγες των αχυρώνων στο κτήμα του Νιεπς [245], την οποία έβγαλε το 1826 με χρόνο έκθεσης οχτώ ωρών, ήταν η αρχική του ανακάλυψη, είναι όμως το παλιότερο γνωστό δείγμα μιας τεχνολογίας που έκτοτε μεταμόρφωσε τον κόσμο. Το 1829 ο Νιεπς συνεργάστηκε στα πειράματά του με τον Λουί Νταγκέρ (Louis Daguerre), ένα ζωγράφο-επιχειρηματία που μόλις είχε ανοίξει το δρόμο για άλλο ένα μοντέρνο μέσο, τον κινηματογράφο, με το «διόραμά» του – ένα θέατρο όπου οι Παριζιάνοι μπορούσαν να βλέπουν μαγευτικές ζωγραφισμένες εικόνες σε μια τεράστια οθόνη η οποία φωτιζόταν από πίσω. Ο Νιεπς πέθανε λίγο καιρό μετά, και μόνο το 1839 ο Νταγκέρ ήταν σε θέση να παρουσιάσει μια εφαρμόσιμη φωτογραφική διαδικασία που μπορούσε να επαναληφθεί στην Ακαδημία των Επιστημών, η οποία κατόπιν την έκανε προσιτή στο κοινό.

Μ' έναν απόκοσμο τρόπο, η νέα εφεύρεση έμοιαζε και ταυτόχρονα διέφερε από την τέχνη της ζωγραφικής. Έμοιαζε να μιμείται ό,τι είχαν επιχειρήσει πρόσφατα ο Κόνσταμπλ και πολλοί άλλοι καλλιτέχνες της εποχής που βασίζονταν στην παρατήρηση, και μάλιστα ό,τι είχαν κάνει στο παρελθόν ο Βερμέερ και ο Βαλς, ή ακόμα πιο πριν ο Χόλμπαϊν και ο Φαν Έικ. Κι αυτό ήταν φυσιολογικό, εφόσον ήταν μια διεύρυνση της χρήσης της camera obscura που αποτελούσε ένα έλασσον αλλά χαρακτηριστικό ρεύμα της ευρωπαϊκής παράδοσης. Όμως, επειδή αφαιρούσε το σώμα του καλλιτέχνη, έριχνε ένα διαφορετικό φως στις αμφιβολίες που ήδη υποστηρίξαμε ότι αντιμετώπιζε αυτή η παράδοση. Τι είδους αλήθεια άραγε μπορούσε να βρεθεί στις εικόνες; Η φωτογραφία αντιμετώπιζε το ερώτημα σαν ιέρεια που δίνει διφορούμενους χρησμούς. Η έντονη κοκκώδης υφή της πλάκας κασσίτερου του Νιεπς μάς δίνει την εντύπωση ότι κρυφακούει την ύλη να μουρμουρίζει αδιάφορα στην ύλη, χωρίς κάποιο συμβολικό σκοπό. Η επιφάνεια απέναντί μας έχει μια βλοσυρή, ανθεκτική θαμπάδα. Στην πραγματικότητα, αυτές τις υφές τις αγαπούσαν όσοι στόχευαν να κάνουν φωτογραφική τέχνη, λες και το νέο μέσο μπορούσε να έχει μια υλικότητα εξίσου μυστηριώδη με αυτή που έβγαζε η παχιά πάστα ελαιοχρώματος

246 Ἀντολφ Μέντσελ, *Δωμάτιο με μπαλκόνι*, 1845.

στους καμβάδες του Τέρνερ, ή λες και μπορούσε να παραγάγει ποιητικές αντηχήσεις σαν τα χαρακτικά του Χιροσίγκε. Από την άλλη, οι στρωτές εικόνες υψηλής ευκρίνειας τις οποίες κατόρθωσε να παραγάγει κατόπιν ο Νταγκέρ (και η υπόλοιπη φωτογραφία έκτοτε) έμοιαζαν να αποκαλύπτουν μια αστείρευτη πηγή λεπτομερειών, που πρόσφεραν τη διάφανη πρόσβαση σε μια ατελείωτη σειρά πληροφοριών. Τι φαινόταν πιο πραγματικό, η αδιαφανής υφή ή η κρυστάλλινη διαφάνεια; Το ερώτημα αυτό θα επηρέαζε όχι μόνο τη φωτογραφία αλλά και τη ζωγραφική, καθώς οι καλλιτέχνες μετέφεραν τα προβλήματα του ρομαντισμού σε μια εποχή αδιάκοπης αλλαγής.

Παρόλο που η φωτογραφία αρχικά προϋπέθετε μεγάλους χρόνους έκθεσης, οι τεχνικές της γρήγορα διαδόθηκαν σ' ολόκληρο τον κόσμο από τα δίκτυα του ευρωπαϊκού εμπορίου. Εξαπλώθηκε μαζί με τις τεχνικές εκτύπωσης και απεικόνισης, στις οποίες ήδη ρίξαμε μια ματιά στο προηγούμενο κεφάλαιο. Η φωτογραφία όμως ήταν μόνο μία όψη της μεγάλης συνώθησης του κόσμου από τις συνδυασμένες δυνάμεις της τεχνολογικής παραγωγής, του καπιταλιστικού κεφαλαίου και της αποικιοκρατικής επιθετικότητας. Τα έθνη της βόρειας Ευρώπης, τα οποία ήταν ειρηνικά από το 1815, μετασχημάτιζαν πλέον τις συνθήκες διαβίωσης σε παγκόσμια κλίμακα με μια ταχύτητα που όμοιά της δεν είχε υπάρξει στην ιστορία. Καθώς έκαναν την εμφάνισή τους οι μηχανικοί και οι τοπογράφοι, οι παραδόσεις μετατρέπονταν σε εμπορεύματα, και οι βαθιά ριζωμένοι τρόποι ζωής σε θεάματα μιας χρήσης. Σύμφωνα με τα διάσημα λόγια του Καρλ Μαρξ, τα οποία προέρχονται από το *Κομμουνιστικό μανιφέστο* που έγραψε στις Βρυξέλλες το 1848, «Καθετί στέρεο και ακλόνητο το παίρνει ο άνεμος».*

Ο Μαρξ έγραφε ως ένας επικίνδυνος ριζοσπάστης που έτρεχε από πρωτεύουσα σε πρωτεύουσα· το Λονδίνο βρισκόταν μπροστά του, το Παρίσι και το Βερολίνο πίσω του. Το Βερολίνο έγινε μία από τις πιο γρήγορα ανα

---

* Καρλ Μαρξ – Φρίντριχ Ένγκελς, *Μανιφέστο του κομμουνιστικού κόμματος*, μτφρ. Κώστας Κουτσουρέλης, Νεφέλη, Αθήνα 2002, σ. 32. (Σ.τ.Μ.)

248 Γκιστάβ Κουρμπέ, *Οι κοσκινίστρες του σπαριού*, 1855.

του *Οδός Τρανσνονέν*. Την ίδια εποχή στις άλλες πρωτεύουσες, ο Μέντσελ καταπιανόταν με το άμεσο και οι προραφαηλίτες ακολουθούσαν πιστά τις μικρολεπτομέρειες του φαίνεσθαι. Οι παρισινοί κριτικοί όμως έγραφαν έχοντας το ένα, τουλάχιστον, αυτί τους στραμμένο προς τον τρόπο με τον οποίο σοσιαλιστές όπως ο Μαρξ ισχυρίζονταν πως μιλούσαν εξ ονόματος του υλικά «πραγματικού», το οποίο ήταν το αντίθετο του «ιδεώδους» της φαντασίας που αγαπούσε η προηγούμενη γενιά ρομαντικών στοχαστών. Η δική τους «πραγματικότητα» ήταν αδιαφανής, ανθεκτική και χειροπιαστή.

Στον Κουρμπέ, ο οποίος ήθελε πολύ να ταυτιστεί με την Αριστερά, άρεσε ο χαρακτηρισμός τους και τον ιδιοποιήθηκε. Δεν θα προσέφευγε στις ιστορικές και βιβλικές ενδυμασίες όπως προσέφευγε ο μέσος εκθέτης στο Σαλόν. Θα πραγματευόταν μόνο «το ορατό και το απτό», όπως ισχυριζόταν: «Δείξτε μου έναν άγγελο και θα τον ζωγραφίσω». Η ρητορική ταίριαζε στην υπερφίαλη, υπερμεγέθη δημόσια περσόνα που είχε πλάσει για τον εαυτό του, μια στάση σφυρηλατημένη για να εναντιωθεί στον ήπιο κομφορμισμό που επικράτησε στον γαλλικό δημόσιο βίο μετά τη διάψευση των ελπίδων του 1848. Το 1855 το νέο απολυταρχικό καθεστώς του Ναπολέοντα Γ΄ προσπάθησε να αντιγράψει τον βρετανικό δημοσιοσχετίστικο θρίαμβο του 1851 –τη «Μεγάλη Έκθεση» που έγινε στο επαναστατικό Κρίσταλ Πάλας, το οποίο ήταν κατασκευασμένο από χάλυβα και γυαλί– οργανώνοντας μια γαλλική Παγκόσμια Έκθεση. Ο Κουρμπέ εγκαινίασε το δικό του ανεξάρτητο «Περίπτερο του Ρεαλισμού» ακριβώς απέναντι. Εδώ, οι *Κοσκινίστρες του σιταριού* παρουσιάστηκαν μαζί μ' έναν γιγαντιαίο καμβά που έδειχνε ολόκληρη την κοινωνία να έχει συγκεντρωθεί γύρω από τον καλλιτέχνη επί το έργον στο *Εργαστήριο του ζωγράφου*, λες και ο εαυτός ήταν η μόνη επιδίωξη της πόλης.

Θεατές
ΗΠΑ, Ινδία, Νέα Ζηλανδία, δυτική Αφρική, Κίνα, δεκαετία του 1840–δεκαετία του 1860

Η μικρή σκηνή εναντίον της μεγάλης σκηνής ήταν ένα παιχνίδι που έπαιξαν αρκετές γενιές γάλλων καλλιτεχνών τον 19ο αιώνα. Οι διακηρύξεις καλλιτεχνικής ανεξαρτησίας έμοιαζαν να αποτελούν πρόκληση σ' ένα έθνος όπου οι κυβερνήσεις συγκέντρωναν την εξουσία ήδη από την εποχή της βασιλείας του Λουδοβίκου ΙΔ΄ και όπου η Ακαδημία όφειλε να διατηρήσει έναν ισχυρό καθοδηγητικό ρόλο. Αντίθετα, στην άλλη πλευρά του Ατλαντικού η εθνική τέχνη ακολουθούσε τη λογική του «φτιάξ' το μόνος σου». Η ζωγραφική δεν είχε κάποιον καθορισμένο ρόλο στις νεαρές Ηνωμένες Πολιτείες. Όπως και στην Αγγλία του 17ου αιώνα, η κατά κύριο λόγο προτεσταντική χορεία των πατρόνων παρουσίαζε μια προτίμηση στην προσωπογραφία. Οι αμερικανοί καλλιτέχνες που ήθελαν να κάνουν κάτι διαφορετικό συνήθως πήγαιναν να εκπαιδευτούν στην Ευρώπη για να επιστρέψουν σε μια γεμάτη κινδύνους αγορά. Ο ζωγράφος ο οποίος εισήγαγε με τον πιο αποτελεσματικό τρόπο μια τέχνη που απευθυνόταν στο αναπτυσσόμενο έθνος ήταν ο Τόμας Κόουλ (Thomas Cole). Έχοντας ήδη ζωγραφίσει σκηνές γύρω από τον ποταμό Χάντσον τη δεκαετία του 1820, το 1832 επέστρεψε μετά την επαφή του με το Λονδίνο και τα σαρωτικά έπη του Τέρνερ για να κοινοποιήσει μια ζοφερή ιστορική προφητεία για την αυτοκρατορική άνοδο και πτώση, την οποία διατύπωνε μέσα από έναν κύκλο πέντε οραματικών τοπίων. Από τα τέλη της δεκαετίας του 1840, ο μαθητής του Κόουλ Φρέντερικ Έντουιν Τσερτς (Frederic Edwin Church) εναρμόνισε αυτήν την επιβλητική κλίμακα της φιλοδοξίας με ένα πιο σχολαστικό ενδιαφέρον για την ορατή πληροφορία.

Τα αποτελέσματα, τα οποία παρουσίασε στο εργαστήριό του στη Νέα Υόρκη στους χιλιάδες που έδωσαν 25 σεντς για να απολαύσουν αυτό το προνόμιο, ήταν από κάθε άποψη θεαματικά. Ο ύψους δυόμισι μέτρων πίνακας *Οι καταρράχτες του Νιαγάρα από την αμερικανική πλευρά* [**249**] ήταν το είδος επίδειξης της ελεγχόμενης δεξιοτεχνίας που εξασφάλιζε το σεβασμό του κατά τα άλλα δύσπιστου με την τέχνη κοινού (η ζωγραφική trompe l'oeil ήταν άλλη μια εκδήλωση εικαστικής εφευρετικότητας που καλλιεργήθηκε πολύ στην Αμερική του 19ου αιώνα). Ο άγγλος κριτικός Ράσκιν, τα κηρύγματα του οποίου για την αλήθεια που υπάρχει στη φύση είχε διαβάσει ο Τσερτς, έγραφε με πάθος για το πόσο ευγενές ήταν το να επιχειρεί κανείς να ζωγραφίσει το νερό («Είναι σαν να προσπαθεί κανείς να ζωγραφίσει μια ψυχή»*), καθώς και για τον ιδιαίτερο «χαρακτήρα» που έπαιρνε το νερό όταν έπεφτε από μεγάλο ύψος. Τα ταξίδια που έκανε ο Τσερτς στην ύπαιθρο για να σχεδιάσει του επέτρεψαν να αποδώσει την «απελπισμένη εγκατάλειψη της τεράστιας δύναμής του στον αέρα» σε μια κλίμακα που ξεπερνούσε ό,τι μπορούσε κανείς να δει στην Ευρώπη. (Μια μονοχρωματική φωτογραφία τον βοήθησε επίσης να κάνει την προετοιμασία για τα απαστράπτοντα χρώματά του· οι ζωγράφοι συνήθως δεν ήθελαν να παραδεχτούν ότι είχαν χρησιμοποιήσει αυτό το είδος βοηθήματος, αλλά το 1867 η πρακτική αυτή είχε πια αποκτήσει μεγάλη διάδοση.) Με το λεπτό πλέγμα ελαιοχρώματος –που ξεχωρίζει κάθε σταγόνα του νερού, και ωστόσο τις ενώνει όλες μαζί σε μια αδιαπέραστη αναταραχή– ο Τσερτς στόχευε να ζωγραφίσει την «ψυχή» της αχανούς ηπείρου στα δυτικά. Οι Νεοϋορκέζοι έπρεπε να δουν τον υψηλό αγριότοπο τον οποίο πρόσφερε ο Θεός στο αμερικανικό έθνος – ένα όραμα που σίγουρα θα ξεπερνούσε την όποια στενά εμπορική διάσταση.

---

* Τα παραθέματα προέρχονται από το *Modern Painters*, τόμ. I (1848), μέρος ii, ενότητα v, κεφάλαια 1 και 2.

249 Φρέντερικ Έντουιν Τσερτς, *Οι καταρράχτες του Νιαγάρα από την αμερικανική πλευρά*, 1867. Οι μεγάλοι πίνακες του Τσερτς που απεικόνιζαν εξωτικές απόψεις –παγόβουνα, για παράδειγμα, ή ηφαίστεια στον Ισημερινό– αποσκοπούσαν στην εξύψωση του νου, σχεδόν με τον ίδιο τρόπο που το είχαν κατορθώσει και οι προγενέστερες εκδοχές «του Υψηλού» (όπως, για παράδειγμα, αυτές του Φρίντριχ και του Τέρνερ). Ταυτόχρονα ήταν τεχνικά εντυπωσιακές επιδείξεις καλλιτεχνίας, που γύριζαν από πόλη σε πόλη μέσα σε ειδικά κατασκευασμένους θαλάμους. Μαζί με την τρέλα του 19ου αιώνα για το διόραμα και το πανόραμα, οι πίνακες όπως αυτός εδώ άνοιξαν το δρόμο για τη μαζική κουλτούρα του κινηματογράφου κατά τον 20ό αιώνα.

Για να δείξει την κλίμακα, ο Τσερτς πρόσθεσε θεατές στη μικροσκοπική πλατφόρμα παρατήρησης που κρεμόταν στην άκρη του βράχου στα αριστερά. Η απόσταση δεν ήταν μεγάλη από τις εκθέσεις φοβερών φυσικών θεαμάτων στις οργανωμένες «τουριστικές εμπειρίες», και από εκεί στις μεταφορικές υποδομές που απλώνονταν σαν σιδερένιες βάτοι σ' ολόκληρη τη χώρα. Ορισμένοι από τους άλλους ζωγράφους του «Αμερικανικού Υψηλού» –όπως, για παράδειγμα, ο Άλφρεντ Μπίρσταντ (Alfred Bierstadt), ο οποίος ζωγράφισε τα Βραχώδη Όρη– στην ουσία λειτούργησαν ως διαφημιστικοί πράκτορες των εταιρειών σιδηροδρόμων που πήγαιναν στα δυτικά. Η τοπιογραφία έπαιζε το παιχνίδι των επιταχυντικών διαδικασιών της καπιταλιστικής επιχειρηματικότητας, όσο υψηλόφρονες κι αν ήταν όσοι ασχολούνται με αυτή. Στα μέσα του 19ου αιώνα, η δημιουργία εικόνων στις βιομηχανικές κοινωνίες αποκτούσε την ορμητική ροή του Νιαγάρα: υπήρχαν οι «χρωμολιθογραφίες» των δημοφιλών καμβάδων, τα πανοράματα που παρουσίαζαν γενικές απόψεις των πόλεων, τα «διοράματα» του Νταγκέρ, τα φωτογραφικά πορτρέτα σε μέγεθος επισκεπτηρίου, οι φωτογραφίες των διάσημων ερειπίων και τα στιγμιότυπα από τα επακόλουθα των μαχών στον πόλεμο της Κριμαίας και στον αμερικανικό Εμφύλιο πόλεμο – κι όλα αυτά μαζί με τη διάδοση της καρικατούρας, του επιστημονικού σχεδίου και άλλων τέτοιων τομέων γραφικής εξειδίκευσης. Από τη δεκαετία του 1850 στον όλο κατακλυσμό προστέθηκε και η μανία για το στερεοσκόπιο – ένα όργανο που πρόσφερε την τρισδιάστατη ψευδαίσθηση μέσω της παρουσίασης και στα δύο μάτια χωριστών φωτογραφιών της ίδιας σκηνής προσαρμοσμένων στις διαφορετικές οπτικές γωνίες τους. Γενικά, καθώς τα νήματα της επικοινωνίας και της αποικιοκρατίας κινούνταν όλο και πιο εντατικά, η παγκόσμια οικολογία της τέχνης μεταβαλλόταν. Γινόταν ολοένα και πιο δύσκολο για τις χωριστές παραδόσεις να διεκδικήσουν την ισοδυναμία τους με το πολιτισμικό περιβάλλον που οδηγούσε μπροστά όλο αυτό το συντονισμένο θέαμα – με τη ζώνη που σήμερα ονομάζουμε Δύση.

Ή μήπως αυτό είναι αποτέλεσμα της εκ των υστέρων γνώσης; Υπήρχαν άραγε διακριτά σχήματα της δραστηριότητας των «μη δυτικών» καλλιτεχνών στα μέσα του 19ου αιώνα; Τα σκόρπια δείγματα που μπορώ να παρουσιάσω προέρχονται από τη νοτιοασιατική φεουδαρχία, μια φυλή της Ωκεανίας, ένα αφρικανικό βασίλειο και την κινεζική αυτοκρατορία. Σε ορισμένες περιοχές, δεν χωράει καμία αμφιβολία, ήταν απολύτως εφικτό να προχωράει κανείς με τους δικούς του ρυθμούς. Το έργο του Τάρα, του καλλιτέχνη της αυλής του Μαχαραγιά του Μεϊουάρ, δεν επηρεάστηκε εμφανώς από την πρόσφατα εδραιωμένη ηγεμονία των Βρετανών στην ενδοχώρα. Ενώ οι βρετανοί λόγιοι προωθούσαν τον αυτοδικαιούμενο μύθο για την «παρακμή» που διερχόταν η Ινδία, και οι βρετανικοί βιομηχανικοί αργαλειοί υπονόμευαν τη μακρά επικράτηση της περιοχής στην αγορά υφασμάτων (όπως μαρτυρούν τα κασμίρια που απεικονίζει τόσο ο Ενγκρ όσο και ο Χόλμαν Χαντ), η τελετουργική ζωή στο παλάτι της πόλης Ουνταϊπούρ διατηρούσε το ρυθμό που είχε αναπτυχθεί εδώ και πάνω από δύο αιώνες.

250 Τάρα, *Ο Μαχαραγιάς Σαρούπ Σινγκ παίζει έφιππος χόλι στο ανάκτορο της πόλης*, 1851. Οι Ινδοί που έκαναν ζωγραφική σε χαρτί εξακολούθησαν να αναπτύσσουν την ευρεία γκάμα τεχνικών για τα αδιαφανή χρώματα κατά τη διάρκεια του 19ου αιώνα. Οι καλλιτέχνες εδώ ενδιαφέρονταν για την πιστή καταγραφή των πραγματολογικών λεπτομερειών ήδη από την εποχή του Άκμπαρ (βλ. σ. 212). Σε κάποιο βαθμό αυτό το ενδιαφέρον συνέπιπτε με τα συμφέροντα των βρετανών αποικιστών, οι οποίοι τους προσλάμβαναν για να κάνουν προσωπογραφίες και να ζωγραφίζουν τη φυσική ιστορία. Όπως και σε άλλα μέρη της Ασίας, η σημαντικότερη αμφισβήτηση των τοπικών τρόπων απεικόνισης της προοπτικής προήλθε από την ταχύτατη διάδοση της φωτογραφίας.

Η παρουσίαση από τον Τάρα της ετήσιας γιορτής χόλι που πραγματοποιή-θηκε το 1851 [**250**] χρησιμοποιούσε την προοπτική ευκινησία την οποία εί-χαν καλλιεργήσει οι ινδοί ζωγράφοι στη διάρκεια αυτού του διαστήματος, συνδυάζοντας την ελεύθερη χαρτογραφική εξέταση με την αίσθηση των χωριστών μεμονωμένων περιπτώσεων – αυτής των αναβατών έξω από την πύλη, αυτής των θεατών στον εξώστη και αυτής του ίδιου του μαχαραγιά καθώς κυκλοφορεί στο πατιρντί μέσα, προστατευμένος από το πράσινο φωτοστέφανό του με το χρυσό περίγραμμα. Τα προσεχτικά σχεδιασμένα όργια χρωμάτων, όπως το φρενιασμένο ρίξιμο σκόνης στην καρδιά του πί-νακα, αποτελούσε ειδικότητα των ινδών ζωγράφων του 19ου αιώνα, ενώ κάποιοι άλλοι ινδοί ζωγράφοι γέμιζαν τις σκηνές μάχης με εκρήξεις από κηλίδες αίματος. Στην Καλκούτα και στη Βομβάη ιδρύονταν ακαδημίες που δίδασκαν τις ευρωπαϊκές τεχνικές, και ο ελαιογράφος Ράβι Βάρμα έκανε για τους ινδουιστικούς μύθους ό,τι είχε κάνει και ο Χόλμαν Χαντ για τα Ευαγγέλια, αλλά οι καλλιτέχνες στο ημιανεξάρτητο προτεκτοράτο του Μεϊουάρ (που σήμερα αποτελεί μέρος του Ρατζαστάν) ήταν σε θέση να χρησιμοποιούν το πλάσιμο των όγκων και τις φωτοσκιάσεις κατά βούληση. Το χαρακτηριστικό τους όραμα που αφορούσε τη διάρθρωση του χώρου διατήρησε τη ζωτικότητά του και κατά ένα μεγάλο μέρος του 20ού αιώνα.

Τα δυτικά έθνη ακολουθούσαν ένα διαφορετικό είδος χαρτογράφησης. Το είδος αυτό συνεπαγόταν επιστημονικές επισκοπήσεις των άγνωστων

251 Ραχαρούχι Ρουκούπο, ξυλόγλυπτο αυτοπορτρέτο, 1842. Ο Ραχαρούχι, όπως και οι αρχαίοι βασιλιάδες του Ίφε (**95**), ήταν ένα ζωντανό έργο τέχνης και επιδείκνυε με περηφάνια ένα μεταμορφωμένο δέρμα. Η λέξη «τατουάζ» μπήκε στις ευρωπαϊκές γλώσσες μετά τη συνάντηση των Δυτικών με την Πολυνησία. Ωστόσο, η διακόσμηση του δέρματος με τη μία ή την άλλη τεχνική είχε τη θέση της σε διάφορα πολιτισμικά περιβάλλοντα ανά τον κόσμο. Το δέρμα είναι φθαρτό, οπότε είναι κάπως δύσκολο να ακολουθήσουμε τα ίχνη της ιστορίας αυτής της διακόσμησης· κάποια όμως πολύ αρχαία δείγματα προέρχονται από τα διατηρημένα στον πάγο πτώματα που ανακαλύφθηκαν στα Αλτάια Όρη της κεντρικής Ασίας.

πολιτισμικών φαινομένων και την αποστολή πολύτιμων δειγμάτων ανοίκειας τέχνης στην Ευρώπη. Ενώ τα μουσεία στις πρωτεύουσες γέμιζαν με τρόπαια από την Αίγυπτο και την Ινδία, οι δυτικοί λόγιοι και επιχειρηματίες συνέκλιναν σε αρχαιολογικούς χώρους που εκτείνονταν από τα παλάτια της Ασσυρίας και το Μπορομπουντούρ της Ιάβας ως τις πόλεις των Μάγια στο Μεξικό για να τους φέρουν και πάλι στο φως. (Αργότερα κάποιοι από αυτούς τους αρχαιολογικούς χώρους θα αποτελούσαν σημεία ανασύνταξης για τους αντιευρωπαϊκούς εθνικισμούς του 20ού αιώνα.) Η επιθυμία για το πραγματικά «πρωτόγονο» και το «αρχαϊκό», την οποία είχαν θέσει σε κίνηση ο Ρουσό και ο Βίνκελμαν έναν αιώνα πριν, συνεχιζόταν αδιάπτωτη. Το 1856 ο Όουεν Τζόουνς (Owen Jones), συν-σχεδιαστής της Μεγάλης Έκθεσης του Λονδίνου, είχε τη δυνατότητα να αποδοκιμάζει την εκλεκτική αταξία του σύγχρονου βρετανικού σχεδίου υποδεικνύοντας τα τατουάζ των μακρινών Μαορί: αυτά, αντίθετα, καταδείκνυαν «τις αρχές της υψηλότερης διακοσμητικής τέχνης».

252 Ακάτι Ακπέλε Κέντο, *Αγκόγιε! (Γκου, ο θεός του πολέμου)*, περ. 1859. Αφότου μεταφέρθηκε από τη Δαχομέη στο Παρίσι, η φτιαγμένη από παλιοσίδερα μορφή σε διασκελισμό του Ακάτι ενδέχεται να επηρέασε το έργο του Πικάσο, ο οποίος μάλλον ζωγράφισε παραλλαγές της συγκεκριμένης μορφής το 1908–9. Ένα άλλο ενδεχόμενο είναι ο ίδιος ο Ακάτι να επηρεάστηκε από τη γλυπτική από το Παρίσι· οι γαλλικές καθολικές ιεραποστολές ανέπτυσσαν δράση στα αφρικανικά παράλια ήδη πριν από τη γαλλική εισβολή του 1894, και τόσο η στάση του σώματος του θεού του πολέμου όσο και η βάση του μοιάζουν να μιμούνται την εμφάνιση των γύψινων αγίων που κοσμούσαν τα παρεκκλήσια τους.

Η παρατήρηση του Τζόουνς βασιζόταν σε μια συρρικνωμένη κεφαλή που είχε μεταφερθεί από τη Νέα Ζηλανδία σ' ένα αγγλικό μουσείο. Αυτές οι παγκόσμιες ανταλλαγές είχαν αρχίσει μόλις το 1769, όταν ο πλοίαρχος Κουκ εισχώρησε στη χώρα η οποία ως τότε ήταν γνωστή ως «Αοτεαρόα» ύστερα από οχτακόσια περίπου χρόνια αποκλειστικής πολυνησιακής κατοχής. Τα βρετανικά πλοία έφεραν τις πατάτες και τα τουφέκια. Στη φυλετική κοινωνία που ήταν διαμορφωμένη με βάση το νεολιθικό σύστημα (βλ. σ. 28) αυξήθηκε ο διαθέσιμος πλούτος, αλλά και ο πολιτικός ανταγωνισμός. Ως αποτέλεσμα, όταν κηρύχθηκε η βρετανική κυριαρχία το 1840, η ξυλογλυπτική ή «διακοσμητική τέχνη» των Μαορί (στη γλώσσα τους υπάρχει μια λέξη που σημαίνει και τα δύο) πιθανότατα λειτουργούσε στην πιο φιλόδοξη κλίμακα που είχε ποτέ παρουσιάσει. Ο διαπρεπέστερος εκφραστής της ήταν ο πρόσφατα βαφτισμένος φύλαρχος Ραχαρούχι («Λάζαρος») Ρουκούπο. Το ομοίωμά του ατένιζε με σιντεφένια μάτια, τα οποία σήμερα έχουν χαθεί, από μια σκαλιστή κολόνα [251] του πολυτελούς εντευκτηρίου που κατασκεύασε το 1842. Το μάνα ή πνευματική δύναμη που ενυπήρχε σε κάθε τέτοιο τελετουργικό στολίδι εντεινόταν εδώ από το ιδιαίτερο μοτίβο των ελίκων στο πρόσωπό του το οποίο παρουσιάζει το ξυλόγλυπτο.

Μπορεί να μην είναι ακριβώς αυτοπροσωπογραφία με την ευρωπαϊκή έννοια, αλλά παρ' όλα αυτά χρησιμοποιεί τα εισαγόμενα ατσάλινα εργαλεία που αντικαθιστούσαν με γοργούς ρυθμούς τον οψιδιανό. Έξι χρόνια αργότερα, το σχέδιο του Ραχαρούχι για το σκάλισμα παραδοσιακών ταμπλό στο τεράστιο εσωτερικό μιας εκκλησίας συνάντησε την εναντίωση των ιεραποστόλων που σε άλλα μέρη έκαναν ό,τι περνούσε απ' το χέρι τους για να καταστρέψουν κάθε ίχνος της πολυνησιακής εικαστικής παιδείας. Ο Ραχαρούχι κατόπιν συντάχθηκε με τις εξεγέρσεις κατά της βρετανικής κυριαρχίας, που η επακόλουθη συντριβή τους θα οδηγούσε στην αφάνεια το πολιτισμικό περιβάλλον των Μαορί μέχρι και το δεύτερο μισό του 20ού αιώνα. Μια παρεμφερή ιστορία, για τις μικρής κλίμακας κοινωνίες που αρχικά ευδοκιμούσαν και στη συνέχεια έσβησαν μετά τις ανταλλαγές τους μ' ένα πολιτισμικό περιβάλλον εντελώς διαφορετικών διαστάσεων, θα μπορούσαν να αφηγηθούν και πολλά άλλα μέρη: η κατασκευή τοτέμ στις καναδικές ακτές του Ειρηνικού κατά τον 19ο αιώνα είναι άλλη μια τέτοια χαρακτηριστική περίπτωση.

Άλλες περιοχές είχαν δοσοληψίες με τους λευκούς για πολύ περισσότερο καιρό. Το Βασίλειο της Δαχομέης (η σημερινή Δημοκρατία του Μπενίν, η οποία βρίσκεται όμως πάνω από τριακόσια χιλιόμετρα δυτικά της συνώνυμης νιγηριανής πόλης) είχε γίνει ισχυρό προμηθεύοντας τους λευκούς με σκλάβους, οι οποίοι αιχμαλωτίζονταν στους πολέμους στις ορεινές περιοχές και μεταφέρονταν στα παράλια. Όταν η Γαλλία εισέβαλε στη χώρα στη διάρκεια του «αγώνα για την Αφρική» στα τέλη του 19ου αιώνα, ένα μέρος της ρητορικής που στήριζε αυτήν την ενέργεια ήταν η «απολίτιστη» φύση μιας μοναρχίας η οποία υποστήριζε έργα όπως αυτός ο ξιφοφόρος θεός [252]. Η ιστορία του βασιλείου από την Έντνα Γκ. Μπέι υπαινίσσεται μια περίπλοκη ειρωνεία. Κατά το 1859, την κατά προσέγγιση χρονολογία του γλυπτού, οι Ευρωπαίοι είχαν κατά κύριο λόγο εγκαταλείψει το δουλεμπόριο, και αυτό είχε μεταβάλει τη βάση της οικονομίας της Δαχομέης. Ήταν σαφές ότι οι δυνατότητες ευημερίας βρίσκονταν πλέον στη γεωργία, στο εμπόριο του φοινικέλαιου. Καθώς απειλούνταν ο παραδοσιακός τους ρόλος ως πολεμιστών-προμηθευτών, οι βασιλιάδες αντέδρασαν στηρίζοντας την εξουσία τους πάνω σε μια ακόμα πιο περίπλοκη και πιο επιδεικτική εθιμοτυπία της αυλής.

Ο θεός Γκου, ο οποίος προστάτευε όλους όσοι χρησιμοποιούσαν το μέταλλο και εδώ ενώνονταν με το πρόσωπο του Βασιλιά Γκλελέ, ήταν συνεργός αυτού του καθεστώτος επισφαλούς ανδρείας. Η ενσάρκωσή του μεταφερόταν ψηλά, για να της απευθύνουν το χαιρετισμό *Αγκόγιε!* («Έχε το νου σου αποπάνω») και να εμπνεύσει πολεμικό θάρρος στην ονομαστή στρατιά γυναικών πολεμιστριών της Δαχομέης. Ο καλλιτέχνης που φιλοτέχνησε το θεό στην πραγματικότητα ήταν ένας από τους αιχμαλώτους τους – ο Ακάτι Ακπέλε Κέντο, από τη φυλή Γιορούμπα στα ανατολικά, ο οποίος είχε τοποθετηθεί στο βασιλικό σιδηρουργείο. Ο Ακάτι χρησιμοποίησε μια παλιά και ευρέως διαδεδομένη αρχή της αφρικανικής τέχνης που συνέδεε τα αντικείμενα για να συνθέσει τη συμβολική τους αποτελεσματικότητα (πρβλ. τα χάλκινα γλυπτά του Ίφε, σ. 130). Επιζητούσε τη συσχετιστική φόρτιση που έφεραν τα χρησιμοποιημένα εξαρτήματα, η λάμα του ξίφους, η λεπίδα της τσάπας, το κέλυφος, το μπουλόνι και το κουδουνάκι. Αυτά όμως τα στοιχεία τα ξαναχρησιμοποίησε σε μια περήφανη, ασυνήθιστη εικόνα της οποίας η στάση, η βάση και η κλίμακα κάλλιστα μπορούσαν να απηχούν τα αγάλματα των αγίων και των ηρώων που χρησιμοποιούσαν οι Γάλλοι. Το 1894 ο στρατός των Γάλλων που εισέβαλε θα έβρισκε τον σιδερένιο άνθρωπο εγκαταλειμμένο στα παράλια, όταν οι αμαζόνες της Δαχομέης οπισθοχώρησαν στην ενδοχώρα για να δώσουν την τελευταία τους μάχη.

Τη συναρμογή του Ακάτι μοιάζει να την έχει γεννήσει η ζωντάνια, ενώ η στιλιζαρισμένη σύνθεση του Ρεν Σιονγκ [**253**], που φιλοτεχνήθηκε στην Κίνα περίπου τρία χρόνια νωρίτερα, παραπέμπει στην απόγνωση. Στην κυριολεξία: τα ευγενικά του χαρακτηριστικά, τα οποία πετάγονται μέσα απ' τον πτυχωτό, επιβλητικό μανδύα του, συνοδεύονται από ένα διάλογο με τον καθρέφτη:

> *Σ' αυτό τον αχανή κόσμο τι βρίσκεται μπροστά στα μάτια μου; Σ' αυτήν τη μεγάλη σύγχυση σε τι θα μπορούσα να κρατηθώ και να βασιστώ; Εξακολουθώ να είμαι σαν ένα άλογο ιπποδρομίας δίχως κανένα απολύτως πρόγραμμα. Και το χειρότερο είναι ότι οι ιστορικοί δεν έχουν γράψει ούτε μία λέξη για μένα... Το μόνο που βλέπω είναι ένα απέραντο κενό.*

Μπορούμε απλώς να κάνουμε μια αόριστη εικασία για τις συνθήκες που οδήγησαν τον Ρεν σ' αυτήν την αρχετυπικά μοντέρνα κραυγή. Είχε ήδη πατήσει τα τριάντα, και πιθανόν ήδη πέθαινε από φυματίωση· ήταν από φτωχή οικογένεια και αγωνιζόταν, όπως έγραψε, να «χαμογελά[ει] και να κάν[ει] ρεβεράντζες και καλοπιάσματα» στους πλούσιους πελάτες· προερχόταν από την περιοχή της Σαγκάης όπου οι ταπεινωτικοί Πόλεμοι του Οπίου

乾坤眼前何物跏笑側身長聽覺悟只爭絲毫俸此則談何容易勿試說真家筆金張許史到如今能幾還五惜鏡換青橇之產掩白頭一樣奔馳無計夏誚人前牘青史一字何曾輕記公子憑虛先生之布看揉難爲起乱且放謌起之舞誰是黃粱注再陳倒寫古來有少筆原孔是想夢寫賢哲我也全世意惟懢懢顏之亂一醉茫茫然菜菜涯集否調十二時渭長任熊偊樟

253 Ρεν Σιονγκ, *Αυτοπροσωπογραφία*, περ. 1856.

είχαν αναγκάσει την Κίνα να παραχωρήσει εμπορικά δικαιώματα στις δυτικές δυνάμεις· είχε εκπαιδευτεί στις πολεμικές τέχνες και συμμετείχε στην άμυνα της περιοχής κατά της εξέγερσης των Ταϊπίνγκ που συντάραξε την αυτοκρατορία. Τα εχέγγυα της Κίνας του 18ου αιώνα χάθηκαν, και μαζί τους, για έναν καλλιτέχνη όπως ο Ρεν, χάθηκε και η ευγένεια των παλαιών αρχών λογίων που δεν δέχονταν πληρωμή για τις υπαινικτικές και λεπτών αποχρώσεων ασκήσεις τους στην τοπιογραφία. Στην περίπτωσή του, η ανταπόκριση στις νέες συνθήκες δεν συνεπαγόταν τη μεταπήδηση στις δυτικές τεχνικές, παρόλο που τη δεκαετία του 1850 οι ελαιογράφοι και οι φωτογράφοι ήδη ανέπτυσσαν δράση στη Σαγκάη. Αντ’ αυτού, στα ποιητικά και φανταστικά έργα που έχτισαν τη φήμη του, δοκίμασε κάθε διαθέσιμο υφολογικό μέσο, από τους οριζόντιους κυλίνδρους ως τις εμπορικές ξυλογραφίες, βγάζοντάς το στο προσκήνιο με μια λακωνική, καθηλωτική και ρυθμική γλώσσα του δρόμου – τη βάση της νέας «Σχολής της Σαγκάης» της αστικής ζωγραφικής που θα άκμαζε μετά το θάνατό του το 1857. Η κατακερματισμένη εικόνα του εαυτού του που έφτιαξε ο Ρεν –απορρίπτοντας το πλαίσιο του τοπίου το οποίο θα ήταν πρέπον με βάση τις συμβάσεις και, σε μια στάση απροκάλυπτης περιφρόνησης, μην έχοντας κανένα στήριγμα– προμηνύει τη ρητορική της κουλτούρας του δρόμου του τέλους του 20ού αιώνα περισσότερο από κάθε άλλη εικόνα αυτής της εποχής από τη Δύση.

Ελευθερίες και καθήκοντα
Γαλλία, Ρωσία, Μεγάλη Βρετανία, δεκαετία του 1860–δεκαετία του 1880

Η Ευρώπη, όπως υπαινίσσονταν οι επικρίσεις του Όουεν Τζόουνς, είχε τις δικές της πολιτισμικές ανησυχίες στα μέσα του 19ου αιώνα. Δείτε, για παράδειγμα, την αδιάκοπη αναζήτηση για νέα, μεγαλεπήβολα σημεία αναφοράς, στην οποία συνέβαλε και ο ίδιος· προκειμένου να διορθώσει την υπερβολική αναφορά στην κλασική και στη γοτθική τέχνη, παρότρυνε τους αναγνώστες του *Grammar of Ornament* [Η γραμματική της διακόσμησης] να μελετήσουν όχι μόνο τους Μαορί αλλά και την τέχνη του Ισλάμ. Εντωμεταξύ, στο Παρίσι γλύπτες όπως ο Ζαν-Μπατίστ Καρπό (Jean-Baptiste Carpeaux) ξαναζωντάνευαν πλέον, ύστερα από έναν αιώνα απαξίωσης, την αισθησιακή επιπολαιότητα του ροκοκό.

Ποια ήταν άραγε η λογική όλων αυτών των εναλλακτικών παραπομπών – τόσο των «κλασικών» νυμφών, των «γοτθικών» πυργίσκων και των «μαυριτανικών» πλακιδίων που κάλυπταν τους δρόμους όσο και των λεπτοδουλεμένων αρχαιολογικών ρεμβασμών που προορίζονταν για τους τοίχους των Σαλόν; Όλες οι τεχνοτροπίες που παραθέτονται στο βιβλίο μοτίβων του Τζόουνς, ανεξάρτητα από το χρωματισμό της καθεμιάς, είχαν δημιουργηθεί από ενιαίες ομάδες τεχνιτών που υπηρετούσαν ξεκάθαρα διαβαθμισμένες κοινωνικές ιεραρχίες. Αντίθετα, στις μεγαλουπόλεις της βιομηχανικής εποχής οι μεταβαλλόμενες μάζες του αστικού κοινού ενοικούσαν σ’ έναν μηχανικά κατασκευασμένο κόσμο από χαλύβδινους σκελετούς, φωτογρα-

254 Εντουάρ Μανέ, *Το πρόγευμα στη χλόη*, 1863. Τέσσερα χρόνια νωρίτερα, ο Μπωντλέρ στο δοκίμιό του «Ο ζωγράφος της σύγχρονης ζωής» προέτρεπε τους καλλιτέχνες να αναζητήσουν κάθε μορφή «σύγχρονης ομορφιάς». «Σ' αυτήν την τεράστια πινακοθήκη της ζωής του Λονδίνου και του Παρισιού, θα συναντήσουμε τους διάφορους τύπους της περιπλανώμενης γυναίκας [...]. Ανάμεσα σ' αυτές εδώ, μερικές, δείγματα μιας αθώας και τερατώδους κενοδοξίας, έχουν ζωγραφισμένη στα κεφάλια και στα υψωμένα με θράσος βλέμματά τους την πρόδηλη ευτυχία ότι υπάρχουν (γιατί, αλήθεια;). Κάποτε παίρνουν, αυθόρμητα, στάσεις ενός θάρρους και μιας ευγένειας που θα μάγευαν και τον πιο δύσκολο γλύπτη».

φίες, εργοστασιακά υφάσματα και κεραμικά. Τα μικρά χειροτεχνικά εργαστήρια στα οποία βασίζονται έναν αιώνα πριν δεξιοτέχνες όπως ο Μπουσέ και ο Τιέπολο τώρα υπάγονταν στην ανάπτυξη μιας τεράστιας και δυνητικά επαναστατικής αστικοποιημένης εργατικής τάξης. Η «τέχνη» σ' αυτό το πλαίσιο είχε γίνει μια ρευστή, ουδέτερη ιδέα – ίσως ένα εξωτικό καρύκευμα που έπρεπε να χρησιμοποιηθεί στα μηχανικά προϊόντα. Εναλλακτικά υπήρχε και η ανεξάρτητη ρομαντική εμμονή που υποστήριζε ο Γκοτιέ με το σύνθημα «Η τέχνη για την τέχνη».

Στα νέα μουσεία, οι μαυροντυμένοι αστοί μπορούσαν να θαυμάσουν τις παλιότερες ελίτ της Ευρώπης ζωγραφισμένες σε άνετες πόζες ανάμεσα σε αγίους, αλληγορίες και όλα τα παρελκόμενα της χριστιανο-κλασικής παράδοσης. Πού όμως βρισκόταν η τέχνη που θα πρόσφερε μια αντίστοιχη χάρη στις δικές τους εικόνες; Αυτός ήταν ένας από τους συλλογισμούς που διερεύνησε ο νεότερος φίλος του Γκοτιέ, ο Σαρλ Μπωντλέρ, στα παθιασμένα και ταυτόχρονα σαρδόνια τεχνοκριτικά του κείμενα τις δεκαετίες του 1840 και του 1850. Το *Πρόγευμα στη χλόη* του Εντουάρ Μανέ (Édouard Manet) [**254**] ήταν ένα είδος απάντησης σ' αυτά τα κείμενα. Ο τριάντα ενός ετών ζωγράφος κατασκεύασε το συγκεκριμένο έργο, την πρώτη του σημαντική απόπειρα

255 Κλοντ Μονέ, *Εντύπωση: ήλιος που ανατέλλει*, 1873. Ο Μονέ καταργεί το repoussoir, το προεξέχον στοιχείο σε πρώτο πλάνο που βρισκόταν στη βάση του καμβά και αποτελούσε σύμβαση της ευρωπαϊκής τοπιογραφίας από τον 16ο αιώνα και εξής. Το θεατή, ο οποίος έχει χάσει το φανταστικό σημείο θέασης, τον τυλίγει η υγρή ροή των ελαιοχρωμάτων του Μονέ. Το ίδιο διάστημα που ο Μονέ ζωγράφιζε τον Σηκουάνα, ο αμερικανός ζωγράφος Ουίστλερ στο Λονδίνο κατέληγε τυχαία σε σχεδόν παραπλήσιες συνθέσεις στους πίνακες με τον Τάμεση. Ο Μονέ διεύρυνε το όραμα που παρουσιάζεται εδώ στους τεράστιους πίνακες με τις λιμνούλες με τα νούφαρα που τον απασχόλησαν στα γεράματά του.

για να κερδίσει τη φήμη στα Σαλόν, γύρω από ιταλικά αναγεννησιακά σημεία αναφοράς· θέλησε επίσης να βασιστεί και στην ισπανική ζωγραφική, άλλη μια πρόσφατη εξωτική μόδα. Στο εργαστήριό του, οι ποτάμιοι θεοί από ένα σχέδιο του Ραφαήλ έγιναν δύο μέλη του δικού του ευυπόληπτου κοινωνικού στρώματος που έκαναν μια βόλτα στον ελεύθερο χρόνο τους με τις κατώτερης κοινωνικής τάξης τυχαίες γνωριμίες τους. Περιφρονώντας την εντατικά δουλεμένη λεπτομέρεια στην οποία επέμεναν οι πολυάριθμοι καλλιτέχνες που ήθελαν να αποδείξουν την κοινωνική τους αξία –όπως, για παράδειγμα, ο Χόλμαν Χαντ–, ο Μανέ προτίμησε να επιδιώξει τη φαινομενικά αβίαστη, ακαριαία τονικότητα που θα μπορούσε να απλώσει σε μια επιφάνεια ο μεγαλοπρεπής Βελάσκεθ (ή, εν προκειμένω, η φωτογραφική μηχανή).

Ο Μανέ παρ' όλα αυτά βρήκε πολύ διαφορετικά επίπεδα ενδιαφέροντος στο έργο με το οποίο καταγινόταν και το οποίο έχει μια σύνθετη αποκομμένη νευρικότητα που μοιάζει κάπως με αυτήν του Ρεν Σιονγκ. Διαγράφει το δάσος και τα σώματα των γυναικών με κοφτό, σχεδόν περιφρονητικό τρόπο, ενώ ταυτόχρονα αξιολογεί τόσο τα ρούχα των ανδρών με το μάτι του δανδή όσο και το πικ νικ με το μάτι του γευσιγνώστη. Από την άλλη, όμως, υπήρχε και το πρόσωπο του μοντέλου του, της Βικτορίν Μεράν. Οι ενδοιασμοί του ίδιου του Μανέ κόλλησαν στο βλέμμα της, το οποίο έγινε ένας μοχλός αποσταθεροποίησης του όλου ζητήματος που είχε να κάνει με το να κοιτά-ζει κανείς και να τον κοιτάζουν – όχι απλώς και μόνο μια γυμνή γυναίκα που εμποδίζει την πρόσβαση στις φαντα-σιώσεις των ηδονοβλεψιών, αλλά ένα έκθεμα που ρωτούσε γιατί ήταν έκθεμα. Αυτό, μαζί με το τολμηρό θέμα και το ατάραχο ύφος του πίνακα, ίσως ήταν εκείνο που προκάλεσε την απόρριψη της κριτικής επιτροπής του Σαλόν του 1863 και οδήγησε τα πλήθη σ᾽ έναν αμήχανο χλευασμό όταν μπήκε μαζί με τους άλλους υποτιθέμενους δευτερο-κλασάτους στη νέα, επισήμως συσταθείσα εναλλακτική λύση, το Σαλόνι των Απορριφθέντων.

Το να γίνεται κανείς διαβόητος ενώπιον του κοινού επέφερε ως αντιστάθμισμα την αναγνώριση από τους ριζο-σπάστες καλλιτέχνες, παρόλο που ο ίδιος ο Μανέ έμοιαζε να αιφνιδιάζεται ειλικρινά με τις αντιδράσεις για το *Πρό-γευμα στη χλόη* και την ακόμα πιο προκλητική *Ολυμπία*, που πάλι παρουσίαζε τη Βικτορίν ως μια ιταμή και γυμνή πόρνη. Επικεφαλής της εν λόγω ομάδας ριζοσπαστών ήταν ο σχεδόν συνονόματός του Κλοντ Μονέ (Claude Monet). Οι ριζοσπάστες αυτοί περιέβαλλαν με θαυμασμό τις μεγάλες δηλώσεις του Κουρμπέ για την άμεση, ορα-τή πραγματικότητα και ακολούθησαν τους προγενέστερους τοπιογράφους της Μπαρμπιζόν στην εξοχή, κι έτσι οι δικοί τους μεγάλης κλίμακας μουσαμάδες, αντίθετα με το *Πρόγευμα στη χλόη*, ήταν ζωγραφισμένοι όσο το δυνατόν περισσότερο en plein air, στην ύπαιθρο. Η υποδοχή που επιφύλαξε η κριτική επιτροπή του Σαλόν στα αποτελέ-σματα ήταν ακόμα λιγότερο ευνοϊκή κι απ᾽ αυτήν που είχε επιφυλάξει στους πίνακες του Μανέ, και από το 1874 η ομάδα άρχισε να εκθέτει ανεξάρτητα. Ο κατακερματισμός του ακαδημαϊκού συστήματος της Γαλλίας που είχε αρ-χίσει δέκα χρόνια νωρίτερα με το Σαλόνι των Απορριφθέντων ήταν από αυτό το σημείο και μετά μη αναστρέψιμος.

Η *Εντύπωση: ήλιος που ανατέλλει* [**255**], την οποία ζωγράφισε ο Μονέ το 1873, ήταν ο καμβάς που ώθησε έναν από τους κριτικούς της ανεξάρτητης έκθεσης να δώσει ένα όνομα στην ομάδα. Ο «ιμπρεσιονισμός», στο βαθμό που αποτελούσε μια κοινή νοοτροπία, συνεπαγόταν την ενασχόληση με κάποιες καλλιτεχνικές συνήθειες οι οποίες απαντώνταν όχι μόνο στο έργο του Μανέ αλλά και σε άλλους ζωγράφους της δεκαετίας του 1860 η οποία έδειχνε ένα ιδιαίτερο ενδιαφέρον για τη φωτογραφία – όπως, για παράδειγμα, στην ομάδα της Φλωρεντίας που ήταν γνω-στή με το όνομα Μακιαγιόλι.* Το σχεδίασμα με ελαιοχρώματα, το οποίο χρησιμοποιούσαν οι προγενέστεροι ζω-γράφοι για να μελετήσουν τις τονικές σχέσεις προτού ζωγραφίσουν τον καμβά για την έκθεση, έγινε τώρα αυτό το ίδιο έκθεμα. Ο ζωγράφος δεν στόχευε πλέον να αναπαραστήσει τα αντικείμενα ως τέτοια, αλλά να ανταποκριθεί στο προσωρινό μοτίβο των ερεθισμάτων προς τον αμφιβληστροειδή. Αφού δεν υπήρχαν αντικείμενα, τότε δεν υπήρχαν ούτε και γραμμές, και στην ουσία δεν υπήρχε ούτε και σχέδιο· όλα υπήρχαν στο χρώμα, όλα εκφράζονταν με τη ρευστή χρωστική ουσία. Η νέα προσέγγιση αναγνώριζε την ομοιότητα του ματιού με τη φωτογραφική μηχα-νή, και ταυτόχρονα τη διαφορά του από αυτήν τη μηχανή εικόνων. Η όραση, και επομένως και η ζωγραφική, ανή-κε σ᾽ ένα νου –σε μια ευαισθησία που ανταποκρινόταν στους ποιητικούς υπαινιγμούς της φύσης– αλλά και σ᾽ ένα σώμα το οποίο είχε ένα ζωντανό, τρεμάμενο χέρι.

Ο Μονέ έλεγε ότι ζωγράφιζε την «ατμόσφαιρα». Η φύση στα χέρια του ήταν το φως του ήλιου που διαθλάται μέσα από καταχνιές, ομίχλες και κυματισμούς. Τα συνήθη νοήματα τόσο των θεμάτων της πόλης όσο και των θε-μάτων της εξοχής ανεστέλλονταν σ᾽ ένα ζελέ φωτεινής και ιριδίζουσας χρωστικής ουσίας που ήταν ταυτόχρονα αδιάλειπτο και γαλήνια επιτακτικό. Στην ουσία, το έργο του πρότεινε ότι σε τέτοιους καιρούς η απόλυτη ρευστό-τητα μπορούσε να είναι πηγή ενέργειας αλλά και απόλαυσης. Αυτή ήταν μια ανησυχητική πρόταση για πολλούς θεατές της δεκαετίας του 1860 και αυτής του 1870, οι οποίοι λαχταρούσαν τη γνώριμη αίσθηση του φινιρίσματος. Η αποφασιστικότητα όμως και το σθένος του Μονέ βοήθησαν την ομάδα των ιμπρεσιονιστών να περάσει αυτήν την περίοδο των ισχνών αγελάδων και να αποκτήσει μια εξέχουσα θέση στην αγορά των εμπόρων που πήρε τα ηνία από το ολοένα και πιο παραγκωνισμένο Σαλόν κατά τη διάρκεια της δεκαετίας του 1880. Στην κατοπινή του στα-διοδρομία ο Μονέ εξελίχθηκε σ᾽ έναν απίστευτα επινοητικό και ισχυρογνώμονα τιτάνα της τέχνης. Ο πιο φιλάσθε-νος Μανέ, ο οποίος πέθανε το 1883, ακολούθησε σπασμωδικά το παράδειγμά του.

---

* Η τεχνική των Macchiaioli (από την ιταλική λέξη macchia που σημαίνει κηλίδα) χαρακτηριζόταν από πλατιές πινελιές και κηλίδες χρώματος. (Σ.τ.Μ.)

256 Ογκίστ Ρενουάρ, *Ο Κλοντ Μονέ*
ζωγραφίζει στον κήπο του στο Αρζεντέιγ, 1874.
Το Αρζεντέιγ, το οποίο βρισκόταν κοντά
στο κεντρικό Παρίσι, έγινε το αγαπημένο
λημέρι των ιμπρεσιονιστών και του κάπως
μεγαλύτερου συνεργάτη τους Μανέ κατά τη
δεκαετία του 1870. Το φαινόμενο της
«καλλιτεχνικής παροικίας» εκτός πόλης
είχε αρχίσει στη Γαλλία με την ομάδα των
υπαιθριστών που είχαν για ορμητήριό τους
την Μπαρμπιζόν, αλλά η προτίμηση των
ιμπρεσιονιστών για τη «νεωτερικότητα»
τους οδήγησε προς την κατεύθυνση των
προαστίων. Το 1900 τα περισσότερα
δυτικά έθνη είχαν τουλάχιστον μία τέτοια
παροικία, από το Σκάγκεν στη Δανία ως τη
Ναγκιμπάνια στην Ουγγαρία.

Την πρώιμη συντροφικότητα των ιμπρεσιονιστών στο περιθώριο τη ζω-
ντανεύει η εικόνα του Ογκίστ Ρενουάρ (Auguste Renoir) που δείχνει το φί-
λο του τον Μονέ να δουλεύει στον κήπο του σ' ένα προάστιο του Παρισιού
[256]. Η τεχνολογία η οποία ξεκίνησε την υπαίθρια επανάστασή τους μόλις
που διακρίνεται πάνω στο γρασίδι – ένα κουτί με σωληνάρια μπογιάς, την
πιο σύντομη μέθοδο για την ανάμειξη και τη μεταφορά της χρωστικής ου-
σίας που είχε εμφανιστεί στην αγορά μόλις στα τέλη της δεκαετίας του
1840. Στην κατοπινή τους σταδιοδρομία η τρυφερή, λαμπυρίζουσα τεχνο-
τροπία του Ρενουάρ συνήθως θα τυλιγόταν γύρω από τις σιλουέτες αφρά-
των ξανθών γυναικών, ενώ οι ρέουσες ατμοσφαιρικές συνθέσεις του Μονέ
με ποτάμια το χάραμα θα επεκτείνονταν τελικά σ' ένα καλλιτεχνικό σύ-
μπαν από τεράστιες εικόνες του κήπου του με τις λιμνούλες που είχε σχε-
διάσει ο ίδιος. Αυτή τη στιγμή όμως μοιράζονταν και οι δύο ένα έντονο έν-
στικτο για την τωρινή, απτή απόλαυση. Φαινομενικά είχαν επιτέλους
απαλλαχθεί από τις απαιτήσεις της «ιστορίας» – τόσο της εικαστικής αφή-
γησης όσο και των οφειλών στην παράδοση.

Στην πραγματικότητα, πίσω από την άδολη αθωότητα αυτών των πινά-

γου, πένθιμου είδους τελετουργικού – ενός κλειστού κύκλου του επίπλαστου, μιας εκτίναξης των ερεθισμάτων, μιας παράστασης που υπαινίσσεται ότι σχεδόν τίποτα πια δεν είναι πραγματικό ή χειροπιαστό. Και τι σχέση, άραγε, θα μπορούσαν να έχουν όλα αυτά με την πραγματικότητα της ζωής της εργατικής τάξης; Ποιο είδος ειρωνείας, εμπαικτικής ή συμπονετικής, βρισκόταν άραγε πίσω από τις επίπεδες και μηχανοκίνητες κούκλες του Σερά; Αυτό παρέμεινε ένα αντικείμενο εικασιών μετά τον ξαφνικό θάνατο του καλλιτέχνη από μηνιγγίτιδα το 1891. Εκείνη την εποχή όμως, οι «ντιβιζιονιστικοί» ή «πουαντιγιστικοί» χρωματικοί διαχωρισμοί του Σερά είχαν πια αρχίσει να γνωρίζουν άνθιση ανάμεσα σε άλλους ζωγράφους στη Γαλλία, στην Ιταλία, στην Ολλανδία και στο Βέλγιο, όπου το ύφος συγκεκαλυμμένου πολιτικού ριζοσπαστισμού του Σερά εξελίχθηκε σε πιο απερίφραστες ομολογίες αναρχισμού.

Το 1891 όμως οι παρισινοί καλλιτέχνες που βρίσκονταν μέσα στα πράγματα συζητούσαν επίσης για τον Πολ Γκογκέν (Paul Gauguin), έναν σαραντατριάχρονο χρηματιστή ο οποίος είχε εγκαταλείψει τη δουλειά του και την οικογένειά του για να αφιερωθεί στο μποέμ ιδεώδες της καλλιτεχνικής ζωής. Η τροχιά αυτή τον οδήγησε από την πρώιμη ιμπρεσιονιστική του κατάρτιση στην ολοένα και μεγαλύτερη αναζήτηση του αρχαϊκού και του πρωτόγονου. Ο Γκογκέν είχε ήδη ζωγραφίσει στην ύπαιθρο της Βρετάνης και της Προβηγκίας, καθώς και στη Μαρτινίκα των Δυτικών Ινδιών, και την άνοιξη εκείνου του χρόνου πραγματοποίησε μια αποχαιρετιστήρια εκποίηση πριν φύγει για δυο χρόνια στην Ταϊτή. Το 1895 πήγε να περάσει τα τελευταία οχτώ χρόνια της γεμάτης φτώχεια και αρρώστιες σταδιοδρομίας του στον Νότιο Ειρηνικό. Η καλλιτεχνική κατεύθυνση του Γκογκέν, ωστόσο, είχε ήδη καθοριστεί από τα τέλη της δεκαετίας του 1880, όταν έμενε μαζί με άλλους αδέκαρους καλλιτέχνες στο Πον-Αβέν, ένα ψαροχώρι της Βρετάνης. Εκεί, μια νέα πολιτισμική τάση λειτούργησε σαν καταλύτης για το έργο του.

Το γαλλικό πολιτισμικό περιβάλλον ήταν κατά κύριο λόγο κοσμικό ήδη από την εποχή της Επανάστασης και είχε απομακρύνει τους ρομαντικούς πόθους για «το πνευματικό» από το κυρίαρχο ρεύμα της μετά την εμφάνιση του ρεαλισμού γύρω στο 1850. Τη δεκαετία του 1880, ωστόσο, οι πόθοι αυτοί έβρισκαν μια νέα φωνή σε συγγραφείς όπως ο Πολ Βερλέν και ο Στεφάν Μαλαρμέ. Ο «συμβολισμός», όπως σύντομα ονομάστηκε το κίνημα, βασιζόταν στη νέα ψυχολογία και στηριζόταν επίσης στον ανανεωμένο, εθνικιστικό ζήλο για την Καθολική Εκκλησία. Οι θιασώτες του συγκέντρωσαν καλλιτεχνικά φαινόμενα που είχαν περιθωριοποιηθεί στο παρελθόν –όπως, για παράδειγμα, τις τοιχογραφίες του Πιερ Πιβί ντε Σαβάν (Pierre Puvis de Chavannes) με τις ειδυλλιακές σκηνές της κλασικής εποχής, και τα φανταστικά σχέδια του Οντιλόν Ρεντόν (Odilon Redon)– και τα έφεραν στο πολιτισμικό προσκήνιο, διακηρύσσοντας την απόλυτη εναντίωσή τους στο καθημερινό και στο πραγματικό. Όπως δήλωνε το συμβολιστικό μανιφέστο του 1886, στόχος της τέχνης έπρεπε να είναι το να θέσει το ορατό στην υπηρεσία του αόρατου – της μεγαλύτερης πραγματικότητας.

Το *Όραμα μετά το κήρυγμα* [**264**] του 1888 αποτελούσε την ανταπόκριση του Γκογκέν σ' αυτό το πρόγραμμα. Το ζωγράφισε κατά πάσα πιθανότητα περίπου την ίδια εποχή που ζωγράφισε και ο Σερά την εξίσου «ιερατική» του εικόνα (η οποία, με άλλα λόγια, ήταν επαναλαμβανόμενη, μετωπική και αυστηρή, όπως και η τέχνη της αρχαίας Αιγύπτου, της Περσίας και του Βυζαντίου – μια αξία που εφεξής θα γινόταν όλο και περισσότερο της μόδας). Ο πίνακας παρουσιάζει τους βρετόνους χωρικούς να ατενίζουν μια νοερή εικόνα που όλοι τους μοιάζουν να μοιράζονται αφότου άκουσαν τον ιερέα, ο οποίος στο κήρυγμά του είχε αναφερθεί στο βιβλικό κείμενο για την πάλη του Ιακώβ με τον άγγελο. Ο Γκογκέν δηλαδή ακουμπούσε κατά κάποιον τρόπο τη φαντασία του πάνω στους ώμους τους, όντας ένας μπουχτισμένος αστός που ήθελε να δει όπως έβλεπαν αυτοί. Η «άξεστη και δεισιδαίμων απλότητά» τους ήταν μια ποιότητα του πνεύματος που θα μπορούσε να υπερβεί την άχαρη απάθεια των θεατών στο προάστιο. Ο Γκογκέν βασίστηκε επίσης στα υαλογραφήματα των μεσαιωνικών εκκλησιών για τα κλειστά πεδία έντονου χρώματος, καθώς και στα ιαπωνικά χαρακτικά για το σχέδιο της μηλιάς και των μορφών που παλεύουν. Δεν μπορούσε να παραδοθεί ολοκληρωτικά στις επιρροές αυτές – η επίκτητη συνήθεια να πλάθει τις μορφές με κάποιο βάθος συνεχώς έβγαινε στην επιφάνεια. Παρ' όλα αυτά, με την εικόνα αυτή ο Γκογκέν απέκτησε μια νέα πρόσβαση στη μη νατουραλιστική περιοχή.

Υπήρχε μια λανθάνουσα δημόσια πλευρά στο συμβολισμό του Γκογκέν. Όπως ο Ουίλιαμ Μόρις πήρε μαθήματα υφαντικής, έτσι και ο Γκογκέν δοκίμασε τις δυνατότητές του στην αγγειοπλαστική και στην ξυλογλυπτική,

264 Πολ Γκογκέν, *Το όραμα μετά το κήρυγμα*, 1888. Το χωριό Ποντ-Αβέν στη Βρετάνη ήταν μια συναρπαστικά ασυνήθιστη περιοχή για τον κοσμοπολίτη πρώην χρηματιστή, ο οποίος αγωνιζόταν να αποκτήσει καλλιτεχνική ανεξαρτησία και εγκαταστάθηκε εκεί το 1888 – τόσο παράξενη και μαγευτική, λόγω της φαινομενικά μεσαιωνικής ευσέβειάς της, όσο και η τέχνη της μακρινής Ιαπωνίας. Ο Γκογκέν πάντρεψε τις σπουδές των ντόπιων γυναικών και του ιερέα τους με τα μοτίβα των μορφών που παλεύουν, του δέντρου και της αγελάδας, τα οποία είχε δανειστεί και προσαρμόσει από τα χαρακτικά του Χοκουσάι. Το βερμιγιόν πεδίο που ένωνε όλα αυτά τα στοιχεία αποτελούσε την πλήρη απομάκρυνση από τις παραστατικές πρακτικές γύρω του.

όντας ένας ζωγράφος που ξαναρχόταν σε επαφή με τις λησμονημένες αρχαίες τέχνες. Ένας νεότερος καλλιτέχνης που λεγόταν Πολ Σεριζιέ (Paul Sérusier), ο οποίος είχε μαθητεύσει πλάι στον Γκογκέν στο Ποντ-Αβέν, πρότεινε τη δική του συνταγή για τη ριζοσπαστική απλότητα –«Πώς βλέπεις αυτά τα δέντρα; Κίτρινα. Τότε λοιπόν βάλε κίτρινο»– στον ενθουσιώδη κύκλο νέων παριζιάνων καλλιτεχνών που αυτοαποκαλούνταν «les Nabis» – «οι προφήτες». Στις αρχές της δεκαετίας του 1890 οι Nabis μετέφεραν τη μέθοδο πλαισίωσης του χρώματος (τον κλουαζονισμό*) στο σχεδιασμό αφισών και παραβάν, που είχαν ιαπωνικό ύφος και παριζιάνικο περιεχόμενο. Σε όλα αυτά υπήρχε η χαλαρή αλλά ένθερμη επιθυμία να επεκταθεί η επικράτεια της τέχνης, να κατασταλεί η απονέκρωση που προκαλούσε το καπιταλιστικό σύστημα και να χρησιμοποιηθεί η «διακόσμηση» επί της ουσίας ως πολιτικό όπλο. Και πάλι, η ιδέα του αναρχισμού έμοιαζε θελκτική, όντας μια ουτοπική λάμψη στον ορίζοντα του ερχόμενου αιώνα.

Η τέχνη ωστόσο εξακολουθούσε να είναι μια απεγνωσμένα προσωπική αναζήτηση για τον Γκογκέν, όπως καθιστούσαν σαφές οι αλληγορίες που

---

*   Τεχνική που διαμόρφωσαν οι ζωγράφοι Εμίλ Μπερνάρ (Émile Bernard) και Πολ Γκογκέν, χαρακτηριστικό της οποίας ήταν τα πλακάτα χρώματα και τα έντονα περιγράμματα. (Σ.τ.Μ.)

265 Βίνσεντ βαν Γκογκ, *Έναστρη νύχτα*, 1889. Όπως και ο Γκογκέν στο *Όραμα μετά το κήρυγμα*, ο Βαν Γκογκ πάντρεψε διάφορες εικόνες σ' αυτό τον μετρίου μεγέθους καμβά. Ένα αγροτικό χωριό από την πατρίδα του την Ολλανδία είναι χωμένο κάτω από τα τραχιά βουνά και τα κυπαρίσσια που απαντώνται γύρω από την πόλη του Σεν-Ρεμί στην Προβηγκία, όπου ήταν εκείνο το διάστημα έγκλειστος στο ψυχιατρείο. Ο σχηματισμός των άστρων γύρω από το γαλαξία είναι μια αστρονομία επινόησης του Βαν Γκογκ. Σύμφωνα με τα όσα αποκαλύπτουν τα γράμματά του, τον Βαν Γκογκ, όπως και τον Γκογκέν, τον απασχολούσε έντονα η προσπάθεια δημιουργίας μιας νέας πνευματικότητας στην τέχνη.

ζωγράφισε στην Ταϊτή. Και η αναζήτηση αυτή ήταν ακόμα πιο απεγνωσμένα προσωπική για τον Βίνσεντ βαν Γκογκ (Vincent van Gogh), τον ολλανδό ζωγράφο με τον οποίο έμεινε για τρεις θυελλώδεις μήνες στην Προβηγκία το 1888, αφότου ολοκλήρωσε το *Όραμα μετά το κήρυγμα*. Όπως και ο Γκογκέν, ο Βαν Γκογκ έψαχνε να βρει ένα είδος προσωπικής σωτηρίας στη ζωγραφική, στη δική του περίπτωση αφότου εγκατέλειψε το λειτούργημα του ιεροκήρυκα ανάμεσα στους φτωχούς. Η διμελής όμως καλλιτεχνική κοινότητα που επιχείρησε να δημιουργήσει ο Βαν Γκογκ στην ακτινοβολία του νότου απέτυχε παταγωδώς όταν η μεγάλη ψυχολογική ένταση τον ώθησε να κόψει με μαχαίρι το αυτί του, κάτι που έκανε τον Γκογκέν να φύγει πανικόβλητος. Δώδεκα μήνες μετά την κρίση του Δεκεμβρίου του 1888, η επανεμφάνιση των διαταραχών οδήγησε τον Βαν Γκογκ στην αυτοκτονία, στα 38 του χρόνια, την εποχή ακριβώς όπου τα δέκα χρόνια ακάματης αφοσίωσης στην τέχνη άρχιζαν να επιβραβεύονται με την κριτική αναγνώριση.

Η *Έναστρη νύχτα* [**265**], την οποία ζωγράφισε στο μεσοδιάστημα της παραμονής του στο ψυχιατρείο του Σεν-Ρεμί-ντε-Προβάνς, το 1889, μπορεί να μοιάζει με κορύφωση της πνευματικής αναταραχής που έκανε τον Βαν

Γκογκ να προχωρήσει από την απεικόνιση των φτωχών της Ολλανδίας, μέσω της συνάντησής του με τα ιαπωνικά χαρακτικά και τον ιμπρεσιονισμό στο Παρίσι, στη ζωηρή ενασχόλησή του με το φως και το χρώμα της νότιας Γαλλίας. Όταν βρισκόμαστε μπροστά στον καμβά αυτόν συνήθως λέμε ότι είναι «οραματικός», ακόμα και «παραισθησιακός». Για τον Τεό βαν Γκογκ όμως, τον έμπορο έργων τέχνης αδελφό του ο οποίος παρέμεινε ο βασικός αποδέκτης των εκμυστηρεύσεων του Βίνσεντ σε μια παθιασμένη σειρά επιστολών, αυτή η άποψη των γαλαξιακών δινών που έχουν τοποθετηθεί πάνω από τα βουνά της Προβηγκίας, τα οποία έχουν κι αυτά τοποθετηθεί πάνω από ένα φανταστικό ολλανδικό χωριό, μάλλον ήταν απλώς μια υπερβολική επινόηση «ύφους». Ο Τεό προτιμούσε τη μανιασμένη, έντονη πάλη του αδελφού του με τα λουλούδια, τα χωράφια και τα πρόσωπα που βρίσκονταν ακριβώς μπροστά του. Το γεγονός ότι τα δύο αδέλφια έκαναν συζητήσεις μεταξύ τους, οι οποίες επέτρεψαν αυτήν την κριτική, υποδηλώνει ότι η *Έναστρη νύχτα* δεν ήταν στην πραγματικότητα το ακούσιο ξέσπασμα ενός τρελού ή ενός οραματιστή. Το πιθανότερο είναι ότι ήταν συνέπεια της απόφασής του να δημιουργήσει ένα σύμβολο εξίσου περιεκτικό με όσα μπορούσε να εκφράσει ο Γκογκέν, δίχως να καταφεύγει στις αρχαϊκές μυθολογίες στις οποίες έδειχνε προτίμηση ο αλλοτινός του φίλος. Ο Βαν Γκογκ άδραχνε τον ουρανό με τις ραβδώσεις και τις αυλακώσεις της χρωστικής του ουσίας, για να προβάλει «ένα σχέδιο πιο προμελετημένο από την ακρίβεια του trompe l'oeil», όπως το ονόμαζε, στη μόνη πραγματικότητα που δεν είχε επηρεαστεί από τις αδυσώπητες αλλαγές του 19ου αιώνα. Μετά το θάνατό του, αυτή η κατάδυση στους ρυθμούς του σύμπαντος θα μετατρεπόταν στο πιο εκστατικό σύμβολο της εποχής.

Προμελέτη
Δανία, Νορβηγία, Γαλλία, Μεξικό, δεκαετία του 1890–1900

Τι σημαίνει άραγε να κοιτάζει κανείς τον κόσμο εκεί έξω; Το ερώτημα, το οποίο έγινε ιδιαίτερα επιτακτικό με την εμφάνιση της φωτογραφικής μηχανής, έκανε τη στοχαστική ελαιογραφία, με την οποία ασχολήθηκαν ο Βελάσκεθ και ο Βερμέερ αιώνες πριν, να μοιάζει και πάλι συναρπαστική στους θεατές του 19ου αιώνα. Τον Βερμέερ τον ανακάλυψε εκ νέου ο γάλλος τεχνοκριτικός Τεοφίλ Τορέ τη δεκαετία του 1840, και από τα τέλη της δεκαετίας του 1880 και μετά ο δανός ζωγράφος Βίλχελμ Χάμοσχοϊ (Vilhelm Hammershøi) συναγωνιζόταν –τόσο λόγω ενστίκτου όσο και λόγω μίμησης– τη γεμάτη σιωπηλή περισυλλογή σταδιοδρομία του. Ένας πρώιμος πίνακας του Χάμοσχοϊ [**266**] μοιάζει να μην επιτρέπει την παράφραση όσο την επιτρέπει η *Γαλατού* του Βερμέερ [βλ. **188**]. Μια γυναίκα βρίσκεται εκεί, στην άλλη άκρη του δωματίου, και μια καρέκλα τη χωρίζει από τον καλλιτέχνη. Έχει τις δικές έγνοιες, τις οποίες δεν πρόκειται να μάθουμε. Αυτό αρκεί· αρκεί για να μπορέσουμε να καθηλώσουμε το βλέμμα μας προς αυτήν την κατεύθυνση. Η γλώσσα γι' αυτή τη δήλωση, η οποία είναι τόσο λακωνική και ωστόσο τόσο παράξενα λυρική, είναι τονική, καθώς επιδεικνύει όλη την

266 Βίλχελμ Χάμοσχοϊ, *Σπουδή γυναίκας*, 1888.

γκάμα από τα αργυρόχρωμα λευκά ως τα πλούσια μαύρα. Όπως ο άλλος επίδοξος τελειοθήρας, ο αμερικανός καλλιτέχνης Τζέιμς Ουίστλερ (James Whistler), που εκείνη την εποχή ζωγράφιζε σκηνές πλάι στο ποτάμι και προσωπογραφίες στο Λονδίνο, ο Χάμοσχοϊ αποφεύγει την πανδαισία των λαμπερών χημικών χρωμάτων τα οποία ήταν πλέον διαθέσιμα στα χρωματοπωλεία. Όπως όμως συμβαίνει και με τους ιμπρεσιονιστές που διατρέχουν όλο το χρωματικό φάσμα, τα πάντα αιωρούνται, ή δημιουργούνται, από μια γενική συνύφανση των παλμικών κινήσεων του πινέλου, από μια ατμόσφαιρα που δημιουργεί μια απόσταση ανάμεσα στο θεατή και την ανθρώπινη μορφή.

Ένα εθνικό προηγούμενο για την αισθησιακή αυστηρότητα του Χάμοσχοϊ απαντάται στον Κρίστοφερ Έκερσμπεργκ [βλ. **238**], ο οποίος ζωγράφιζε στη Δανία δύο γενιές νωρίτερα. Η σταδιοδρομία του νεότερου ζωγράφου συχνά υπάγεται στον ευρύτερο σκανδιναβικό κόσμο της τέχνης που αναπτύχθηκε ραγδαία στα τέλη του 19ου αιώνα. Οι υφολογικές αντιθέσεις όμως μέσα σ' αυτό το τοπικό πλαίσιο ήταν εξίσου έντονες με αυτές που εκδηλώνονταν στο Παρίσι. Λίγο πιο βόρεια, στη νορβηγική πρωτεύουσα, τη Χριστιανία (το σημερινό Όσλο), άλλος ένας νέος καλής οικογενείας ονόματι Έντβαρντ Μουνκ (Edvard Munch) προσπαθούσε να ενταχθεί στην τοπική σκηνή των μποέμ όσο ο Χάμοσχοϊ συλλογιζόταν χαμηλόφωνα τις συνθέσεις του που απεικόνιζαν εσωτερικούς χώρους στην Κοπεγχάγη. Ο Μουνκ στη συνέχεια πέρασε κάποιο διάστημα στο πρωτοποριακό περιβάλλον του Παρισιού, όπου αφομοίωσε το έργο του Γκογκέν και του Βαν Γκογκ, καθώς και στο Βερολίνο, όπου και δημιούργησε την *Κραυγή* [**267**] το 1893. Είχε ήδη γράψει κατ' επανάληψη για την εικόνα που σκόπευε να ζωντανέψει, μια ανάμνηση από τη Χριστιανία:

> *Περπατούσα μαζί με δύο φίλους όταν ο ήλιος έδυσε και ο ουρανός έγινε ξαφνικά κόκκινος σαν αίμα· οι φίλοι μου συνέχισαν να περπατούν. Σταμάτησα στο κιγκλίδωμα, πτώμα στην κούραση. Πάνω απ' το ψυχρό βαθυγάλαζο φιορδ και την πόλη απλωνόταν ένα έντονο κοκκινωπό κίτρινο, κι ένιωσα μια τεράστια κραυγή να διαπερνά τη φύση.*

Με πενιχρό και πρόχειρο τρόπο ο Μουνκ παρουσίασε την ασυνήθιστη εμπειρία του πάνω σε φτηνό χαρτόνι, φέρνοντας τα πάνω κάτω στον πανθεϊσμό του Βαν Γκογκ. Όλα είναι τρομαχτικά άμεσα· ο κόσμος εκεί έξω δεν είναι τίποτα άλλο από το «αίμα» που σφυροκοπάει στις φλέβες του. Ο μακρινός ορίζοντας τινάζεται απότομα, συνωμοτώντας με τον προαστιακό δρόμο για να πιέσουν το νου να κραυγάσει άναρθρα την ίδια του την κενότητα. Στη νεανική του ηλικία ο Μουνκ είχε ρουφήξει αχόρταγα τον πόνο του πένθους και των ρήξεων· τώρα που βρισκόταν στο Βερολίνο, ο μποέμ, παράτολμος τρόπος ζωής τον βοήθησε να εντείνει τον απεγνωσμένο ρυθμό επίθεσης που χρειαζόταν γι' αυτήν την καλά ακονισμένη δήλωση παραφροσύνης. Το έργο σύντομα άρχισε να γνωρίζει απήχηση ως σύμβολο της νέας κοσμοθεωρίας, μιας κοσμοθεωρίας όπου τα πάντα ήταν ταυτόχρονα μέσα στο νου και ξένα, τα πάντα ήταν ταυτόχρονα αυτοσχέδια και αδηφάγα – ένα ηθικό πνεύμα όπου τα όρια ανάμεσα στην τέχνη και τη ζωή άρχιζαν να συγχέονται. Ο Φρίντριχ Νίτσε, ο αυτοανακηρυγμένος προφήτης αυτού του μέλλοντος («Ο "αληθινός κόσμος" – μια ιδέα που δεν χρησιμεύει πια σε τίποτα [...] ας την εξαλείψουμε!»*), είχε σταματήσει να γράφει το 1889, υποκύπτοντας στο τελευταίο στάδιο της τρέλας. Ο Μουνκ, παρά τις αντιξοότητες, θα συνέχιζε να ζωγραφίζει μέχρι το 1944, έχοντας κατακτήσει μια θέση στη γερμανική πρωτοποριακή συνείδηση μέσω της ιδιότητας του αλλόκοτου, επίμονου οραματιστή από τον μακρινό βορρά.

«Ο κόσμος αυτός είναι η θέληση για δύναμη – και τίποτε άλλο!».** Ήταν σαν οι διακηρύξεις του Νίτσε να συνέπτυσσαν τις πιθανότητες που είχε υπαινιχθεί ο ιμπρεσιονισμός: δηλαδή ότι όλα ήταν ρευστά και ότι ο «ψυχισμός» ήταν το μόνο δυνατό μέσο για την ανθρώπινη όραση. Ο Βαν Γκογκ με το «πιο προμελετημένο» σχέδιό του επέμεινε σε αυτό στο οποίο είχε αντισταθεί ο Χάμοσχοϊ: βάζουμε τον εαυτό μας σε ό,τι βλέπουμε. Το διφορούμενο αυτής της στάσης το έβγαλε έντονα στο προσκήνιο ένας συνεργάτης των ιμπρεσιονιστών, ο Πολ Σεζάν (Paul Cézanne). Ο Σεζάν, ο οποίος άφησε την ιδιαίτερη πατρίδα του την Προβηγκία για να πάει στο Παρίσι το 1861, εί-

---

* Φρίντριχ Νίτσε, *Το λυκόφως των ειδώλων*, μτφρ. Ζήσης Σαρίκας, Βάνιας, Θεσσαλονίκη 2008, σ. 38. (Σ.τ.Μ.)

** Φρίντριχ Νίτσε, *Τα τελευταία σημειωματάρια*, μτφρ. Γιώργος Καράμπελας, Κέδρος, Αθήνα 2007², σ. 116. (Σ.τ.Μ.)

χε συνεργαστεί με την ομάδα στη νεανική του ηλικία. Όπως περίπου είχε κάνει και ο Κουρμπέ πριν απ' αυτόν, ο Σεζάν πήρε τη θέση του άγαρμπου επαρχιώτη μέσα στην παρέα τους, ο οποίος προσέγγιζε αυτό που ζωγράφιζε με μια βίαιη και απότομη επίθεση, ωθώντας την αξία της «ειλικρίνειας» στα όριά της. Από τα τέλη της δεκαετίας του 1870 περνούσε μεγάλα διαστήματα στην Προβηγκία, εξελίσσοντας το έργο του στην απομόνωση, το οποίο παρέμενε σχετικά άγνωστο όταν το ανακάλυψε ο Γκογκέν μια δεκαετία αργότερα – στην ουσία, ο Σεζάν έγινε πραγματικά όνομα στο Παρίσι μόνο μετά το 1894, τη χρονιά που τον ανέλαβε ο έμπορος τέχνης Αμπρουάζ Βολάρ. Ως αποτέλεσμα, τα κάπως περιθωριοποιημένα, ελάσσονος σημασίας ρεύματα της γαλλικής φαντασίας επανεμφανίστηκαν με νέα μορφή προς τα τέλη του αιώνα. Το ένστικτο για τη σταθερότητα το οποίο διέθετε ο Κουρμπέ είχε μετατραπεί, σε μουσαμάδες όπως αυτή η άποψη ενός λατομείου στην Προβηγκία από το 1897 [**268**], στην ενασχόληση με την υπαίθρια σκηνή που απλωνόταν ακριβώς μπροστά στα μάτια.

Εδώ τα πάντα είναι απολύτως άμεσα. Η στρατηγική που ανέπτυξε ο Σεζάν στο διάστημα της απόσυρσής του στην Προβηγκία τον ώθησε στη σύνθεση των πλευρών του βράχου και των φυλλωμάτων με διαφανείς πορτοκαλιές και πράσινες γραμμοσκιάσεις, οι οποίες λαμπύριζαν πάνω στο λευκό της προετοιμασίας του καμβά. Διογκώνονται για να αποκτήσουν πλήρη παρουσία και μετά επιστρέφουν στην ακαθοριστία, γιατί ο καμβάς αυτός αναπαριστά ένα πεδίο της όρασης, και σ' αυτήν την έκταση των ερεθισμάτων, σύμφωνα με το ιμπρεσιονιστικό δόγμα, δεν υπάρχει αυτό που ονομάζεται γραμμή. Η θερμότητα και η διάστιξη των λαμπερών αποχρώσεων είναι ακατάπαυ-

267 Έντβαρντ Μουνκ, *Η κραυγή*, 1893. Η εικόνα αυτή πέρασε από διάφορα στάδια μέχρι ο Μουνκ να μπορέσει να βρει τον τόνο που έμοιαζε να περιγράφει πιστά την εμπειρία που θυμόταν. Από μια άποψη, το πρόβλημά του ήταν αυτό που είχε απασχολήσει και τον Ρέμπραντ: το πώς να αποδώσει σε υλική μορφή το αίσθημα της συνείδησης, το αίσθημα του αισθάνεσθαι. Έμπνευση για την επινόηση του κεφαλιού που κραυγάζει, αναμφίβολα το μέγιστο σημείο αναφοράς στη μοντέρνα τέχνη, πιθανότατα αποτέλεσε μια μούμια των Ίνκας η οποία παρουσιάστηκε σε μια έκθεση στο διάστημα παραμονής του Μουνκ στο Παρίσι.

και πιο ξεκαρδιστικά βίαιες εικόνες για έναν εκδότη κίτρινων εφημερίδων που απευθύνονταν στην εγγράμματη εργατική τάξη της Πόλης του Μεξικού. («Ο δύστυχος Αντόνιο Σάντσες που έφαγε τη σορό του ίδιου του του γιου», «Το τέλος του κόσμου θα έρθει στις 14 Νοεμβρίου του 1899, 45 λεπτά μετά τα μεσάνυχτα!» κτλ.) Όντως, ο καλύτερος τρόπος για να κλείσουμε αυτό το κεφάλαιο είναι ο Ποσάδα. Θέλω αυτό το calavera,* ο σκελετός δηλαδή του σατιριστή, να συγκεντρώσει κάτω από το σομπρέρο του το τεράστιο ξέσπασμα παραστατικής ενέργειας που σημειώθηκε τις δύο τελευταίες δεκαετίες του αιώνα – όχι μόνο την παρεμφερή δημιουργία χάους του Τζέιμς Ένσορ (James Ensor) στο Βέλγιο, αλλά και την ιαπωνιστική μοχθηρία του λονδρέζου Όμπρι Μπίρντσλι και του ελβετού Φελίξ Βαλοτόν (Félix Vallotton). (Θα μπορούσαμε, άραγε, να χωρέσουμε εδώ και την πιο εγκάρδια ανταπόκριση στην Ιαπωνία που επιφύλαξαν οι λιθογραφικές αφίσες του Ανρί ντε Τουλούζ-Λοτρέκ [Henri de Toulouse-Lautrec] για το θέατρο;) Ας είναι λοιπόν η θορυβώδης αναβίωση του παραληρήματος των Αζτέκων από τον Ποσάδα σύμβολο εναντίωσης σε μια εποχή που αποκτήνωσε τον πλανήτη. Η κληρονομιά της ακόμη δεν είναι τόσο μακρινή για να νιώθουμε παντελή αδιαφορία.

271 Χοσέ Γουαδαλούπε Ποσάδα, *Καλάβερα ενός στρατιώτη από την Οαχάκα*, 1903. Το καλάβερα, ο ζωντανός σκελετός, αποτελεί σταθερό χαρακτηριστικό στοιχείο της μεξικάνικης λαϊκής εικονοποιίας ήδη από την εποχή των Αζτέκων, το οποίο κάνει την εμφάνισή του κάθε χρόνο στις παρελάσεις της Μέρας των Νεκρών. Ο Ποσάδα έδωσε στους συγκεκριμένους νεκρούς μια ασυγκράτητη παραστατική ζωή. Το χαρακτικό αυτό αρχικά κατασκευάστηκε για να τιμήσει τη μνήμη των Μεξικανών που αντιστάθηκαν στη γαλλική πολιορκία της Οαχάκα το 1864. (Την καταστροφική έκβαση του επεισοδίου αυτού για τη Γαλλία τη ζωγράφισε ο Μανέ στη *Εκτέλεση του Μαξιμιλιανού*, έργο του 1867.) Και όπως και πολλές άλλες εικόνες από το εργαστήριο του Ποσάδα, ξαναχρησιμοποιήθηκε για να εικονογραφήσει διάφορες φυλλάδες με μπαλάντες.

---

* Η κυριολεκτική σημασία του calavera είναι νεκροκεφαλή ή, κατ' επέκταση, σκελετός· στο Μεξικό ο όρος χρησιμοποιείται για τα χαρακτικά που απεικονίζουν σκελετούς να μιμούνται καθημερινές δραστηριότητες. (Σ.τ.Μ.)

11

ΚΑΙΝΟΤΟΜΙΑ / ΑΝΑΣΤΟΛΗ

Ζωτικότητα
Αφρική και Ευρώπη, 1900–δεκαετία του 1910

Στην προνεωτερική εποχή κάποιο πνεύμα του δάσους μπορεί να επισκεπτόταν κάποιον άνθρωπο στο όνειρό του για να του πει «κάνε με ορατό, κάνε με μια μάσκα». Ο άνθρωπος αυτός –ο οποίος ανήκε στη φυλή των Νταν, που ζούσαν στα υψώματα πάνω από την Ακτή Ελεφαντοστού– μετέφερε το αίτημα του πνεύματος σε κάποιον ξυλογλύπτη, ο οποίος το υλοποιούσε στα κρυφά. Όταν έφτανε η ιερή μέρα, το πνεύμα ξεχυνόταν στον κοινόχρηστο χώρο του χωριού, φορώντας λοφίο από φτερά, γούνινη γενειάδα και ψάθινη φούστα, για να περπατήσει κορδωμένος και να σημάνει συναγερμό, σε ανταγωνισμό με τα άλλα πνεύματα που είχαν καταλάβει τα σώματα των ανθρώπων.

Ένας πιο μεγάλος και πιο άπληστος ανταγωνισμός ώθησε τους ευρωπαίους δημιουργούς αυτοκρατοριών να μπουν βαθιά μέσα στην αφρικανική ενδοχώρα από τη δεκαετία του 1880 και μετά. Ακολούθησαν οι έμποροι και οι μελετητές. Η αποικιακή περιέργεια και τα εθνογραφικά σχέδια δημιούργησαν μια αγορά για τα «φετίχ», όπως ονόμαζαν οι Ευρωπαίοι τα αντικείμενα με πνευματικό φορτίο. Η πρόσβαση που απέκτησαν στα πλούτη της αφρικανικής τέχνης ήταν βαθμιαία – αρχικά οι κάτοικοι των χωριών συχνά κατάφερναν να τους πασάρουν ό,τι άχρηστο και χωρίς τελετουργική αξία υπήρχε στα εργαστήριά τους, παρόλο που το 1900 τα γλυπτά από την αυλή της Δαχομής είχαν μεταφερθεί στο Μουσείο του Τροκαντερό στο Παρίσι και ο βρετανικός στρατός είχε επιτεθεί στο συγκρότημα ανακτόρων του Μπενίν, λεηλατώντας και ξεπουλώντας τέσσερις αιώνες μεταλλοτεχνίας. Η μάσκα εδώ [272] ανήκει σ' ένα σώμα έργων που άρχισε να συλλέγεται μια γενιά μετά, όταν οι ανθρωπολόγοι έμαθαν όσα αφηγήθηκα παραπάνω σχετικά με την προέλευσή της. Πιθανότατα τη σκάλισε ένας καλλιτέχνης της φυλής των Νταν που λεγόταν Ουόπι και προοριζόταν για ένα μπου γκλε, ένα πνεύμα τόσο πολεμοχαρές που τα χαρακτηριστικά του έπρεπε να προεξέχουν επιθετικά. Με την πάροδο όμως του χρόνου, και μετά την αφαίρεση της γούνας, των φτερών και της λειτουργίας της, θα εντασσόταν στις συλλογές με τα ξυλόγλυπτα από τις φυλές των Μπαουλέ και των Φανγκ, για να τοποθετηθεί στο ψυχρό περιβάλλον κάποιας ευρωπαϊκής πινακοθήκης και των ασκήσεών μας στην αισθητική ανάλυση.

Από το 1900 και μετά, λοιπόν, η τέχνη της Αφρικής –μαζί με την τέχνη του πρόσφατα αποικισμένου Νότιου Ειρηνικού– μπήκε απότομα στο εικαστικό ρεύμα κυκλοφορίας της Δύσης, το οποίο άρχισε να αναπτύσσει ταχύτητα μόλις πέρασε τη δεκαετία του 1880. «Η μεγάλη επιτάχυνση»: έτσι χαρακτήρισε ο ιστορικός Κ. Α. Μπέιλι την εποχή που οδήγησε στο ξέσπασμα

272 Ουόπι (;), *Μάσκα μπου γκλε*, περ. 1900–25. «Πού και πού κάποιο προγονικό πνεύμα, ή εγκούκου, έκανε την εμφάνισή του από τον κάτω κόσμο και μιλούσε με τρεμάμενη, απόκοσμη φωνή, σκεπασμένο από την κορυφή ως τα νύχια με φύλλα ραφίας. Μερικά από αυτά τα πνεύματα ήταν πολύ βίαια». Κανένα βιβλίο δεν εκφράζει πιο ζωντανά την υφή του πολιτισμικού περιβάλλοντος του χωριού στο οποίο ανήκαν μάσκες σαν τη συγκεκριμένη από το μυθιστόρημα *Τα πάντα γίνονται κομμάτια*. Ο Τσινούα Ατσέμπε έγραψε το παραπάνω μυθιστόρημα στη Νιγηρία της δεκαετίας του 1950, αναπλάθοντας έναν αυτάρκη κόσμο που είχε γίνει κομμάτια λίγες μόλις δεκαετίες νωρίτερα, κάτω από την επίδραση του αποικιοκρατικού συστήματος. Η συγκεκριμένη μάσκα προέρχεται από ένα πολιτισμικό περιβάλλον που βρίσκεται αρκετά μακριά από τη Νιγηρία, το λακωνικό ωστόσο αριστούργημα του Ατσέμπε αναφέρεται στην παράλυση που έζησε μια ολόκληρη γενιά σε διάφορα μέρη της Αφρικής, μια στρέβλωση των συμφραζομένων την οποία υπέστη και το συγκεκριμένο έκθεμα.

273 Πάουλα Μόντερσον-Μπέκερ, *Μητέρα και παιδί*, 1907. Η Μόντερσον-Μπέκερ, η οποία ήταν έγκυος όταν ζωγράφισε το συγκεκριμένο έργο, εργάστηκε μ' ένα μοντέλο που είχε μικρό παιδί. Το γύρισμα του 20ού αιώνα ήταν μια εποχή όπου οι γυναίκες καλλιτέχνιδες άρχιζαν να ασχολούνται με το γυναικείο γυμνό – όπως, για παράδειγμα, η Σιζάν Βαλαντόν (Suzanne Valadon) στο Παρίσι και η Γκουέν Τζον (Gwen John) στη Μεγάλη Βρετανία. Το όραμα της Μόντερσον-Μπέκερ το ερμήνευσε μετά το θάνατό της ο φίλος της ποιητής Ράινερ Μαρία Ρίλκε. «Τους καταλάβαινες τους ώριμους καρπούς. [...] Κι είδες πως ήσαν κι οι γυναίκες σαν καρποί· κι έτσι, από μέσα, τα παιδιά είδες να χύνονται στης ύπαρξής τους το καλούπι». Ο Ρίλκε έγραψε επίσης αξιόλογες ερμηνείες πάνω στον Ροντέν και τον Σεζάν.

του παγκόσμιου πολέμου το 1914, και τις μεταβολές της τεχνολογίας, της οικονομίας και της πολιτικής που περιγράφει τις ξεπερνούσε κατά πολύ η άνευ προηγουμένου ανάπτυξη νέων μορφών δυτικής τέχνης. Ανάμεσα στις πολλές πρωτοποριακές ομάδες που ανέπτυσσαν δράση εκείνη την εποχή στην Ευρώπη, υπήρχε μία ομάδα στη Δρέσδη –την οποία γοήτευε ιδιαίτερα η τέχνη της Αφρικής και της Ωκεανίας– που είχε υιοθετήσει το όνομα «Η γέφυρα» (Die Brücke), λες και ο «πριμιτιβισμός» τους θα μπορούσε να οδηγήσει την τέχνη στο μέλλον. Τέτοιες εικόνες μπορεί να υποδηλώνουν μια σταθερή και ανοδική ιστορική πρόοδο, δύσκολα όμως θα μπορούσαν να την αποδείξουν· αντ' αυτού, αντιμετωπίζουμε μια νευρική διαλεκτική αντιτιθέμενων και διασταυρούμενων μέσων, τεχνοτροπιών και νοημάτων. Στο παρόν κεφάλαιο θα διασχίσουμε όσο το δυνατόν πιο γρήγορα αυτό το ξέφραγο αμπέλι σε δύο ενότητες που πραγματεύονται την εξαιρετικά περίπλοκη εποχή που οδήγησε στον Α' Παγκόσμιο πόλεμο. Στην ενδιάμεση ενότητα σημειώνονται κάποιες από τις αναπροσαρμογές που σημειώθηκαν κατά τη διάρκεια και αμέσως μετά το συγκλονιστικό αυτό γεγονός, και κατόπιν οι εντάσεις γίνονται ακόμα βαθύτερες, αν και προχώρησαν με πιο αργούς ρυθμούς, σε άλλες δύο ενότητες που περιγράφουν τις τάσεις ανάμεσα στο 1920 και το 1945.

Ας αντιπαραβάλουμε λοιπόν την ορμητική πορεία της τέχνης με μια φαινομενικά σταθερή συντεταγμένη: οι καλλιτέχνες εξακολουθούσαν να χρειάζονται τα έργα που μπορούσαν να εκτεθούν. Ο πλούσιος σε περιεχόμενο καμβάς όπου οι αγαπημένες αξίες αποκτούσαν μορφή παρέμενε το πιο διαδεδομένο όχημα για τη φαντασία στην Ευρώπη, και σε ό,τι αφορούσε τα ζητήματα μορφής το Παρίσι παρέμενε ο βασικός ρυθμιστής του ύφους. Από αυτήν την άποψη, ο πίνακας *Μητέρα και παιδί* της Πάουλα Μόντερσον-Μπέκερ (Paula Modersohn-Becker) [**273**] είναι κατά κάποιον τρόπο ένα χαρακτηριστικό έργο της δεκαετίας του 1900, μιας εποχής όπου αμέτρητοι καλλιτέχνες ανά τον κόσμο αφομοίωναν τα μαθήματα που είχαν πάρει από τις επισκέψεις τους στη μητρόπολη: η τάση προς την ύπαιθρο εξαπλωνόταν ακολουθώντας τα ίχνη του Μονέ, από την Ιαπωνία ως τον Καναδά· το παράδειγμα του Μανέ ωθούσε τους θιασώτες της κομψότητας προς τη λατρεία του Βελάσκεθ· ενώ το παράδειγμα του Ντεγκά δημιουργούσε νέα είδη παρακατιανού, προκλητικού ρεαλισμού. Η Μόντερσον-Μπέκερ γύρισε από μια εκδρομή στο Παρίσι στην έδρα της στο Βόρπσβεντε –ένα χωριό στη βόρεια Γερμανία που ήταν μία από τις «καλλιτεχνικές παροικίες» της εποχής– με την ανάμνηση των απλουστευμένων μορφών του Γκογκέν και του τρόπου με τον οποίο έπλαθε τους όγκους ο Σεζάν. Και τις αναμνήσεις αυτές τις επεξεργάστηκε με μια νέα βαριά αρμονία σ' έναν πίνακα που επικυρώνει το κλασικά διαχρονικό.

Ο γάλλος γλύπτης Αριστίντ Μαγιόλ (Aristide Maillol) οδηγούσε την κληρονομιά του Ροντέν προς μια αντίστοιχη κατεύθυνση, φτιάχνοντας γυναικεία γυμνά με απίστευτη σταθερότητα. Στην περίπτωση όμως της Μόντερσον-Μπέκερ το νόημα αυτής της καλλιτεχνικής κατηγορίας μεταβάλλεται, εφόσον καταπιανόταν με αυτήν μια γυναίκα. Πίσω της είχε αρκετές γενιές γυναικών που είχαν μπει στο διευρυνόμενο σύστημα καλλιτεχνικής εκπαίδευσης. Στην πραγματικότητα, οι γυναίκες ήδη είχαν το προβάδισμα στον αριθμό των εισακτέων, παρόλο που οι κοινωνικές δομές ακόμη τους απαγόρευαν να ακολουθήσουν κάποια περαιτέρω σταδιοδρομία. Ορισμένες από αυτές, όπως η ζωγράφος πολεμικών σκηνών Ελίζαμπεθ Μπάτλερ (Elizabeth Butler) στην Αγγλία και η πολιτική ρεαλίστρια και χαράκτρια Κέτε Κόλβιτς (Käthe Kollwitz) στο Βερολίνο, σημείωσαν επιτυχία σε παραδοσιακά «ανδρικούς» τομείς δημιουργίας. Η γαλλίδα Μπερτ Μοριζό (Berthe Morisot) και η αμερικανίδα Μέρι Κάσατ (Mary Cassatt) έδωσαν μια έντονη γυναικεία χροιά στον ιμπρεσιονισμό, καθόσον οι γυναίκες όφειλαν να επικεντρώνονται στην οικογένεια, τα υφάσματα, τα λουλούδια και τους καθρέφτες, στη στοχαστικότητα και την εσωτερικότητα. Η Μόντερσον-Μπέκερ, η οποία είχε γεννηθεί το 1876, ήταν άλλη μια γυναίκα που έμεινε πιστή σ' αυτόν το διαχωρισμό με βάση το κοινωνικό φύλο, καθώς δεν είχε καμία απολύτως σχέση με την προσπάθεια ανάπτυξης πολιτικής συνειδητοποίησης που κατέβαλε το κίνημα για τη γυναικεία ψήφο στις αρχές του 20ού αιώνα. Αντ' αυτού, ήταν φιλόδοξα αρχαϊκή. Η εικόνα της μητέρας γης βρίσκεται κάπου ανάμεσα σε μια γεμάτη σύμβολα, γυμνόστηθη αυτοπροσωπογραφία και τα οράματα της απλής αγροτικής πραγματικότητας της ζωής της στο Βόρπσβεντε. (Το τραγικό είναι ότι πέθανε το 1907, μερικούς μήνες μετά την ολοκλήρωση του πίνακα, από επιπλοκές κατά τον τοκετό του παιδιού της.) Και, όπως συνέβαινε και με πολλούς καλλιτέχνες στο παρελθόν, επιδίωξή της ήταν ο αρχαϊσμός της να αποτελέσει έναν πραγματικό μοντερνισμό, γιατί αυτά τα ενωμένα σώματα, που τα κεφάλια τους υποκύπτουν στη θερμή βαρύτητα της σάρκας, αποτίουν φόρο τιμής στην αναδυόμενη ευσέβεια του νεογέννητου αιώνα. Οι μητέρες μπορούν να του υποταχθούν με τον έναν τρόπο, και οι ερωτευμένοι με τον άλλο – όπως, για παράδειγμα, οι επίσης ενωμένες μορφές στην ξυλογραφία με τον τίτλο *Το φιλί* του Μουνκ ή στο ομώνυμο γλυπτό του Ροντέν. Πάνω από κάθε κοινωνικό περιορισμό και πέρα από τα όρια των θεσμών και της ιστορίας, η *ζωή* ήταν η μεγάλη πραγματικότητα που έπρεπε να εξυμνηθεί.

Η ζωή. Η αποβολή των αναστολών του 19ου αιώνα· επίσης, συνεκδοχικά, η αμεσότητα ως προς τα μάτια και τις αισθήσεις· τα συστήματα «ζωτικότητας» που κατέκλυζαν το νου και τον κόσμο· η σεξουαλική ελευθερία· η πνευματική αυθεντικότητα· ο ενστερνισμός του απόλυτα μοντέρνου· και πολλά άλλα πιθανά, ασυμβίβαστα στοιχεία – που όλα τους κυκλοφορούσαν τη συγκεκριμένη εποχή στο περιβάλλον του πρωτοποριακού λόγου. Επιπλέον, η ίδια ομπρέλα προοδευτικών αξιών θα μπορούσε να απλωθεί για να συμπεριλάβει τη σχεδιαστική αισθητική που μπόρεσε να απαλλαγεί από τη νεκρωτική επίδραση της ιστορικής νοσταλγίας. Αυτή ήταν η κατεύθυνση που ακολούθησε το γρήγορα διεθνοποιούμενο κίνημα Αρτς εντ Κραφτς του Ουίλιαμ Μόρις από το 1895 και μετά. Η προτίμηση του ιδρυτή του κινήματος για τα προβιομηχανικά, ποιμενικά μοτίβα –για να μην αναφέρουμε το όνειρό του για την ανθρώπινη ισότητα– επισκιάστηκε από τις κομψότερες, «οργανικές» επινοήσεις του Χένρι φαν ντε Βέλντε (Henry van de Velde), ο οποίος στο παρελθόν ήταν συμβολιστής ζωγράφος στις Βρυξέλλες. Οι φυτικές μορφές βγήκαν σε πρώτο πλάνο για να δώσουν νέα ζωή στις κατασκευές της βιομηχανίας, ανατρέποντας τον κανόνα του αυστηρού και ορθογώνιου, ενώ οι δυναμικά ελικοειδείς βλαστοί τους αναπαράγονταν σε ατσάλι και γυαλί και στα κεραμικά. Αυτό το ριζοσπαστικό ροκοκό της μηχανής, το οποίο ονομάστηκε «Αρ Νουβό» ή «Γιούγκεντστιλ» («Jugendstil»), εξαπλώθηκε σ' ολόκληρη την Ευρώπη μέσω των καλλιτεχνικών περιοδικών με φωτογραφίες για να γοητεύσει τους προοδευτικούς πάτρονες από τη Γλασκόβη και το Παρίσι ως τη Βαρκελόνη και τη Βουδαπέστη.

Ο Γκούσταφ Κλιμτ (Gustav Klimt) ήταν ένας από αυτούς που παρουσίασαν την τεχνοτροπία στη βιεννέζικη ελίτ. Ο ζωγράφος και οι συνεργάτες του –το 1897 είχε ηγηθεί της «Απόσχισης» («Sezession») από το τυπολατρικά συντηρητικό εκθεσιακό πλαίσιο της πόλης, κάτι που αποτελούσε ένδειξη της προοδευτικής του αξιοπιστίας– ήθελε να εκσυγχρονίσει το παλιό ροκοκό πρόγραμμα για το Gesamtkunstwerk, το καθολικό έργο τέχνης (βλ. σ. 276), για χάρη μιας εποχής που μαγευόταν από την πρόσμειξη του εικαστικού έργου με τη μουσική. Ο διάκοσμος της Απόσχισης ενορχήστρωσε τους στολισμένους με χρυσό και κοπέλες πίνακες του Κλιμτ μέσα σε συνδυασμούς οργανικών διακοσμητικών στοιχείων, που βασίζονταν στη μουσική του Μπετόβεν και σε μια εικονολογία που ήταν βγαλμένη μέσα από την οραματική φιλοσοφία του Νίτσε – ή έτσι τουλάχιστον θα ήθελε, καθώς οι βιεννέζοι πάτρονες διαρκώς δυσανασχετούσαν με το κράμα αποκρυφισμού και έντονου ερωτισμού του. Παρ' όλα αυτά, ο ζωγράφος κατάφερε να κατακτήσει τους θιασώτες της χλιδής με τα μαγικά του τετράγωνα που συνδύαζαν τη σάρκα με την επίπεδη επιφάνεια.

Η *Ιουδήθ ΙΙ* του Κλιμτ [**274**] ζωντανεύει την επικίνδυνη, ανθρωποφάγο σύγχρονη γυναίκα της Βιέννης του 1909 –η οποία κρύβει μες στην τσάντα της ένα κεφάλι που θα μπορούσε να είναι και του καλλιτέχνη– με βάση τον μακάβριο αρχαίο μύθο, δηλαδή με το είδος του υλικού που αγαπούσαν οι συμβολιστές καλλιτέχνες τις προηγούμενες τρεις δεκαετίες. Από το 1886 που δημοσιεύτηκε το μανιφέστο του στο Παρίσι και μετά, το χαλαρό πρόγραμμα του συμβολισμού διαδόθηκε ανά την Ευρώπη για να συγχωνευθεί με πολλά καλλιτεχνικά φαινόμενα, σε όλα όμως τα μέρη που έφτασε ανέδειξε την έμφαση στο απόκοσμο και αποπροσανατολιστικό. Το ίδιο συμβαίνει κι εδώ. Οι νησίδες αφαίρεσης κυλούν ξέφρενα από το σφιχτοπλεγμένο σχέδιο, έχοντας κάποια συγγένεια με τη συρραφή σχεδίων που έφτιαχνε ο μεγαλύτερος αρχιτέκτονας της Αρ Νουβό, ο καταλανός Αντόνι Γκαουντί (Antoni Gaudí). Ο Κλιμτ δεν έτυχε να συναντηθεί στους κύκλους της βιεννέζικης καλής κοινωνίας που σύχναζε με το συντοπίτη του Ζίγκμουντ Φρόιντ· παρ' όλα αυτά, τα αρπακτικά χέρια της Ιουδήθ και η πεταχτή θηλή της δείχνουν προς την κατεύθυνση της τραχιάς, συγκρουσιακής τέχνης που θα ανέπτυσσε ο μαθητής του ο Έγκον Σίλε (Egon Schiele) την επόμενη δεκαετία – ο οποίος ζωγράφισε τον εαυτό του να αυνανίζεται, για παράδειγμα, κάνοντας μια προκλητική πράξη σε μια ψυχολογικά υποψιασμένη εποχή. Στην πραγματικότητα, το γεμάτο κουρέλια μπουντουάρ ως εκδοχή

274 (απέναντι αριστερά) Γκούσταφ Κλιμτ, *Ιουδήθ ΙΙ*, 1909.

275 (απέναντι δεξιά) Ανρί Ματίς, *Γυναίκα με καπέλο*, 1905.

Τον καιρό εκείνο, οι φίλοι του Πικάσο θεώρησαν ότι είχε βυθιστεί στον όλεθρο της ασυναρτησίας. Όταν άφησε στην άκρη τον πίνακα, ο Πικάσο επικέντρωσε την ενέργειά του σε μικρότερες, πιο πειθαρχημένες αιφνιδιαστικές επιθέσεις σ' αυτά τα εχθρικά «πάντα». Μόνο πολλά χρόνια αργότερα, όταν πια η κριτική αναγνώρισε την κεφαλαιώδη σημασία αυτών των μεταγενέστερων έργων, ο κόσμος άρχισε να βλέπει πως οι *Δεσποινίδες της Αβινιόν* ήταν μια *αναγκαία* ασυναρτησία. Μαζί με τους πίνακες του Σεζάν, έμοιαζαν να υποδηλώνουν την οριστική διακοπή των σχέσεων ανάμεσα στα ίχνη και ό,τι αυτά συμβόλιζαν, η οποία θα γινόταν στις μεταγενέστερες νεκρές φύσεις και προσωπογραφίες του. Η ενόραση όμως που είχε ο Πικά-

277 Πάμπλο Πικάσο, *Οι δεσποινίδες της Αβινιόν*, 1907.

σο στο Μουσείο του Τροκαντερό θα συνέχιζε να διατηρεί κεντρική θέση στην τέχνη του για τα επόμενα εξήντα έξι χρόνια, ανεξάρτητα από το πόσο πιστή ήταν στην τέχνη της Αφρικής. Ο Πικάσο είχε τη συνήθεια να αναμετριέται με τις μορφές –των γυναικών, των ζώων και των σκευών– δίχως όμως να δείχνει εμπιστοσύνη στην εξωτερική τους εμφάνιση. Αντ᾽ αυτού, αγωνιζόταν να ανασυνθέσει ή να αποσπάσει την ουσία τους. Θέλησε να γίνει μάγος. Θα έδινε στη διεθνή σκηνή του 20ού αιώνα την αύρα του σαμάνου του χωριού – μαζί με όλη του τη δύναμη για μεταμόρφωση, αλλά και μαζί με ένα μεγάλο μέρος της ενδεχόμενης σκληρότητάς του.

Η «Γέφυρα» και οι *Δεσποινίδες της Αβινιόν* ήταν μόνο η αρχή μιας σειράς μαθημάτων που θα έπαιρνε η Δύση από πολύ μικρότερης κλίμακας σύγχρονες κοινωνίες. Πώς, άραγε, προχωρούσαν οι τέχνες στην άλλη πλευρά; Το ξυλόγλυπτο *Μητέρα και παιδί* [**278**] διαθέτει τα χαρακτηριστικά που πολλοί ευρωπαίοι γλύπτες θα προσπαθούσαν να εισαγάγουν στο έργο τους από το 1910 και εξής· όπως, για παράδειγμα, τα καθαρά χαραγμένα επίπεδα, τους όγκους που είτε είναι ενωμένοι είτε συνδέονται με εμφανή τρόπο και τη στοιχειώδη νοηματική γλώσσα για τα γνωρίσματα της ταυτότητας σε μια λακωνικά πνευματώδη και πιο διακοσμημένη παραλλαγή πάνω στο ανθρωπιστικό θέμα της Μόντερσον-Μπέκερ. Δημιουργήθηκε γύρω στο 1914 στη Νάλα, η οποία βρίσκεται κοντά στα σύνορα του Κονγκό με το Σουδάν. Ο ξυλογλύπτης, καταπώς φαίνεται, μάλλον δεν εργαζόταν κατ᾽ εντολή κάποιου πνεύματος, αλλά προσπαθούσε να καλύψει την αυξανόμενη ζήτηση για «έργα τέχνης», με τη δυτική έννοια, τα οποία κατόπιν θα πρόσφερε ο αρχηγός της περιοχής στους αξιωματούχους της αποικίας που τον επισκέπτονταν. Στο λαό των Ζάντι αυτή η κοσμική τέχνη εμφανίστηκε υπό τις συνθήκες της βελγικής αποικιακής κυριαρχίας. Μπορεί να μην ανταποκρίνεται στη νοσταλγία του «πριμιτιβιστή» (όπως πιθανόν ονόμαζαν τότε τον Κίρχνερ και τον Πικάσο), επειδή όμως αντικρίζει την παγκόσμια ροή εμπορευμάτων κατ᾽ αυτό τον τρόπο αποτελεί ένα εξίσου σημαντικό δείγμα των μακροπρόθεσμων τάσεων στην τέχνη του 20ού αιώνα με τις *Δεσποινίδες τις Αβινιόν*.

Ερωτήματα και σταυροδρόμια
Ευρώπη, 1909–1914

Την τέχνη στην πραγματικότητα τη συνιστούν καλοφτιαγμένα αντικείμενα, έτσι δεν είναι; Αντικείμενα που καταδεικνύουν την ίδια τους την αξία – αυτό δεν απαιτεί άλλωστε η αγορά; Καταπώς φαίνεται, λοιπόν, κάθε καλλιτέχνης πρέπει να εδραιώσει την κατάλληλη θέση για τα επαγγελματικά κατασκευασμένα προϊόντα του, όποια κι αν είναι η τεχνοτροπία του. Είδαμε παραπάνω τον Ματίς και τον Πικάσο στην πιο αβέβαιη στιγμή της σχεδόν αλληλένδετης σταδιοδρομίας τους, αυτής της διπλής έλικας που θα καθόριζε ένα μεγάλο μέρος της όψης της τέχνης μέσα στα επόμενα πενήντα χρόνια. Θα στρέφονταν και οι δύο από την απειθαρχία και την ασυναρτησία στην επικέντρωση στα δικά τους καλλιτεχνικά μέσα.

278 Ξυλογλύπτης της φυλής Ζάντι, *Μητέρα και παιδί*, περ. 1914. Ο καλλιτέχνης ήταν ένας από τους παρατρεχάμενους του αρχηγού της φυλής Ζάντι. Οι Ζάντι (ή Αζάντε) χρησιμοποιούσαν μια εντυπωσιακή σχεδιαστική αισθητική τόσο στο πρόσωπό τους όσο και στα σπίτια τους, μέχρι όμως το αποικιακό εμπόριο και η αποικιακή υποτέλεια δημιουργήσουν την κατάλληλη θέση στην αγορά δώρων κύρους δεν φημίζονταν για τα ανθρωπομορφικά τους ξυλόγλυπτα. Εδώ, ο ξυλογλύπτης χρησιμοποίησε τις δεξιότητες που γενικά απαιτούνται για την κατασκευή καρεκλών και τυμπάνων προκειμένου να ξαναζωντανέψει ένα καθημερινό θέαμα στα χωριά των Ζάντι: στη συγκεκριμένη περιοχή συνηθίζεται τόσο η στάση του σώματος της μητέρας όσο και το χτένισμά της. Το σουβενίρ αυτό το πήρε ένας σημαντικός επισκέπτης στο Κονγκό, ο αμερικανός ζωολόγος Χέρμπερτ Λανγκ, κατά την αποστολή του 1909–15.

279 Ανρί Ματίς, *Το κόκκινο εργαστήριο*, 1911.

280 (απέναντι) Βασίλι Καντίνσκι, *Σύνθεση VII*, 1913.

Στην περίπτωση του Ματίς αυτό συνεπαγόταν τα μαθήματα που πήρε από την ισλαμική τέχνη, κατά κύριο λόγο στη διάρκεια των επισκέψεών του στη Βόρεια Αφρική. Η λογική που ρύθμιζε τη διάρθρωση του χώρου και η οποία είχε ακολουθήσει μια μακρά και διαφορετική πορεία από την ευρωπαϊκή παραστατικότητα από τον 8ο αιώνα και μετά παρέμενε ακλόνητη από την Τουρκία ως το Μαρόκο, όπου οι οικοδόμοι, οι πλακάδες και οι υφαντές συνεργάζονται με το φως του ήλιου για να δημιουργήσουν ένα γενικότερα αναζωογονητικό περιβάλλον. Η πρόκληση για τον Ματίς ήταν η αναδημιουργία αυτών των συνολικών οπτικών ερεθισμάτων πάνω στον καμβά – ένα ζήτημα με το οποίο είχαν καταπιαστεί στο παρελθόν και Ιρανοί όπως ο Αχμάντ, ο ζωγράφος της ακροβάτιδας στην Τεχεράνη [βλ. **236**]. Το *Κόκκινο εργαστήριο*, έργο του 1911, ήταν μία από τις πιο τολμηρές –και μάλιστα μία από τις πιο επιθετικές– του λύσεις [**279**]. Το βάθος ενός εσωτερικού χώρου ακυρώνεται από τον επίμονο και εκτυφλωτικό παλμό του βερμιγιόν: πρόκειται για τη μέγιστη δυνατή επίταση της απόλαυσης του να προκαλεί κανείς πόνο. Η τέχνη τρέφεται από την τέχνη και αποδεικνύει την ίδια της τη γνησιότητα· ανάμεσα στα διακο-

χρησιμεύει πια σε τίποτα [...] ας την εξαλείψουμε!») για να δημιουργήσει μια ονειρική εικονοποιία με έρημες στοές την ώρα του σούρουπου, οι οποίες ήταν γεμάτες απρόσμενα αντικείμενα. Η απόκοσμη αυτή αίσθηση θα λειτουργούσε ως ερέθισμα για τους καλλιτέχνες που ενηλικιώθηκαν μια δεκαετία μετά – όπως, για παράδειγμα, τον Ρενέ Μαγκρίτ (René Magritte) [**295**]. Το συμβολιστικό πιστεύω ότι η τέχνη πρέπει να «χρησιμοποιεί το ορατό για να εκφράσει το αόρατο» είχε διαμορφώσει τόσο τον Ντε Κίρικο όσο και τον Μαγκρίτ· μπορεί, μάλιστα, να ήταν ο άσος που κρατούσε στο μανίκι του ο λακωνικός και συγκρατημένος Χόπερ. Πέρα απ’ αυτό, ωστόσο, δεν υπάρχει άλλη αντιστοιχία ανάμεσα στον αμερικανό και τον βέλγο ζωγράφο – όπως μπορούμε να καταλάβουμε αν ρίξουμε μια ματιά στο *Να μην αναπαραχθεί*, το κατεξοχήν έργο πάνω στο θέμα της αναπαραγωγής. Η πλάτη στο παράθυρο του Χόπερ ενισχύει σε μεγάλο βαθμό την πίστη μας στις εικόνες· η πλάτη που εμφανίζεται στον καθρέφτη του Μαγκρίτ τής γυρνάει την πλάτη.

Έχουμε την ενστικτώδη τάση να πηγαίνουμε πίσω από τα δεμένα κομμάτια της ανέκφραστης ζωγραφισμένης επιφάνειας για να βρούμε κάποιο πρόσωπο. Ο Μαγκρίτ ήθελε, μες στη βιασύνη μας, να σκοντάψουμε πάνω στο «μυστήριο» – την ανοίκεια και ανεξιχνίαστη φύση τόσο των εικόνων όσο και του κόσμου που νομίζουμε πως γνωρίζουμε. Ακολουθώντας μια πορεία εντελώς διαφορετική από αυτήν που είχε ακολουθήσει ο Μόντριαν και ο Κλέε –ή ακόμα και ο Πικάσο πιο πριν, στην *Κιθάρα*– ο Μαγκρίτ αποσυνέθετε τη λογική των γνώριμων συστημάτων σημείων.* Υπήρχε μια χαλαρή αντιστοιχία ανάμεσα στο έργο των καλλιτεχνών αυτών και τις πνευματικές δραστηριότητες του Φερντινάν ντε Σοσίρ (Ferdinand de Saussure), του ελβετού καθηγητή που ανέλυσε τη λογική της γλώσσας, καθώς και σε αυτές του Ζίγκμουντ Φρόιντ, του βιεννέζου γιατρού που εγκαινίασε μια πολυεπίπεδη θεωρία του νου. Η αλήθεια βέβαια είναι ότι ο Μαγκρίτ, ο οποίος εργαζόταν στις Βρυξέλλες, που υπήρξαν ένα από τα σημαντικότερα κέντρα της συμβολιστικής δραστηριότητας, βρήκε ελάχιστα πράγματα να τον ενδιαφέρουν στα κείμενα του Φρόιντ. Αυτό όμως δεν ίσχυε σε πολλές άλλες περιπτώσεις.

Ο Μαγκρίτ ήταν επίσημο μέλος της παρισινής ομάδας που είχε επικεφαλής τον Αντρέ Μπρετόν. Ο Μπρετόν, ένα λαγωνικό της πνευματικής έξαψης, είχε διαβάσει Φρόιντ στο διάστημα που εργαζόταν σε ψυχιατρική κλινική. Ίδρυσε το «σουρεαλιστικό κίνημα» το 1924, σε μια προσπάθεια να αναζωπυρώσει τη σκορπισμένη πια ενέργεια του Νταντά. Ο Μπρετόν ήθελε μια πρωτοπορία που θα οδηγούσε το σκοπό της επανάστασης σ’ ένα βαθύτερο επίπεδο με την αποδέσμευση της ψυχικής ενέργειας την οποία περιέγραφε ο βιεννέζος θεωρητικός. «Καθαρός ψυχικός αυτοματισμός», αυτή ήταν η μόνιμη επωδός του για κάθε μέθοδο άντλησής της. Όπως και ο πίνακας του Μαγκρίτ, ο σουρεαλισμός του Μπρετόν ήταν μια πνευματική πρόταση, σχολαστική αλλά επί της ουσίας απρόσωπη. Όπως και το Νταντά, ο σουρεαλισμός επιδόθηκε στη δεδηλωμένη εναντίωση της «Τέχνης» ως τέτοιας. Το έντονο όμως ενδιαφέρον του Μπρετόν για στιγμές όπου οι εσωτερικές επιθυμίες και ο εξωτερικός κόσμος θα αποκτούσαν ένα σημείο επαφής –και θα αποκρυσταλλώνονταν σε μια «υπερ-πραγματικότητα»– πρόσφερε μια καινούργια κατεύθυνση για την τακτική που είχε ήδη εισαγάγει το προγενέστερο κίνημα.

Στο νέο πρόγραμμα του αυτοματισμού, οι «τυχαίες» ανακαλύψεις έγιναν αναγκαίες ανακαλύψεις: ο πρώην νταταϊστής Μαξ Ερνστ (Max Ernst) είχε βρει αναπάντεχες εικόνες κάνοντας κολάζ με χαρακτικά του 19ου αιώνα και μεταφέροντας το αποτύπωμα της υφής του ξύλου πάνω στο χαρτί, μια τεχνική την οποία ονόμασε φροτάζ. Ένας άλλος καλλιτέχνης που προερχόταν από το Νταντά, ο γλύπτης Ζαν Αρπ, είχε παρουσιάσει μια σειρά από αφηρημένα, καμπυλόγραμμα, «βιομορφικά» σχήματα. Οι μορφές του είχαν κάποια συγγένεια με τα λιτά σημεία που επιπλέουν στους καμβάδες του Χοάν Μιρό (Joan Miró) [**296**], ο οποίος επίσης συμμετείχε στις εκθέσεις που έκανε η ομάδα από το 1925 και μετά. Εδώ βλέπουμε πόσο είχαν αρχίσει να μπλέκονται τα διάφορα ρεύματα της καλλιτεχνικής κατάργησης, τα οποία έμοιαζαν με νερό που χύνεται στον υπόνομο. Ο Μιρό ήταν με το ένα πόδι στο Παρίσι και με το άλλο στην Καταλωνία· είχε γεννηθεί στη Βαρκελώνη, την πόλη με την παιγνιώδη Αρ Νουβό αρχιτεκτονική του Γκαουντί. Στην αρχή η τέχνη του είχε ένα γεμάτο χαρούμενα χρώματα προσποιητό απλοϊκό ύφος, αλλά το 1925 είχε μόλις έρθει σε επαφή με το έργο του Κλέε και ο τρόπος με τον οποίο αντιλαμβανόταν το παιχνίδι

---

* Πρβλ. τη δήλωση του Πικάσο που αναφέρεται παραπάνω (στη σ. 372): «Κι εγώ πίστευα πως τα πάντα είναι άγνωστα».

294 Έντουαρντ Χόπερ, *Νυχτερινά παράθυρα*, 1928.

295 Ρενέ Μαγκρίτ, *Να μην αναπαραχθεί*, 1937. «Η ζωγραφική μου είναι ορατές εικόνες που δεν κρύβουν τίποτα» είχε δηλώσει ο Μαγκρίτ. «Προκαλούν μυστήριο [...] και το μυστήριο δεν σημαίνει τίποτα. Είναι απλώς άγνωστο». Δύσκολα καταλαβαίνει κανείς τα λόγια του. Ιδίως δε όταν, στη συγκεκριμένη περίπτωση, γνωρίζουμε ότι ο Μαγκρίτ δημιούργησε τον πίνακα όταν ο εκκεντρικός άγγλος εκατομμυριούχος Έντουαρντ Τζέιμς του παρήγγειλε καμβάδες για την αίθουσα χορού. Ο Μαγκρίτ ζωγράφισε το πίσω μέρος του κεφαλιού του Τζέιμς, εις διπλούν. Μήπως λοιπόν πρόκειται για μια αντι-προσωπογραφία, η οποία *αρνείται* να απεικονίσει τον Τζέιμς; Ή μήπως δεν είναι ούτε καν αυτό, και απλώς πρόκειται για μια ζωγραφική επιφάνεια χωρίς νόημα; Πάνω στο βιβλίο στο ράφι του τζακιού, ωστόσο, είναι γραμμένο το όνομα του Έντγκαρ Άλαν Πόε, που αντικατοπτρίζεται με τον συνήθη τρόπο.

296 Χοάν Μιρό, *Η γέννηση του κόσμου*, 1925.

άλλαξε. Εδώ ο ζωγράφος –ο οποίος, όπως είχε πει ο ίδιος, κόντευε να έχει παραισθήσεις από την πείνα και την τρελή έξαψη– ανέπτυσσε στα δυόμισι μέτρα τις προοπτικές που είχε σκιαγραφήσει ο Κλέε στη μικρή *Μηχανή τιτιβίσματος*. Οι αποσπασματικές μορφές του μόλις που συγκρατούσαν τα εκτοξευμένα με μανία σύννεφα χρωστικής ουσίας και το χείμαρρο του βερνικιού. Ο Μιρό είχε βαλθεί να δημιουργήσει αυτό που βρίσκεται πριν από τη δημιουργία: τη *Γέννηση του κόσμου*, σύμφωνα με τον τίτλο του έργου. Η τέχνη του Μιρό αργότερα θα γινόταν περισσότερο ήρεμη, καθώς θα επέστρεφε στην παλιότερη ζωηρόχρωμη γοητεία της. Όταν όμως ο Μιρό πρωτοπάτησε τα τριάντα, το έργο του «πιο σουρεαλιστή απ' όλους μας» (σύμφωνα με την εκτίμηση του Μπρετόν) ήταν τόσο παράτολμο στην αναζήτησή του για μεταφυσικές βάσεις όσο και το ύστερο έργο του συμπατριώτη του Γκόγια.

Η σουρεαλιστική έμφαση στο μαλακό και οργανικό ως αντίβαρο στο σκληρό και γεωμετρικό έγινε πιο έντονη όταν εντάχθηκε στην ομάδα κι άλλος ένας ζωγράφος από την Ισπανία, ο Σαλβαδόρ Νταλί (Salvador Dal›). Ο Νταλί έφερε στην ομάδα τη δεξιοτεχνία του στη λεπτομερειακή απόδοση νεκρών φύσεων και τον ενθουσιασμό του για τον Φρόιντ, καθώς και εκείνον για τα κόπρανα και την πλαδαρή σάρκα. Είχε μελετήσει τους προγενέστερους καλλιτέχνες της φαντασίας, όπως τον Μπος και τον Γκρανβίλ [βλ. **242**], οι εικονογραφήσεις των οποίων πρόσφεραν ένα πρότυπο για ένα ευρύ φάσμα σουρεαλιστικών προϊόντων. Ο Νταλί υιοθέτησε τις εικαστικές τους αντιδράσεις σε μια μέθοδο την οποία ονόμασε «παρανοϊκή κριτική» – ένα όπλο που σκόπευε να χρησιμοποιήσει στον πολιτισμικό πόλεμο κατά του ανένδοτου ορθολογιστικού μοντερνισμού τον οποίο πρότειναν οι κονστρουκτιβιστές σχεδιαστές.

Οι «ζωγραφισμένες με το χέρι ονειρικές φωτογραφίες» του Νταλί, καθώς και το ταλέντο του στα επικοινωνιακά τεχνάσματα τον έκαναν αγαπημένο παιδί του Τύπου κατά τη δεκαετία του 1930. Όταν όμως ο Νταλί επιχείρησε να δοκιμάσει τις δυνάμεις του στον κινηματογράφο, πρόσφερε στο σουρεαλισμό το πιο χαρακτηριστικό του σύμβολο. Το 1929 συνεργάστηκε με τον Λουίς Μπουνιουέλ σε μια ταινία μικρού μήκους με τον τίτλο *Ο ανδαλουσιανός σκύλος*, το σενάριο της οποίας έγραφε για την αρχή της ταινίας:

> *Νύχτα, σ' ένα μπαλκόνι. Κάπου εκεί κοντά, ένας άντρας ακονίζει το ξυράφι του. Εξετάζει τον ουρανό πίσω από το τζάμι και βλέπει... ένα αχνό σύννεφο να κατευθύνεται προς την πανσέληνο. Στην αμέσως επόμενη σκηνή εμφανίζεται το κεφάλι μιας κοπέλας με τα μάτια ορθάνοιχτα. Το ένα μάτι της πλησιάζει τη λάμα του ξυραφιού. Τώρα το σύννεφο έχει περάσει μπροστά από τη σελήνη. Το ξυράφι κόβει το μάτι της κοπέλας.* [**297**]

Στον κινηματογράφο –το «όνειρο εν εγρηγόρσει», το μόνο εικαστικό μέσο που ευθυγραμμιζόταν απόλυτα με το πρόγραμμα του Μπρετόν– μια πληθώρα ορμών συγκλίνουν στην ξαφνική επαναστατική συνάντηση του ζελέ και του μετάλλου, η οποία είναι ποιητική, καθαρτική και επίσης απρόσιτη

297 Λουίς Μπουνιουέλ και Σαλβαδόρ Νταλί, *Ο ανδαλουσιανός σκύλος*, 1929. Σε λίγο θα αρχίσει να βγαίνει ζελέ από το μάτι (το οποίο, στην πραγματικότητα, ήταν μοσχαρίσιο). Στη συνέχεια, ένας άντρας που φοράει γυναικεία ρούχα θα πέσει από ένα ποδήλατο. Στη συνέχεια, ο άντρας θα σηκώσει το γεμάτο μυρμήγκια χέρι του. Στη συνέχεια, ένας άλλος άντρας θα αρχίσει να σέρνει ένα πιάνο φορτωμένο με ιερείς και κουφάρια γαϊδουριών. Το σενάριο το έγραψαν οι δύο Ισπανοί, ο Μπουνιουέλ και ο Νταλί, όταν γνωρίστηκαν στο Παρίσι. Όπως εξήγησε ο Μπουνιουέλ, «Καμία ιδέα ή εικόνα που θα πρόσφερε κάποια λογική εξήγηση δεν θα μπορούσε να γίνει δεκτή».

στην παρατήρηση. Ένας τρόπος για να δούμε ιστορικά τον εφιάλτη θα ήταν το να σκεφτούμε όλα όσα είχε πάθει η «απαλή», απλοϊκή όραση από την εποχή του Μάιμπριτζ και μετά· ένας άλλος τρόπος θα ήταν το να σκεφτούμε πόσο αφόρητα είχαν γίνει πλέον τα βλέμματα που κατέγραφαν και εξέταζαν. Όπως συμβαίνει και με πολλές άλλες στιγμές της μοντερνιστικής ιστορίας, υπάρχει πλήθος κινήτρων. Αλλά η κινηματογραφική ανακάλυψη της τυφλότητας από τον Νταλί και τον Μπουνιουέλ επισκιάζει σχεδόν τα περισσότερα συγγενικά εικαστικά έργα. Σε γενικές γραμμές, οι πίνακες, τα γλυπτά και τα σχέδια των σουρεαλιστών δίνουν την εντύπωση ότι οι προθέσεις ξεγλιστρούν αθόρυβα μέσα από κάποιο «μέσο» αντί να ενυπάρχουν σε κάποιο υλικό. Με δυο λόγια, τα έργα αυτά μού φαίνονται αδύναμα. Τον Νταλί τον έδιωξε από το κίνημα ο δογματικός Μπρετόν, ο οποίος δεν ενέκρινε τη συμπάθειά του για το φασισμό. Οι δραστηριότητες όμως αυτής της «επαναστατικής» ομάδας θα γίνονταν απαραίτητο συμπλήρωμα του κόσμου της μόδας στα τέλη της δεκαετίας του 1930, την εποχή δηλαδή που δημιούργησε τον πίνακά του ο Μαγκρίτ. Τα δίδυμα κεφάλια με τα στιλπνά μαλλιά αποδεικνύεται ότι ανήκουν σ' έναν εκατομμυριούχο πάτρονα. Πόσο βαθύ, άραγε, ήταν το μυστήριο; Και πόσο ρηχό;

Συσπείρωση
Μεξικό, ΗΠΑ, Ευρώπη, Κούβα, 1929–1945

Εντάξει, παραδέχομαι ότι το παραπάνω σχόλιο δεν είναι και πολύ δίκαιο: οι καλλιτέχνες χρειάζονται την πατρονία. Ο Ντιέγκο Ριβέρα (Diego Rivera) βρισκόταν υπό την πατρονία του αμερικανού πρέσβη στο Μεξικό όταν, το

298 Ντιέγκο Ριβέρα, *Διασχίζοντας το φαράγγι*, 1930.

1930, ζωγράφισε το *Διασχίζοντας το φαράγγι* [**298**], που αποτελούσε μέρος μιας σειράς τοιχογραφιών για το Ανάκτορο του Κορτές στην Κουερναβάκα. Ο Ριβέρα συμμετείχε στην «επαναφορά στην τάξη» που επηρέασε τόσους και τόσους ζωγράφους στην Ευρώπη μετά τον Α΄ Παγκόσμιο πόλεμο. Το μεγαλύτερο μέρος της δεκαετίας του 1910 το έζησε στο Παρίσι, όπου ως υπότροφος φοιτητής από το Μεξικό δοκίμασε τον κυβισμό. Μετά τη διαφωνία του όμως με τους κυβιστές, ακολούθησε πρόθυμα την υπόδειξη του Χοσέ Βασκονσέλος, ενός πολιτικού και διανοούμενου που ήταν μέλος της ριζοσπαστικής μετεπαναστατικής κυβέρνησης του Μεξικού, να μελετήσει το 1920 στην Ιταλία τους μεσαιωνικούς δασκάλους της νωπογραφίας. Ο Ριβέρα, ο οποίος απέρριψε τους «υπερβολικά διανοουμενίστικους» πειραματισμούς και ασπάστηκε τον λαϊκό αγώνα, μετά το ταξίδι του στην Ιταλία γύρισε στο Μεξικό, όπου γρήγορα ανέπτυξε μια ευέλικτη γλώσσα για τη διακόσμηση των δημόσιων κτιρίων. Δύο άλλοι προστατευόμενοι του Βασκονσέλος, ο Νταβίντ Αλφάρο Σικέιρος (David Alfaro Siqueiros) και ο Χοσέ Κλεμέντε Ορόσκο (José Clemente Orozco), συνεργάστηκαν μαζί με τον Ριβέρα στο νέο κίνημα του «μουραλισμού». Το ένστικτο που, μέσα στο ευρύτερο ευρωπαϊκό πλαίσιο, έμοιαζε προσκολλημένο στην παράδοση θα αποδεικνυόταν κοινωνικά προοδευτικό όταν θα μεταφερόταν στο ευρύτερο μεξικάνικο πλαίσιο, καθώς πρόσφερε παιδεία σ᾽ ένα λαό που δεν ήταν περισσότερο εγγράμματος από το λαό που, έξι αιώνες νωρίτερα, απευθύνονταν ο Τζότο και ο Λορεντζέτι. Εδώ, στην Κουερναβάκα, ο λαός μάθαινε πώς η χώρα του είχε περάσει από τα χέρια των Αζτέκων στα χέρια του κατακτητή που έχτισε το ανάκτορο. *Αυτός*, όπως επέμενε ο Ριβέρα, ήταν ο πρωταγωνιστής της αφήγησης, η δύναμη που ωθούσε μπροστά την ιστορία – όσο κι αν τη διαστρέβλωναν οι διάφοροι φερέλπιδες εξουσιοθήρες. Ο λαός έπρεπε να συνδεθεί και πάλι με τους παλιούς του μύθους (στο πρώτο πλάνο του πίνακα ένας αζτέκος ιππότης-ιαγουάρος παραμονεύει), οι οποίοι, με τη σωστή ερμηνεία, θα του έδειχναν το δρόμο προς το μαρξισμό.

Χωρίς να πτοείται από τη ρητορική του Ριβέρα, ο πρέσβης Μόροου, ο οποίος είχε κάνει περιουσία από την τράπεζα της Ουόλ Στριτ στη φωτογραφία του Στραντ, ανταποκρίθηκε ευνοϊκά στη δύναμη και τη θέρμη του σχεδίου του και του έχτισε γέφυρες με την αμερικανική θεσμική πατρονία. Μέσα σε λίγο καιρό, ο Ριβέρα θα ζωγράφιζε επικές σκηνές της αυτοκινητοβιομηχανίας στο Ντιτρόιτ. Η απόπειρά του όμως να συμπεριλάβει ένα πορτρέτο του Λένιν στις τοιχογραφίες του για το Ροκφέλερ Σέντερ στη Νέα Υόρκη δοκίμασε σκληρά τον πλουραλισμό των καπιταλιστών φιλότεχνων (και οι επίμαχες εικόνες καταστράφηκαν). Παρ᾽ όλα αυτά, οι Ηνωμένες Πολιτείες είχαν χώρο και γι᾽ αυτό το είδος τέχνης. Η ροπή του Ριβέρα προς τις τοπικές ρίζες και η σωληνοειδής, ευανάγνωστη μορφική γλώσσα είχαν κάποια συγγένεια με το έργο των καλλιτεχνών από τις μεσοδυτικές πολιτείες Τόμας Χαρτ Μπέντον (Thomas Hart Benton) και Γκραντ Γουντ (Grant Wood), των οποίων ο λαϊκών αποχρώσεων «τοπικισμός» αποτέλεσε βασικό ρεύμα της αμερικανικής σκηνής της δεκαετίας του 1930. Το κραχ της Ουόλ Στριτ το 1929 προκάλεσε μεγάλα κύματα ανεργίας και ανησυχίας σ᾽ ολόκληρες τις

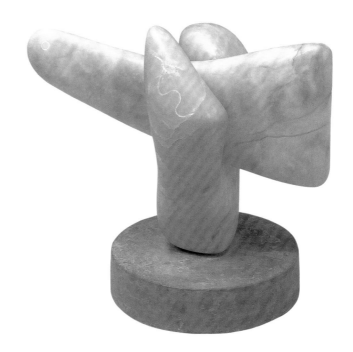

299 (απέναντι) Ναούμ Γκάμπο, *Συστροφή*, 1929/1936.

300 Μπάρμπαρα Χέπγουορθ, *Δύο φόρμες*, 1933. Ένας κύκλος είναι χαραγμένος κοντά στην άκρη της οριζόντιας φόρμας, κάνοντάς την να μοιάζει με το μάτι πουλιού. Πάνω στην κάθετη φόρμα, μια κυματιστή γραμμή παραπέμπει στις αρθρώσεις του χεριού που κρατάει το πουλί. Αυτές οι λεπτές αποχρώσεις απλώς υπογραμμίζουν τις εμφανείς σεξουαλικές συνδηλώσεις του έργου. Τα μεταγενέστερα γλυπτά της Χέπγουορθ θα είχαν λιγότερα παραστατικά χαρακτηριστικά. Το αλάβαστρο, μια πολύ μαλακή πέτρα που εξορύσσεται στα Μίντλαντς, ήταν πολύ διαδεδομένο στη μεσαιωνική Αγγλία. Το είχε επίσης χρησιμοποιήσει ο Τζέικομπ Έπσταϊν (Jacob Epstein), ο σημαντικότερος προκάτοχος της Χέπγουορθ και του Χένρι Μουρ στη βρετανική μοντερνιστική γλυπτική.

Ηνωμένες Πολιτείες αλλά και στον υπόλοιπο κόσμο. Στο νέο περιβάλλον της κρίσης υπήρχε η διάθεση τόσο για μια δεξιόστροφη τέχνη, η οποία θα πρόβαλλε την εθνική ταυτότητα, όσο και για μια αριστερόστροφη τέχνη, η οποία θα διακήρυσσε τη διεθνή αλληλεγγύη. Η κυβέρνηση Ρούζβελτ, που εκλέχθηκε το 1932, έδειξε έντονο ενδιαφέρον για την ένταξη των καλλιτεχνών στην πολιτική της λύση, το «Νιου Ντιλ». Το 1935 η κυβέρνηση ίδρυσε το Ομοσπονδιακό Πρόγραμμα Τέχνης, το οποίο υποσχόταν στους καλλιτέχνες έναν βασικό μισθό για την εκτέλεση δημόσιων έργων. Τα έργα αυτά ακολουθούσαν σε πολύ μεγάλο βαθμό το παράδειγμα των μεξικανών μουραλιστών.

Η Ουόλ Στριτ κατέρρευσε την τελευταία εβδομάδα του Οκτωβρίου του 1929. Μία εβδομάδα μετά εγκαινιάστηκε το Μουσείο Μοντέρνας Τέχνης στη Νέα Υόρκη. Ο διευθυντής του μουσείου, ο Άλφρεντ Μπαρ, είχε πλέον ένα ορμητήριο για την αποστολή του να μεταδώσει τον ευρωπαϊκό μοντερνισμό στους αμερικανούς πάτρωνες, τους αμερικανούς καλλιτέχνες και το αμερικανικό κοινό, παρουσιάζοντάς τους τον Ματίς, τις *Δεσποινίδες της Αβινιόν* και τα εκθέματα από το Μπάουχαους...

Ας δούμε, όμως, τις εντάσεις της δεκαετίας του 1930 από μια διαφορετική γωνία. Ας τις βάλουμε, λοιπόν, πάνω στο τραπέζι. Πειστήριο Α: η *Συστροφή* του Ναούμ Γκάμπο (Naum Gabo) [**299**], την οποία δημιούργησε για πρώτη φορά το 1929 στο Βερολίνο. Πειστήριο Β: οι *Δύο φόρμες* της Μπάρμπαρα Χέπγουορθ (Barbara Hepworth) [**300**], τις οποίες λάξευσε το 1933 στο Λονδίνο. Ο Γκάμπο εγκατέλειψε τη Μόσχα το 1922 για να εγκατασταθεί στο Βερολίνο, και δέκα χρόνια αργότερα, όταν έφυγε από το Βερολίνο για να εγκατασταθεί στο Παρίσι, έχασε το αρχικό έργο, το οποίο και ξαναέφτιαξε το 1936 στο Λονδίνο. Σ' όλες αυτές τις άστατες μετακινήσεις από τόπο σε τόπο, κατά τις οποίες συνδέθηκε και διαφώνησε με άλλες εξίσου μαχητικές αυθεντίες του κονστρουκτιβισμού, με πρώτο τον Τάτλιν, ο Γκάμπο έμεινε πιστός σε μια σταθερή αισθητική. Η φύση αυτής της αισθητικής ήταν, απολύτως κυριολεκτικά, διαφανής. Στο δόγμα του Γκάμπο ο μοντερνισμός πρόσφερε τη δυνατότητα νέων υλικών όπως το πλεξιγκλάς, που με τη σειρά τους πρόσφεραν τη δυνατότητα μετατόπισης της επικέντρωσης της γλυπτικής από τη μορφή στην καθαρή ιδέα. Το μόνο που κάνει τη *Συστροφή* να ξεχωρίζει από μια αλγεβρική εξίσωση είναι η διάθεση του Γκάμπο να πλάσει, να κόψει και να συναρμολογήσει μια τεχνική ενότητα στο χώρο. Ο Τάτλιν είχε τοποθετήσει τον πύργο που ονειρευόταν γύρω από τη δυναμική της ιστορικής στιγμής· η κατά Γκάμπο εκδοχή του κονστρουκτιβισμού, στο βαθμό που είχε κάποιες πολιτικές αξιώσεις, αποτελούσε μια ουτοπία όπου ο νους μπορούσε να συλλογιστεί την αφηρημένη στάση.

Αντίθετα, οι *Δύο φόρμες* γαντζώνονται από το υλικό στοιχείο, προχωρώντας προς το σεξ και την ίδια στιγμή προς την αίσθηση που γεννάει η πέτρα. Η Χέπγουορθ είχε επισκεφθεί το Παρίσι στις αρχές του 1933, όπου μπορεί να είδε ένα μακάβριο γλυπτό του νεαρού σουρεαλιστή Αλμπέρτο Τζακομέτι (Alberto Giacometti) το οποίο παρουσίαζε μια παραλλαγή στο μοτίβο του κοψίματος του βολβού του ματιού. Θα είδε επίσης τις σφαιρικές σεξουαλικές ονειροπολήσεις του μεσήλικα Πικάσο, που συμπαρατασσόταν πλέον με την πιο πρόσφατη πρωτοπορία. Οι *Δύο φόρμες*, λόγω της προσπάθειάς τους να προκαλέσουν μια μη εικαστική εντύπωση –δηλαδή ένα ενσυναισθητικό ρίγος στα σωθικά–, έχουν κοινά στοιχεία με αυτόν το σουρεαλισμό, αλλά ο χειρισμός της υφής του αλάβαστρου και της στρογγυλεμένης ασυμμετρίας δείχνουν μια θερμότερη ευαισθησία. Η Μεγάλη Βρετανία εξακολουθούσε να διατηρεί κεντρική θέση στην παγκόσμια πολιτική και οικονομία, αλλά είχε περιφερειακό ρόλο στην ανάπτυξη της μοντέρνας τέχνης. Οι βουκολικές αξίες του Ουίλιαμ Μόρις διατηρούσαν ισχυρό έρεισμα τη δεκαετία του 1930, όταν τα γλυπτά της Χέπγουορθ (μαζί με αυτά του ομότεχνού της από το Γιόρκσιρ, του Χένρι Μουρ [Henry Moore]) βρέθηκαν στο επίκεντρο της προσοχής. Και οι δύο καλλιτέχνες, εξαιτίας του ενδιαφέροντός τους για τις τυχαίες ποιότητες της πέτρας και του ξύλου, ασχολήθηκαν με αυτήν την προτίμηση για το τοπίο. Το είδος του γλυπτικού στοχασμού που ελάμβανε χώρα εδώ –η μέθοδος της προσθήκης του ενός κομματιού πάνω στο άλλο, η κεντρική φόρμα με την οπή– είχε βγει μέσα από τις ριζοσπαστικές νέες δυνατότητες που εισήγαγε είκοσι χρόνια πριν η *Κιθάρα* του Πικάσο. Τώρα όμως, για άλλη μια φορά, τα πράγματα γίνονταν συμπαγή: εδώ, σε μικρογραφία, υπήρχε ένα πρότυπο βάσει του οποίου μπορούσε κανείς να κάνει και πάλι αγάλματα. Η Χέπγουορθ, και ιδίως ο Μουρ, θα εξειδικεύονταν στο μοντέρνο μνημείο. Ο καλλιτέχνης, ωστόσο, που πιθανόν είχε κατά νου η Χέπγουορθ όταν ένωνε αυτές τις φόρμες ήταν ένας άλλος βρετανός μοντερνιστής, ο εραστής της Μπεν Νίκολσον (Ben Nicholson), ο οποίος έφτιαχνε μοντριανικά ανάγλυφα ταμπλό. Οι δίδυμες χαραγμένες λεπτομέρειες πάνω στις σφηνωμένες πέτρες παραπέμπουν στη στενή τους σχέση – είναι, κατά κάποιον τρόπο, εκδηλώσεις τρυφερότητας της τέχνης σε βράχο. Το παλαιολιθικό παρελθόν ήταν άλλη μία από τις ανακαλύψεις του νέου αιώνα.

Η *Συστροφή* και οι *Δύο φόρμες* προέρχονταν από τις αντίθετες σκληρές και μαλακές πλευρές του πρωτοποριακού φάσματος· θα αποδεικνυόταν όμως ότι, από αισθητικής άποψης, ταίριαζαν απόλυτα. Μετά την άφιξη του Γκάμπο στο Λονδίνο, το 1935, η γραμμική του σκέψη και η διάθεσή του για αφαίρεση θα οδηγούσαν το έργο της Χέπγουορθ προς νέες κατευθύνσεις. Εντωμεταξύ, ένα μέρος του αισθησιασμού και της αίσθησης του όγκου της Χέπγουορθ θα έμπαινε στη μορφική γκάμα του Γκάμπο. Και μαζί με τον Μουρ και τον Νίκολσον, θα συνέβαλλαν στο ύφος της πολιτισμικά αξιοσέβαστης «υψηλής τέχνης» των μέσων του 20ού αιώνα.

Και τώρα ας φέρουμε από το παράθυρο και το πειστήριο Γ: το *Les Girls* [**301**]. Το ορειχάλκινο αγαλματίδιο ήταν το αγαπημένο στολίδι για το ράφι του τζακιού των φιλότεχνων ήδη από τα τέλη του 15ου αιώνα, κάτι που ήταν φυσικό επακόλουθο του *Δαβίδ* του Ντονατέλο (ο Τζαμπολόνια στα τέλη του 16ου αιώνα διέπρεψε στο είδος αυτό). Και μετά, στα μέσα του 19ου αιώνα, εμφανίστηκε η τάση της πολυχρωμίας – δηλαδή της χρησιμοποίησης χρωμάτων. Ο Ντεμέτρ Σιπαρί (Demêtre Chiparus) στο Παρίσι ήταν ειδήμονας στις πολυχρωματικές τεχνικές και εκμεταλλεύτηκε τα νέα αποθέματα ελεφαντόδοντου που αποσπούσαν από το Κονγκό οι βέλγοι έμποροι για να εισαγάγει πρόσωπα και χέρια με κοκκινάδι σε μορφές οι οποίες ανταποκρίνονται στους ρυθμούς της νοτιοασιατικής γλυπτικής (όπως, για παράδειγμα, τον *Σίβα Ναταράτζα* των Κόλα: **82**), καθώς και σε μια άλλη, πολύ πιο λαμπερή ανακάλυψη, το τιρκουάζ και το χρυσό του τάφου του Τουταγχαμών, ο οποίος ήρθε στο φως το 1922.

«Είναι πραγματικά συναρπαστικό», ακούω τον Γκάμπο και τη Χέπγουορθ να λένε, «*αλλά πάρε από μπροστά μας αυτό το πράγμα!*». Στην πραγματικότητα, την εποχή αυτής της φανταστικής συνάντησης της δεκαετίας του 1930, ο Γκάμπο μπορεί να μην μπήκε καν στον κόπο να χαρακτηρίσει κιτς το *Les Girls*. Αυτό που έκανε ο Σιπαρί βρισκόταν στην καρδιά του Αρ Ντεκό. Το Αρ Ντεκό ήταν ένας ρυθμός που είχε πάρει το όνομά του από την έκθεση «Exposition des Arts Décoratifs», η οποία πραγματοποιήθηκε στο Παρίσι το 1925 και έφερε στη μαζική αγορά μια μοντερνιστική, εν μέρει μετα-κυβιστική εκδοχή της προπολεμικής Αρ Νουβό. Οι «σοβαροί» καλλιτέχνες το απέφευγαν. Αυτό που πρέπει να ανησυχούσε τον δύστροπο Γκάμπο ήταν οι προδότες από το δικό του στρατόπεδο – όπως, για παράδειγμα, ο συμπατριώτης του Σιπαρί και επίσης ξενιτεμένος Μπρανκούζι με τα υπερβολικά κομψά και ευχάριστα έργα του...

Η άνοδος όμως των απολυταρχικών καθεστώτων τη δεκαετία του 1930 θα κλόνιζε απίστευτα την ισορροπία

(négritude), δηλαδή της αυτάρκειας της μαύρης φυλής, από τη Μαρτινίκα, στο ταξίδι της επιστροφής, και όπως πολλοί σουρεαλιστές διάβαζε τις ιδέ-ες του Καρλ Γκούσταφ Γιουνγκ για τα «αρχέτυπα» της φαντασίας. Με αφετηρία τον πίνακα του Λαμ από το 1943, το αντιαποικιακό κίνημα θα ανέπτυσσε μια νέα δημόσια χρήση για την έννοια του μύθου. Το τι συνέβη μετά την άφιξη των υπόλοιπων επιβατών του *Capitaine Paul-LeMerle* στη Νέα Υόρκη –η σύγκλισή τους με το ευρωπαϊκό προγεφύρωμα που είχε στήσει εκεί το Μουσείο Μοντέρνας Τέχνης του Μπαρ– είναι υλικό για το επόμενο κεφάλαιο.

305 Βιλφρέντο Λαμ, *Η ζούγκλα*, 1943.

306 Φέλιξ Νούσμπαουμ, *Μέσα στο*
στρατόπεδο, 1940. Το στρατόπεδο βρισκόταν
στο Σεντ-Σιπριέν, στους μεσογειακούς
αμμόλοφους κοντά στα σύνορα της Γαλλίας
με την Ισπανία. Οι πρόσφυγες που είχαν
τραπεί σε φυγή από τη Γερμανία για το
Βέλγιο και τη Γαλλία κλείστηκαν εδώ όταν
οι ναζί κατέλαβαν τις χώρες αυτές το 1940.
Τα κλινοσκεπάσματα, η θέρμανση και οι
αποχετευτικές εγκαταστάσεις ήταν
πράγματα που ουσιαστικά δεν υφίσταντο.
Ο Νούσμπαουμ κατάφερε να δραπετεύσει·
ζωγράφισε αυτόν τον πίνακα, καθώς και
άλλες αναμνήσεις της εμπειρίας του, το
διάστημα που βρισκόταν κρυμμένος στις
Βρυξέλλες. Στο παρελθόν, η εβραϊκή του
ταυτότητα ήταν ένα ζήτημα δευτερεύουσας
σημασίας για το έργο του, τώρα όμως η
σκοπιά του είχε αλλάξει. Σ' έναν
παραπλήσιο καμβά, ο οποίος είχε το ίδιο
άθλιο φόντο, ο καλλιτέχνης θα έβγαζε σε
πρώτο πλάνο το δικό του πρόσωπο. Το
βλέμμα του είναι πραγματικά άγριο· είναι
αποφασισμένος να παλέψει.

Νιώθω κάποια αμηχανία ως προς την τελευταία επιλογή εικονογράφη-
σης για το παρόν κεφάλαιο και θεωρώ επίσης ότι θα ήταν υπεκφυγή να μην
διερευνήσω αυτήν την αμηχανία. Αρκετές φορές εδώ διάλεξα ό,τι θεωρώ
πως είναι πρωτογενές αντί για ό,τι είναι δευτερογενές – και για να είμαι ει-
λικρινής ό,τι μου φαίνεται πιο ενδιαφέρον: ένα ξυλόγλυπτο των Ζάντι αντί
για κάποιο ευρωπαϊκό πριμιτιβιστικό γλυπτό· το όραμα της ταχύτητας του
Λαρτίγκ αντί γι' αυτό του Μποτσιόνι· τον Στραντ, και όχι τον Ντισάν, ως
προς την Αμερική· το σουρεαλισμό στον κινηματογράφο αντί στο φροτάζ.
Εδώ δεν είμαι και τόσο σίγουρος. Ο Φέλιξ Νούσμπαουμ (Felix Nussbaum)
ήταν ένας από τους πολλούς ατομικιστές που ζωγράφιζαν τις δεκαετίες του
1920 και του 1930 με αυτό που θα μπορούσαμε να ονομάσουμε εκλεπτυ-
σμένο ελάσσονα τόνο, κατευθύνοντας το προσωπικό του ιδίωμα ανάμεσα
στην αφέλεια του Ανρί Ρουσό, τα λακωνικά αινίγματα του Ντε Κίρικο και
το πιο φανταστικό ύφος που είχαν άλλοι εβραίοι καλλιτέχνες όπως ο Μαρκ
Σαγκάλ (Marc Chagall). Εγκατέλειψε τη Γερμανία για τις Βρυξέλλες όταν
οι ναζί απέκτησαν τον έλεγχο το 1933, αλλά στάλθηκε σε στρατόπεδο συ-
γκέντρωσης για δύο μήνες μετά την εισβολή τους στο Βέλγιο το 1940, μια
εμπειρία που θυμάται στο *Μέσα στο στρατόπεδο* [**306**]. Τα επόμενα δύο χρό-
νια, κατά τα οποία εργαζόταν κρυμμένος, θα στρεφόταν προς τον θορυβώ-
δη γάμο του σουρεαλιστικού μύθου και της ιστορικής ζωγραφικής με τον
οποίο καταπιάνονταν πολλοί καλλιτέχνες στο Λονδίνο και στο Παρίσι αυ-
τήν την εποχή, ένα φαινόμενο που έκτοτε έγινε γνωστό ως «νεορομαντι-
σμός»· εδώ όμως η εικαστική του τακτική είναι σχεδόν εξίσου σταθερή και
αξιόπιστη με αυτήν που έχει και η άλλη γεμάτη σεβασμό για τη ζωή εικόνα
του κεφαλαίου, ο πίνακας *Μητέρα και παιδί* της Μόντερσον-Μπέκερ.

Το 1944 ο Νούσμπαουμ βρισκόταν στο τελευταίο τρένο που έφυγε από
τις Βρυξέλλες για το Άουσβιτς. Η αρχική μου σκέψη ήταν να βάλω κάποια
φωτογραφία σ' αυτό το σημείο της ιστορίας. Θα ήταν μια καταγραφή των
ωμοτήτων από το 1939 ως το 1945 από κάποιον γενναίο και συμπονετικό –
όπως, για παράδειγμα, τον Ντμίτρι Μπάλτερμαντς στη Ρωσία· τη Λι Μίλερ
(Lee Miller), ορμώμενη από το σουρεαλιστικό Παρίσι· τον Ρόμπερτ Κάπα
(Robert Capa) ή κάποιον άλλον από τους φωτορεπόρτερ-καλλιτέχνες που
συνίδρυσαν το πρακτορείο Μάγκνουμ το 1947. (Ο πιο διάσημος απ' αυ-
τούς, ο Ανρί Καρτιέ-Μπρεσόν [Henri Cartier-Bresson], ήταν κατά το μεγα-
λύτερο μέρος του πολέμου αιχμάλωτος των Γερμανών.) Θα μας έδινε επί-
σης την ευκαιρία να στοχαστούμε τη φρίκη· και όπως συνέβαινε κάποτε με
τα μνημεία, θα προσέδιδε μια αίσθηση αξιοπρέπειας και νοήματος στο να
γίνεται κανείς αυτόπτης μάρτυρας. Αυτό ίσως να ήταν πιο καλαίσθητο.
Εδώ, το μέσο και το ύφος που συμβόλιζαν άλλοτε τον «ευρωπαϊκό πολιτι-
σμό» μάς γεμίζουν με ντροπή και με ένα αίσθημα εκφυλισμού. Μακριά (αν
και όχι τόσο μακριά) από το παιχνίδι της υπέρβασης του Νταλί, ένας άν-
θρωπος αφοδεύει, ένας δεύτερος άνθρωπος έχει καταρρεύσει μέσα σε μια
καφετιά κουβέρτα κι ένας τρίτος άνθρωπος σκουπίζει τον πισινό του. Προς
τα πού βρίσκεται η γνησιότητα; Και προς τα πού βρίσκεται η τέχνη;

12

ΠΡΩΤΟ ΠΛΑΝΟ

Βομβαρδισμοί και ερείπια
ΗΠΑ, Μεγάλη Βρετανία, Γαλλία, 1945–1955

Για πολλούς εκείνη την εποχή, και για ακόμα περισσότερους έκτοτε, η τέχνη στα μέσα του 20ού αιώνα περιστρεφόταν γύρω από μια αποθήκη έξι τετραγωνικών μέτρων σ' έναν μικρό οικισμό στο Λονγκ Άιλαντ της Νέας Υόρκης. Μέσα στην αποθήκη, το πινέλο του Τζάκσον Πόλοκ, το οποίο είχε βουτήξει σ' ένα κουτί σμαλτοχρώματος, βρισκόταν σε μικρή απόσταση από ένα κομμάτι ακατέργαστου μουσαμά που κάλυπτε το δάπεδο, χτυπούσε και πιτσιλούσε όσο ο ζωγράφος ορμούσε κι έτρεχε γύρω από το εμπόδιο που είχε θέσει ο ίδιος. Το σμαλτόχρωμα εμποτίζει το βαμβάκι και στεγνώνει πολύ γρήγορα. Κρεμώντας τα αποτελέσματα στον τοίχο της αποθήκης, ο Πόλοκ μπορούσε να αναπαραστήσει τη μετάβαση από τον εκστατικό χορό στο καλλιτεχνικό αντικείμενο –την οποία είδαμε παραπάνω στην περίπτωση της μάσκας του Ουόπι– με ένα και μόνο τράβηγμα. Αν και όχι προτού αναπαραστήσει το τελετουργικό αυτό, βέβαια, για χάρη του φωτογραφικού φακού· υπάρχει μια φωτογραφία του όπου κάνει πως περνάει ένα στεγνό πινέλο πάνω από το *Αριθμός 32, 1950* [**307**], τον πιο λιτό από μια ιλιγγιώδη τετραετή παραγωγή καμβάδων που αποτέλεσαν έκφραση των μοντερνιστικών ονείρων για απόλυτη και απεριόριστη ελευθερία.

Ο «μοντερνισμός», η «ελευθερία», ίσως ακόμα και η «τέχνη», είναι λέξεις που έμοιαζαν να έχουν μια εγγενώς αμερικανική χροιά για ένα μεγάλο μέρος του δεύτερου μισού του 20ού αιώνα. Κι αυτό το λέω ως κάποιος που ασχολήθηκε επαγγελματικά με τη ζωγραφική για ένα διάστημα αυτής της περιόδου· πολύ περισσότερο από τα προηγούμενα κεφάλαια, αυτή η τελική ενασχόληση με την τέχνη που βρίσκεται ακριβώς δίπλα μας δεν μπορεί παρά να είναι απερίφραστα προσωπική και παρεκβατική. Οι τελευταίες τρεις ενότητες, οι οποίες φτάνουν προς το σημείο όπου βρισκόμαστε τώρα, διαμορφώνονται (ή μάλλον μπερδεύονται) από τη δική μου υποτυπώδη εμπειρία πάνω στις πολυμεσικές συνθήκες στις οποίες ζούμε σήμερα. Οι αρχικές τρεις, ωστόσο, οι οποίες διατρέχουν τις δεκαετίες κατά τις οποίες η Νέα Υόρκη αντικατέστησε το Παρίσι ως παγκόσμια πρωτεύουσα της τέχνης, μπορούν τουλάχιστον να ξεκινήσουν από συμπεφωνημένη ιστορική βάση.

Αφήσαμε τη Νέα Υόρκη στα μέσα της δεκαετίας του 1930, με τους ζωγράφους της να ασχολούνται κυρίως με τις κοινωνικού προσανατολισμού τοιχογραφίες του Ομοσπονδιακού Προγράμματος Τέχνης και επίσης να έχουν στραμμένη την προσοχή τους στο Μουσείο Μοντέρνας Τέχνης (MoMA) του Άλφρεντ Μπαρ και στις αγορές έργων της ευρωπαϊκής πρωτοπορίας που αποτελούσαν πρόκληση. Το ενδιαφέρον αυτό κεντρίστηκε από

307 Τζάκσον Πόλοκ, *Αριθμός 32, 1950*, 1950.

413

την άφιξη των κορυφαίων μορφών της πρωτοπορίας που εγκατέλειπαν την κατεχόμενη από τους ναζί Ευρώπη. Αρκετοί δάσκαλοι του Μπάουχαους πέρασαν στην άλλη όχθη του Ατλαντικού τη δεκαετία του 1930, για να τους ακολουθήσουν ο Μόντριαν και στη συνέχεια οι σουρεαλιστές που έφυγαν ακτοπλοϊκώς από τη Μασσαλία το 1941. Η δεύτερη ομάδα μπήκε στον κοινωνικό κύκλο της Νέας Υόρκης τον οποίο κατηύθυνε η Πέγκυ Γκούγκενχαϊμ, μια φιλότεχνη κληρονόμος που είχε πρόσφατα παντρευτεί τον παλιό τους συνεργάτη Μαξ Ερνστ. Υπό την πατρονία της, η γιουνγκιανή μυθολογία, η οποία έμοιαζε κάπως με αυτή του Βιλφρέντο Λαμ, άρχισε να διαδίδεται ανάμεσα στους νέους αμερικανούς καλλιτέχνες όπως ο Πόλοκ – οι οποίοι όμως, βαθμιαία, άρχισαν επίσης να χάνουν την υπομονή τους με την ευρωπαϊκή συγκαταβατικότητα. Ο πιο υποσχόμενος από τους πρωτοποριακούς καλλιτέχνες της πόλης, ο Άρσιλ Γκόρκι (Arshile Gorky), είχε ήδη προσπεράσει τις καινοτομίες του Καντίνσκι και του Μιρό, και είχε ήδη αποτινάξει την καθοδήγηση του πάπα του σουρεαλισμού Αντρέ Μπρετόν την εποχή που αυτοκτόνησε, το 1948. Ο Πόλοκ εντωμεταξύ, που η μετακόμισή του στο Λονγκ Άιλαντ τον είχε βοηθήσει να αφήσει πίσω του τόσο την πρώιμη αδεξιότητά του όσο και το πρόβλημά του με το αλκοόλ, είχε βαλθεί να ξεπεράσει τους μέντορές του –τον Πικάσο και, πάλι, τον Μιρό– μέσω της καθαρής εσωτερικής ενέργειας. Και γιατί δεν δουλεύει με βάση τη φύση, τον ρώτησε κάποιος κριτικός. «Εγώ *είμαι* η φύση» του απάντησε.

Η αλλαγή ρυθμού του Πόλοκ, από το ποδοβολητό των μπερδεμένων μυθικών μορφών στο επιταχυνόμενο ελεύθερο φορτίσιμο, υλοποιούσε το σουρεαλιστικό σχέδιο για αυτοματισμό σε μια εποχή όπου η ίδια η ομάδα έσβηνε. Γρήγορα αναγνωρίστηκε, από πολλές πλευρές, ως η πιο συγκλονιστική τέχνη της εποχής της. Ήταν, όμως, ένα αβέβαιο επίτευγμα. Λίγο καιρό αφότου ο Πόλοκ ζωγράφισε το *Αριθμός 32*, η πίεση που του ασκήθηκε προκειμένου να δημιουργήσει ενώπιον ενός κινηματογραφικού συνεργείου τον έκανε να το ξαναρίξει στο ποτό, μια κάτω βόλτα που θα τελείωνε μ' ένα αυτοκινητικό δυστύχημα έξι χρόνια μετά. Αλλά και το νόημα της τέχνης του ήταν αβέβαιο. Μήπως η τέχνη του Πόλοκ ήταν κάποιο ιερό τελετουργικό απελευθερωμένης δράσης; Ή μήπως ήταν ένα χονδροειδές, μάτσο πιτσίλισμα βιομηχανικών υλικών χωρίς σταματημό; Ή μήπως ήταν μια μετα-κυβιστική αντίληψη του τι σήμαινε τώρα η ζωγραφική, μια πρόσμειξη της γραμμής και του χώρου;

Την τελευταία ερμηνεία την προώθησε ο Κλέμεντ Γκρίνμπεργκ, ο κριτικός που έκανε τον Πόλοκ σημαιοφόρο ενός οράματος με ισχυρά επιχειρήματα για το πεπρωμένο της τέχνης. Ο αγώνας της πρωτοπορίας στην Ευρώπη είχε τραυματιστεί θανάσιμα στην πάλη του με τον ολοκληρωτισμό και το κιτς· τώρα, ωστόσο, όπως έγραψε ο Γκρίνμπεργκ το 1948, «οι βασικές συντεταγμένες της δυτικής τέχνης μεταφέρθηκαν επιτέλους στις Ηνωμένες Πολιτείες, μαζί με το κέντρο βαρύτητας της βιομηχανικής παραγωγής και της πολιτικής εξουσίας». Και ποιες ήταν αυτές οι «βασικές συντεταγμένες»; Η συνεχιζόμενη ανάγκη για αυτοκριτική· η σοβαρή, μοντερνιστική τέχνη έπρεπε να ασχοληθεί με τα δικά της συγκεκριμένα μέσα λειτουργίας – τα οποία ήταν, για το ζωγράφο, ο τρόπος με τον οποίο τα ίχνη συνδέονταν με τις επίπεδες επιφάνειες, και για το γλύπτη, ο τρόπος με τον οποίο οι φόρμες συνδέονταν με το χώρο. Μέσω του στοχασμού για τα μορφικά ζητήματα και της παράβλεψης του άσχετου σωρού των αναπαραστατικών αιτημάτων, οι καλλιτέχνες της Αμερικής θα μπορούσαν να δημιουργήσουν μια δημόσια γλώσσα για να λαμπρύνουν την παγκόσμια κυριαρχία της χώρας.

Η υποστήριξη του Γκρίνμπεργκ βοήθησε τους εμπόρους τοπικών ταλέντων να εκμεταλλευτούν την εθνική οικονομική άνοδο που σημειώθηκε τη δεκαετία του 1940. Το σε ποιο βαθμό τα φορμαλιστικά δόγματα του Γκρίνμπεργκ συνδέονταν με τις προθέσεις του Πόλοκ, ή με τις προθέσεις των άλλων μελών της Σχολής της Νέας Υόρκης –των «αφηρημένων εξπρεσιονιστών», όπως είναι επίσης γνωστοί οι ζωγράφοι σαν τον Κλίφορντ Στιλ (Clyfford Still) και τον Μπάρνετ Νιούμαν (Barnett Newman)– είναι ένα άλλο ζήτημα. Το σίγουρο είναι ότι η γενιά αυτή συμμεριζόταν την αίσθηση φιλοδοξίας του Γκρίνμπεργκ· έχοντας ως υπόβαθρο τις τοιχογραφίες της δεκαετίας του 1930 για το Ομοσπονδιακό Πρόγραμμα Τέχνης, παρουσίαζε γιγαντιαίους, κινηματογραφικής κλίμακας καμβάδες. Είχαν βγει στην επίθεση, όπως και ο Γκρίνμπεργκ, με μια στομφώδη ρητορική. Ο κριτικός έλεγε ότι ο Πόλοκ «εκμηδένιζε τις τονικές αντιθέσεις», αλλά ο Μαρκ Ρόθκο (Mark Rothko), ο οποίος βρισκόταν στην άλλη πλευρά του μετα-σουρεαλιστικού φάσματος, ήθελε να «εκμηδενίσει τους καθορισμένους συσχετισμούς με τους οποίους η κοινωνία μας ολοένα και περισσότερο καλύπτει κάθε πτυχή του περιβάλλοντός μας».

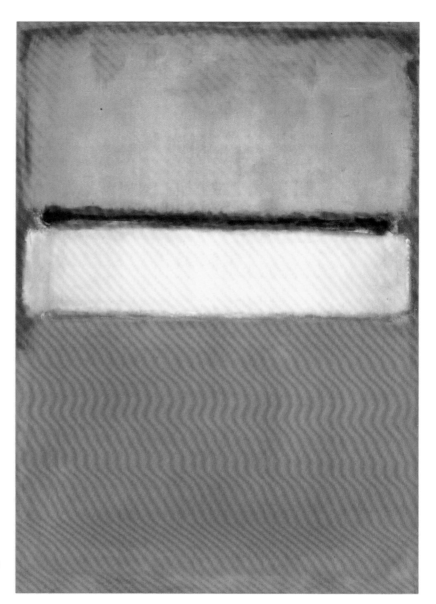

308 Μαρκ Ρόθκο, *Λευκό κέντρο*, 1950. Ο Ρόθκο φιλοδοξούσε να κάνει μια τέχνη που θα μπορούσε να καταπιαστεί με το εύρος και το βάθος του ανθρώπινου συναισθήματος. Το μέσο στο οποίο επικεντρώθηκε από το 1948 και μετά ήταν ο κατακόρυφος, μεγαλύτερος από το φυσικό μέγεθος καμβάς. Ο καμβάς αυτός είχε δύο ή και περισσότερες εναλλασσόμενες λωρίδες χρώματος όπου μπορούσε να συλλογιστεί ο θεατής, ενώ ο αμοιβαίος παλμός τους υποδήλωνε τα υποδόρια οράματα και, επιπλέον, τον εσωτερικό διάλογο. Τα ζωηρά χρώματα των πινάκων όπως αυτός εδώ ανήκουν σε μια περίοδο όπου ο Ρόθκο εξακολουθούσε να νιώθει μεγάλη έξαψη για τον νέο συναισθηματικό χώρο που διερευνούσε. Κατόπιν, οι φιλοδοξίες που είχε επιβάλει στον εαυτό του θα άρχιζαν να τον βασανίζουν, και στα τέλη της δεκαετίας του 1950 το έργο του θα γινόταν τραγικά ζοφερό.

Ο Ρόθκο, ωστόσο, έστρεφε τα όπλα του εναντίον της εμπορικής διαφήμισης, της παραστατικότητας και άλλων τέτοιων περισπασμών προκειμένου να διανοίξει έναν πιο ιδιαίτερο χώρο για τον προσωπικό στοχασμό. Επειδή ένιωθε άνετα με τις εβραϊκές παραδόσεις του διαβάσματος και της ακρόασης, συνέλαβε μια τέχνη που μάλλον διεύρυνε την αναπαράσταση παρά την απέκλειε, προσφέροντας πρόσβαση στους θεατές σ' ένα ευρύτερο φάσμα συναισθημάτων. Το λιγότερο θα μπορούσε να σημαίνει περισσότερο. Ο δρόμος που είχε υιοθετήσει το 1950, σε πίνακες όπως το ύψους δύο μέτρων *Λευκό κέντρο* [**308**], συνίστατο στο να αποσπά μεγάλα σύννεφα χρώματος από τον καμβά με μαλακό φαρδύ πινέλο, κάνοντάς τα να χτυπούν το ένα πάνω στο άλλο –πηγαίνοντας πότε από εκεί, πότε από εδώ– σαν εναλλασσόμενες απαντήσεις σε οποιοδήποτε ερώτημα μπορούσε να προβάλει πάνω τους ο θεατής. Για το κοινό ήταν διφορούμενοι αλλά σαγηνευτικοί συναισθηματικοί χρησμοί· για τους καλλιτέχνες που γοητεύονταν από το φορμαλιστικό δόγμα ήταν πρότυπα της «ζωγραφικής του χρωματικού πεδίου», η οποία συχνά έδενε τη χρωστική ουσία με τον καμβά μέσω του εμποτισμού. Η ονομασία με την οποία έγινε γνωστή η τέχνη των Νεοϋορκέζων είχε την ίδια αμφισημία. Ο αφηρημένος εξπρεσιονισμός περιστρεφόταν άραγε γύρω από ζητήματα αμιγώς μορφολογικά ή γύρω από γιγαντιαία ξεσπάσματα της ατομικότητας;

Με τον ισχυρισμό ότι ο πραγματικός αγώνας του μοντερνισμού είχε μεταφερθεί στο Μανχάταν ο Γκρίνμπεργκ

309 Γκρέιαμ Σάδερλαντ, *Φύλλα φοίνικα*, 1947. Ο Σάδερλαντ, ο οποίος είχε πρωταγωνιστική παρουσία στη μεταπολεμική βρετανική τέχνη, αρεσκόταν να στοχάζεται τις ποιότητες της έντασης που ήταν εγγενείς στα φυτά και σε όσους προσωπογραφούσε. Η αιχμηρότητα της εικαστικής του γλώσσας είχε κάποιες έμμεσες οφειλές στο σουρεαλισμό. Εδώ γίνεται εμφανής η αγάπη του για τα αγκάθια και τη διαπεραστική παλέτα, παρόλο που η συγκεκριμένη εικόνα προέρχεται από το διάστημα της παραμονής του στο θέρετρο της γαλλικής Ριβιέρας.

310 Ράσελ Ντράισντεϊλ, *Οι παίκτες του κρίκετ*, 1948. Ο Ντράισντεϊλ διένυε την τρίτη δεκαετία της ζωής του όταν ζωγράφισε αυτό που σύντομα θα γινόταν σύμβολο της αυστραλιανής αυτοσυνείδησης. Ο Ντράισντεϊλ γνώριζε πολύ καλά τόσο την άγονη ενδοχώρα της Αυστραλίας όσο και τις πρόσφατες εξελίξεις στη ζωγραφική στο Παρίσι και στο Λονδίνο. Οι *Παίκτες του κρίκετ* βασίζονται σε σπουδές μιας ημι-εγκαταλειμμένης πόλης με ορυχεία της ύστερης βικτοριανής εποχής στη Νέα Νότια Ουαλία. Το απόκοσμο φως που πέφτει στον γυμνό τοίχο του κτιρίου τον γεμίζει με δύναμη, λες και όλη αυτή η ερήμωση είναι μια πηγή από την οποία μπορεί κανείς να αντλήσει σθένος.

άφηνε να εννοηθεί ότι κάπου αλλού υπήρχε μια έντονη επιθυμία για την παράδοση. Για το ευρύτερο αμερικανικό κοινό, ο σημαντικότερος καλλιτέχνης του 1948 ήταν ο Άντριου Γουάιεθ (Andrew Wyeth), ο οποίος στράφηκε στη μεσαιωνική τεχνική της τέμπερας για να ζωγραφίσει μελαγχολικές εικόνες της αγροτικής ζωής στο Μέιν. Στην Ευρώπη, ο αφηγηματικός ρεαλισμός που είχε γίνει η διεθνής γλώσσα της αριστεράς στη διάρκεια της πολιτικοποιημένης δεκαετίας του 1930 εξακολουθούσε να έχει ισχυρή εκπροσώπηση από ζωγράφους όπως ο Ρενάτο Γκουτούζο (Renato Guttuso) στην Ιταλία. Παράλληλα, η ερείπωση και τα δυσοίωνα προαισθήματα ήταν θέματα που χαρακτήριζαν την εμπόλεμη δεκαετία του 1940 – από τα γκρεμισμένα κτίρια του Τζον Πάιπερ (John Piper) και τις αγκαθωτές φυτικές μορφές του Γκρέιαμ Σάδερλαντ (Graham Sutherland) στην Αγγλία [**309**] ως την ανεξάρτητη σχολή εξπρεσιονιστών που εμφανίστηκε στην άλλη πλευρά του κόσμου, στη Μελβούρνη, και στην οποία ανήκε ο Άρθουρ Μπόιντ (Arthur Boyd), ο Ράσελ Ντράισντεϊλ (Russell Drysdale) [**310**] και ο Σίντνεϊ Νόλαν (Sydney Nolan).

Οι καλλιτέχνες που έβλεπαν τον πολιτισμό μέσα από το πρίσμα του παρελθόντος επίσης εξασφάλισαν μια θέση. Ο Μπαλτίς (Balthus), ένας καλλιτέχνης με διεθνείς αριστοκρατικές ρίζες που είχε για έδρα του τη Γαλλία, ζωγράφιζε δωμάτια, δρόμους και τοπία λες και οι εικαστικοί χώροι που είχαν ανοίξει δάσκαλοι του 15ου αιώνα όπως ο Πιέρο ντέλα Φραντσέσκα θα μπορούσαν να ανακαλυφθούν και πάλι για πρώτη φορά. Η γαρνιτούρα της σεξουαλικής ονειροπόλησης έγινε το βασικό μέσο για να τραβάει την προσοχή του κοινού. Μια πιο θεαματική απήχηση είχε ο Φράνσις Μπέικον (Francis Bacon) με τις σπουδές του –ή βεβηλώσεις– μιας διάσημης προσωπογραφίας του Πάπα Ινοκέντιου Ι΄ που είχε φιλοτεχνήσει ο Βελάσκεθ τον 17ο αιώνα. Ο Μπέικον άρχισε να εκθέτει την εικονοποιία του το 1944 στο Λονδίνο· τη *Σπουδή* αυτήν [**311**] τη ζωγράφισε εννιά χρόνια μετά. Ήταν μια αναποδογυρισμένη ευλάβεια –η «εύθυμη απόγνωση» του αποφασισμένου άθεου, όπως την ονόμαζε ο Μπέικον– συνυφασμένη με μια τελειωτική ανάγνωση της ιστορίας. Στο εργαστήριο του Μπέικον, ο Πατέρας της Εκκλησίας γινόταν ένα τρομοκρατημένο λαμπύρισμα, όντας παγιδευμένος ανάμεσα σ' ένα εξωτερικό κι ένα εσωτερικό κενό. Δουλεύοντας με βάση μια φωτογραφική αναπαραγωγή του πίνακα του Παλιού Δασκάλου, ο Μπέικον αντέγραψε νευρικά την εικόνα και την πάντρεψε με μια κραυγή που προερχόταν από το στοπ-καρέ μιας ταινίας του ρώσου σκηνοθέτη Σεργκέι Αϊζενστάιν. Για την τέχνη της ζωγραφικής, όπως την αντιλαμβανόταν ο Μπέικον, παρέμενε μόνο η πρόκληση της δημιουργίας ενός ακαριαίου σφιξίματος στα σωθικά. Παρόλο που ανήκαν σε πολύ διαφορετικούς κόσμους της τέχνης, ο Μπέικον και ο επίσης άθεος Ρόθκο καλλιέργησαν την τάση προς μια υψηλής καλλιέργειας ιερατικότητα με τις έντονα σοβαρές κάθετες εικόνες τους.

Το Λονδίνο τη δεκαετία του 1950 μπορεί να μην είχε την ορμή της Νέας Υόρκης, είχε όμως γλιτώσει την τραυματική πολιτισμική παράλυση που σημειώθηκε στις άλλες ευρωπαϊκές πόλεις μετά την προέλαση των ναζί. Διάφο-

316 Αντόνιο Μπέρνι, *Ο μεγάλος πειρασμός*, 1962. Το ξαναχρησιμοποιημένο διαφημιστικό υλικό ήταν της μόδας για ένα μεγάλο μέρος της τέχνης των αρχών της δεκαετίας του 1960, από το Μπουένος Άιρες και το Λονδίνο ως το Παρίσι και τη Νέα Υόρκη. Ο Μπέρνι θα απέδιδε αυτήν τη μόδα μέσα σ' έναν κόσμο τρομαχτικά γκροτέσκο, δημιουργώντας το είδος της φαντασμαγορίας που, στις λογοτεχνικές αναλύσεις, θα γινόταν γνωστό ως «μαγικός ρεαλισμός». Καθ' όλη τη δεκαετία του 1960, ο Μπέρνι θα χρησιμοποιούσε παρεμφερείς τεχνικές για να πλάσει μια σειρά έργων για τη ζωή δύο παιδιών του δρόμου που λέγονταν Χουανίτο και Ραμόνα. Για ένα διάστημα τα δύο αυτά παιδιά θα γίνονταν αναπόσπαστο μέρος της μαζικής κουλτούρας της Αργεντινής, ενώ τα τραγούδια που γράφονταν γι' αυτά θα έμπαιναν στους πίνακες επιτυχιών.

ξει ένα διακηρυκτικό *Λευκό μανιφέστο*. «Η ταχύτητα έχει γίνει μια σταθερά στη ζωή του ανθρώπου. [...] Αφήνουμε πίσω μας κάθε γνωστή μορφή τέχνης και αρχίζουμε μια τέχνη που βασίζεται στην ένωση του χώρου και του χρόνου». Τα όνειρα αυτού του είδους ήταν κάποτε αποκλειστικότητα των φουτουριστών και των κονστρουκτιβιστών της Ευρώπης. Τώρα ξαναζωντάνευαν σε μια ήπειρο με λιγότερο ταραγμένη πρόσφατη ιστορία. Οι νοτιοαμερικανικές πρωτοπορίες, όπως η ομάδα της Λίτζια Κλαρκ (Lygia Clark) στη Βραζιλία, προχώρησαν επιχειρηματολογώντας προς καθαρά διαδραστικές μορφές καλλιτεχνικής δραστηριότητας (σαν να έλεγαν «Κοίτα! Δεν υπάρχουν αντικείμενα!»), ενώ κάποιες άλλες ξανάφεραν τις πειραματικές στρατηγικές στην Ευρώπη: ο Χεσούς-Ραφαέλ Σότο (Jesús-Rafael Soto) από τη Βενεζουέλα παρουσίασε «κινητικούς» και οπτικούς αποπροσανατολισμούς στο Παρίσι, και ο Φοντάνα γύρισε στο Μιλάνο για να ξεκινήσει τα ambienti, τα περιβάλλοντα που συγκλόνιζαν τους θεατές με φώτα νέον και ήχους. Η δημιουργία οπών έγινε το σήμα κατατεθέν του. Υπήρχε, άραγε, καλύτερος τρόπος για να κάνει κανείς άμεσο και ορατό το χώρο; Κατέληξε σε μια οριστική μορφή το 1958, όταν άρχισε να τρυπάει τον καμβά με σουγιάδες [**317**]. Ήταν ένα γρήγορο, βαθύ βύθισμα της λεπίδας με άπειρες συμβολικές προοπτικές –βίαιες, σεξουαλικές και μεταφυσικές–, μια πράξη που αναπαρήγαγε και μυθοποίησε πάνω σε καμβάδες σε τιρκουάζ, χρυσαφί και ματζέντα όλη την επόμενη δεκαετία. Οι μονοχρωματικοί καμβάδες σε έντονο μπλε χρώμα του Ιβ Κλάιν (Yves Klein), τους οποίους εξέθεσε το

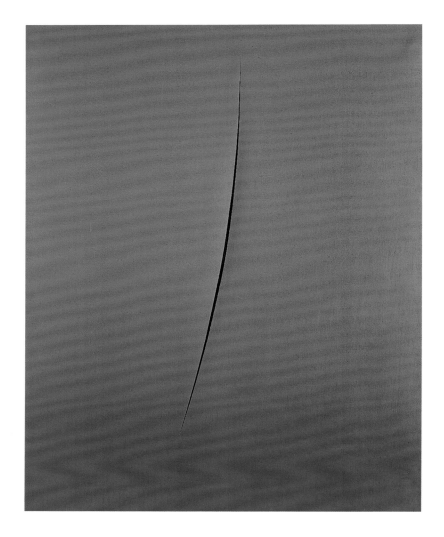

317 Λούτσιο Φοντάνα, *Χωρική έννοια (Αναμονή)*, 1960.

1957, μπορεί να έδρασαν σαν καταλύτης για την εντυπωσιακή ανακάλυψη του Φοντάνα. Πριν από τον πρόωρο θάνατό του το 1961, ο Κλάιν υπνώτιζε το Παρίσι σαν ένα είδος ζεν ιμπρεσάριου, παρουσιάζοντας για παράδειγμα μια ορχήστρα που έπαιζε μία μόνο νότα ενόσω γυμνά γυναικεία μοντέλα κυλιόντουσαν σε μπογιά για να αφήσουν το αποτύπωμα του σώματός τους. Και οι δύο ειδικεύονταν στις εξεζητημένες χειρονομίες προς την υπερβατικότητα, όντας μετέωροι ανάμεσα στο άπειρο και το εξαίσιο.

Η τρίτη μου όμως εκδοχή για τις αρχές της δεκαετίας του 1960 επιστρέφει στις Ηνωμένες Πολιτείες και σ' έναν πρώην οξυγονοκολλητή σε εργοστάσιο που είχε το ταιριαστό όνομα Ντέιβιντ Σμιθ (David Smith).* Τριάντα χρόνια πριν, κάποιοι άλλοι καλλιτέχνες που δούλευαν το μέταλλο ανέπτυξαν ένα νέο γλυπτικό ιδίωμα και, υπό την επιρροή του σουρεαλισμού, άρχισαν να δημιουργούν στις τρεις διαστάσεις το είδος των λεπτών και εν μέρει οργανικών δομών τις οποίες στο παρελθόν τις είχε ονειρευτεί μόνο ο Κλέε στη *Μηχανή τιτιβίσματος* [βλ. **292**]. Ο αμερικανός Αλεξάντερ Κάλντερ (Alexander Calder) κρέμασε αυτά τα λεπτοκαμωμένα στοιχεία από μια ράβδο

---

*   Η λέξη smith στα αγγλικά σημαίνει και σιδηρουργός. (Σ.τ.Μ.)

ώστε να κινούνται ανάλαφρα στο ρεύμα του αέρα, δημιουργώντας τα επονομαζόμενα «μόμπαϊλς»· ο Χούλιο Γκονζάλες (Julio González), που όπως ο φίλος του ο Πικάσο είχε αφήσει τη Βαρκελώνη για το Παρίσι, βοήθησε τον μεγάλο αυτό καλλιτέχνη όταν στράφηκε με ζήλο στη γλυπτική στα τέλη της δεκαετίας του 1920, ενώ ταυτόχρονα συγκολλούσε ράβδους και πλάκες για να φτιάξει σκελετώδεις ανασυντεθειμένες μορφές. Ο Σμιθ επιδόθηκε σ' αυτό το είδος «ζωγραφικής στο χώρο» και διεύρυνε το εκφραστικό της εύρος σε εύκαμπτα, αέρινα πλαίσια που χαρακτηρίζονταν από μια προκλητική ιδιομορφία. Όντας φίλος των αφηρημένων εξπρεσιονιστών, θα άφηνε ενδείξεις παραστατικότητας και ακόμα ισχυρότερες ενδείξεις δισδιάστατης ζωγραφικότητας στα ελεύθερα στο χώρο έργα του, λες και εξέθετε κομμάτια της προσωπικής του φαντασίας στο έλεος του καιρού και του περαστικού θεατή.

Ο Σμιθ θα άρχιζε να δημιουργεί γλυπτά με σαφή τρισδιάστατο όγκο μόνο μερικά χρόνια πριν από το θάνατό του, το 1965, συγκολλώντας τετραγωνισμένα στοιχεία από ανοξείδωτο χάλυβα, τα οποία παρουσίαζε μ' ένα τόσο έντονο γυάλισμα, που ακύρωνε οποιαδήποτε εντύπωση βάρους. Ένα από τα ύστερα έργα του, το *Cubi XXIII* [**318**], σηματοδοτεί ένα σημείο συνάντησης στην εξέλιξη αυτής της τολμηρής αλλά και αιχμηρής γλυπτικής γλώσσας. Μας ξαναγυρίζει στις ζωγραφικές του ρίζες· γυρίστε πίσω στη *Μηχανή τιτιβίσματος* και θα δείτε ότι ο κεντρικός σκελετός σε σχήμα Μ του Κλέε επιλέγει μυστηριωδώς να επανεμφανιστεί στην αυλή του Σμιθ στα βουνά Αντιρόντακς με τη μορφή δύο γιγαντιαίων δρασκελιών. Μπορεί, βέβαια, αυτά τα μεταλλικά πόδια απλώς να διασχίζουν τον Ατλαντικό Ωκεανό – γιατί το 1964 η Αμερική και η Μεγάλη Βρετανία προσέγγιζαν η μία την άλλη καλλιτεχνικά, και η όλη διάταξη εδώ, αυτό το απότομα ανάπτυγμα των γωνιών και των δοκών, θυμίζει το σύγχρονο έργο του Άντονι Κάρο (Anthony Caro), ενός άγγλου γλύπτη που ήταν δεκαοχτώ χρόνια νεότερος του Σμιθ. Αυτή η αγγλοαμερικανική ανταλλαγή ιδεών θα βοηθούσε τον Κάρο να απελευθερωθεί από την απάθεια και τη μνημειακότητα που πρέσβευε ο αλλοτινός του μέντορας Χένρι Μουρ. Στην πραγματικότητα, ο Κάρο θα προχωρούσε προς μια πιο ριζικά αφηρημένη εκδοχή της συγκόλλησης από τον Σμιθ – δηλαδή προς τα βαμμένα με έντονα χρώματα σίδερα, τα οποία εκτείνονταν στο χώρο γύρω τους δίχως να παρεμβάλλεται κάποια βάση και δεν επέτρεπαν τον περιορισμό τους στην επιπεδότητα μιας εικόνας. Στο μεταξύ, κάποιοι άλλοι στο Λονδίνο* επιδίωκαν να κατακτήσουν μια εφάμιλλη λάμψη της επιφάνειας με τη χρήση χρωματιστών πλαστικών – διευκολύνοντας, κατά κάποιον τρόπο, τη μετάβαση ανάμεσα στο μεγάλο «Μ» του Σμιθ και τις Χρυσές Αψίδες των McDonald's.

Ας με συγχωρεί ο Σμιθ. Η παραπάνω σύνδεση είναι ένας σκανδαλιστικός τρόπος βεβήλωσης της μνήμης ενός μεγάλου και δημιουργικού μυαλού και σπουδαίου αριστερού. Θεωρώ, όμως, ότι ο συσχετισμός δεν είναι εντελώς παράλογος. Οι γλύπτες δημιουργούν διαθέσεις μέσα από τις επιφάνειές τους, και έχω την εντύπωση ότι η τραχιά υφή των *Cubi* του Σμιθ λέει: εκεί έξω υπάρχει ένας κόσμος με απαστράπτον χρώμιο, συσκευασμένα προϊόντα και επιθετική διαφήμιση – εγώ θα βγω έξω να συναντήσω το θηρίο στο δικό του γήπεδο, θα αναμετρηθώ μαζί του και θα το φέρω πίσω, ημερωμένο, στη δική μου ιδιωτική αυλή. Ο *Μεγάλος πειρασμός* του Μπέρνι καταπιάνεται με την ίδια περιοχή με μια παραπλήσια αγανάκτηση που προβάλλει αντίσταση, εδώ όμως η επιφάνεια (κάτι που μπορεί να ισχύει και για ένα μεγάλο μέρος της τέχνης των αρχών της δεκαετίας του 1960, από τη Νότια Αμερική ως τη Γαλλία και την ανατολική Ευρώπη) μάλλον είναι μια μαγευτική κατωφέρεια, η οποία προσδίδει στη σκοτεινή κατεύθυνση των τρεχόντων γεγονότων την πατίνα του παλιού μύθου. Η τομή του Φοντάνα, ωστόσο, και η ζύμωση του πειραματισμού με έμφαση στην τεχνολογία που συνοψίζει περιεκτικά βυθίζονται στο σκοτάδι του μέλλοντος ίσως επειδή στερείται νοήματος και είναι μετα-ανθρώπινο.**

Πίσω απ' τα ψαλίδια, το χαρτί και το χρώμιό τους βρίσκεται ο τυφλός δυναμισμός του παγκόσμιου καπιταλισμού που έτρεχε όλο και πιο γρήγορα μπροστά· θα μπορούσαμε να εντοπίσουμε την ίδια κοινή καθοδηγητική πίεση σ' ένα καλλιτεχνικό φαινόμενο που τροφοδοτούσε ο παλιομοδίτικος ανταγωνισμός στις χειροτεχνικές δεξιότητες. Στην ανατολική Αφρική των μέσων του αιώνα, πολλοί Μακόντε άφησαν τη βόρεια Μοζαμβίκη για να αναζητήσουν δουλειά στη σημερινή πρωτεύουσα της Τανζανίας, το Νταρ ες-Σαλάμ. Στα τέλη της δεκαετίας του 1950

---

*   Εδώ έχω κατά νου τους γλύπτες της «Νέας Γενιάς», όπως, για παράδειγμα, τον Ντέιβιντ Άνεσλι (David Annesley) και τον Φίλιπ Κινγκ (Phillip King).

** Ένα άλλο έργο των αρχών της δεκαετίας του 1960 που είναι σχετικό με την εξέταση αυτή είναι η ρωμαλέα γλυπτική της Λι Μπόντεκου (Lee Bontecou) στη Νέα Υόρκη.

318 Ντέιβιντ Σμιθ, *Cubi XXIII*, 1964.

ορισμένοι απ' αυτούς βρήκαν εμπόρους οι οποίοι ήταν διατεθειμένοι να εμπορευτούν το είδος κοσμικών αγαλματιδίων που κατασκεύαζαν οι Ζάντι όπως είδαμε παραπάνω [βλ. **278**]. Αναπτύχθηκε μια αγορά ανάμεσα στους κοσμοπολίτες Δυτικούς, καθώς και ο ανταγωνισμός στη δεξιοτεχνία στο σκάλισμα και στο λουστράρισμα του έβενου. Διαβάζοντας πνεύματα και ιστορίες στις μορφές των διχαλωτών αποξεσμάτων, οι ξυλογλύπτες των Μακόντε θα κατασκεύαζαν μια πληθώρα υπερβολικών, γκροτέσκων, ακόμα και μπαρόκ επινοήσεων για όλη την επόμενη δεκαετία. Ο Αλουμάσι Λουχούμα έπλασε μαγικά την ιστορία μ' ένα κούτσουρο [**319**]. Το παχύτερο κομμάτι του ξύλου έγινε η παλιά κακή εποχή στην πορτογαλική Μοζαμβίκη, με το δουλέμπορο να κάθεται πάνω σ' ένα σωρό από χωρικούς που μορφάζουν, ενώ ένας τους σημαίνει συναγερμό για να προειδοποιήσει τους υπόλοιπους για την εισβολή του. Από την άλλη άκρη, όμως, ένας γεμάτος αυτοπεποίθηση σύγχρονος Τανζανός σηκώνει τον στολισμένο με λιοντάρια πυρσό της εθνικής ανεξαρτησίας, η οποία κατακτήθηκε το 1961. Οι ειρωνείες τις οποίες θα μπορούσε να διακρίνει ένας κυνικός σ' ένα έμβλημα αυτοδυναμίας που κατασκευάστηκε ως ενθύμιο για τους τουρίστες είναι αρκετές. Οι ξυλογλύπτες, εντούτοις, συνέχιζαν να κάνουν έναν αυστηρό διαχωρισμό ανάμεσα στα είδη προς πώληση και τη συνεχιζόμενη ιερή τέχνη της δημιουργίας μασκών.

Ο ψυχρός πόλεμος
Κίνα, Γερμανία, Μεγάλη Βρετανία, ΗΠΑ, 1965–1973

Το 1964 ο Ράουσενμπεργκ απέσπασε το Μεγάλο Βραβείο της Μπιενάλε της Βενετίας. Αυτή η πρωτοφανής τιμή για έναν Αμερικανό αποτέλεσε ένδειξη για πολλούς ανήσυχους Ευρωπαίους ότι η διαδικασία της πολιτισμικής υποδούλωσης είχε ολοκληρωθεί. Η νευρώδης κι ενστικτώδης τολμηρότητα της μεταπολεμικής τέχνης της Νέας Υόρκης είχε περιθωριοποιήσει άλλες εκδοχές του μοντερνισμού σε όλα τα μέρη του κόσμου – συμπεριλαμβανομένης, για παράδειγμα, και της αυτόνομα ανεπτυγμένης αφαίρεσης μιας ομάδας από το Μόντρεαλ, των αυτοματιστών (Automatistes). Η Κεντρική Υπηρεσία Πληροφοριών των ΗΠΑ αντλούσε κάποια ικανοποίηση από το αποτέλεσμα. Είχε χρηματοδοτήσει συγκεκαλυμμένα διάφορες περιοδεύουσες εκθέσεις και τις περιοδείες διαλέξεων του Κλέμεντ Γκρίνμπεργκ, του κορυφαίου κριτικού υποστηρικτή της Αμερικής. Ενδιαφερόταν ιδιαίτερα να προωθήσει την άποψη ότι η αφαίρεση αντιπροσώπευε την «ελευθερία», ενώ το ψυχροπολεμικό αντίπαλο δέος των ΗΠΑ, η Ρωσία, έδενε τα χέρια των καλλιτεχνών με την οπισθοδρομική επιμονή στην παραστατικότητα.

319 Αλουμάσι Λουχούμα, Ξυλόγλυπτο «ουτζαμάα» με την ιστορία των Μακόντε, 1965–70.

慶祝我國原子彈爆炸成功一九六五年夏吳湖帆畫

Από μια άλλη σκοπιά, όμως, ρώσοι ζωγράφοι όπως ο Γκέλι Κόρτσεφ, που επανερμήνευσε τις ακαδημαϊκές τεχνικές του 19ου αιώνα –ή γλύπτες όπως ο Γεβγκένι Βουτσέτιτς, ο οποίος ήταν συντονιστής του κολοσσιαίου μνημείου της Μάχης του Στάλινγκραντ– πρόσφεραν μια στωική, ενδυναμωτική τέχνη σε μια χώρα που είχε υποφέρει απίστευτα κατά τη διάρκεια του πολέμου. Για την καταπιεσμένη ιντελιγκέντσια της Ρωσίας όμως, ή ακόμα και για τους καλλιτέχνες στα κράτη-δορυφόρους του ανατολικού μπλοκ οι οποίοι έρεπαν προς την αφαίρεση, τον κονστρουκτιβισμό και το σουρεαλισμό, αυτός ο δογματικός σοσιαλιστικός ρεαλισμός δεν αποτελούσε «τέχνη». Υιοθετήθηκε, ωστόσο, με μεγάλο ενθουσιασμό όταν ο κομμουνιστικός στρατός του Μάο Τσε Τουνγκ απέκτησε τον έλεγχο της Κίνας το 1949. Η κινεζική αριστερά είχε ήδη την τάση να εισάγει διάφορες τεχνικές, εφόσον ο γερμανικός εξπρεσιονισμός είχε επηρεάσει το κίνημα διαμαρτυρίας των ξυλογράφων που αναπτύχθηκε στη Σαγκάη από τη δεκαετία του 1930 και μετά.

Τα πρώτα δεκαοχτώ χρόνια της κυριαρχίας του Μάο, καθώς «ο Μεγάλος Τιμονιέρης» ταλαντευόταν ανάμεσα στον πλουραλισμό και τους ανελέητους κοινωνικούς πειραματισμούς, οδηγώντας ταυτόχρονα το καράβι του κράτους ολοένα και πιο μακριά απ' αυτό των ρώσων αλλοτινών συντρόφων του, εξακολουθούσε να υπάρχει πολιτικό περιθώριο για τη συνύπαρξη της κινεζικής ζωγραφικής με μελάνι με την παραγωγή διδακτικών ρεαλιστικών πανοραμάτων. Στην προεπαναστατική Σαγκάη, ο Βου Χουφάν ήταν ένας ντιλετάντης προσηλωμένος στην παράδοση και εξαρτημένος από το όπιο, το οποίο είχαν προωθήσει με ζήλο οι βρετανοί εισβολείς του 19ου αιώνα. Το 1965 ο Βου υποτάχθηκε στην εξουσία των υπεύθυνων του Ινστιτούτου Τεχνών της Σαγκάης. Τους πρόσφερε έναν κύλινδρο που χαιρέτιζε τη νεοαποκτηθείσα πρόσβαση της Κίνας στην τεχνολογία της μαζικής αυτοκτονίας, η οποία ως τότε αποτελούσε μονοπώλιο της Αμερικής και της Ρωσίας.

Το *Πανηγυρίστε για την επιτυχία της υπέροχης έκρηξης της ατομικής μας βόμβας!* είναι, σύμφωνα με τη Τζούλια Φ. Άντριους, την ειδικό στον συγκεκριμένο τομέα, «ένα από τα ομορφότερα δείγματα ζωγραφικής αυτής της περιόδου» [320]. Ούτε η Άντριους ούτε και κάποιος εν ζωή γνωστός του ζωγράφου δεν είναι σε θέση να πει με βεβαιότητα τι είδους ειρωνείες μπορεί να περνούσαν απ' το μυαλό του Βου καθώς φιλοτεχνούσε αυτήν την τεράστια προσβολή. Το Ινστιτούτο έκανε δεκτό το έργο του δίχως τον παραμικρό ενδοιασμό· ο Βου αυτοκτόνησε το 1968, ένα χρόνο αφότου ο Μάο παρότρυνε τους νέους να εξαλείψουν κάθε ίχνος της πολιτιστικής τους κληρονομιάς με τη Μεγάλη Πολιτιστική Επανάσταση. Ίσως ο μηδενιστικός του κύλινδρος να γλίτωσε από την όλη διαδικασία, αντίθετα με τα έργα πολλών συγχρόνων του Βου, επειδή καταπιανόταν απροκάλυπτα με την υφή της πραγματικότητας που προτιμούσαν πλέον οι άνθρωποι σ' όλα τα μέρη του κόσμου – δηλαδή με το εύπεπτο και το μαζικά διαμεσολαβημένο.

Οι ζωγράφοι χρησιμοποιούσαν την τεχνική της φωτογραφίας ήδη από τον πρώτο καιρό που άρχισε αυτή να διαδίδεται. Ο πρώτος, καταπώς φαίνεται, ζωγράφος που έκανε τη δευτερογένεια της εικονοποιίας του μια κρί-

320 Βου Χουφάν, *Πανηγυρίστε για την επιτυχία της υπέροχης έκρηξης της ατομικής μας βόμβας!*, 1965. Η Κίνα έκανε την πρώτη της πυρηνική δοκιμή τον Οκτώβριο του 1964, κερδίζοντας έτσι το στοίχημα να μπει στην ίδια λέσχη με τις Ηνωμένες Πολιτείες (οι οποίες διέθεταν πυρηνικό οπλοστάσιο από το 1945) και τη Σοβιετική Ένωση (από το 1949). Η ομορφιά, ή το υψηλό μεγαλείο, των μανιταριών που εισήγαγαν την εποχή της ΑΕΚ ή «Αμοιβαία Εγγυημένης Καταστροφής» είχε εξυμνηθεί συχνά στη λογοτεχνία, και λιγότερο συχνά στις εικαστικές τέχνες.

σιμη πτυχή της τέχνης του ήταν ο Ουόλτερ Σίκερτ (Walter Sickert), ο άγγλος μαθητής του Ντεγκά, ο οποίος έκανε πίνακες βασισμένους σε ειδησεογραφικές φωτογραφίες τη δεκαετία του 1930.* Τη δεκαετία του 1960 ο πολυσυζητημένος θρίαμβος της τηλεόρασης ως κυρίαρχου τρόπου ζωής στη Δύση ενδέχεται να ήταν ένας παράγοντας που οδήγησε τους καλλιτέχνες να επαναλάβουν την ανέκφραστη υπόκλιση του Σίκερτ στο ήδη ιδωμένο. Αποτελούσε άλλη μια πλευρά του περιβάλλοντος των εμπορευμάτων και του καταναλωτισμού που είχαν σχολιάσει ο Μπέρνι και οι βρετανοί καλλιτέχνες της Ποπ Αρτ. Η Ποπ Αρτ στην Αμερική –η οποία αναπτύχθηκε ανεξάρτητα από τη Μεγάλη Βρετανία– έκανε την εμφάνισή της το 1962, ξεκινώντας κυρίως με τους πίνακες του Άντι Ουόρχολ (Andy Warhol) που απεικόνιζαν διαφημίσεις για κονσέρβες σούπας. Έγινε αντιληπτό ότι ο Ουόρχολ, με αυτές τις έξυπνες, ήπιες, ευθείες αναφορές –τις οποίες σύντομα παρήγαγε στο νέο μέσο της μεταξοτυπίας– αλλά και με τις εκθέσεις του με απομιμήσεις των κουτιών του οικιακού προϊόντος Brillo [**321**], ωθούσε σ' ένα κρίσιμο σημείο το ερώτημα για το ρόλο του καλλιτέχνη, συζήτηση την οποία είχε αρχίσει ο Τζάσπερ Τζονς με τις ξαναζωγραφισμένες σημαίες του. Κανείς δεν θα μπορούσε να διανοηθεί κάτι περισσότερο αντίθετο στην ηρωική πρωτοτυπία του Πόλοκ.

Η περσόνα της χαρισματικής απάθειας έκανε τον Ουόρχολ ζωτικό τμήμα της νεοϋορκέζικης σκηνής των μέσων της δεκαετίας του 1960 κι ένα βολικό μέσο για την επίτευξη της πολιτισμικής αλλαγής – της μετάβασης από τη θερμή αυθεντικότητα στην ψυχρή αμεριμνησία, από την επιθετική αντίσταση στον καπιταλισμό στην περιπαικτική υπεκφυγή. Τα ζωηρά χρώματα, οι χαυνωτικές επαναλήψεις και το ένστικτό του για τη διασημότητα συνέδεσαν τους πίνακές του μ' ένα μαζικό κοινό που δεν μπορούσαν να το φτάσουν με τίποτα οι άλλοι καλλιτέχνες της Νέας Υόρκης. Η κριτική δηκτικότητα του δημιουργού τους, η οποία ακυρωνόταν στο ίδιο το έργο, φαίνεται ακόμα και σήμερα σ' ένα προσωπικό του σχόλιο που εξομοίωνε τα εμπορεύματα με το θάνατο. «Ήθελα να ζωγραφίσω το τίποτα. Έψαχνα κάτι που να είναι η ουσία του τίποτα, και βρήκα αυτό». Ο Ουόρχολ εξηγούσε εδώ γιατί ζωγράφιζε κονσέρβες σούπας· κάλλιστα θα μπορούσε να εξηγεί γιατί, το 1965, έκανε πίνακες από ειδησεογραφικές φωτογραφίες πυρηνικών εκρήξεων. Ίσως και να μιλούσε για λογαριασμό του κινέζου σύγχρονού του.

Ο Ρόι Λίχτενσταϊν (Roy Lichtenstein), ο άλλος επινοητής της αμερικανικής Ποπ Αρτ, μεγέθυνε και τροποποιούσε αποσπάσματα από κόμικς σε μια γιγαντιαία, αφηρημένα εξπρεσιονιστική κλίμακα, απομονώνοντας τις κουκκίδες του ράστερ που διαμόρφωναν τον τονισμό. Ο Ρίτσαρντ Χάμιλτον, ο ιδρυτής της βρετανικής Ποπ Αρτ, ακολούθησε την ίδια ανέμελη λογική όταν ζωγράφισε ένα μεγεθυμένο κομμάτι από ένα έργο του Λίχτενσταϊν: το όλο θέμα ήταν η *έλλειψη* πρωτοτυπίας. Ακόμα πιο πέρα, στη Γερμανία, δύο μετανάστες από την κομμουνιστική Ανατολή ξεκίνησαν τον δικό τους «καπιταλιστικό ρεαλισμό» στην ευημερούσα Δύση. Τα ανεπαίσθητα ακυρωμένα αντίγραφα φωτογραφιών του Γκέρχαρντ Ρίχτερ (Gerhard Richter) είχαν φιλοσοφικούς στόχους [βλ. **332**], αλλά την πιο ξέφρενη παρωδία της δεκαετίας του 1960 την παρουσίασε ο ομότεχνός του Ζίγκμαρ Πόλκε (Sigmar Polke). Ο Πόλκε τόλμησε όχι μόνο να αποτυπώσει τις κουκκίδες του ράστερ με τη γόμα ενός μολυβιού, αλλά και να το κάνει μάλλον *κακά*. Οι *Πατατοκέφαλοι* (ο *Μάο* και ο *Λ. Μπ. Τζ.*) [**322**] είναι μια εξαχνωμένη παραλλαγή σε μια πολύ πιο σκληρή εικόνα που δημιούργησε η γαλλίδα πρωτοποριακή καλλιτέχνιδα Νίκι ντε Σεν-Φαλ (Niki de Saint-Phalle) μετά την Κρίση της Κούβας το 1962. Η σχεδόν απανθρακωμένη πλαστική συναρμογή της** παρουσίαζε τους ηγέτες της Αμερικής και της Ρωσίας που κόντεψαν να οδηγήσουν τον κόσμο στον πυρηνικό πόλεμο σαν τα δίδυμα πρόσωπα μιας γκροτέσκας ντιμπιφετικής γριάς. Μόλις όμως πέρασε αυτή η τρομαχτική στιγμή, οι δυτικές αγωνίες ξεφούσκωσαν πολύ γρήγορα. Το 1965 η Κίνα ήταν «περίφημη» –ειρωνικά, βέβαια– όπως ήταν, άλλωστε, και ο Πρόεδρος Τζόνσον και οι πατάτες.

Ο νεαρός Πόλκε έκανε αυτές τις βλακώδεις βούλες σήμα κατατεθέν του επειδή σαχλαμάριζε μ' ένα θέμα με το οποίο είχε ασχοληθεί και ο Ντιμπιφέ – δηλαδή ότι η τσαπατσουλιά ήταν κατά κάποιον τρόπο «καλή», αναζωογονητική και φυσιολογική. Ήταν μια ιδέα που απασχολούσε και το δάσκαλο του Πόλκε στην Ακαδημία Καλών Τε-

---

* Ο ίδιος ο Ντεγκά είχε επιχειρήσει να κάνει ορισμένους πίνακες με αυτήν την τεχνοτροπία· πριν απ' αυτόν, ο Λουί-Λεοπόλντ Μπουαγί (Louis-Léopold Boilly) είχε ζωγραφίσει στις αρχές του 19ου αιώνα την «υφή» του μεζοτίντο. Σ.τ.Ε.: Μετζοτίντο ή μετζοτίντα ή μελαχρωμοχαλκογραφία: Εδώ, σε αντίθεση με τις άλλες μεθόδους, ο χαράκτης δουλεύει από το μαύρο στο άσπρο. Το βασικό χαρακτηριστικό είναι οι απαλές τονικές διαβαθμίσεις που προκύπτουν.

** Το έργο *Κένεντι-Χρουστσόφ*, το οποίο φιλοτέχνησε το 1963.

321 Άντι Ουόρχολ, *Κουτιά Brillo*, 1969 (ακριβές αντίγραφο του πρωτότυπου του 1964). Σε μια έκθεση που πραγματοποιήθηκε το 1964 στη Νέα Υόρκη ο Ουόρχολ εξέθεσε για πρώτη φορά στοιβαγμένα ξύλινα κιβώτια τα οποία, με τη βοήθεια της μεταξοτυπίας, ήταν πιστά αντίγραφα των κουτιών του Brillo, μιας μάρκας καθαριστικού κουζίνας. Είχε φτιάξει επίσης κιβώτια για τα φασόλια Heinz και τις σούπες Campbell, αλλά το «Brillo» εντυπώθηκε στο μυαλό των θεατών ως η ουσία της πρόκλησης του Ουόρχολ. Αυτό, το δίχως άλλο, οφειλόταν στον δυναμικό σχεδιασμό του κουτιού. Ο Τζέιμς Χάρβεϊ (James Harvey), ο οποίος το είχε σχεδιάσει, επιχείρησε να κινηθεί δικαστικά κατά του Ουόρχολ για καταπάτηση των δικαιωμάτων του (πρβλ. την εμπειρία της Μπρίτζετ Ράιλι ένα χρόνο αργότερα, σ. 432). Το ενδιαφέρον είναι ότι πριν στραφεί στην εμπορική τέχνη, ο Χάρβεϊ είχε κινηθεί, χωρίς όμως επιτυχία, στο χώρο του αφηρημένου εξπρεσιονισμού.

χνών του Ντίσελντορφ, τον Γιόζεφ Μπόις (Joseph Beuys). Ο Μπόις είχε βαθμιαία γίνει η ευρωπαϊκή απάντηση στον αμερικανό Ουόρχολ. Ήταν ο χαρισματικός ακτιβιστής που ντυνόταν με χαρακτηριστικό τρόπο και είχε τον προσωπικό του μύθο· όπως συνέβαινε και με τόσους και τόσους γερμανούς προκατόχους του (όπως, για παράδειγμα, με τον Κίρχνερ και τις γυμνιστικές εμπειρίες του· βλ. **276**), το βασικό ζητούμενο για την τέχνη του ήταν το να την έχει *ζήσει*. Η μπερδεμένη ιστορία των εμπειριών του από τον πόλεμο υποστήριζε την ενασχόληση του Μπόις με τις υλικές υφές ως μέσα λύτρωσης. Ο Μπόις τοποθετούσε λίπος πάνω σε μια καρέκλα, τύλιγε ένα πιάνο με τσόχα, αλειφόταν με μέλι – αυτά, σύμφωνα με τη λογική την οποία διατύπωνε σε διαγράμματα στους μαυροπίνακες, ήταν βήματα που οδηγούσαν από το τραύμα του πολέμου στη μελλοντική κοινωνία όπου όλοι θα διαπίστωναν ότι *ο καθένας είναι καλλιτέχνης*. Οι μεγάλες προοπτικές –η αίσθηση της προϊστορίας και της φυσικής ιστορίας– οδήγησαν τον Μπόις να φορέσει το μανδύα του σαμάνου και να θίξει το θέμα της οικολογίας που θα δέσποζε στην τέχνη από τη δεκαετία του 1970 και μετά.

Το 1965, όμως, ο επιπόλαιος κι ανάλαφρος σκεπτικισμός της Ποπ Αρτ θα συνοδευόταν και από άλλα ερεθίσματα της καταναλωτικής κοινωνίας. «Οπ Αρτ», αυτός ήταν ο αναπόφευκτος χαρακτηρισμός που χρησιμοποίησε

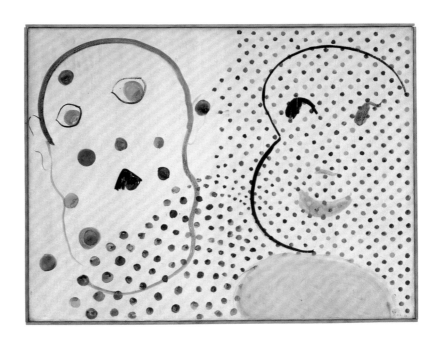

Ζίγκμαρ Πόλκε, *Πατατοκέφαλοι (ο Μάο και ο Λ. Μπ. Τζ.)*, 1965.

ένας αμερικανός δημοσιογράφος όταν μια έκθεση του Μουσείου Μοντέρνας Τέχνης της Νέας Υόρκης παρουσίασε ευρωπαϊκά και λατινοαμερικάνικα πειράματα στην οπτικά διαδραστική τέχνη. Μία καλλιτέχνιδα που συμμετείχε στην έκθεση, η Μπρίτζετ Ράιλι (Bridget Riley), διαπίστωσε ότι οι σχεδιαστές ρούχων αμέσως εκμεταλλεύτηκαν την τακτική πρόκλησης ψευδαισθήσεων την οποία χρησιμοποιούσαν πίνακες όπως η *Καθήλωση 2* [**323**]. Η Ράιλι αντέδρασε έντονα σ' αυτήν την εμπορευματοποίηση και άρχισε να αμφισβητεί τους αόριστα διατυπωμένους αμερικανικούς νόμους για την πνευματική ιδιοκτησία. Δεν συνέδεε το στιγμιαίο ξάφνιασμα που προκαλούσαν τα έργα της στο σύστημα της όρασης με κάποια φουτουριστική επιθυμία για καινοτομία αλλά με την ίδια βαθιά ριζωμένη ανησυχία –«την απώλεια των βεβαιοτήτων που πρόσφερε ο χριστιανισμός», όπως το έθεσε η ίδια η καλλιτέχνιδα– στην οποία βασιζόταν και η λογική του βρετανού ζωγράφου Φράνσις Μπέικον (ο οποίος επίσης επιδίωκε να δημιουργήσει σοκ). Ανήγαγε το πολύ χαρακτηριστικό ύφος των έργων της σ' ένα παιδικό της βίωμα από τις ακτές της Κορνουάλης, με τις εντυπωσιακές αντιθέσεις του φωτός, θέλοντας έτσι να μιμηθεί το παράδειγμα μιας παλιότερης γενιάς αφηρημένων καλλιτεχνών – όπως, για παράδειγμα, του Μπεν Νίκολσον, ο οποίος είχε εγκατασταθεί στο Σεντ Άιβς της Κορνουάλης. Με άλλα λόγια, η υπολογισμένη με ακρίβεια αφαίρεσή της ανήκε σε μια παράδοση και αποτελούσε μια απόπειρα ανάπτυξης των μορφικών της μέσων.

Μήπως όμως αυτό δεν την έκανε να συμβαδίζει με το πρόγραμμα του κριτικού Γκρίνμπεργκ για τη μοντερνιστική τέχνη; Όχι. Ο Γκρίνμπεργκ είχε διαφορετική γνώμη για το τι θα έπρεπε να αποτελεί την «οπτική» ζωγραφική, το οποίο δεν είχε καμία σχέση με τις διαδραστικές ψευδαισθήσεις· το είχε περιγράψει σε μια πρόσφατη κριτική του ως ένα σχεδόν επίπεδο ανάπτυγμα αλληλένδετων ιχνών, κάτι στο οποίο το βλέμμα θα μπορούσε να

σταθεί με ηρεμία και περισυλλογή. Σύμφωνα με τον Γκρίνμπεργκ, οι πραγματικοί διάδοχοι του Πόλοκ ήταν αφη-
ρημένοι ζωγράφοι όπως η Έλεν Φρανκεντάλερ (Helen Frankenthaler) και ο Μόρις Λούις (Morris Louis), οι οποίοι
έβαφαν τον καμβά με τα νέα, εκτυφλωτικά ακρυλικά χρώματα. Ο διαπρεπής νομοθέτης κατέθετε τη δική του εκδο-
χή για το νέο ήθος του ψυχρού, αυτήν τη φορά όμως τα δόγματά του, τα οποία είχαν βοηθήσει την αμερικανική τέ-
χνη να αποκτήσει την παγκόσμια αίγλη της, δέχονταν επίθεση μέσα στο ίδιο τους το οχυρό. Όπως παρατήρησαν
κάποιοι άλλοι κριτικοί της Νέας Υόρκης, ο γκρινμπεργκιανός μοντερνισμός μάλλον είχε δημιουργήσει το δικό του
είδος κιτς, το οποίο γέμιζε τις αίθουσες αναμονής και τα εμπορικά κέντρα του εταιρικού καπιταλισμού με ανώδυνα
αφαιρετικά έργα. Συν τοις άλλοις, οι ολοένα και αυστηρότερες διακρίσεις του Γκρίνμπεργκ έμοιαζαν μην έχουν κα-
μία απολύτως διαφορά από την εμπορική παγίδα του «χαρακτηριστικού ύφους» στην οποία μάλλον είχαν πιαστεί
τόσοι μεταπολεμικοί καλλιτέχνες – μια παγίδα στην οποία, για παράδειγμα, βασανιζόταν και ο Ρόθκο πολύ πριν
από την αυτοκτονία του το 1970.

Ο Ράουσενμπεργκ και ο Τζονς από τη μία και οι καλλιτέχνες της Ποπ Αρτ από την άλλη είχαν οριοθετήσει αντι-
τιθέμενες στάσεις· στην επίθεση όμως κατά της διανοητικής θέσης του Γκρίνμπεργκ πρωτοστάτησε η νεότερη γενιά
διανοούμενων, η οποία ήταν αποφασισμένη να τον υπερφαλαγγίσει όχι μόνο θεωρητικά αλλά και στην πράξη. Μέ-
σα σ' όλους αυτούς τους συλλογισμούς, ο Ντόναλντ Τζαντ (Donald Judd) και ο Ρόμπερτ Μόρις (Robert Morris) θα
επινοούσαν στρατηγικές για να αποδιοργανώσουν το όλο σκεπτικό του Γκρίνμπεργκ για την «οπτική» ενατένιση της
τέχνης – και συχνά επίσης θα φιλονικούσαν μεταξύ τους. Η ανακατασκευή ενός έργου που εξέθεσε ο Μόρις το 1965
[**324**] επιδεικνύει, με τον τρόπο που το κάνει και μια φωτογραφία, το προκλητικό παράδοξο το οποίο σύντομα θα
ονομαζόταν «μινιμαλισμός». Οι κατοπτρικοί κύβοι δεν αφήνουν στο θεατή κάποιο «εσωτερικό περιεχόμενο» ή κά-
ποια προσωπική χειροτεχνία για να εστιάσει. Ταυτόχρονα, προκαλούν ένα παραλήρημα αντικατοπτρισμών και
σκέψεων –του τύπου «Είναι αυτό τέχνη;» και τα λοιπά και τα λοιπά– το οποίο εξαρτάται από τις συνθήκες που σκό-
πιμα δημιούργησε ο καλλιτέχνης.

323 Μπρίτζετ Ράιλι, *Καθήλωση 2*, 1965.

Ο Μόρις είχε μελετήσει τον Μπρανκούζι, με τα αμβλυμένα αντικείμενα και την έμφαση στο σωστό πλαίσιο θέασης. Είχε ακόμα εντρυφήσει στα κείμενα του Μορίς Μερλό-Ποντί (Maurice Merleau-Ponty), ενός συνεργάτη του Σαρτρ που επίσης ήθελε να υπογραμμίσει ότι τα αντικείμενα ποτέ δεν είναι αυτοτελή και ότι πάντα τα βλέπουμε μέσα από το δικό μας σώμα.* Όπως η γλυπτική του Τζακομέτι ψηλαφούσε τον κενό χώρο, έτσι κι αυτό βασάνιζε επίμονα την αυτοσυνείδηση του θεατή, όντας μια τέχνη η οποία προσδιοριζόταν από αυτό που δεν ήταν. Οι πιο κοντινές του συγγένειες –με τις σχεδόν εξίσου αντανακλαστικές επιφάνειες των *Cubi* του Σμιθ, με τα άδεια κουτιά Brillo του Ουόρχολ και με τη νέα προτίμηση της δεκαετίας του 1960 για τους λαμπερούς και φανταχτερούς «φωτορεαλιστικούς» καμβάδες– ενδιέφεραν λιγότερο τον Μόρις. Ήταν ένας ανυπόμονος ριζοσπάστης που επιδίωκε να απελευθερωθεί εντελώς από «την τέχνη της κοπιαστικής παραγωγής αντικειμένων»,** και σύντομα θα άλλαζε μέσο. Ο Τζαντ, αντίθετα, ο οποίος είχε πιο αυστηρή ευαισθησία, χρησιμοποιούσε τις επίσης ελεγχόμενες επαναλήψεις και τα σαφή σχήματα για να επικεντρώσει την προσοχή του θεατή μόνο στο τι ήταν ένα αντικείμενο. Και γι᾿ αυτόν ακριβώς το λόγο οι φωτογραφίες του έργου του μοιάζουν εγγενώς παραπλανητικές.

Ο μινιμαλισμός ήταν μια συναρπαστική στιγμή μέσα στον όλο καταιγισμό των τάσεων, ο οποίος ήταν εξίσου έντονος με αυτόν που είχε σημειωθεί στο Παρίσι πριν από τον Α΄ Παγκόσμιο πόλεμο. Το 1967 ο Μόρις θα επι-

---

* Ο Μερλό-Ποντί ασχολήθηκε με τη φαινομενολογία, τη φιλοσοφία που επικεντρώνεται στο πώς φαίνονται σ᾿ εμάς τα πράγματα· δημοσίευσε τη *Φαινομενολογία της αντίληψης* το 1945.

** Ρόμπερτ Μόρις, «Σημειώσεις για τη γλυπτική, Μέρος IV», στο *Από τη μινιμαλιστική στην εννοιολογική τέχνη: Μια κριτική ανθολογία*, επιστημονική επιμέλεια – εισαγωγή Νίκος Δασκαλοθανάσης, μτφρ. Ελεάννα Πανάγου, Ανώτατη Σχολή Καλών Τεχνών, Αθήνα 2006, σ. 145. (Σ.τ.Μ.)

324 Ρόμπερτ Μόρις, *Άτιτλο*, 1965, επανεκτέθηκε το 1971.

325 Εύα Χέσε, *Άτιτλο*, 1970.

χειρούσε να δημιουργήσει μια τέχνη της «διαδικασίας», η οποία θα ήταν απαλλαγμένη από το προϊόν, χρησιμοποιώντας εύπλαστα υλικά όπως η τσόχα, και θα πλησίαζε έτσι τη «μαλακή τέχνη» που δημιουργήθηκε μετά το *Κρεβάτι* του Ράουσενμπεργκ. Ο δεξιοτέχνης της τσόχας, ο Γιόζεφ Μπόις, ενδέχεται να επηρέασε μια νεότερη καλλιτέχνιδα της Νέας Υόρκης, την Εύα Χέσε (Eva Hesse), όταν η τελευταία επισκέφθηκε την πατρίδα της τη Γερμανία το 1964· εν πάση περιπτώσει, επέστρεψε απ᾽ αυτό το ταξίδι έχοντας μεταπηδήσει από τη ζωγραφική στις τρεις διαστάσεις. (Η ζωγραφική ως μέσο έπεφτε πολύ γρήγορα στη δυσμένεια της πρωτοπορίας.) Δύο χρόνια μετά, η Χέσε θα συμμετείχε στην έκθεση «Εκκεντρική Αφαίρεση» που προανήγγελλε μια νέα τάση και στην οποία υπερίσχυε η γυναικεία παρουσία. Η Χέσε, όντας θιασώτης της «τέχνης της κοπιαστικής παραγωγής αντικειμένων», έπλαθε το λατέξ για να δημιουργήσει διάφανα, τρεμάμενα, εύθραυστα έργα τα οποία έμοιαζαν να παραπέμπουν σε σωματικές αισθήσεις και σωματικές δοκιμασίες. Τα παρεμφερή γλυπτά μιας μεγαλύτερης σε ηλικία καλλιτέχνιδας που συμμετείχε στην έκθεση, της Λουίζ Μπουρζουά (Louise Bourgeois), ήταν σχεδόν ευθείες ψυχολογικές μεταφορές, αλλά τα έργα της Χέσε ήταν πολύ πιο αμφίσημα. Όντας εξοικειωμένη με την πολεμική γύρω της, υπερκέρασε την άρνηση των μινιμαλιστών να προσφέρουν αυτοτελή εικαστική ικανοποίηση με την απροθυμία της να συνταχθεί με οποιαδήποτε μορφή λεκτικής αιτιολόγησης. Το 1970 η Χέσε ξεκίνησε ένα πείραμα με επιστρωμένα με λατέξ σκοινιά [**325**], λίγο πριν πεθάνει από όγκο στον εγκέφαλο σε ηλικία τριάντα τεσσάρων ετών. Το πείραμα αυτό εξακολουθεί να γεννά εικασίες και ταυτόχρονα να τις ανατρέπει. Μήπως είναι ένα εκτεθειμένο και εύθραυστο κουβάρι από νεύρα, από έντερα; Μήπως είναι μια «αντιμορφική» δομή στο χώρο που δεν έχει ούτε κορμό ούτε και λογική, ένα γλυπτικό παράδοξο; Ίσως ονειρεύεται εκ νέου, στις τρεις διαστάσεις, τα νήματα της απελευθερωμένης δράσης που είχε υφάνει ο Πόλοκ είκοσι χρόνια νωρίτερα, στέλνοντάς τα σ᾽ έναν στοιχειωμένο και ακαθόριστο μεταβατικό χώρο. Σήμερα, το λατέξ σαπίζει αναπόφευκτα στο Μουσείο Ουίτνι της Νέας Υόρκης.

Αυτό μπορεί να πρόσφερε κάποια κρυφή ικανοποίηση σ' έναν από τους νέους κριτικούς και καλλιτέχνες της Νέας Υόρκης, τον Ρόμπερτ Σμίθσον (Robert Smithson). Ο Σμίθσον αγαλλίαζε με την «κοσμική ερήμωση» και την «εξαίσια μελαγχολική μετατόπιση» της Χέσε. Συνέκλιναν με τη δική του επιθυμία διάβρωσης των σταθερών μορφών της αισθητικής εμπειρίας αλλά και με τον ενθουσιασμό του για την ιδέα ενός σύμπαντος που εξαπλωνόταν αδιαφορώντας για την τέχνη. Σύμφωνα με τον Σμίθσον, ωστόσο, αυτή η «άδεια λευκή αίθουσα με τα φώτα» στην οποία εκτίθεται το έργο της Χέσε απλώς και μόνον ακύρωνε τη δραστικότητά του, κάνοντάς το μια «εικαστική τροφή».* Ο Σμίθσον ήταν ο κορυφαίος εκφραστής μιας ομάδας που ήθελε να προχωρήσει πέρα από το εσωστρεφές σύστημα των γκαλερί του Μανχάταν και να προσδώσει μια γεωγραφική διάσταση στην αλληλεπίδραση της «τέχνης» και της «ζωής» του Ράουσενμπεργκ. Κι αυτό, επιπλέον, αποτελούσε ένα γιγαντιαίο άλμα στην κλίμακα· στην περίπτωση του Σμίθσον, αυτή η αναζήτηση τον οδήγησε το 1970 στις ακατοίκητες όχθες της Μεγάλης Αλμυρής Λίμνης της Γιούτα, όπου νοίκιασε ανατρεπόμενα φορτηγά για να κατασκευάσει μια *Σπειροειδή προβλήτα* μήκους 460 μέτρων [**326**]. Αυτή η τεράστια, οιονεί νεολιθική εικόνα χάθηκε όταν ανέβηκαν τα

326 Ρόμπερτ Σμίθσον, *Σπειροειδής προβλήτα*, 1970.

* Παραθέματα από το «Quasi-infinities...» (1966) και το «Cultural Confinement» (1972), που περιλαμβάνονται στο *Collected Writings* (1976).

327 Ντένις Όπενχαϊμ, *Δίνη (Το μάτι της καταιγίδας)*, 1973. Ο Όπενχαϊμ, ο οποίος ανήκε στη γενιά αμερικανών καλλιτεχνών που έψαχναν χώρους για να εναντιωθεί στους περιορισμούς της γκαλερί, νοίκιασε ένα ελαφρύ αεροπλάνο για να κάνει το σπειροειδές σχήμα ενός ανεμοστρόβιλου στον ανέφελο ουρανό πάνω από την έρημο Μοχάβι και κατέγραψε το γεγονός σε βίντεο. Κατόπιν, κρέμασε στον τοίχο κάποιας γκαλερί μια σειρά φωτογραφιών, η οποία συνοδευόταν από την αντίστοιχη δακτυλογραφημένη τεκμηρίωση.

νερά της λίμνης λίγο μετά το θάνατό του σε αεροπορικό δυστύχημα το 1973 (αργότερα, ωστόσο, θα ερχόταν και πάλι στην επιφάνεια), ένα αποτέλεσμα στο οποίο έμοιαζε να προσβλέπει ο εντερνισμός της ερείπωσης. Ακόμα πιο εφήμερη, όμως, ήταν η παραπλήσια μορφή που δημιούργησε ένας άλλος «καλλιτέχνης της γης», ο Ντένις Όπενχαϊμ (Dennis Oppenheim), το 1973, όταν έδωσε οδηγίες σ' ένα ελαφρύ αεροπλάνο να χαράξει έναν ανεμοστρόβιλο στον ουρανό πάνω από την έρημο Μοχάβι [**327**]. Ο Όπενχαϊμ απέβλεπε σε μια τέχνη που περιστρεφόταν γύρω απ' τη μεταφορά ενός είδους συστήματος ή γεγονότος σ' ένα άλλο. Σε μια άλλη φωτογραφημένη δράση του, ξάπλωσε μ' ένα βιβλίο πάνω στο γυμνό του στήθος μέχρις ότου το ηλιακό έγκαυμα αφήσει το αρνητικό του αποτύπωμα πάνω στο δέρμα του.

Η χειρονομία του βρισκόταν στο πιο ήπιο και πειθαρχημένο άκρο των αμέτρητων «περφόρμανς» και «σωματικών δράσεων» που, ήδη από τις αρχές της δεκαετίας του 1960, απασχολούσαν τους πρωτοποριακούς καλλιτέχνες για πάνω από δέκα χρόνια. Το ζεν ήθος που διέπνεε τον συνθέτη Τζον Κέιτζ τροφοδότησε τις περφόρμανς του κορεάτη Ναμ Τζουν Πάικ (Nam June Paik), ο οποίος έσπασε με τελετουργικό τρόπο ένα βιολί το 1962, και της γιαπωνέζας Γιόκο Όνο (Yoko Ono), που πρόσφερε ψαλίδια στους θεατές το 1965 και στη συνέχεια καθόταν απαθής όσο έκοβαν κομμάτια τα ρούχα της.* Παραδείγματα, ωστόσο, που υποδείκνυαν την πράξη της κοπής έρχονταν απ' όλες τις κατευθύνσεις. Το κοπίδι που είχε τρυπήσει τον καμβά του Φοντάνα το 1960 προανήγγειλε τον μπαλτά με τον οποίο ο Χέρμαν Νιτς (Hermann Nitsch) θα έσφαζε βόδια στις «Δράσεις» («Aktionen») του στη Βιέννη, το ηλεκτρικό πριόνι του Γκόρντον Μάτα-Κλαρκ (Gordon Matta-Clark), που θα έκοβε στη μέση ένα σπίτι στο Μπρούκλιν το 1973, και το ξυράφι με το οποίο η Τζίνα Πέιν (Gina Pane) θα χαράκωνε το στομάχι της το 1974. Και, βέβαια, συνεχώς προτείνονταν εντατικά θεωρητικά προγράμματα για την αξιοποίηση ακατονόμαστων αποθεμάτων ενέργειας και επιθετικότητας.

Από μια άποψη αυτό που κυριαρχούσε ήταν ο λόγος, είτε πάνω στη σάρκα είτε πάνω στη γη. Στα τέλη της δεκαετίας του 1960 αυτός που παρουσίασε την άψογη πρωτοποριακή στάση ήταν ο «εννοιολογικός καλλιτέχνης»: ο καλλιτέχνης που απομακρυνόταν από τα εμπορεύματα και τον καπιταλισμό με το να μην παράγει κανένα αντικείμενο. Το παλιό καλαμπούρι που έκαναν οι προθεσιακοί καλλιτέχνες στο Παρίσι της δεκαετίας του 1880 –το έργο τέχνης το οποίο αποτελούνταν μόνο από έναν τίτλο– επαναλήφθηκε πάρα πολλές φορές. Ο καλλιτέχνης της δυτικής ακτής Μπρους Νάουμαν (Bruce Nauman) εξέθεσε εσκεμμένα βλακώδεις φράσεις οι οποίες ήταν γραμμένες με νέον· ήταν μία από τις πολλές τακτικές που δοκίμασε για να εμπλέξει τους

---

* Και οι δύο ήταν μέλη του φλούξους, μιας χαλαρής διεθνούς ομάδας που από το 1962 και μετά οργάνωνε γεγονότα από τη Νέα Υόρκη ως τη Γερμανία. Επικεφαλής της ήταν ένας ιμπρεσάριος που λεγόταν Τζορτζ Μακιούνας, ο οποίος συμμεριζόταν το ενδιαφέρον του Όπενχαϊμ για τη συστηματοποίηση των φαινομενικά ανόητων πραγμάτων που μπορούσε να κάνει κανείς. Ο Μπόις συμμετείχε κι αυτός περιστασιακά στην ομάδα.

θεατές στη δύσκολη θέση τού να πρέπει να είσαι καλλιτέχνης, του να πρέπει να σκεφτείς κάτι για να κάνεις. Μια άλλη τακτική ήταν οι επαναλαμβανόμενες δράσεις που πραγματοποιούσε και κατέγραφε σε βίντεο – ένα μέσο το οποίο διεκδίκησε για την τέχνη ο Ναμ Τζουν Πάικ όταν αγόρασε μια καινούργια κάμερα Sony Portapak το 1965. Οι τυχαίες πληροφορίες που ξετυλίγονται στο χρόνο –η καθαρή αμοντάριστη καταγεγραμμένη πραγματικότητα– μπορούσε τώρα να γίνει το «περιεχόμενο» στο οποίο είχε συντονίσει το βλέμμα των θεατών ο Ράουσενμπεργκ.

Οι λέξεις· ο χρόνος· το σώμα του ίδιου του καλλιτέχνη· η έκταση του ουρανού και της γης. Όταν ο Γκρίνμπεργκ αναφερόταν στο «μοντερνισμό», εννοούσε μια γραμμή αυστηρά εστιασμένης μορφικής αναθεώρησης που πίστευε πως είχε ξεκινήσει στο Παρίσι της δεκαετίας του 1860 με τον Μανέ και είχε περάσει, μέσω του Σεζάν και του Πικάσο, στη Νέα Υόρκη των μέσων του 20ού αιώνα. Με όποιον τρόπο κι αν υπήρξε ποτέ αυτή η γραμμή, το 1973 –τη χρονιά του θανάτου του Πικάσο– ήταν ολοφάνερο ότι είχε γίνει πια καπνός.

Πλουραλιστικό / μεταμοντέρνο
ΗΠΑ, Γερμανία, Καναδάς, Ινδία, Αυστραλία, 1969–1989

Ο Όπενχαϊμ επέμενε στην ποιητικότητα της δράσης του 1973 *Δίνη* σαν να βρισκόταν σε άρνηση. «Ποτέ δεν ήμουν από εκείνους που αντιδρούν θετικά στη φύση. [...] Το μόνο που υπήρχε ήταν η θεωρία για χάρη της τέχνης». Η φωτογραφία που παραθέσαμε παραπάνω παρουσιάστηκε, όπως ήταν η συνήθης πρακτική στις γκαλερί της δεκαετίας του 1970, μαζί με τις δακτυλογραφημένες συντεταγμένες του γεγονότος, ως μέρος μιας σειράς τεκμηρίωσης. Ήταν μια δεκαετία όπου η σκεπτικιστική ορθοδοξία του κόσμου της τέχνης απέτρεπε την απόλαυση του να κοιτάζει κανείς εικόνες και όπου επίσης η σχετική οικονομική ύφεση αποθάρρυνε την πώλησή τους. Η μεταφορά της διεθνούς καλλιτεχνικής δραστηριότητας σε βασισμένα στο χρόνο μέσα όπως η περφόρμανς και το βίντεο αυξάνει τη δυσκολία, αποτελώντας εμπόδιο για τους ιστορικούς απ' αυτό το σημείο και έπειτα, να απεικονιστούν ικανοποιητικά οι νέες εξελίξεις με στατικές εικόνες. Ίσως όμως να μπορούμε τελικά να εντοπίσουμε κάποιους παράγοντες και κάποια θέματα που αποτελούν τη βάση της ραγδαίας και συγκλονιστικής ανάπτυξης της τέχνης.

Οι έντονα ουτοπικές ελπίδες τις οποίες είχε γεννήσει η μεταπολεμική ευημερία εκφράστηκαν με τον εντυπωσιακότερο τρόπο στις φοιτητικές εξεγέρσεις που ξέσπασαν από το Παρίσι ως το Τόκιο στα τέλη της δεκαετίας του 1960. Κατόπιν, η «αντικουλτούρα» είτε κατέφυγε στην τακτική του ανταρτοπόλεμου στη συνεχιζόμενη αντιπαράθεσή της με τον καπιταλισμό είτε εσωτερίκευσε αυτή την τακτική. Αυτό, εν μέρει, ήταν ένα πρόγραμμα ανατροπής· το 1971, για παράδειγμα, ο γερμανός εννοιολογικός καλλιτέχνης Χανς Χάακε (Hans Haacke) θα προσπαθούσε να χρησιμοποιήσει μια έκθεση στο Μουσείο Γκούγκενχαϊμ της Νέας Υόρκης για να αποκαλύψει μια αισχροκερδή κτηματομεσιτική επιχείρηση στην οποία συμμετείχαν έμμεσα κάποια μέλη του διοικητικού συμβουλίου του μουσείου. (Η έκθεσή του ματαιώθηκε.) Σε ευρύτερο επίπεδο, όμως, το σύνθημα «το προσωπικό είναι πολιτικό» γνώρισε απήχηση. Για να κατακτήσει την πόλη, «η επανάσταση» έπρεπε πρώτα να καταλάβει το σπίτι και το μυαλό. Το κοινωνικό φύλο έγινε ένας από τους βασικούς στίβους της ριζοσπαστικής δραστηριότητας. Το διεθνές φεμινιστικό κίνημα της δεκαετίας του 1970 αμφισβήτησε την ανδρική κυριαρχία του δυτικού καλλιτεχνικού κυρίαρχου ρεύματος που εκτεινόταν ως την αρχαία Ελλάδα και, ειδικότερα, εξέφρασε την αντίθεσή του στα μάτσο στερεότυπα του μοντερνισμού τα οποία αντιπροσώπευαν ο Πικάσο και ο Πόλοκ, προκαλώντας έτσι μια μακροχρόνια συζήτηση ως προς το τι θα μπορούσε να τα αντικαταστήσει.

Η συζήτηση αυτή αξιοποιούσε και ενθάρρυνε την ανάπτυξη των καλλιτεχνικών μορφών. Η Άνα Μεντιέτα (Ana Mendieta) σπούδασε και δίδαξε στο μάθημα «πολυμέσων» που ξεκίνησε στο Πανεπιστήμιο της Αϊόβα το 1970. Η τέχνη της, η οποία είχε διαμορφωθεί από τη μελέτη της παγκόσμιας μυθολογίας, ξεκίνησε με οιονεί τελετουργικές, καθαρτικές γυμνές περφόρμανς, αλλά την εποχή όπου η Μεντιέτα συνάντησε τις φεμινιστικές ομάδες της Νέας Υόρκης στα μέσα της δεκαετίας του 1970, είχε ήδη προχωρήσει στην κατασκευή και φωτογράφιση ομοιωμάτων στο τοπίο, τα οποία ονόμαζε siluetas, «σιλουέτες». Σε έργα της όπως το *Isla* του 1981 [**328**] πρότεινε το αρχέτυπο της αργιλώδους, υλικής γονιμότητας που ενσάρκωνε κάποτε η νεολιθική «Γυναίκα του Πάζαρτζικ» [βλ. **16**] και έκτοτε είχε εκτοπιστεί από την πολιτισμική ιεραρχία. Τα σύμβολα αυτά εκπροσωπούσαν μια πιθανή κατεύθυνση για το φεμινισμό. Όπως όμως υποδηλώνει η επιλογή τίτλου της Μεντιέτα, μια ταπεινά πλασμένη εικόνα μπορούσε να πυροδοτήσει συνδέσεις με άλλα πεδία διαπάλης. Ονόμασε το υποκατάστατο του σώματός της «νησί» θέλοντας να υποδείξει την Κούβα, τη χώρα από την οποία είχε εκδιωχθεί σε ηλικία δώδεκα ετών. Άφηνε να εννοηθεί ότι η εξορία και η απομόνωση αντιπροσώπευε την κατάστασή της όχι μόνο ως γυναίκας στον κόσμο της τέχνης, αλλά και ως Λατινοαμερικάνας από μια χώρα που οι Ηνωμένες Πολιτείες προσπαθούσαν από καιρό να καθυποτάξουν. Η στάση της αποτελούσε εν μέρει πρόκληση και εν μέρει εξέφραζε πάθος. Και ακριβώς εξαιτίας αυτού του πάθους –εξαιτίας του τρόπου με τον οποίο αυτή η εικονοποιία συνέχιζε μια μακρά παράδοση εσωστρεφούς γυναικείας αυτοπροσωπογραφίας– έγινε το είδος της ουσιώδους δήλωσης για τη «γυναίκα» που μια άλλη, περισσότερο βασισμένη στη θεωρία πτέρυγα του φεμινιστικού κινήματος θα επιδίωκε να διαφωτίσει, κατά κύριο λόγο μέσω της τακτικής των ντοκιμαντέρ.

Η πτώση της Μεντιέτα από το παράθυρο ενός διαμερίσματος στη Νέα Υόρκη το 1985 προσέδωσε μια επιπλέον διάσταση στην εικονοποιία της – όπως ακριβώς και η Εύα Χέσε έγινε φεμινιστικό σύμβολο μετά το θάνατό της το 1970. Όταν όμως διέσχισε ένα ποταμάκι για να αναδημιουργήσει

328 Άνα Μεντιέτα, *Isla*, 1981.

329 Τζουζέπε Πενόνε, *Δέντρο 12 μέτρων*, 1980–82.

την κουβανική θρησκεία της φύσης Σαντερία (την οποία είχε εξυμνήσει ο Βιλφρέντο Λαμ σαράντα χρόνια πριν), η Μεντιέτα βυθίστηκε και σ᾽ ένα άλλο ρεύμα της αντικουλτούρας: την εμφάνιση των οικολογικών ευαισθησιών. Η φωτογραφία της Μεντιέτα από ένα εφήμερο ίχνος που παραδίνεται στη ροή της φύσης έχει κάποιες ομοιότητες με τις καταγραφές τις οποίες έκανε ο άγγλος καλλιτέχνης Ρίτσαρντ Λονγκ (Richard Long) πατημασιών μέσα σε λιβάδια ή με τις πέτρες σε μακρινά οροπέδια τις θέσεις των οποίων άλλαξε. Αυτές ήταν μικρές υποδειγματικές χειρονομίες, οι οποίες στόχευαν να διορθώσουν την ολοένα και πιο καταστροφική σχέση ανάμεσα στο ανθρώπινο γένος και τον πλανήτη που καταλαμβάνει. Κάποιες μεγαλύτερες χειρονομίες έκανε ο Μπόις προς το τέλος της σταδιοδρομίας του· το 1982, για παράδειγμα, παρέκαμψε το όριο ανάμεσα στον καλλιτέχνη και τον ακτιβιστή όταν υπέβαλε στην Documenta –την έκθεση που γίνεται ανά πενταετία στο Κάσελ της Γερμανίας– την πρόταση να φυτέψει στους δρόμους 7.000 βελανιδιές. Η Άρτε Πόβερα, η ομάδα που συγκέντρωσε το 1967 ο ιταλός επιμελητής και κριτικός Τζερμάνο Τσέλαντ, εργαζόταν με το ίδιο περίπου πνεύμα. Ο αυτοσχεδιασμός των καλλιτεχνών που συμμετείχαν στην έκθεση με τα «φτωχά» υλικά –το χώμα, τα λαχανικά, ακόμα και τα ζωντανά ζώα– σκόπευε να οδηγήσει την τέχνη σε μια νέα και ταπεινότερη βάση. Ο Τζουζέπε Πενόνε (Giuseppe Penone) δούλεψε «σαν μαραγκός» (όπως δήλωσε ο ίδιος) για να αντιστρέψει τις σχέσεις ανάμεσα στη φύση και τα βιομηχανικά προϊόντα, αποκαλύπτοντας έτσι τη ροή της ζωής μέσα σ᾽ ένα δοκάρι [**329**].

Αυτά που σκάλιζε ο Πενόνε τον συνέδεαν με δεξιοτεχνίες από το δικό του αγροτικό περιβάλλον, καθώς και με διάφορα προηγούμενα στην ιταλική τέχνη – όχι μόνο με τις χειρονομίες του Φοντάνα με το κοπίδι, αλλά και με όσα σμίλευε ο Μιχαήλ Άγγελος, βγάζοντας στο φως τη μορφή που κρυβόταν μέσα στο μάρμαρο. Η επιδέξια, απόμακρη και ανειδίκευτη εννοιολογική τέχνη μπορούσε έτσι να μεταφερθεί σε μια εντατική επανεφεύρεση της εξευγενισμένης χειροτεχνίας. Οι φεμινίστριες που είχαν εισαγάγει το «μονοπώλιο των γυναικών» στο εργόχειρο στις αίθουσες τέχνης επίσης μετέφεραν την έμφαση από τη θεωρία στην πρακτική – και ως εκ τούτου στην φιλόπονη παραγωγικότητα. Ο Πενόνε εξέθεσε για πρώτη φορά την κυριολεκτικά μεστή ιδέα του το 1969, αλλά εξακολουθούσε να την επιδεικνύει το 1982, χρονιά κατά την οποία έφτιαξε το έργο που παρουσιάζεται εδώ. Το όλο θέμα ήταν να συλλάβει μια συνοπτική μετασχηματιστική αρχή –έναν τρόπο για να δουλεύει ευφυώς πηγαίνοντας αντίθετα στο δεδομένο γούστο– και να μείνει πιστός σ᾽ αυτήν.

Αυτό, όπως μας δείχνει μια επίσκεψη σε οποιοδήποτε μουσείο μοντέρνας τέχνης, έγινε η ορθόδοξη τακτική για αμέτρητους γλύπτες έκτοτε, όποια κι αν είναι τα ιδιαίτερα γνωρίσματα του υλικού που ανατρέπουν. Άπαξ και το λάβουμε αυτό υπόψη μας, μπορούμε επίσης να διακρίνουμε ότι την εποχή που δημιουργήθηκε αυτό το *Δέντρο 12 μέτρων* είχαν κατά κάποιον τρόπο ισοπεδωθεί οι επαναστάσεις στην τρισδιάστατη σκέψη που αντιπροσώπευαν ο μινιμαλισμός, η Χέσε και η Μπουρζουά, καθώς και η

330 Φίλιπ Γκάστον, *Το εργαστήριο*, 1969.

τέχνη της γης. Από τα μέσα της δεκαετίας του 1960, οπότε η γλυπτική πήρε διαζύγιο από τη μορφή, ο κατοικήσιμος χώρος αποτελούσε το βασικό πεδίο της καλλιτεχνικής καινοτομίας στα μάτια του μητροπολιτικού κόσμου της τέχνης. Το 1980, όμως, το επίκεντρο της προσοχής επέστρεφε στη ζωγραφική. Για να εξηγήσουμε αυτήν τη μεταστροφή πρέπει να κάνουμε μερικά βήματα πίσω, αλλά και να διευρύνουμε το εστιακό μας πεδίο.

Η αντίδραση της δεκαετίας του 1960 ενάντια στον αφηρημένο εξπρεσιονισμό δεν περιοριζόταν στους μινιμαλιστές και στους καλλιτέχνες της Ποπ Αρτ. Ο Φίλιπ Γκάστον (Philip Guston), ένας από τους σημαντικότερους αφηρημένους ζωγράφους της Νέας Υόρκης, κατέληξε μετά τα πενήντα του να θεωρεί ότι το τρεμάμενο, στοχαστικό ύφος για το οποίο φημιζόταν ήταν μια παγίδα. Ο Γκάστον γύρισε πίσω στην πολιτικοποιημένη, αντιρατσιστική παραστατικότητα που είχε διδαχθεί τη δεκαετία του 1930, καθώς και στα κόμικς της παιδικής του ηλικίας. «Είχα μπουχτίσει πια μ' όλη αυτήν την Καθαρότητα! Ήθελα να αφηγηθώ Ιστορίες» σημείωσε λίγο καιρό αφότου ζωγράφισε *Το εργαστήριο* [**330**] το 1969. Ο πίνακας τυλίγει τη φιλοσοφική αυτοπροσωπογραφία των Παλιών Δασκάλων –όπως, για παράδειγμα, των *Meninas* του Βελάσκεθ [βλ. **186**]– με το καταχθόνιο και γελοίο ένδυμα των μελών της Κου Κλουξ Κλαν. Η όλη παράδοση είχε γίνει παράλογη, συνυπαίτια του πολιτικού κακού: «Τι σόι άνθρωπος είμαι όταν κάθομαι σπίτι, διαβάζω περιοδικά, με πιάνει μια ματαιωμένη οργή για τα πάντα και μετά πηγαίνω στο εργαστήριό μου *για να ταιριάξω ένα κόκκινο μ' ένα μπλε*».

Ο Γκάστον κατέφευγε στις μικρές ώρες, κατά τις οποίες κάπνιζε μόνος και ζωγράφιζε σολιψιστικά, επειδή προσπαθούσε κατά κάποιον τρόπο να επανασυνδεθεί με τον ευρύτερο κόσμο πέρα από τη δεσποτική καλλιτεχνική σκηνή της Νέας Υόρκης. Οι Ηνωμένες Πολιτείες βρίσκονταν στα μέσα του καταστροφικού Πολέμου του Βιετνάμ, και οι καλλιτέχνες από τις άλλες μεγάλες πόλεις έθιγαν ευθέως την αποτελμάτωση της χώρας τους στη βία. Στο Λος Άντζελες, ο γλύπτης Εντ Κίνχολτζ (Ed Kienholz) κατασκεύαζε ταμπλό όπως το *Φορητό μνημείο πολέμου* του 1968, χρησιμοποιώντας γύψινους στρατιώτες σε φυσικό μέγεθος, ένα μηχάνημα αυτόματης πώλησης Coca-Cola, τραπέζια καφενείου, ηχογραφημένη μουσική κι έναν ταριχευμένο σκύλο, για να περιγράψει το παρανοϊκό συνεχές του καταναλωτισμού και του μιλιταρισμού [**331**]. Η χονδροειδής, έντονα σατιρική και «τρομαχτική»* ευαισθησία της σκηνής της δυτικής ακτής στην οποία ανήκε ο Κίν-

331 Εντ Κίνχολτζ, *Το φορητό μνημείο πολέμου,* 1968.

---

* Ο όρος Funk Art (τρομαχτική τέχνη) χρησιμοποιείται αναφορικά με τα έργα που παράγονταν στην Καλιφόρνια τις δεκαετίες του 1950 και του 1960, στα οποία χρησιμοποιούνταν ασυνήθιστα υλικά και συνδυάζονταν στοιχεία ζωγραφικής και γλυπτικής. (Σ.τ.Μ.)

332 Γκέρχαρντ Ρίχτερ, *Γυναίκα που κατεβαίνει μια σκάλα*, 1965. Ο Ρίχτερ, ήδη από τις αρχές της δεκαετίας του 1960, ειδικευόταν στις «σβησμένες» ζωγραφικές επιφάνειες όπου δεν διακρινόταν κανένα ίχνος εκφραστικής ζωτικότητας. Εργαζόταν με βάση την αρχή ότι η φωτογραφική μηχανή έχει προνομιακή πρόσβαση στον αντικειμενικό κόσμο και ότι ο ζωγράφος αποκτούσε ένα είδος φιλοσοφικής ελευθερίας αν εργαζόταν με βάση ό,τι αυτή κατέγραφε. Κάποιες φορές ο Ρίχτερ αφαιρούσε κάθε πληροφορία από τις εικόνες του, ενώ κάποιες άλλες φορές –όπως συμβαίνει εδώ– το περιεχόμενο και το σχέδιό τους ήταν εντελώς κλασικό. Η απόφασή του να ζωγραφίσει το δοκιμασμένο από τον Ντισάν και τον Μπερν-Τζόουνς (**285**, **259**) μοτίβο της γυναίκας στη σκάλα μπορεί να ήταν ένα πονηρό εσωτερικό καλλιτεχνικό αστείο.

χολτζ μάλλον βρισκόταν πιο κοντά στο πνεύμα του Ντιξ, του Μπέρνι και στο ξυλόγλυπτο των Μακόντε της Τανζανίας παρά σε οποιοδήποτε έργο από την ψυχρή ακτή του Ατλαντικού. Ο Γκάστον μπορεί να επέστρεφε στην παραστατική ζωγραφική, αλλά ο Λίον Γκόλουμπ (Leon Golub) ασχολιόταν με αυτήν ήδη από τον καιρό που σπούδαζε στο Σικάγο στα τέλη της δεκαετίας του 1940· τώρα άρχιζε να τη χρησιμοποιεί ως μαρτυρία κατά των ρίψεων βομβών ναπάλμ στον άμαχο πληθυσμό του Βιετνάμ, μουτζουρώνοντας και χαράζοντας εικόνες των ωμοτήτων στο εξωτερικό σε κομμάτια λινού που κάλυπταν όλο τον τοίχο.

Το 1970 οι κριτικοί της Νέας Υόρκης ήδη θεωρούσαν ότι ο βασανισμένος και ζοφερός ρεαλισμός του Γκόλουμπ ήταν απαράδεκτος, ενώ, όπως ήταν αναμενόμενο, αποδοκίμαζαν το πονηρά ακατέργαστο, νέο «αδέξιο» ύφος του Γκάστον. Το 1980 και οι δύο καλλιτέχνες, που αμφότεροι ήταν προχωρημένης ηλικίας, είχαν ήδη γίνει «σημαντικές παρουσίες». Γιατί;

Εδώ πρέπει να λάβουμε υπόψη μας τις ευρύτερες αυξητικές τάσεις. Καθ' όλο το διάστημα της μεταπολεμικής ευημερίας, οι πολιτείες που βρίσκονταν στο στόχαστρο της αντικουλτούρας δαπανούσαν με σταθερούς ρυθμούς χρήματα για την καλλιτεχνική πολιτική αλλά και για την καλλιτεχνική εκπαίδευση. Η πλουραλιστικά περιεκτική πολιτική που χρηματοδοτούσε καλλιτέχνες των νέων μέσων –όπως, για παράδειγμα, τη Μεντιέτα στην Αϊόβα– είχε πολύ μεγαλύτερη επιρροή στη Δυτική Γερμανία. Εκεί, το «οικονομικό θαύμα» δημιούργησε την ανανεωμένη δέσμευση –ύστερα από δώδεκα χρόνια ναζισμού– προς τις τέχνες, σ' έναν πνευματικό πολιτισμό που είχε από παλιά την παγκόσμια πρωτοκαθεδρία στη μελέτη της αισθητικής και της ιστορίας της τέχνης. Αυτή η φιλοσοφική στάση διαπότιζε τη ζωγραφική της Δυτικής Γερμανίας, με σημαντικότερο παράδειγμα την ψυχρή, αποστασιοποιημένη και αποδυναμωτική εξέταση της φωτογραφικής εικονοποιίας από τον Γκέρχαρντ Ρίχτερ [**332**]. Επέτρεψε επίσης έναν περιορισμένο πολιτισμικό χώρο για την αναρχική σάτιρα του φίλου του Ρίχτερ, του Πόλκε, καθώς και για τον ακτιβισμό του δασκάλου του Πόλκε, του Μπόις. Η πρόκληση για τους γερμανούς καλλιτέχνες ήταν το να δοκιμάσουν αυτά τα όρια. Όταν ο ζωγράφος Γκέοργκ Μπάζελιτς (Georg Baselitz) θα επιχειρούσε, μεταφορικά, να κατεβάσει τα παντελόνια της Γερμανίας και να φέρει στο φως το όνειδος του ναζιστικού της παρελθόντος, η αστυνομία του Βερολίνου θα έκλεινε την ωμά εξπρεσιονιστική έκθεσή του. Αυτά συνέβαιναν το 1963. Το 1972, όμως, ένας κορυφαίος έμπορος τέχνης της Κολωνίας θα αναλάμβανε τον Άνσελμ Κίφερ (Anselm Kiefer), ένα μαθητή του Μπόις που είχε ξύσει πρόσφατα την ίδια πληγή με τις φωτογραφίες στις οποίες χαιρετούσε ναζιστικά, και απ' αυτό το σημείο και μετά θα ξεκινούσε η πολύ φιλόδοξη και παραγωγική πορεία του στην τέχνη.

Ο Κίφερ άφησε στον εαυτό του το περιθώριο να εξετάσει το τραύμα της προηγούμενης γενιάς (μολονότι απομάκρυνε με τη στάση του πολλούς συμπατριώτες του) τοποθετώντας το στο γενικό πλαίσιο της μυθολογίας. Όπως και η Μεντιέτα, ο Κίφερ διάβαζε, έβρισκε αντιστοιχίες και συνέθετε νέα σύνολα. Μήπως και ο Χίτλερ δεν ήταν ένας καλλιτέχνης κατά βάθος, μήπως δεν είχαν φρικιαστικές ομοιότητες; Ο καλλιτέχνης χρησιμοποιεί επιδέξια τη σπουδαία

333 (δεξιά) Άνσελμ Κίφερ, *Ίκαρος (Άμμος του Μαρτίου)*, 1981.

334 (απέναντι) Ζαν-Μισέλ Μπασκιά, *Πολεμιστής*, 1982.

του ιδέα, καθώς επιθυμεί τη μεταμόρφωση του καθαρά υλικού και ονειρεύεται την άνοδό του σ' ένα άλλο επίπεδο... Μήπως δεν ήταν ο Ίκαρος [**333**], το αγόρι του αρχαιοελληνικού μύθου που ήθελε να πετάξει, κάποιος που υπερτίμησε τις δυνάμεις του για να συντριβούν τα φτερά και η παλέτα του στη γη, στις καψαλισμένες εκτάσεις της Γερμανίας; Αυτή ήταν μια πιο δυσοίωνη ανάγνωση του παραλογισμού του μοναχικού καλλιτέχνη. Ο Γκάστον συνδύαζε τη χρωστική ουσία με τον καπνό· ο Κίφερ την εξομοίωνε με τη φωτιά και τις στάχτες. Ο ολοένα και πιο μπερδεμένος κοσμικός συμβολισμός του τον ωθούσε σ' έναν ολοένα και πιο επιστρωμένο συνδυασμό υλικών – χρησιμοποιώντας «λάδι, γαλάκτωμα, γομαλάκα και άμμο πάνω σε φωτογραφία κολλημένη σε καμβά», όπως γράφει η λεζάντα αυτού του τεράστιου έργου. Τα ιδιαίτερα χαρακτηριστικά της γερμανικής ιστορίας βαθμιαία μειώθηκαν στο έργο του Κίφερ κι έμεινε ένας πομπώδης, ερειπωμένος λυρισμός με γραμμένες λέξεις γεμάτες τραχιά χάρη που το γύριζε στις ρίζες του, στο λεκτικό πρόγραμμα της εννοιολογικής τέχνης. Όπως και πολλές άλλες αναδυόμενες τέχνες της δεκαετίας του 1970, τα έργα του Κίφερ ψηλαφούσαν το όριο ανάμεσα στο κείμενο και την εικόνα, εκ των οποίων το πιο θεαματικό παράδειγμα είναι μια κολοσσιαία, ζοφερή βιβλιοθήκη με βιβλία επενδεδυμένα με μολύβι, το *Zweistromland* του 1991.

Η παραγωγή του Κίφερ αποτελούσε, άραγε, ένα νέο πρότυπο για τη ζωγραφική; Είχε διάφορες συγγένειες με άλλα έργα που βρίσκονταν κοντά στο μύθο και στο ψυχόδραμα (όπως, για παράδειγμα, με αυτό του Κεν Κιφ [Ken Kiff] στο Λονδίνο). Στην πραγματικότητα, καθώς οι έμποροι τέχνης της Κολωνίας προωθούσαν τον Κίφερ και τον Μπάζελιτς στη διεθνή αγορά στα τέλη της δεκαετίας του 1970, φαινόταν ότι μια γενιά ποιητικά φιλόδοξων ζωγράφων καραδοκούσε στα παρασκήνια, περιμένοντας να έρθει η σειρά της. Ανάμεσα σε ό,τι έγινε γνωστό στην Ιταλία ως η Transavanguardia,* ο Φραντσέσκο Κλεμέντε (Francesco Clemente) συμμεριζόταν την προτίμηση του Κίφερ για τα μυστικιστικά κράματα. Ανάμεσα στους «νεο-εξπρεσιονιστές» της Νέας Υόρκης, ο Τζούλιαν Σνάμπελ (Julian Schnabel) μιμούνταν τις πηχτές υφές και την τεράστια κλίμακα του Κίφερ. Μπορεί κανείς από τους δύο να μην είχε ούτε το χέρι ούτε και το φιλοσοφικό εύρος του Κίφερ, αλλά και οι δύο είχαν μια ενστικτώδη αίσθηση της αναδυόμενης καλλιτεχνικής σκηνής, στην οποία οι αρετές αυτές δεν ήταν και τόσο αναντικατάστατες. Μια αντίστοιχη γενιά επίδοξων πατρόνων καραδοκούσε εκτός σκηνής κατά τη διάρκεια των οικονομικών υφέσεων και της αισθητικής αυστηρότητας της δεκαετίας του 1970, περιμένοντας την ανοδική αγορά της επόμενης δεκαετίας που θα έκανε πειρα-

---

* Διαπρωτοπορία· όρος που εισήγαγε το 1979 ο ιταλός τεχνοκριτικός Ακίλε Μπονίτο Ολίβα για να περιγράψει τα έργα των ιταλών νεο-εξπρεσιονιστών. (Σ.τ.Μ.)

Αυτή η μετάβαση στον ιδιωτικό χώρο μπορεί να είναι ένας τρόπος για να προσεγγίσουμε το *Δύο άντρες στην Μπενάρες* του Μπουπέν Κακάρ (Bhupen Khakhar) [**337**]. Η δημιουργία της ομοφυλοφιλικής ευαισθησίας, ένα υπολανθάνον θέμα για καλλιτέχνες όπως ο Τζονς και ο Ουόρχολ, έβγαινε στο προσκήνιο στη Νέα Υόρκη το 1982 καθώς οι επιμελητές εκθέσεων ανέπτυσσαν θέματα εκπροσώπησης των «μειονοτήτων». Ήταν όμως εντελώς διαφορετικό να εκδηλώνεται κανείς ως ομοφυλόφιλος στον πυκνό και ηθικά συντηρητικό κοινωνικό ιστό που εξακολουθούσε να αποτελεί η Ινδία. Ο Κακάρ μπορεί να πήρε θάρρος από τη φιλία του με τον λονδρέζο Χάουαρντ Χότζκιν (Howard Hodgkin), το ζωγράφο των κλειστών, ιδιωτικών απολαύσεων που χρησιμοποιούσε ένα περισσότερο κωδικοποιημένο και βασισμένο στο χρώμα ιδίωμα.

Πίσω από την επαφή τους θα μπορούσαμε να ακολουθήσουμε τα ίχνη της ιστορίας των σχέσεων της Ινδίας με τον καλλιτεχνικό «μοντερνισμό» –να ήταν άραγε ένα ξενόφερτο είδος ή μια αυτόβουλη εξέλιξη;–, που ακολουθούσαν διαφορετικό ρυθμό από τη Δύση ύστερα από την εποχή του Τάρα και του Ράβι Βάρμα (βλ. σ. 333). Ο κοσμογυρισμένος συγγραφέας Ραμπιντρανάθ Ταγκόρ, ο οποίος τη δεκαετία του 1920 θα εξελισσόταν όψιμα σε ιδιοσυγκρασιακό συμβολιστή ζωγράφο, ίδρυσε την καλλιτεχνική σχολή του Σαντινικετάν στην ιδιαίτερη πατρίδα του τη Βεγγάλη για να καλλιεργήσει μια χαρακτηριστικά ασιατική καλλιτεχνική συνείδηση – μια αντίδραση, σ' ένα νέο γενικό πλαίσιο, στους εθνικισμούς που αποτελούσαν έναυσμα για την ευρωπαϊκή τέχνη πριν από τον Α΄ Παγκόσμιο πόλεμο. Εδώ, οι καλλιτέχνες της μεσοαστικής τάξης ερευνούσαν τις αρχαίες χειροτεχνικές παραδόσεις της χώρας τους. Το χάρισμα, ωστόσο, είχε την τάση να προτιμάει άτομα που είχαν σταθεί μπροστά από καβαλέτα στην Ευρώπη – όπως, για παράδειγμα, την Αμρίτα Σερ-Γκιλ, που έφερε παρισινές αξίες στα ινδικά θέματα τη δεκαετία του 1930, και τον εξπρεσιονιστή Φράνσις Σούζα (Francis Souza), που πήγε από την Γκόα στο Λονδίνο τη δεκαετία του 1950. Η Μπαρόντα, η καλλιτεχνική σχολή στο Γκουτζεράτ όπου σπούδασε ο Κακάρ τη δεκαετία του 1960, προσέγγιζε την ινδική παράδοση με μοντερνιστική ακαμψία, σαν μια μορφική «γλώσσα» που έπρεπε να αναλυθεί. Το είδος του μεγάλης κλίμακας αφηγηματικού καμβά που άρχισε να ζωγραφίζει ο Κακάρ στις αρχές της δεκαετίας του 1980 στόχευε να εισαγάγει αυτήν τη γλώσσα στο ξέσπασμα του προσωπικού συναισθήματος· στην πραγματικότητα, η σταδιοδρομία του βασικού δασκάλου της Μπαρόντα, του Κ. Γκ. Σουμπραμανιάν, είχε ακολουθήσει μια αντίστοιχη τροχιά. Ο Κακάρ αντλούσε επίσης από ένα μακρινό προηγούμενο, αυτό του Αμπρότζο Λορεντζέτι από τη Σιένα [βλ. **103–106**], το όραμα της ροής του ανθρώπινου γένους και του τοπίου πίσω από τους εραστές – όχι επειδή όλες οι πηγές της εικονοποιίας είναι ισοδύναμες στον μεταμοντέρνο κόσμο, αλλά επειδή κάποιες απ' αυτές μοιάζουν να προσφέρουν στους ζωγράφους πρότυπα για την επιστροφή στον αλλοτινό τους ρόλο ως δημιουργών συλλογικού φαντασιακού χώρου.

Η κοινή αλληλεγγύη ήταν η ελπίδα πολλών καλλιτεχνών-ακτιβιστών της αριστεράς στη διάρκεια της δεκαετίας του 1970 και του 1980. Οι Δυτικοί που συνεργάζονταν στις μεγάλες τοιχογραφίες του δρόμου είχαν στραμμένο το βλέμμα τους προς την Κίνα του Μάο, όπου οι αγρότες καλλιτέχνες της περιφέρειας Γιουνάν παρήγαν αφίσες με εντυπωσιακά χρώματα που είχαν ως θέμα τους την εργασία στις κολεκτίβες, ή προς την Κινσάσα του Κονγκό, όπου ζωγράφοι όπως ο Μοκέ (Moké) ανέπτυσσαν ένα αιχμηρό ιδίωμα του δρόμου για να περιγράψουν τη μετααποικιακή πραγματικότητα. Το πλέον μνημειακό και διδακτικό απ' όλα τα δυτικά συλλογικά εγχειρήματα ήταν το πενταετές *Δείπνο* της Τζούντι Σικάγο (Judy Chicago) στην Αμερική (που ολοκληρώθηκε το 1979), στο οποίο συμμετείχαν πολυάριθμες «αδερφές» κεντώντας τραπεζομάντιλα και πλάθοντας και ζωγραφίζοντας αιδοιόμορφα πιάτα για ένα γιγαντιαίο αιδοιόμορφο τριγωνικό τραπέζι, το οποίο στρώθηκε για να χαιρετιστούν οι προστάτιδες αγίες του φεμινισμού.

Μια πολύ διαφορετική κατεύθυνση για τον εκπαιδευτικό ακτιβισμό εμφανίστηκε στην Αυστραλία όταν ο δάσκαλος καλλιτεχνικών Τζέφρι Μπάρντον διορίστηκε το 1971 στο Παπούνια της Δυτικής Ερήμου. Στον καταυλισμό αυτόν, όπου είχε μεταφέρει η κυβέρνηση τους Αβορίγινες για να «αφομοιωθούν», τους έδωσε ακρυλικά χρώματα και νοβοπάν και τους ζήτησε να καταθέσουν τις μνήμες τους από την περιοχή. Έτσι, λοιπόν, οι υποαπασχολούμενοι κτηνοτρόφοι –και, καθώς εξαπλωνόταν το κίνημα, οι γυναίκες– άρχισαν να ξεδιπλώνουν τον ιερό γεωγραφικό συμβολισμό της αρχαιότερης συνεχούς καλλιτεχνικής παράδοσης στον κόσμο. Ήταν ένα προσεχτικά σχεδιασμένο ρεύμα. Επειδή ο Μπάρντον ήθελε ένα χαρακτηριστικά εθνοτικό ιδίωμα, τους πρότεινε να χρησιμοποιήσουν τη γήινη παλέτα και να αποφύγουν τα γνώριμα μοτίβα των κόμικς – «να μην πάρουν τίποτα από τους λευκούς», όπως

το έθεσε. Παρ' όλα αυτά, το χαρακτηριστικό γνώρισμα της αναδυόμενης τεχνοτροπίας, οι «κουκκίδες» που χρησιμοποιούσαν από παλιά οι Αβορίγινες, μπορεί να είχε έναν εντελώς σύγχρονο απόηχο. Όπως σημειώνει η Βίβιεν Τζόνσον, η μελετήτρια του κινήματος, «Είναι άραγε σύμπτωση ότι η τηλεόραση, της οποίας οι εικόνες επίσης αποτελούνται από κουκκίδες, έφτασε στο Παπούνια το 1971;». Μπορεί να μην αποτελεί σύμπτωση, λοιπόν, το ότι αυτές οι κατάστικτες χαρτογραφικές εικόνες έγιναν ανάρπαστες καθώς εμφανίστηκαν οι έμποροι τέχνης για να εκμεταλλευτούν το εξωτικό τους κύρος. Η τέχνη των Αβορίγινων κατέκτησε την παγκόσμια φήμη όταν, μαζί με τα άλλα «ονόματα» του κόσμου της τέχνης και όσους καταπιάνονταν με το «παραδοσιακό» τελετουργικό, οι εκφραστές της συμπεριλήφθηκαν στη μεγαλεπήβολη μεταμοντέρνα συγκέντρωση επιμελητών, στην έκθεση «Magiciens de la Terre», η οποία πραγματοποιήθηκε στο Κέντρο Πομπιντού στο Παρίσι το 1989.

Όπως αναγνώριζε ο Μπάρντον, ορισμένοι από τους προστατευόμενούς του ήταν εξίσου ποιητικά φιλόδοξοι και αυτοσυνείδητοι με οποιοδήποτε άλλο όνομα του κόσμου της τέχνης. Οι αδερφοί Τζαπαλτζάρι (Tjapaltjarri) –ο Τιμ Λούρα (Tim Leura) και ο Κλίφορντ Πόσουμ (Clifford Possum)– ήταν ξυλογλύπτες πριν πάνε στο Παπούνια. Με τη βοήθεια του Κλίφορντ, ο Τιμ ζωγράφισε το *Πνεύμα θανάτου του Νάπερμπι που ονειρεύεται* [338] για τον Μπάρντον το 1980. Ο μουσαμάς αυτός έχει μήκος 7 μέτρα και πλέκει ένα μονοπάτι ανάμεσα στα ορόσημα της γενέτειρας του ζωγράφου –τα έξι αναπαυτήρια, τους σπειροειδείς ανεμοφράκτες, τις γούρνες στις οποίες κελάρυζε το νερό–, τα οποία αποτελούσαν το δικό του πέρασμα μέσα από το χρόνο. Οι τρεις νησίδες των μοτίβων που πατούν το ένα πάνω στο άλλο αποτελούν μια αναδρομή των τριών προγενέστερων πινάκων που ο Τιμ είχε απλώσει πάνω στο τοπίο, παραδίνοντας το νόημά τους στον λευκό· ο Τιμ, στο τέλος της διαδρομής του, παραδίνεται με τα φαντάσματα των προγόνων του και ενώνεται εκ νέου μαζί τους, σύμφωνα με το «όνειρό» του, τον περιρρέοντα μύθο που έδωσε στη ζωή του. Πρόκειται για μια μελαγχολικών αποχρώσεων παραδοχή της πολιτισμικής ήττας. Και επίσης, ίσως είναι μία από τις στιγμές όπου η τέχνη της μεταμοντέρνας εποχής βρίσκεται εγγύτερα σε μια προσωπική δήλωση συλλογικού εύρους.

Παγκόσμιο θέαμα
από τη δεκαετία του 1980

Ό,τι βρίσκεται πολύ κοντά θαμπώνει τη ματιά μας. Η σύγχρονη σκηνή, που όπως είναι αναμενόμενο περιορίζεται στις φουάρ, μας ξαφνιάζει, μας γοητεύει, μας απομακρύνει και πάνω απ' όλα μάς συγκλονίζει με την αφθονία της· κανείς δεν μπορεί να καταλάβει πια πώς είναι. Ακόμα πιο δύσκολο να συστηματοποιηθεί είναι το ακαθόριστα πο-

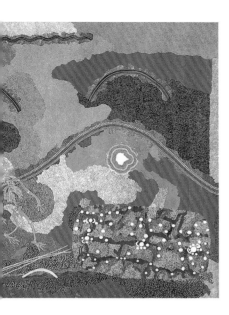

338 Τιμ Λούρα Τζαπαλτζάρι, με τη βοήθεια του Κλίφορντ Πόσουμ Τζαπαλτζάρι, *Πνεύμα θανάτου του Νάπερμπι που ονειρεύεται*, 1980.

λύπλοκο εικονικό «πολυσύμπαν» που άνοιξε την τελευταία δεκαετία μέσω της οθόνης του υπολογιστή, ένα πεδίο το οποίο θα αφήσω για τους ιστορικούς του μέλλοντος. Θα προσπαθήσω να διαλέξω μερικά θέματα από τον μεσαίο χώρο της σταθερής εικονοποιίας με χαλαρά χρονολογική σειρά. Όλα όμως εδώ είναι ακόμη πολύ επισφαλή.

Κι εδώ συμπεριλαμβάνεται και το φάντασμα του *Κεκλιμένου τόξου*. Πότε άφησε, άραγε, την τελευταία της πνοή η δυτική παράδοση της πρωτοπορίας; Τη νύχτα της 15ης Μαρτίου του 1989, όταν οι εργολάβοι διέλυσαν το γλυπτό του Ρίτσαρντ Σέρα (Richard Serra) στη Φέντεραλ Πλάζα της Νέας Υόρκης [**339**]. Ο Σέρα είχε εμφανιστεί στην καλλιτεχνική σκηνή στα τέλη της δεκαετίας του 1960. Πήρε μέρος στην πρώτη εποχή του βίντεο, κάνοντας «στρουκτουραλιστικά» έργα που, όπως οι κατοπτρικοί κύβοι του Μόρις, έφερναν απότομα αντιμέτωπο το θεατή με τις συνθήκες της ίδιας τους της θέασης. Η χαλυβουργία όμως στην οποία είχε εργαστεί κάποτε του πρόσφερε ένα μοναδικά υλικό μέσο για να ξυπνήσει τον κόσμο. Ο Σέρα στοίβαζε κομμάτια χάλυβα που πήγαιναν πέρα δώθε, τα οποία προκαλούσαν ρίγη σωματικής ανησυχίας σε όποιον περνούσε από μπροστά τους. Η ισορροπία και η έντονη αίσθηση της τοποθέτησης που έφερνε ο Σέρα οπότε παρενέβαινε σε κάποιον χώρο σύντομα τον έκαναν τον πιο αναγνωρισμένο κατά την άποψη των κριτικών γλύπτη της Αμερικής, καθώς ήταν ένας άξιος διάδοχος του πείσμονα χαλυβουργού Ντέιβιντ Σμιθ. Το 1979, λοιπόν, μια πλουραλιστικής νοοτροπίας ομοσπονδιακή αρχή του παρήγγειλε ένα έργο για έναν άχρωμο δημόσιο χώρο στο κέντρο του Μανχάταν. Παρά τις άλλες αρετές τις οποίες μπορεί να είχε, ο μήκους 36 μέτρων χαλύβδινος τοίχος που στήθηκε δύο χρόνια μετά πέτυχε το στόχο του να ξεσηκώσει τον κόσμο. Έκανε αρκετούς εργαζόμενους στα γραφεία της περιοχής να εναντιωθούν κατηγορηματικά στο έργο, κι ένας δικαστής που έβλεπε με καλό μάτι τον δεξιό λαϊκισμό της νέας διακυβέρνησης του Ρίγκαν κατέθεσε προσφυ-

339 Ρίτσαρντ Σέρα, *Κεκλιμένο τόξο*, Φέντεραλ Πλάζα, Νέα Υόρκη, 1981.

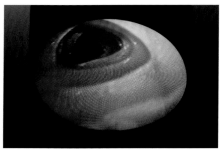

340, **341** Μόνα Χατούμ, *Corps étranger*, 1994.

γή για την απομάκρυνσή του. Ήταν σκουριασμένο, ήταν άσχημο και έκλεινε το πέρασμα των πεζών, όπως ισχυρίστηκε ο κόσμος στην εκδίκαση της υπόθεσης που έγινε το 1985. Παρά τις πολλές εκκλήσεις εκ μέρους της πολιορκημένης πλέον κοινότητας της «προωθημένης τέχνης», τελικά πέρασε το δικό τους.

«Η ακτίνα δράσης του υπάρχει ταυτόχρονα *εδώ* και *εκεί...*». Έτσι ισχυρίστηκε η Ρόζαλιντ Κράους, η διασημότερη κριτική υποστηρίκτρια του *Κεκλιμένου τόξου*, στο δικαστήριο,* εξηγώντας πως το είδος του γλυπτού που είχε κάνει ο Σέρα αντί να παρουσιάζει τα σώματα ως μορφές ενεργοποιούσε τη σωματική συναίσθηση του ίδιου του θεατή, καθώς ο τελευταίος έφερνε το σώμα του μπροστά σ᾽ ένα άμεσο εμπόδιο και ταυτόχρονα ωθούσε το βλέμμα του προς τα πάνω και προς τα έξω. Με βάση όσα γνωρίζουμε σήμερα, θα μπορούσαμε να αλλάξουμε τους όρους της περιγραφής της σε «εκεί» και «όχι εκεί». Από τη μια μεριά βρισκόταν η εντυπωσιακή υλική πραγματικότητα, και από την άλλη μεριά βρισκόταν μια πολύκροτη δίκη, ο «λόγος», ο σκέτος αέρας. Καθώς το *Κεκλιμένο τόξο* προχωρούσε από πολιτεία σε πολιτεία, επικρατούσε το εκτεταμένο αίσθημα ότι η παλιά διάθεση της πρωτοπορίας να προκαλέσει ένα ευεργετικό αισθητικό σοκ και να ελευθερώσει ένα χώρο για τον κριτικό στοχασμό υποχωρούσε μπροστά στην ελεύθερη ροή των καταναλωτών και των πληροφοριών σ᾽ έναν κόσμο ανεξέλεγκτου καπιταλισμού. (Το Τείχος του Βερολίνου, με το οποίο συχνά συνέκριναν το γλυπτό οι εχθροί του, θα έπεφτε μερικούς μήνες μετά.) Τα διάφορα κομμάτια της καλλιτεχνικής παραγωγής κατά τα τελευταία είκοσι χρόνια εξέτασαν την εξαφάνιση του μοντερνιστικού εγχειρήματος σαν τη γλώσσα που ψάχνει ένα χαμένο δόντι. Οι υποψιασμένες αναδρομές στην αρχιτεκτονική και στον βιομηχανικό σχεδιασμό του 20ού αιώνα συχνά πρόσφεραν τη γλώσσα γι᾽ αυτόν το σκοπό, αρχίζοντας από το επονομαζόμενο «νεο-γεωμετρικό» κίνημα που έκανε την εμφάνισή του στη Νέα Υόρκη το 1986, όταν η έκρηξη της ζωγραφικής θεωρήθηκε ξεπερασμένη. Ο χαρακτηρισμός αυτός προερχόταν από τους γεωμετρικούς καννάβους –που τους προτιμούσαν κάποτε ιδεαλιστές όπως ο Μόντριαν– με τους οποίους κάλυπτε τους τοίχους των γκαλερί ο Πίτερ Χάλεϊ (Peter Halley), μετατρέποντάς τους σε δυσοίωνα δίκτυα ελέγχου.

Ας δούμε όμως τώρα το έργο μιας γλύπτριας που είναι εξίσου επιθετική με τον Σέρα, της Μόνα Χατούμ (Mona Hatoum). Το *Corps étranger* [**340**, **341**] εκφράζει σε συνοπτική μορφή την τάση που άρχιζε να επικρατεί καθώς η πρωτοποριακή διάθεση ξεθώριαζε. Αντί να παρεμβαίνει κανείς, έπρεπε να περιφράσσει. Οι διάφορων ειδών εγκαταστάσεις είχαν παίξει δευτερεύοντα ρόλο στα πειραματικά κινήματα από την εποχή του Νταντά και μετά, αλλά κατά τη διάρκεια της δεκαετίας του 1980 μια σειρά από διαφορετικά προγράμματα θα καθιέρωνε το τροποποιημένο εσωτερικό ως το προφανές μέσο εργασίας. Από μια άποψη, οι καλλιτέχνες ακολουθούσαν το παράδειγμα των αφεντάδων τους, των επιμελητών εκθέσεων, και καταλάμβαναν τον έλεγχο των συνθηκών της θέασης. Η Χατούμ, η οποία ήθελε «μια ολοκληρωμένη εμπειρία στην οποία συμμετείχαν το σώμα, οι αισθήσεις, ο νους, τα συναι-

---

*   Οι υπογραμμίσεις είναι δικές μου.

σθήματα, τα πάντα», είναι πιθανό να επηρεάστηκε από την περιβάλλουσα αισθητική του αραβικού πνευματικού πολιτισμού της γενέτειράς της. Καθώς όμως ανέπτυσσε δράση στο Λονδίνο και στο Παρίσι, ήδη από τις αρχές της δεκαετίας του 1990 είχε στη διάθεσή της μια τεχνολογία που μπορούσε να διασπάσει βίαια οποιαδήποτε γνώριμη δυτική εικόνα της μορφής. Όποιος μπαίνει μέσα στο κελί της ακολουθεί μια φωτιζόμενη ενδοσκοπική κάμερα σε μια διαδρομή όλο σκαμπανεβάσματα μέσα στο εσωτερικό του δικού της «ξένου σώματος» — το μάτι της εικόνας εδώ δεν είναι παρά μόνο μια στιγμιαία αναλαμπή στο υγρό, αλλόκοτο και ατελείωτο τούνελ. (Ταυτόχρονα, από τα ηχεία ακούγονται ηχογραφημένοι χτύποι της καρδιάς· ο ήχος έχει γίνει άλλη μία από τις νέες διαστάσεις της τέχνης.) Αυτή η διάσπαση έχει, άραγε, φεμινιστικούς ή, όπως θα προτιμούσε η καλλιτέχνιδα, διεθνιστικούς απόηχους; Ενσταλάζει, άραγε, την εμπειρία της επιτήρησης που υπάρχει πλέον παντού, από το Λονδίνο ως το Λίβανο; Λοιπόν, είναι μια αίσθηση, υπερβαίνει το νόημα· και ως τέτοια, η εφιαλτική αντιστροφή της μάτσο χειρονομίας του Σέρα από τη Χατούμ γίνεται άλλο ένα είδος καταναλώσιμου αξιοπερίεργου.

Το να εξιστορήσουμε την άνοδο της βίντεο εγκατάστασης κατ᾽ αυτόν τον τρόπο σημαίνει ότι απλώς θα περάσουμε σε ευρύτερες, πιο μακροπρόθεσμες τάσεις. Η εξέλιξη του βίντεο, από τις απαρχές του στον καταιγισμό πληροφοριών του Ναμ Τζουν Πάικ και στα «στρουκτουραλιστικά» έργα όπως αυτό του Σέρα ως την πιο πρόσφατη έμφασή του στο υπνωτιστικό και ακριβό ως παραγωγή θέαμα, βρισκόταν κατά κύριο λόγο στα χέρια του αμερικανού καλλιτέχνη Μπιλ Βαϊόλα (Bill Viola). Η Χατούμ θα πρέπει επίσης να

342 Ρίτσαρντ Ουίλσον, *20:50*, 1987. Ο Ουίλσον, ένας βρετανός καλλιτέχνης, ξανάφτιαξε αυτό το έργο για διάφορες γκαλερί ανά τον κόσμο μετά την επιτυχία που γνώρισε σε μια έκθεση που έγινε το 1987 στο Λονδίνο. Το δωμάτιο μετατράπηκε σε μια πισίνα που περιείχε λάδι μηχανής (το «20:50» του τίτλου) και στη μέση του είχε ένα αυλάκι για τους θεατές. Ο Ουίλσον επέλεξε το λάδι επειδή είναι πολύ αδιαφανές και αντανακλαστικό, και επειδή επίσης ήθελε να μεταμορφώσει το χώρο της γκαλερί διπλασιάζοντάς τον. Μορφολογικά, αυτό που έκανε είχε εξελιχθεί με βάση τα σχεδόν χωρίς αντικείμενο κατοπτρικά γλυπτά του Ρόμπερτ Μόρις (**324**), αλλά η απόκοσμη αίσθηση αυτής της νέας γλυπτικής εμπειρίας άφηνε έκπληκτους όλους όσοι έμπαιναν μέσα. Το *20:50* του Ουίλσον ήταν ο πρόδρομος πολλών τέτοιων κυκλωτικών περιβαλλόντων.

343 Ντέιμιεν Χερστ, *Χίλια χρόνια*, 1990. Οι βιτρίνες απέκτησαν ενδιαφέρον για τις καλλιτεχνικές προσωπικότητες της δεκαετίας του 1980 όπως ο Τζεφ Κουνς επειδή ήταν ένας λιτός τρόπος για την απομόνωση ενός αντικειμένου ως «τέχνης». Εδώ ο Χερστ, ένας εικοσιπεντάχρονος που δούλευε μέχρι πρότινος σε νεκροτομείο, χώρισε μια βιτρίνα σε δύο θαλάμους με ανοίγματα ανάμεσά τους. Στη μία υπήρχε ένα κουτί με προνύμφες μυγών, και στην άλλη το κεφάλι μιας αγελάδας για να τρέφονται οι μύγες και μια ηλεκτρική εντομοπαγίδα. Αυτός ο κλειστός κύκλος, με τη δυσοίωνη επίδειξη της ζωής και του θανάτου, παρουσιάστηκε με μια εντυπωσιακή κλινική ακρίβεια. Το έργο τράβηξε αμέσως την προσοχή του πάτρονα Τσαρλς Σάατσι, και έκτοτε ξεκίνησε μία από τις σημαντικότερες συνεργασίες στην τέχνη της δεκαετίας του 1990.

344 (απέναντι) Βιμ Ντελβουά, *Μπετονιέρα*, 1990–99.

γνώριζε μια παλιότερη κυκλωτική εγκατάσταση, το *20:50* [**342**] – το δωμάτιο που είχε γεμίσει μέχρι τη μέση ο βρετανός καλλιτέχνης Ρίτσαρντ Ουίλσον (Richard Wilson) με χρησιμοποιημένα ορυκτέλαια, καλώντας το θεατή να κατέβει έναν περιτειχισμένο διάδρομο για να φτάσει στο στιλπνό και απύθμενο βάθος του. Μορφολογικά, το *Corps étranger* μοιάζει με τον *Διάδρομο με πράσινο φως*, το φωτισμένο με νέον στενάχωρο περιβάλλον που είχε κατασκευάσει ο Μπρους Νάουμαν το 1970. Επρόκειτο για μια από τις δηλώσεις αμηχανίας του καλλιτέχνη από τη δυτική ακτή, τις οποίες ήταν σαν να τις έκανε για χάρη της αμηχανίας: τίποτα δεν είναι πολύ άνετο για σας, ούτε όμως και για μένα. Στην πραγματικότητα, η καλλιτεχνική σκηνή της Καλιφόρνιας ειδικευόταν στις ιλιγγιώδεις, θεαματικές προκλήσεις ήδη από την εποχή των τολμηρών ταμπλό που έφτιαχνε ο Κίνχολτζ τη δεκαετία του 1960.

Τα τέλη της δεκαετίας του 1980, ωστόσο, ήταν το σημείο όπου το οργιαστικά γκροτέσκο στοιχείο που είχαν οι «θλιβερές» κούκλες από τα παλιατζίδικα τις οποίες εξέθεταν ο Πολ Μακάρθι (Paul McCarthy) και ο Μάικ Κέλι (Mike Kelley) έμοιαζε να συμφωνεί με άλλες εξελίξεις στον αμερικανικό κόσμο της τέχνης. Το σοκ που προκάλεσε η εμφάνιση του AIDS και η συνακόλουθη εξάλειψη του ηδονιστικού πνεύματος της εποχής προσέδωσε έναν συγκινησιακό χαρακτήρα στην πεζότητά τους· ο Ρόμπερτ Γκόμπερ (Robert Gober) δημιουργούσε απόκοσμα, προσεχτικά δουλεμένα γλυπτά για το πένθος με κομμένα έπιπλα και ανθρώπινα μέλη. Η ντροπή κυριαρχούσε στον συναισθηματικό ιστό της εποχής. Το ίδιο, όμως, ίσχυε και για την αδιαντροπιά. Η ίδια σκηνή της Νέας Υόρκης που είχε γεννήσει τα «νεο-γεωμετρικά» έργα του Πίτερ Χάλεϊ, ο «νεο-εννοιολογικός» κόσμος της τέχνης, έβγαλε και τον Τζεφ Κουνς (Jeff Koons), έναν επιτήδειο διεκπεραιωτή που μπορούσε να σαγηνεύει το ευρύτερο κοινό.* Ο Κουνς είχε ένα νέο σκεπτικό για την έκθεση μιας ολοκαίνουργιας ηλεκτρικής σκούπας μέσα σε μια βιτρίνα από πλεξιγκλάς – μια χειρονομία που μιμούνταν εξόφθαλμα τα ready-mades του Ντισάν και τα κουτιά Brillo που είχε εκθέσει ο Ουόρχολ τη δεκαετία του 1960. Η τέχνη του βασιζόταν στον αριβισμό του και στη διάθεση οικειοποίησης των προσπαθειών των άλλων. Από εξπρεσιονιστικής άποψης, λοιπόν, ήταν απολύτως λογικό να παραγγείλει σε φωτογράφους και μοντελιστές να του κατασκευάσουν εικόνες οι οποίες τον έδειχναν να κάνει σεξ με τη γυναίκα του, μια διάσημη πορνοστάρ, για να τις παρουσιάσει στην Μπιενάλε της Βενετίας του 1990. Επειδή είχε το ένστικτο της βδέλλας που απέβλεπε στις φλέβες της καταναλωτικής επιθυμίας και έβρισκε απόλαυση στη ζουμερή βλακεία της, ο πρώην πωλητής ρούφηξε χαρούμενα όλη την έπαρση από την αμερικανική αισθητική για να την αντικαταστήσει με τον αστεϊσμό – τις κοπέλες με μεγάλο στήθος που αγκάλιαζαν ροζ πάνθηρες και ήταν κατασκευασμένες από βαυαρική πορσελάνη, και τα γιγαντιαία, καλυμμένα με πανσέδες κουτάλια.

Την επαγγελματική στάση του Κουνς απέναντι στη διαχείριση της καλλι-

---

* Ένας άλλος όρος που χρησιμοποιήθηκε για τη συγκεκριμένη σκηνή είναι οι «καλλιτέχνες που κάνουν χρήση της έννοιας της προσομοίωσης», ο οποίος παραπέμπει στα κείμενα του γάλλου Ζαν Μποντριγιάρ για το όραμα ενός κόσμου όπου όλα είναι προσομοιωμένα.

τεχνικής σταδιοδρομίας θα την έπαιρνε υπόψη του το 1988 στο Λονδίνο ο Ντέιμιεν Χερστ (Damien Hirst), ένας φοιτητής στο Κολέγιο Γκόλντσμιθς ο οποίος θα έπαιζε σημαντικό ρόλο στην καθοδήγηση της δικής του γενιάς «νέων βρετανών καλλιτεχνών» προς μια θέση παγκόσμιας υπεροχής κατά την επόμενη δεκαετία. Το αβαντάζ τους ήταν η πόζα και όχι κάποιο εικαστικό στίγμα: οι «νέοι βρετανοί καλλιτέχνες» έκαναν γλυπτική, ζωγραφική, περφόρμανς και βίντεο, καθώς φαινομενικά τους ένωσε μόνο το θράσος και η ασέβειά τους για τους αμερικανούς προκατόχους τους. Πώς θα μπορούσαμε, άραγε, να προσδιορίσουμε το «ύφος» των εκθέσεων στη δεκαετία του 1990; Αντί για απάντηση, θα στραφώ στο Βέλγιο και στον Βιμ Ντελβουά (Wim Delvoye), ο οποίος συμμετείχε στο παρελθόν στη νεο-εννοιολογική σκηνή της Νέας Υόρκης [**344**]. Μάλιστα, αυτό εδώ είναι μια μπετονιέρα Nissan από ξύλο τικ με σκαλισμένα μπαρόκ στολίδια. Ίσως να σκάτε στα γέλια με το γαργαντουανό αστείο· ίσως πάλι απλώς να μένετε άναυδοι με την αναίδεια της αδικαιολόγητης παρουσίας του. Η επιθυμία του Σέρα να σας φέρει αντιμέτωπους με το έργο του έχει αλλάξει κατεύθυνση, έχει παρασυρθεί μέσα σ' έναν από τους επιβλητικούς νέους χώρους τέχνης που αναπτύχθηκαν μαζί με έργα σαν αυτό εδώ. Το συγκεκριμένο έκθεμα, όμως, το οποίο είναι πολύ πιο δημοφιλές επειδή θέλει να μας διασκεδάσει, επίσης βρίσκεται «εκεί» και «όχι εκεί». Κάπου εκεί κοντά, η ταμπέλα που έχει βάλει ο επιμελητής εκθέσεων είναι πιθανό να σας πληροφορεί ότι «Ο Ντελβουά εξετάζει...».

Πράγματι, οι προτροπές για το λόγο στροβιλίζονται ακαθόριστα εκτός του οπτικού μας πεδίου. Ο ιστορικός τέχνης θα μπορούσε να ανακαλύψει ότι το σαρδόνιο πνεύμα του Ντελβουά έλκει την καταγωγή του από τον παλιότερο δάσκαλο του βελγικού ανέκφραστου χιούμορ, τον Ρενέ Μαγκρίτ. (Κατά τον ίδιο τρόπο, το *Χίλια χρόνια* [**343**], η

ESTHeR Mahlan gu 2002

345 Έστερ Μαλάνγκου, *Άτιτλο*, 2002.

346 (απέναντι) Τζέιν Αλεξάντερ, *Βίσερσοκ*, 2000.

βιτρίνα του 1990 όπου ο Ντέιμιεν Χερστ έκλεισε μερικές μύγες μαζί με το σάπιο κεφάλι μιας αγελάδας, έχει συχνά θεωρηθεί, λόγω της χαιρέκακης μαυρίλας του, ως το γιγαντιαίο εγγόνι των πινάκων του Φράνσις Μπέικον.) Αντίστοιχα, θα μπορούσε κανείς να συνδέσει τη μετασχηματιστική τακτική που χρησιμοποιείται στο συγκεκριμένο γλυπτό με το προηγούμενο του δέντρου-δοκαριού του Πενόνε – παρότι, βέβαια, ο Ντελβουά εργαζόταν με εντελώς αντίθετο πνεύμα απ' αυτό του Πενόνε. Τι θα μπορούσε να είναι περισσότερο σίγουρο πως θα πρόσβαλλε όσους είχαν οικολογικές ευαισθησίες απ' αυτήν τη σπατάλη τροπικής ξυλείας; Τι θα μπορούσε να είναι λιγότερο κοντά στη νοοτροπία του μαραγκού απ' την ανάθεση της κατασκευής της σύλληψής του σε εξωτερικούς συνεργάτες στην Ινδονησία – όπου, όπως μαθαίνουμε, ξυλογλύπτες από τρία χωριά μοχθούσαν επί έντεκα μήνες για την υλοποίηση του έργου του; Έτσι, λοιπόν, ωθούμαστε να σκεφτούμε με προσοχή τα «παγκοσμιοτοπικά» ζητήματα, όπως τα αποκαλεί ο Ντελβουά. Ανήκει, άραγε, αυτή η τέχνη στην εικονική παγκοσμιότητα του κεφαλαίου και του θεάματος; Ή μήπως ανήκει στην τοπική, χειρωνακτική, επίμοχθη πραγματικότητα της χειροτεχνικής παράδοσης της Ιάβας που συνδύαζε για αιώνες τις ολλανδικές-αποικιακές με τις κινεζικές επιρροές;

Στην Ινδία και στον ισλαμικό κόσμο, ο στολισμός ενός φορτηγού είναι ένα θέμα που σχετίζεται με τον αυτοσεβασμό του ιδιοκτήτη παρά ένα ζήτημα θεαματικής πρόκλησης. Ο δυτικός επισκέπτης είναι πιθανό να γοητευτεί από την καλή πίστη και το εκφραστικό ταλέντο ενός πολιτισμικού περιβάλλοντος όπου η εικαστική ευφυΐα μοιάζει να είναι διάχυτη παρά απομονωμένη και εμπορευματοποιημένη. Οι πολυεθνικές εταιρείες προσέχουν αυτά τα αισθήματα, όπως προσέχουν και την ενίσχυση του προφίλ τους που μπορεί να προσφέρει η χορηγία των τεχνών. Κι έτσι, όταν η αυτοκινητοβιομηχανία BMW παρήγγειλε μια σειρά «καλλιτεχνικών αυτοκινήτων» το 1991, οι καλλιτεχνικοί της σύμβουλοι ακολούθησαν το παράδειγμα της έκθεσης «Magiciens de la Terre» που είχε γίνει στο Παρίσι δύο χρόνια πριν και προσκάλεσαν όχι μόνο διάσημους Δυτικούς αλλά και μία από τις νεοεμφανιζόμενες καλλιτέχνιδες που συμμετείχαν στην έκθεση, τη νοτιοαφρικανή ζωγράφο Έστερ Μαλάνγκου (Esther Mahlangu). Η Μαλάνγκου, η οποία είχε ξεκινήσει τη σταδιοδρομία της στολίζοντας τις προσόψεις των σπιτιών στα χωριά των Ντεμπέλε, θα επιδείκνυε κατόπιν την τέχνη της παντού, από εκκλησίες μέχρι δισκάδικα της Νέας Υόρκης, και θα την προσάρμοζε στους μεγάλης κλίμακας καμβάδες [**345**].

Αυτό συνδυάζεται απόλυτα με το πρόγραμμα το οποίο είχε διατυπώσει τη δεκαετία του 1960 ένας άλλος καλλιτέχνης που είχε επέμβει σε αυτοκίνητο της BMW, ο αμερικανός αφηρημένος ζωγράφος Φρανκ Στέλα (Frank Stella): «Να διατηρείς τη χρωστική ουσία τόσο ικανοποιητική, όσο όταν ήταν στο κουτί της». Η ιδέα της ανεξάρτητης εικαστικής απόλαυσης –της «ομορφιάς» ενδεχομένως– περιθωριοποιήθηκε τις επόμενες δεκαετίες, καθόσον η τέχνη παρέμενε μια ζώνη ριζοσπαστικής αναθεώρησης. Θα μπορούσε, άραγε, να αφεθεί ελεύθερη σήμερα; Και πάλι, μεγάλα κομμάτια της σύγχρονης τέχνης, όχι μόνο της ζωγραφικής αλλά και του ολοφώτεινου κόσμου του βίντεο και της ψηφιακής έρευνας, παίζουν με αυτό το ενδεχόμενο. Οι καλλιτέχνες συχνά εισάγουν διανοουμενίστικες ρήτρες απεμπλοκής στα ψιλά γράμματα των δηλώσεών τους, λες και φοβούνται πως αν δεν το κάνουν θα φανούν βλάκες. Τα εμβλήματα της Μαλάνγκου, με την καλοζυγισμένη παλινδρομική ροή των ερεθισμάτων, μοιάζουν να καταδεικνύουν στο γύρισμα της χιλιετίας έναν άλλον αφορισμό του Στέλα: «Αυτό που βλέπεις είναι αυτό που βλέπεις».

Όχι, όμως, για τους ιστορικούς. Η δουλειά τους είναι να ανακαλύπτουν πως οι γυναίκες των Ντεμπέλε όπως η μητέρα της Μαλάνγκου άρχισαν στα μέσα του 20ού αιώνα να προσαρμόζουν τα σχέδια με χάντρες στις προσόψεις των σπιτιών, καθώς ήταν ένας τρόπος διατράνωσης της οικογενειακής περηφάνιας σε μια εποχή όπου οι σύζυγοί τους στρατολογούνταν στο σύστημα μεταναστευτικής εργασίας του Γιοχάνεσμπουργκ. Τα μοτίβα τους ξεκίνησαν ως σύμβο-

347 Χουάν Μουνιόθ, *Τρεις άντρες με κίτρινη μπάλα*, 2001. Οι ανθρώπινες μορφές του Μουνιόθ ουρλιάζουν απ' τα γέλια και χύνονται ζαλισμένα μπροστά σαν να βρίσκονται στο τρενάκι του λούνα παρκ – μόνο που δεν ακούμε τίποτα, μένουν δε καρφωμένες στον τοίχο της γκαλερί. Τα βασικά γνωρίσματα της τέχνης του Μουνιόθ ήταν αυτές οι *μη* εμπειρίες και τα *μη* γεγονότα. Ο ισπανός γλύπτης, ο οποίος πέθανε το 2001 σε ηλικία σαράντα οχτώ ετών, ειδικευόταν στην τοποθέτηση των ανθρώπινων μορφών σε αλλόκοτες σχέσεις με το χώρο της γκαλερί και το θεατή. Ήταν ειδήμονας στην απόσταση –σε μορφές που βρίσκονταν εκεί *πέρα*, αντί να παρουσιάζονται στο σύνολό τους– και, από αυτή την άποψη, το έργο του είχε εξελιχθεί με βάση τη σκέψη του Τζακομέτι.

λα των εμπορευμάτων πολυτελείας, ως εξυμνήσεις του καταναλωτισμού που τόσο εξόργιζε τον Μπέρνι στην Αργεντινή. Βλέπουμε λοιπόν φευγαλέα πως η τέχνη της Μαλάνγκου συνυπάρχει κατά κάποιον τρόπο με την τέχνη μιας άλλης Νοτιοαφρικανής, της Τζέιν Αλεξάντερ (Jane Alexander), καθώς και πως ο κόσμος των εικόνων τελικά δεν πλησιάζει την ομοιογένεια. Ο τίτλος του φωτομοντάζ *Βίσερσοκ* [**346**] προέρχεται από τη χωματερή του Κέιπ Τάουν, η οποία εδώ φιλοξενεί έξι χρωματισμένα γύψινα προπλάσματα της Αλεξάντερ. Στις άλλες φωτογραφίες της σειράς βρίσκονται σε άλλα σημεία της πόλης. Τα προπλάσματα αυτά, καθώς και άλλα ομοιώματα σε μέγεθος παιδιού ή κούκλας, η Αλεξάντερ τα τοποθετεί με νέους συνδυασμούς σε χώρους όπου οι θεατές μπορούν να κυκλοφορήσουν ελεύθερα ανάμεσά τους και να τα ερμηνεύσουν κατά το δοκούν – μέχρις ενός σημείου. Όπως και πολλοί άλλοι καλλιτέχνες που άρχισαν να εκθέτουν τη δεκαετία του 1980, η Αλεξάντερ εργάζεται δημιουργώντας πολλαπλά στοιχεία και φτιάχνοντας νέα τυχαία σύνολα, μια προσέγγιση που θα μπορούσαμε να πούμε ότι βασίζεται στα «τυποποιημένα στοιχεία». Ανάμεσα σ' αυτούς τους καλλιτέχνες, διάφοροι γλύπτες –όπως, για παράδειγμα, ο Χουάν Μουνιόθ (Juan Muñoz) στην Ισπανία [**347**], ο Στέφαν Μπάλκενχολ (Stephan Balkenhol) στη Γερμανία και η βραζιλιάνα Άνα Μαρία Πατσέκο (Ana María Pacheco) που εργάζεται στο Λονδίνο [**348**]– άρχισαν να βρίσκουν νέες χρήσεις για την ανθρώπινη μορφή. Λόγω της κλίμακας, των χειρονομιών, της ενδυμασίας και του χρωματισμού της, η ανθρώπινη μορφή ασκεί μια ψυχολογική πίεση στην προσοχή του θεατή, και στο βαθμό αυτό αναγκαστικά εμποδίζει την τάση προς την ανεξέλεγκτη ερμηνεία.

Οι μεταλλαγμένες ανθρώπινες μορφές έγιναν ένα γνώριμο στοιχείο των εκθέσεων της δεκαετίας του 1990, συμπίπτοντας με την κουλτούρα του ιλιγγιώδους θεάματος που αγαπούσαν οι νέοι βρετανοί καλλιτέχνες, οι οποίοι ταυτόχρονα έγνεφαν προς τις αγωνίες για το μετα-έμφυλο, μετα-ταυτοτικό, μετα-ανθρώπινο μέλλον. Στην περίπτωση όμως της Αλεξάντερ, αυτό το απελπισμένο μπουλούκι από απολειφάδια καθηλώνεται στο παρελθόν. Τόσο ο νάνος πάνω στο βαρέλι του πετρελαίου, με το ένα χέρι να δείχνει παραίτηση και το άλλο σφιγμένο σε γροθιά, που τα βαμμένα μαύρα μάτια του κρυφοκοιτάζουν πίσω από ένα γκρίζο κέλυφος, όσο και η αδύναμη σπουδαιοφανής μορφή που μοιάζει να τον ονειρεύεται και τα μακάβρια φαντάσματα που κινούνται ολόγυρα μέμφονται τα ψυχικά τραύματα που άφησε το σύστημα του απαρτχάιντ σ' αυτούς που το είχαν επιβάλει, στους λευκούς όπως η Αλεξάντερ. Η εικονογραφική τεχνική της μάλλον έχει μεγαλύτερη συγγένεια με τα φωτομοντάζ που έκαναν οι αριστεροί τη δεκαετία του 1920 στη Γερμανία, την οποία εγκατέλειψε η οικογένειά της το 1936, παρά με την ψηφιακή μορφοποίηση που ήταν διαδεδομένη σε άλλα μέρη του κόσμου το 2000. Αντίστοιχα, ο συμπατριώτης της Ουίλιαμ Κέντριτζ (William Kentridge) έχει κάνει βίντεο που καταπιάνονται με τη μετά το απαρτχάιντ θεματολογία χρησιμοποιώντας το κοπιώδες μέσο του ξεπερασμένου ακαδημαϊκού σχεδίου.

Θα μπορούσαμε να θεωρήσουμε ότι η ηθική τους ευσυνειδησία πηγαίνει αντίθετα στο ρεύμα της καθησυχαστικής ελαφρότητας που κυριάρχησε στη διεθνή καλλιτεχνική σκηνή της δεκαετίας του 1990. Ή θα μπορούσα-

348 Άνα Μαρία Πατσέκο, *Χώρα χωρίς επιστροφή*, 2003. Η Πατσέκο εργάζεται ήδη από τη δεκαετία του 1970 στην Αγγλία, αλλά το βασικό σημείο αναφοράς για τα ξυλόγλυπτά της είναι ο σπουδαίος γλύπτης της γενέτειράς της, ο Αντόνιο Λισμπόα (**224**). Η Πατσέκο τοποθέτησε το σύνολο αυτό κάτω από δυνατά φώτα στο πάτωμα, καλώντας τους θεατές να κυκλοφορήσουν ανάμεσα στις φιγούρες σε φυσικό μέγεθος. Όπως συνέβαινε και στην περίπτωση του Λισμπόα και άλλων μπαρόκ γλυπτών, το έργο ωθούσε το κοινό προς ένα συγκλονιστικό και συνταρακτικό θρησκευτικό συναίσθημα, η Πατσέκο όμως άφηνε ανοιχτή την ιστορία. Σύμφωνα με μια παλιότερη δήλωσή της, ήθελε να «διερευνήσει, παρά να επιβεβαιώσει, τις προσδοκίες που φέρνουν μαζί τους οι θεατές».

349 (πίσω σελίδα) Τζούλι Μεχρέτου, *Διασπορά*, 2002.

με επίσης να θεωρήσουμε ότι τόσο η ομολογία της αλήθειας όσο και ο σχετικισμός αποτελούν πλευρές του ευρύτερου φαντασιακού πλαισίου της μοντέρνας τέχνης, το οποίο πότε βγάζει στο προσκήνιο την έξαψη και πότε την παγωμάρα, πότε την τσαπατσουλιά και τη σοβαρότητα, και πότε την εικονικότητα και την επιτήδευση. Ο σκουπιδότοπος της Αλεξάντερ, ο οποίος είναι πολύ πιο σκληρός από τον πολυφυλετικό διάλογο στα άθλια προάστια που είχε ζωντανέψει ο Τζεφ Ουόλ δεκαπέντε χρόνια νωρίτερα, μπορεί να αποδειχτεί πιο εναρμονισμένος με την ολοένα και πιο σκοτεινή πολιτική διάθεση της πρώτης δεκαετίας της νέας χιλιετίας.

Η στρατηγική των τυποποιημένων στοιχείων που χρησιμοποιούν καλλιτέχνες όπως η Αλεξάντερ αποτελεί τη βάση της *Διασποράς* [**349**] της Τζούλι Μεχρέτου (Julie Mehretu). Πρόκειται για έναν μεγάλο καμβά που συγκροτείται από διάφορους «χαρακτήρες», όπως τους ονομάζει η Μεχρέτου, δηλαδή μικρές γραφικές μονάδες τις οποίες έχει προσαρμόσει κυρίως από αρχιτεκτονικά διαγράμματα, παρόλο που μια άλλη πηγή είναι η κινεζική ζωγραφική. Η Μεχρέτου χρησιμοποιεί αυτά τα στοιχεία για να αντικαταστήσει την ψυχρή ανάλυση του μοντερνιστικού σχεδίου που έκανε η «νεο-γεωμετρική» γενιά του τέλους της δεκαετίας του 1980 μ' ένα πιο φρενήρες πρόγραμμα. Στόχος των διανυσμάτων και των υποσυνόλων εί-

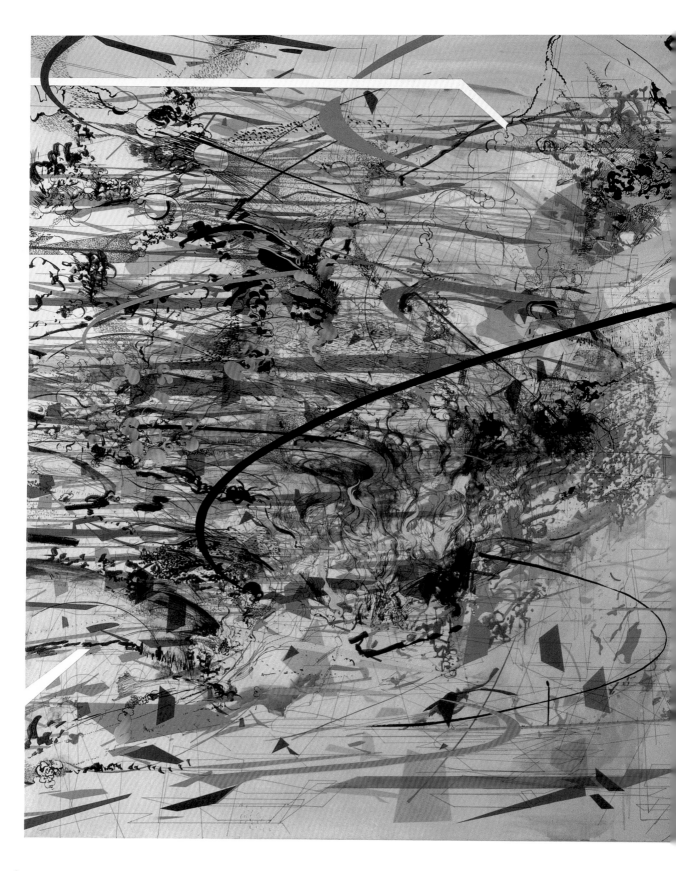

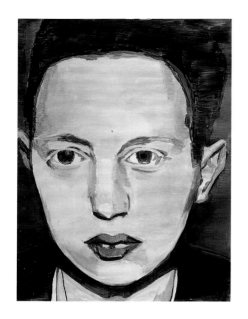

350 Λικ Τάιμανς, *Διαγνωστική άποψη*, 1992. Μια ασθένεια μπορεί να προκαλεί συμπτώματα στο πρόσωπο. Ο γιατρός χρησιμοποιεί τη φωτογραφία προκειμένου να μπορέσει να διαγνώσει τα προβλήματα του ασθενούς από μακριά. Κι αν υποθέσουμε όμως ότι ερχόταν ένας ζωγράφος για να εργαστεί με βάση αυτήν τη φωτογραφία; Καμία αρρώστια δεν θα απέμενε, απλώς μια αδύναμη αλληλουχία αναμνήσεων από εικόνες. Αυτό ήταν το σκεπτικό πίσω από τη σειρά *Διαγνωστικές απόψεις* που παρήγαγε ο βέλγος ζωγράφος Τάιμανς στις αρχές της δεκαετίας του 1990. Η σκέψη του προχωρούσε ένα βήμα μπροστά από την καθηλωμένη στη φωτογραφία φιλοσοφία του Γκέρχαρντ Ρίχτερ, έδινε όμως αντίστοιχη έμφαση στις ασθένειες και τα ένοχα μυστικά που κρύβονταν στο πρόσφατο παρελθόν της Ευρώπης. Η ξεθωριασμένη κομψότητα του ζωγραφικού ύφους του Τάιμανς έχει κατακτήσει ένα μεγάλο κοινό.

351 Τόμας Ρουφ, *Πορτρέτο*, 1988.

ναι να συμβολίσουν μια δυναμική που λειτουργεί αφηρημένα σε παγκόσμιο επίπεδο. Η κοινωνική θέση της Μεχρέτου ως αμερικανίδας πολίτη με αιθιοπική καταγωγή μπορεί να διαπνέει αυτή τη φιλοδοξία, από τη άλλη, όμως, οι προσπάθειες για «παγκόσμια σκέψη» διαποτίζουν τη σύγχρονη κουλτούρα. Αντίστοιχες προσπάθειες έχουν γίνει, λόγου χάρη, στα μεγαλεπήβολα μεταγενέστερα καλλιτεχνικά εγχειρήματα του Κίφερ –τα έπη που μοιάζει να μιμείται η Μεχρέτου ως προς την κλίμακα, αν όχι ως προς την υφή– και στις ψηφιακές φωτογραφικές συνθέσεις του Αντρέας Γκούρσκι (Andreas Gursky). Προσομοιώνοντας τις ηλεκτρονικές στρώσεις της εικόνας με πενάκι και πινέλο, η Μεχρέτου μοιάζει επίσης να διεκδικεί τη δεξιοτεχνία της σύνθεσης από το ήδη εδραιωμένο μονοπώλιο των ηλεκτρονικών υπολογιστών.

Η *Διασπορά*, ο τίτλος της Μεχρέτου, θα μπορούσε επίσης να χαρακτηρίζει πολλές άλλες μορφές σύγχρονης καλλιτεχνικής πρακτικής. Η διανομή πληροφοριών ή αγαθών ή απλώς και μόνον τροφής έχει γίνει μια υποδειγματική διαδικασία για διάφορους καλλιτέχνες που θέλουν να επανεφεύρουν την κοινωνική συνειδητοποίηση, από τον Φέλιξ Γκονζάλες-Τόρες (Felix Gonzalez-Torres) στη Νέα Υόρκη το 1990 ως τον Τόμας Χίρσχορν (Thomas Hirschhorn) και τον Ρίρκριτ Τιραβανίγια (Rirkrit Tiravanija) στη διεθνή σκηνή της δεκαετίας του 2000. Αυτή όμως η *Διασπορά* παραμένει μια πολύ εστιασμένη εικόνα, η οποία είναι ριζωμένη σ' έναν συγκεκριμένο χρόνο και τόπο. Βρισκόμαστε στη Νέα Υόρκη του 2002 και παρακολουθούμε μία από τους δέκα χιλιάδες καλλιτέχνες που προσπαθούν να αφομοιώσουν τον αντίκτυπο της 11ης Σεπτεμβρίου μέσω της φαντασίας τους. Μήπως είναι πάρα πολύ ωμή, πάρα πολύ αντιδραστική, η προσπάθεια συμβολισμού αυτού του αποτρόπαιου θεάματος που ήθελε να δώσει ένα τέλος σε όλα τα θεάματα; Ή μήπως τελικά συμφωνούμε με την απάντηση που έδωσε η καλλιτέχνιδα όταν της είπαν ότι είναι πάρα πολύ στομφώδης; «Δεν νομίζω ότι το έργο μου είναι αρκετά υπερβολικό».

Εκεί κι εδώ

Αν έμαθα κάτι μελετώντας την ιστορία της τέχνης είναι ότι το αποκαλυπτικό μελόδραμα της Μεχρέτου, το οποίο μπορεί να έμοιαζε «προχωρημένο» το 2006, θα φαίνεται απίστευτα παρωχημένο δέκα χρόνια μετά, καθώς και ότι το 2026 θα έχει καταχωριστεί στην ιστορία ως μια σημαντική συνεισφορά στην «αναβίωση του σχεδίου» ή κάποιου άλλου τέτοιου είδους θέματος. Προκειμένου όμως να ολοκληρώσω το ανά χείρας βιβλίο με λιγότερο δημοσιογραφικό ύφος, θα ανατρέξω στα τέλη του 20ού αιώνα για τις τελευταίες μου εικόνες.

Η παρουσίαση της φωτογραφίας του Τόμας Ρουφ (Thomas Ruff) μπορεί να μοιάζει ως άλλη μια απόδειξη του κλισέ που εξαπλώθηκε σ' ολόκληρο τον κόσμο από τότε που ο Ρόμπερτ Ράουσενμπεργκ ξαναζωντάνεψε τη σκέψη του Μαρσέλ Ντισάν στα τέλη της δεκαετίας του 1950: «Οτιδήποτε μπορεί να είναι τέχνη». Το να θεωρούμε πως κάτι είναι κλισέ δεν σημαίνει

ότι δεν ισχύει· εδώ, όμως, δεν έχουμε αρκετό χώρο για να εξετάσουμε όλους τους τρόπους, είτε αυτοί ήταν γόνιμοι και προκλητικοί είτε επιφανειακοί και επιτηδευμένοι, με τους οποίους οι άνθρωποι χρησιμοποίησαν αυτήν τη σοφία. Αυτό που με ενδιαφέρει είναι οι τρόποι με τους οποίους οι εικόνες μπορούν να τραβήξουν την προσοχή μας. Το 1988 ο Ρουφ άρχισε να πραγματεύεται αυτό το ζήτημα εκθέτοντας φωτογραφίες διαβατηρίου τις οποίες είχε μεγεθύνει για να καλύπτουν όλο τον τοίχο. Ακόμα, όμως, και όταν σμικρυνθούν για να χωρέσουν στη σελίδα ενός βιβλίου, έχω την εντύπωση ότι οι εικόνες του μας κάνουν να σκεφτούμε τι είναι το να κοιτάζει κανείς. Έχουμε μπροστά μας το πιο πρωταρχικό απ' όλα τα εικαστικά πρότυπα, ένα ανθρώπινο πρόσωπο [**351**]· επιπλέον, έχουμε μπροστά μας το αποτύπωμα ενός ατόμου που είναι τόσο πραγματικό όσο εσείς κι εγώ. Ο Ρουφ, όμως, με μια ανεπαίσθητη, διάχυτη παρέκκλιση, επιχείρησε να αφαιρέσει κάθε πιθανό περιεχόμενο, δημιουργώντας έτσι ένα επίπεδο ανάπτυγμα εικαστικών δεδομένων, το οποίο είναι τόσο αφηρημένο όσο και ο καμβάς της Μαλάνγκου. Το μόνο που κοιτάζουμε είναι μια εικόνα.

Ή μήπως όχι; «Μεγαλώσαμε τη δεκαετία του 1970», όπως δήλωσε ο Ρουφ σε μια συνέντευξή του.* (Κατά το μεγαλύτερο μέρος αυτής της δεκαετίας ο Ρουφ σπούδαζε στο Ντίσελντορφ με δασκάλους τους σημαντικούς γερμανούς ντοκουμενταρίστες Μπερντ [Bernd] και Χίλα Μπέχερ [Hilla Becher].) «Και μερικές φορές ήταν καλύτερο να μην λες αυτό που σκεφτόσουν». Καθώς η ριζοσπαστική κουλτούρα καταλάγιαζε μετά τη μεγάλη ανάπτυξη που είχε γνωρίσει τη δεκαετία του 1960 και καθώς επίσης ένα μέρος αυτής της ενεργητικότητας διοχετευόταν στις τρομοκρατικές μεθόδους της γερμανικής οργάνωσης Μπάαντερ-Μάινχοφ ενώ ταυτόχρονα ένα άλλο γύριζε αόριστα στους συναισθηματικούς δεσμούς και στην καριέρα, το άτομο βρέθηκε σε αντιπαράθεση με τα συστήματα επιτήρησης που σήμερα έχουν πλέον εξαπλωθεί σ' ολόκληρο τον δυτικό κόσμο. Το επίπεδο ανάπτυγμα του τυπογραφικού μελανιού που βλέπουμε εδώ εξετάζει από πίσω τη μυστική, άγνωστη περιοχή της σύγχρονης ιδιωτικής ζωής. Ο ανώνυμος φίλος από τον οποίο ζήτησε ο Ρουφ να δείχνει «ουδέτερος» το 1988 προετοιμαζόταν παγερά για την εμφάνιση των κλειστών κυκλωμάτων τηλεόρασης και τη σάρωση της ίριδας. Όπως και οι επίσης αντι-ρομαντικοί πίνακες του βέλγου σύγχρονού του Λικ Τάιμανς (Luc Tuymans) [**350**], οι φωτογραφίες του Ρουφ μάς τοποθετούν πρόσωπο με πρόσωπο με τις επιφάνειες, τις οποίες επενδύει με μια ηθική διάσταση.

Νομίζω ότι εδώ βρισκόμαστε πια κοντά στην ουσία, αν όχι όλης της τέχνης, ό,τι κι αν είναι αυτή, τότε τουλάχιστον του είδους της ανθρώπινης δραστηριότητας με το οποίο ασχολήθηκε το ανά χείρας βιβλίο: τον τρόπο δηλαδή δημιουργίας πραγμάτων που συνεπάγεται τόσο το να *κοιτάζει* κανείς όσο και το να *εξετάζει*.

Κι η δραστηριότητα αυτή συνεπάγεται επίσης το να προχωρήσει κα-

---

* Στη συνέντευξη που έδωσε στον Φίλιπ Πόκοκ και δημοσιεύτηκε στο *Journal of Contemporary Art* το 1993.

νείς πέρα από το ορατό. Το χρονολόγιο που σχεδίασα κινήθηκε με ελιγμούς που ξεπερνούν κατά πολύ τη βάση μου στη βορειοδυτική Ευρώπη χωρίς να κάνει πραγματικά τον κύκλο της υδρογείου, ενώ ένα βιβλίο που θα ήταν γραμμένο από τη σκοπιά των ασιατικών χωρών του Ειρηνικού, λόγου χάρη, θα είχε να αφηγηθεί μια πολύ διαφορετική ιστορία. Το τελευταίο του κεφάλαιο θα πραγματευόταν άλλες πρωτοπορίες, αρχίζοντας από το ιαπωνικό κίνημα Γκουτάι, το οποίο αναβίωσε το 1955 το ριζοσπαστικό πνεύμα της ομάδας Μάβο της δεκαετίας του 1920, και θα συνέχιζε με τον ταϊβανέζο πρώην ζωγράφο Τεχτσίνγκ Χσιε (Tehching Hsieh). Πώς θα μπορούσαμε να περιγράψουμε την τέχνη αν εστιάζαμε στη σειρά «ετήσιων περφόρμανς» που άρχισε, χωρίς καμία δημοσιότητα, ο Χσιε το 1978 στη Νέα Υόρκη; Ο Χσιε πέρασε έναν ολόκληρο χρόνο κλειδωμένος, σιωπηλός και μόνος σ' ένα κλουβί· πέρασε έναν ολόκληρο χρόνο όπου χτυπούσε κάρτα ακριβώς κάθε ώρα· πέρασε έναν ολόκληρο χρόνο χωρίς να έχει κάποιο είδος στέγης πάνω απ' το κεφάλι του· πέρασε έναν ολόκληρο χρόνο χωρίς να συμμετάσχει, με οποιονδήποτε τρόπο, στην τέχνη... Είναι πολλά αυτά που κι εμείς θα έπρεπε να εγκαταλείψουμε. Τον Φεβρουάριο του 1989, ένα μήνα πριν από την απομάκρυνση του *Κεκλιμένου τόξου*, η έκθεση «Κινεζική Πρωτοπορία» που πραγματοποιήθηκε στο Πεκίνο ανήγγελλε την εμφάνιση μιας γενιάς πειραματιστών που, με τα δεδομένα της Λαϊκής Δημοκρατίας της Κίνας, ήταν σχεδόν εξίσου ασυμβίβαστοι με τον Χσιε. Ένα εναλλακτικό τελευταίο κεφάλαιο του ανά χείρας βιβλίου, όμως, θα μπορούσε επίσης να πραγματεύεται το έργο ζωγράφων όπως ο Ζενγκ Χάο (Zeng Hao) και ο Φανγκ Λιγιούν (Fang Lijun), οι οποίοι άρχισαν να δημιουργούν μια εικονοποιία για τον κινεζικό μοντερνισμό της δεκαετίας του 1990, για να μην αναφέρουμε τη γενιά των καλλιτεχνών που διερεύνησαν την ιαπωνική μαζική κουλτούρα των κόμικς και των κινουμένων σχεδίων, επικεφαλής της οποίας ήταν ο Τακάσι Μουρακάμι (Takashi Murakami).

Στις αρχές της δεκαετίας του 1970, ενώ οι περισσότεροι ριζοσπάστες του Τόκιο είχαν αποφασίσει να μην παραγάγουν άλλη τέχνη προκειμένου να μην προσφέρουν κι άλλα εμπορεύματα στο σύστημα, ο κορεατικής καταγωγής Λι Γιου Φαν (Lee U-fan) έκανε το αμφιλεγόμενο βήμα τού να επιλέξει να ζωγραφίσει. «Πρέπει να σταματήσουμε να δημιουργούμε και να αρχίσουμε να βλέπουμε», όπως έγραψε ο φίλος του Σέκινε Νόμπουο (Sekine Nobuo) από τη Μόνο-χα, την «ομάδα των αντικειμένων». Ο Λι θα προσάρμοζε ελαφρώς αυτό το πρόγραμμα, προσεγγίζοντάς το με χρώματα και καμβά: «Ο άνθρωπος θα πρέπει να μάθει να βλέπει τα πάντα όπως είναι». Έκτοτε εργάστηκε στην Ευρώπη και στην Αμερική, και έχει γράψει για το θαυμασμό του για τον Λούτσιο Φοντάνα και τον Ανίς Καπούρ (Anish Kapoor), έναν βρετανο-ασιάτη γλύπτη που επίσης ασχολείται με την κενότητα και την ανάπλαση του χώρου. Στους απωανατολίτες θεατές οι καμβάδες του Λι μπορεί να μοιάζουν φτιαγμένοι σύμφωνα με τις επιταγές ενός επιβεβλημένου καλλιτεχνικού περιβάλλοντος· στους Δυτικούς, από την άλλη, μοιάζουν να οδηγούν στην «τσεν» ή ζεν βουδιστική παράδοση, την οποία είχαν διερευνήσει ζωγράφοι όπως ο Μου Κι εφτακόσια χρόνια πριν [βλ. **97**]. Είναι επίσης παράθυρα στα θέματα της παρουσίας και της απουσίας, της ύλης και του κενού, τα οποία έκαναν αθόρυβα την εμφάνισή τους στο τέλος του ανά χείρας βιβλίου. Ένας καμβάς του 1990 [**352**], από μια σειρά με τίτλο *Με ανέμους*, μας παρουσιάζει ίχνη που υποδεικνύουν ότι υπάρχει κάτι άλλο πέρα απ' τα ίχνη, ότι υπάρχει επίσης κάτι άλλο πέρα από τα λόγια γι' αυτά τα ίχνη. Υπάρχει. Νομίζω ότι θα ήταν καλό να σταματήσουμε εδώ.

Έχει, άραγε, η τέχνη μια ιστορία; Στο επίπεδο στο οποίο περιέγραψα την όλη κατάσταση, μόλις και μετά βίας. Κάποιες στιγμές, καθώς έγραφα, είχα την εντύπωση πως έβλεπα φευγαλέα όλες αυτές τις στατικές εικόνες που αναπαράγονται εδώ να συνδέονται σαν συλλαβές ενός μεγάλου ρήματος, σαν ένα διαρκώς μεταβαλλόμενο κύμα της ανθρώπινης φαντασίας. Ακόμα όμως κι αν η τέχνη είναι ένα τέτοιο ρήμα, το ανά χείρας βιβλίο δεν είναι η γραμματική της – είναι απλώς και μόνον μια ματιά σε μερικούς γενικούς τρόπους με τους οποίους οι κοινωνικές συνθήκες διαμόρφωσαν τη χρήση της. Ό,τι είναι ωραίο σ' ένα έργο τέχνης, ό,τι αλλάζει τη ζωή του θεατή, βρίσκεται πολύ έξω από το βεληνεκές μιας τέτοιας περιγραφής. Τώρα θα πρέπει να πλησιάσετε περισσότερο τις διεξοδικότερες ιστορίες της τέχνης. Ή, μάλλον, να πλησιάσετε το ίδιο το έργο. Ή, ακόμα καλύτερα, να κάνετε πράγματα. Αυτό που θα συμβεί από τώρα και στο εξής στην τέχνη θα εξαρτηθεί από εσάς.

ΣΗΜΕΙΩΜΑ ΤΗΣ ΜΕΤΑΦΡΑΣΤΡΙΑΣ

Στο παράθεμα από τον *Χρυσό γάιδαρο* του Απουλήιου χρησιμοποιήθηκε η μετάφραση του Αριστείδη Αϊβαλιώτη (Νεφέλη, Αθήνα 1982).

Στο παράθεμα από τον «Χάλκινο καβαλάρη» του Αλέξανδρου Πούσκιν χρησιμοποιήθηκε η μετάφραση του Μήτσου Αλεξανδρόπουλου από την ανθολογία *Άλλη, καλύτερη, ζητώ ελευθερία...* (Ποταμός, Αθήνα 2004).

Στο παράθεμα από το «Ζωγράφο της σύγχρονης ζωής» του Σαρλ Μποντλέρ χρησιμοποιήθηκε η μετάφραση της Μαρίας Ρέγκου από τον τόμο *Αισθητικά δοκίμια* (Printa, Αθήνα 2005²).

Στο παράθεμα από την «Παρακμή του ψεύδους» του Όσκαρ Ουάιλντ χρησιμοποιήθηκε η μετάφραση του Γιάννη Κωνσταντίνου, με κάποιες αλλαγές, από τον τόμο *Στοχασμοί* (Εκδόσεις Γκοβόστη, Αθήνα 2003).

Στο παράθεμα από το *Τα πάντα γίνονται κομμάτια* του Τσινούα Ατσέμπε χρησιμοποιήθηκε η μετάφραση της Κατερίνας Χαλμούκου (Εκδοτικός Οίκος Α. Α. Λιβάνη, Αθήνα 2003).

Στο παράθεμα από το «Ρέκβιεμ για μια φίλη» του Ράινερ Μαρία Ρίλκε χρησιμοποιήθηκε η μετάφραση του Γιώργου Κοροπούλη από τον τόμο *Ρέκβιεμ για μια φίλη και άλλα ποιήματα* (Ύψιλον/βιβλία, Αθήνα 2004).

	30.000 π.Χ.	10.000 π.Χ.	5000 π.Χ.	3000 π.Χ.	2000 π.Χ.
ΚΟΣΜΟΣ	— πριν από το 40.000 π.Χ. *ΑΡΧΑΙΟΤΕΡΗ ΠΑΛΑΙΟΛΙΘΙΚΗ* — 40.000-10.000 π.Χ. *ΝΕΟΤΕΡΗ ΠΑΛΑΙΟΛΙΘΙΚΗ* • περ. 10.000 π.Χ. ΤΕΛΟΣ ΤΗΣ ΕΠΟΧΗΣ ΤΩΝ ΠΑΓΕΤΩΝΩΝ				• περ. 2000 π.Χ. ΕΚΤΕΤΑΜΕΝΕΣ ΞΗΡΑΣΙΕΣ, ΟΙ ΠΟΛΙΤΙΣΜΟΙ ΥΠΟΧΩΡΟΥΝ
ΑΦΡΙΚΗ	περ. 130.000 π.Χ. ΕΜΦΑΝΙΣΗ ΤΟΥ *HOMO SAPIENS* • περ. 75.000 π.Χ. Σπήλαιο Μπλόμπος, σχηματοποιημένη ώχρα		• περ. 5000 π.Χ. παραστάσεις στο Τασίλι, Σαχάρα [10]	• περ. 3100 π.Χ. ΑΡΧΗ ΤΗΣ ΠΡΩΙΜΗΣ ΔΥΝΑΣΤΙΚΗΣ ΠΕΡΙΟΔΟΥ ΣΤΗΝ ΑΙΓΥΠΤΟ	2650-2150 π.Χ. ΠΑΛΑΙΟ ΒΑΣΙΛΕΙΟ ΣΤΗΝ ΑΙΓΥΠΤΟ • περ. 2470 π.Χ. Μενκαουρέ και Χαμερερνεμπτί [26] • περ. 2300 π.Χ. Σενέμπ και Σεντγιότες [27]
ΕΥΡΩΠΗ	• (;) 100.000 π.Χ. Νόρφολκ, πελεκημένος πυριτόλιθος [2] • περ. 31.000 π.Χ. Χόλενσταϊν-Στάντελ, ειδώλιο [4] • περ. 28.000 π.Χ. Σοβέ, σπηλαιογραφίες [5, 6] • 25.000 π.Χ. Ντόλνι Βεστόνιτσε, Δημοκρατία της Τσεχίας, πήλινα ειδώλια	• (;) 17.000 π.Χ. Συγκροτήματα σπηλαίων στο Λασκό και στην Αλταμίρα • περ. 14.000 π.Χ. Λα Μαντλέν, θραύσμα λαξευμένου ελαφίσιου κέρατος [7] μετά το 10.000 π.Χ. *ΜΕΣΟΛΙΘΙΚΗ ΠΕΡΙΟΔΟΣ ΣΤΗΝ ΕΥΡΩΠΗ* μετά το 7000 π.Χ. ΝΕΟΛΙΘΙΚΗ ΓΕΩΡΓΙΑ ΣΤΗΝ ΑΝΑΤΟΛΙΚΗ ΕΥΡΩΠΗ	μετά το 5500 π.Χ. ΝΕΟΛΙΘΙΚΗ ΓΕΩΡΓΙΑ ΣΤΗΝ ΚΕΝΤΡΙΚΗ ΕΥΡΩΠΗ • 5000-2000 π.Χ. Καβάλα, σπηλαιογραφίες [1] • περ. 4500 π.Χ. ΠΡΩΤΑ ΜΕΓΑΛΙΘΙΚΑ ΜΝΗΜΕΙΑ ΣΤΗΝ ΕΥΡΩΠΗ • περ. 4500 π.Χ. «Η Γυναίκα του Πάζαρτζικ» [16]	• 3200-2500 π.Χ. Σκοτία, πέτρινες σφαίρες [20] • 3000-2000 π.Χ. Στόουνχετζ • 2800-2000 π.Χ. Κυκλαδικά ειδώλια [17]	
ΑΣΙΑ	• (;) 250.000 π.Χ. Μπέρεχατ Ραμ, αυλακωμένος τόφος [3]	• περ. 10.000 π.Χ. Ιαπωνία, πρώτα κεραμικά Τζομόν • περ. 9600 π.Χ. Γκομπεκλί Τεπέ, μεγαλιθικός ναός [11, 12] μετά το 9000 π.Χ. Η ΝΕΟΛΙΘΙΚΗ ΓΕΩΡΓΙΑ ΑΡΧΙΖΕΙ ΣΤΗ ΝΔ ΑΣΙΑ 7000-4000 π.Χ. Η ΜΕΤΑΛΛΟΤΕΧΝΙΑ ΑΝΑΠΤΥΣΣΕΤΑΙ ΣΤΗ ΝΔ ΑΣΙΑ μετά το 7000 π.Χ. ΝΕΟΛΙΘΙΚΗ ΓΕΩΡΓΙΑ ΣΤΗΝ ΚΙΝΑ	• 3500 π.Χ. ΣΟΥΜΕΡΙΑ (ΙΡΑΚ), ΟΙ ΠΡΩΤΕΣ ΠΟΛΕΙΣ • περ. 3200-2200 π.Χ. Κίνα, πολιτισμός Λιανγκτσού, τσονγκ από νεφρίτη [23]	• περ. 2800 π.Χ. Σουμερικός σφραγιδόλιθος [25] • 2600-1900 Ινδουιστικές πόλεις • περ. 2500 π.Χ. Αγγείο Τζομόν «φλογοειδούς ύφους» από τη Νιιγκάτα [15] • περ. 2250 π.Χ. Στήλη του Ναράμ-σιν [28, 29] • περ. 2200 π.Χ. Ινδουιστικές πόλεις· ειδώλιο από τη Χαράπα [24] • περ. 2000 π.Χ. Πολιτισμός «ΑΣΒΜ» (Τουρκμενιστάν), κεφαλή πέλεκυ [30]
ΑΜΕΡΙΚΗ		μετά το 10.000 π.Χ. *ΑΡΧΑΪΚΗ ΠΕΡΙΟΔΟΣ* • 7000-2000 π.Χ. Γιούτα, βραχογραφίες του «Αγίου Πνεύματος» [8]			
ΩΚΕΑΝΙΑ	• (;) 35.000 π.Χ. Αυστραλία, εικονογραφικά σύνολα				

	2000 π.Χ.	1000 π.Χ.	500 π.Χ.	0	300 μ.Χ.

ΚΟΣΜΟΣ
——— 1200-800 π.Χ. ΑΝΑΤΑΡΑΧΕΣ ΚΑΤΑ ΤΗ «ΣΚΟΤΕΙΝΗ ΠΕΡΙΟΔΟ» ΣΤΗ ΝΔ ΑΣΙΑ, ΤΗΝ ΑΙΓΥΠΤΟ, ΤΗ Ν. ΕΥΡΩΠΗ

ΑΦΡΙΚΗ
——— 1550-1070 π.Χ. ΝΕΟ ΒΑΣΙΛΕΙΟ ΣΤΗΝ ΑΙΓΥΠΤΟ
• περ. 1375 π.Χ. Μπεκ, ανάγλυφο του Ακενατόν [**37**]
• περ. 1340 π.Χ. Τούθμωσης, προτομή της Νεφερτίτης [**38**]
——— 500-200 π.Χ. *ΠΟΛΙΤΙΣΜΟΣ ΝΟΚ, ΝΙΓΗΡΙΑ*
• περ. 250 π.Χ. Ειδώλιο από τερακότα Νοκ [**65**]

ΕΥΡΩΠΗ — ΕΛΛΑΔΑ
——— 2220-1450 π.Χ. *ΜΙΝΩΙΚΗ ΕΠΟΧΗ*
• περ. 330 π.Χ. Επιτύμβιο ανάγλυφο από τον Ιλισσό [**48**]
περ. 2000-1000 *ΕΠΟΧΗ ΤΟΥ ΧΑΛΚΟΥ ΣΤΗΝ ΑΝΑΤΟΛΙΚΗ ΜΕΣΟΓΕΙΟ*
• περ. 330 π.Χ. «Έφηβος του Μαραθώνα» [**49**]
περ. 2220-1000 π.Χ. *ΑΙΓΑΙΑΚΟΙ ΠΟΛΙΤΙΣΜΟΙ*
• περ. 150 π.Χ. Νίκη της Σαμοθράκης [**50**]
• περ. 1550 π.Χ. Τοιχογραφία από τη Θήρα [**32-36**]
• περ. 80 π.Χ. Ορειχάλκινη κεφαλή από τη Δήλο [**52**]
——— 1450-1200 π.Χ. *ΜΥΚΗΝΑΪΚΗ ΕΠΟΧΗ* μετά το 800 π.Χ. ΟΙ ΕΛΛΗΝΕΣ ΑΣΠΑΖΟΝΤΑΙ ΕΝΑΝ ΚΟΙΝΟ ΠΟΛΙΤΙΣΜΟ
——— 650-450 π.Χ. *ΑΡΧΑΪΚΗ ΤΕΧΝΗ ΣΤΗΝ ΕΛΛΑΔΑ*
• περ. 590 π.Χ. Αττικός κούρος [**43**]
——— 490-330 π.Χ. *ΚΛΑΣΙΚΗ ΤΕΧΝΗ ΣΤΗΝ ΕΛΛΑΔΑ*
• περ. 480 π.Χ. «Έφηβος του Κριτίου» [**44**]
• περ. 480 π.Χ. Κύλικα του Ζωγράφου του Τριπτόλεμου [**45**]
• 447-432 π.Χ. Γλυπτός διάκοσμος του Παρθενώνα [**47**]
——— 330-50 π.Χ. *ΕΛΛΗΝΙΣΤΙΚΗ ΤΕΧΝΗ*

ΕΥΡΩΠΗ — ΙΤΑΛΙΑ
• (;) 753 π.Χ. ΙΔΡΥΣΗ ΤΗΣ ΡΩΜΗΣ   μετά το 150 π.Χ. Η ΡΩΜΗ ΚΥΡΙΑΡΧΕΙ ΣΤΗ ΜΕΣΟΓΕΙΟ
——— 700-400 π.Χ. *ΕΤΡΟΥΣΚΙΚΟΣ ΠΟΛΙΤΙΣΜΟΣ*
• (;) περ. 40 π.Χ. Αγήσανδρος κ.ά., *Λαοκόων* [**62**]
• περ. 11 μ.Χ. Τοιχογραφίες στο Μποσκοτρεκάζε, Ν. Ιταλία [**58-61**]
• 75-80 μ.Χ. Ρώμη, Κολοσσαίο
• 113 μ.Χ. Ρώμη, Στήλη του Τραϊανού [**63**, **64**]
• 176 μ.Χ. Ρώμη, άγαλμα του Μάρκου Αυρήλιου
• περ. 280 μ.Χ. Προτομή του Πρόβου [**67**]

ΑΣΙΑ
——— περ. 1800-800 π.Χ. *ΕΠΟΧΗ ΤΟΥ ΧΑΛΚΟΥ ΣΤΗΝ ΚΙΝΑ*
——— από το 1750 έως το 612 π.Χ. *ΑΣΣΥΡΙΑΚΟΣ ΠΟΛΙΤΙΣΜΟΣ*
——— δεκαετία του 1700-δεκαετία του 1100 π.Χ.   • 138 π.Χ. ΟΙ ΚΙΝΕΖΟΙ ΑΝΟΙΓΟΥΝ ΤΟ ΔΡΟΜΟ ΤΟΥ ΜΕΤΑΞΙΟΥ ΠΡΟΣ ΤΗ ΔΥΣΗ
ΔΥΝΑΣΤΕΙΑ ΣΑΝΓΚ ΣΤΗ Β. ΚΙΝΑ
——— από το 1500 έως περ. το 100 π.Χ. ΦΟΙΝΙΚΙΚΟΣ ΠΟΛΙΤΙΣΜΟΣ   • περ. 120 π.Χ. Σκεύος καύσης θυμιάματος Μποσάν [**54**]
• περ. 1050 π.Χ. Ορειχάλκινο γιου,   • περ. 120 π.Χ. Ορειχάλκινο «Ιπτάμενο άλογο» [**55**]
τελετουργικό αγγείο [**31**]
• περ. 750 π.Χ. Θραύσμα με ένθετη διακόσμηση από ελεφαντοστό [**41**]
• περ. 750 π.Χ. Τούβα, σπειροειδής πλακέτα με πάνθηρα [**40**]
• 640 π.Χ. Νινευή, ανάγλυφο   • περ. 80 π.Χ. Χιντζιάνγκ, ελληνιστικός τοιχοτάπητας [**53**]
με κυνηγημένους όνους [**42**]   • περ. 50 π.Χ. Σανσί, πύλη εισόδου [**51**]
μετά το 612 π.Χ. ΠΕΡΣΙΚΗ ΑΥΤΟΚΡΑΤΟΡΙΑ   • περ. 33 μ.Χ. ΣΤΑΥΡΩΣΗ ΤΟΥ ΙΗΣΟΥ ΑΠΟ ΤΗ ΝΑΖΑΡΕΤ
• περ. 500 π.Χ. Ο ΒΟΥΔΑΣ ΔΙΔΑΣΚΕΙ
• περ. 470 π.Χ. Ανάγλυφα από την Περσέπολη [**46**]
• 326 π.Χ. ΟΙ ΚΑΤΑΚΤΗΣΕΙΣ ΤΟΥ ΑΛΕΞΑΝΔΡΟΥ ΕΚΤΕΙΝΟΝΤΑΙ ΩΣ ΤΟΝ ΙΝΔΟ ΠΟΤΑΜΟ
——— 268-233 π.Χ. ΑΥΤΟΚΡΑΤΟΡΙΑ ΤΟΥ ΑΣΟΚΑ ΣΤΗ Ν. ΑΣΙΑ
• 221 π.Χ. Ο ΑΥΤΟΚΡΑΤΟΡΑΣ ΚΙΝ ΕΝΩΝΕΙ ΤΗΝ ΚΙΝΑ
——— 202 π.Χ.-220 μ.Χ. Η ΔΥΝΑΣΤΕΙΑ ΧΑΝ ΚΥΒΕΡΝΑ ΤΗΝ ΚΙΝΑ

ΑΜΕΡΙΚΗ
• περ. 1200-800 π.Χ. Μεξικό, κεραμική από το Τλατίλκο [**39**]
• περ. 1000 π.Χ. Μεξικό, κεφαλές Ολμέκων, Σαν Λορέντζο [**21**]
• περ. 900 π.Χ. Περού, ναός Τσαβίν [**22**]

ΑΦΡΙΚΗ

• περ. 340 Σαρκοφάγος από την Καρχηδόνα, Β. Αφρική [68]

μετά τη δεκαετία του 630 ΟΙ ΜΟΥΣΟΥΛΜΑΝΟΙ ΚΑΤΑΚΤΟΥΝ ΤΗ Β. ΑΦΡΙΚΗ

ΒΑΣΙΛΕΙΟ ΙΦΕ, ΝΙΓΗΡΙΑ, ορειχάλκινη κεφαλή βασιλιά [95], περ. 1200 •

ΔΥΤΙΚΗ ΕΥΡΩΠΗ

μετά τη δεκαετία του 410 Η ΡΩΜΑΪΚΗ ΚΥΡΙΑΡΧΙΑ ΚΑΤΑΡΡΕΕΙ ΔΥΤΙΚΑ ΤΗΣ ΕΛΛΑΔΑΣ

• δεκαετία του 540 Άγιος Βιτάλιος, Ραβένα [70]

περ. 600- δεκαετία του 900 *ΝΗΣΙΩΤΙΚΗ ΤΕΧΝΗ*, Ευαγγέλια του Λίντισφαρν [72]

μετά το 711 ΟΙ ΜΟΥΣΟΥΛΜΑΝΟΙ ΕΙΣΒΑΛΛΟΥΝ ΣΤΗΝ ΙΣΠΑΝΙΑ • περ. 1120 Τύμπανο, Βεζελέ [83]

δεκαετία του 750- δεκαετία του 850 *ΚΑΡΟΛΙΓΓΕΙΑ ΤΕΧΝΗ, Δ. ΚΑΙ Κ. ΕΥΡΩΠΗ* • δεκαετία του 1140 Σεν Ντενί, Παρίσι: *ΑΡΧΗ ΤΗΣ ΓΟΤΘΙΚΗΣ ΤΕΧΝΗΣ*

• 800 Ο ΚΑΡΛΟΜΑΓΝΟΣ ΣΤΕΦΕΤΑΙ ΑΥΤΟΚΡΑΤΟΡΑΣ ΤΗΣ ΑΓΙΑΣ ΡΩΜΑΪΚΗΣ ΑΥΤΟΚΡΑΤΟΡΙΑΣ

δεκαετία του 930-1000 *ΟΘΩΝΙΚΗ ΤΕΧΝΗ, Κ. ΕΥΡΩΠΗ*

• περ. 975 Εσταυρωμένος του Γκέρο [80] • περ. 1180 Ψηφιδωτά στο Μονρεάλε [85]

περ. 1000-1200 *ΡΩΜΑΝΙΚΗ ΤΕΧΝΗ, Δ. ΚΑΙ Κ. ΕΥΡΩΠΗ*

• περ. 1080 Τοιχοτάπητας της Μπαγιέ [84]

ΑΝΑΤΟΛΙΚΗ ΕΥΡΩΠΗ

• 313 Ο ΚΩΝΣΤΑΝΤΙΝΟΣ ΝΟΜΙΜΟΠΟΙΕΙ ΤΟ ΧΡΙΣΤΙΑΝΙΣΜΟ ΜΕ ΤΟ ΔΙΑΤΑΓΜΑ ΤΟΥ ΜΙΛΑΝΟΥ

• 330 Η ΠΡΩΤΕΥΟΥΣΑ ΤΗΣ ΑΝΑΤΟΛΙΚΗΣ ΡΩΜΑΪΚΗΣ ΑΥΤΟΚΡΑΤΟΡΙΑΣ ΜΕΤΑΦΕΡΕΤΑΙ ΣΤΟ ΒΥΖΑΝΤΙΟ

δεκαετία του 750-δεκαετία του 840 ΤΟ ΚΙΝΗΜΑ ΤΗΣ ΕΙΚΟΝΟΜΑΧΙΑΣ ΣΤΟ ΒΥΖΑΝΤΙΟ

• 988 ΟΙ ΡΩΣΟΙ ΑΣΠΑΖΟΝΤΑΙ ΤΟΝ ΟΡΘΟΔΟΞΟ ΧΡΙΣΤΙΑΝΙΣΜΟ

• 1131 *Η Παναγία του Βλαδιμήρου*, ζωγραφισμένη στο Βυζάντιο [86]

ΝΟΤΙΟΔΥΤΙΚΗ ΑΣΙΑ

• 622-632 Ο ΜΩΑΜΕΘ ΙΔΡΥΕΙ ΤΟ ΙΣΛΑΜ • 1000 Το Κοράνιο του Ιμπν αλ-Μπαγουάμπ [79]

• δεκαετία του 640 ΟΙ ΜΟΥΣΟΥΛΜΑΝΟΙ ΚΑΤΑΚΤΟΥΝ ΤΗΝ ΠΕΡΣΙΑ 1037-1243 ΚΥΡΙΑΡΧΙΑ ΤΩΝ ΣΕΛΤΖΟΥΚΩΝ ΣΤΗΝ Κ. & Δ. ΑΣΙΑ

• περ. 710 Μεγάλο Τέμενος της Δαμασκού [71] Μαυσωλείο του Ζουμπουρούντ Κατούν [90], 1220 •

750-1258 ΟΙ ΑΒΑΣΙΔΕΣ ΧΑΛΙΦΕΣ ΣΤΗ ΒΑΓΔΑΤΗ

ΝΟΤΙΑ ΑΣΙΑ

περ. 1050 *Σίβα Ναταράτζα*, ορειχάλκινο αγαλματίδιο από το βασίλειο Κόλα [82] •

240-510 ΑΥΤΟΚΡΑΤΟΡΙΑ ΓΚΟΥΠΤΑ

• περ. 450 Βούδας από τη Σαρνάθ [69]

• δεκαετία του 650- δεκαετία του 660 Λάξευση σε βράχο στο Μαμαλαπουράμ [76]

• 775-842 Ιάβα, Ναός στο Μπορομπουντούρ [75]

δεκαετία του 800-δεκαετία του 1200 ΑΥΤΟΚΡΑΤΟΡΙΑ ΤΩΝ ΧΜΕΡ ΣΤΗΝ ΚΑΜΠΟΤΖΗ

• δεκαετία του 950 Ναός Λαξμάνα, Κατζουράο [81]

1100-1200 ΟΙ ΜΟΥΣΟΥΛ-ΜΑΝΟΙ ΕΙΣΒΑΛΛΟΥΝ ΣΤΗ Β. ΙΝΔΙΑ

• 1200 Κεφαλή του Τζα-γιαβαρμάν Ζ΄ [94]

ΑΝΑΤΟΛΙΚΗ ΑΣΙΑ

• 350-400 Ο ΓΚΟΥ ΚΑΪΤΣΙ «ΙΔΡΥΕΙ» ΤΗΝ ΚΙΝΕΖΙΚΗ ΖΩΓΡΑΦΙΚΗ • (;) περ. 1070 *Νυχτερινά ξεφαντώματα του Χαν Ξιτσάι* [96]

• περ. 600 Κύλινδρος της *Νύμφης του ποταμού Λουό* [78] • 1072 Γκούο Ξι, *Αρχές της άνοιξης* [91]

• περ. 600 ΕΝΩΜΕΝΟ ΙΑΠΩΝΙΚΟ ΚΡΑΤΟΣ • περ. 1130 Τσότζου γκίγκα, οριζόντιος κύλινδρος με ζώα [92]

618-906 ΔΥΝΑΣΤΕΙΑ ΤΑΝΓΚ ΣΤΗΝ ΚΙΝΑ Τζόκεϊ, *Ούγγκιο* [93], περ. 1203 •

• περ. 700 Γλυπτό από σπήλαιο, Ντουνχουάνγκ [77]

794-1185 ΕΠΟΧΗ ΕΪΑΝ / ΦΟΥΤΖΙΓΟΥΑΡΑ ΣΤΗΝ ΙΑΠΩΝΙΑ

960-1278 ΔΥΝΑΣΤΕΙΑ ΣΟΝΓΚ ΣΤΗΝ ΚΙΝΑ

ΑΜΕΡΙΚΗ

200-500 ΠΟΛΙΤΙΣΜΟΙ ΜΟΤΣΕ ΣΤΟ ΠΕΡΟΥ, αγγείο πορτρέτο [66]

300 π.Χ.-δεκαετία του 900 ΠΟΛΕΙΣ ΚΑΙ ΤΕΛΕΤΟΥΡΓΙΚΑ ΚΕΝΤΡΑ ΤΩΝ ΜΑΓΙΑ, ΜΕΞΙΚΟ

• 790 Μεξικό, τοιχογραφίες στο Μπονάμπακ [74]

• περ. 800 Μεξικό, κεραμική Καμπέτσε [73]

ΚΥΡΙΑΡΧΙΑ ΤΩΝ ΑΥΤΟΚΡΑΤΟΡΙΚΟΥ ΣΥΣΤΗΜΑΤΟΣ ΤΩΝ ΙΝΚΑΣ μετά το 1197 •

ΩΚΕΑΝΙΑ

• περ. 300 ΑΠΟΙΚΙΣΜΟΣ ΣΤΟ ΝΗΣΙ ΤΟΥ ΠΑΣΧΑ

ΑΠΟΙΚΙΣΜΟΣ ΣΤΗ ΝΕΑ ΖΗΛΑΝΔΙΑ, περ. 1200 •

	1250	1300	1350	1400	1420	1440	1460	1480

ΚΟΣΜΟΣ

δεκαετία του 1200-δεκαετία του 1300 ΚΥΡΙΑΡΧΙΑ ΤΩΝ ΜΟΓΓΟΛΩΝ ΣΕ ΟΛΗ ΤΗΝ ΕΥΡΑΣΙΑ

δεκαετία του 1340-δεκαετία του 1350 «ΜΑΥΡΟΣ ΘΑΝΑΤΟΣ», ΠΑΝΩΛΗ ΣΕ ΟΛΗ ΤΗΝ ΕΥΡΑΣΙΑ

ΕΥΡΩΠΗ

δεκαετία του 1300-περ. δεκαετία του 1520 ΥΣΤΕΡΗ ΓΟΤΘΙΚΗ ΠΕΡΙΟΔΟΣ

1200-1300 ΩΡΙΜΗ ΓΟΤΘΙΚΗ ΠΕΡΙΟΔΟΣ

περ. 1380-1450 ΔΙΕΘΝΗΣ ΓΟΤΘΙΚΗ ΠΕΡΙΟΔΟΣ

• περ. 1400 ΑΡΧΗ ΤΗΣ ΞΥΛΟΓΡΑΦΙΑΣ

ΙΣΠΑΝΙΑ
• 1360-90 Γρανάδα, Αλάμπρα, Αυλή των λεόντων [113]

ΓΑΛΛΙΑ
• περ. 1205-10 Σαρτρ, Πέντε εβραίοι πατριάρχες [87]
• περ. 1405 Σλούτερ, Δύο pleurants [115]
• περ. 1245 Ρενς, Η Υπαπαντή [88]
• 1350 Le Dit du Lion, ζωγραφισμένο στο Παρίσι [110]
• 1243-48 Σεν Σαπέλ, Παρίσι [89]
• 1375-81 Ζαν Μπουντόλφ, Αποκάλυψη [111, 112]
• περ. 1465 Μπαρτέλεμι ντ' Έικ, Η επιθυμία κλέβει την καρδιά του ερωτοχτυπημένου βασιλιά [131]

ΚΑΤΩ ΧΩΡΕΣ
μετά το 1369 ΠΑΤΡΟΝΙΑ ΤΗΣ ΒΟΥΡΓΟΥΝΔΙΑΣ ΣΕ ΚΑΤΩ ΧΩΡΕΣ ΚΑΙ ΓΑΛΛΙΑ
• 1455 Φαν ντερ Βέιντεν, Προσωπογραφία μιας κοπέλας [123]
• δεκαετία του 1420 Η ΕΛΑΙΟΓΡΑΦΙΑ ΑΝΑΠΤΥΣΣΕΤΑΙ ΣΤΙΣ ΚΑΤΩ ΧΩΡΕΣ
• 1434 Γιαν φαν Έικ, Η Παναγία του καγκελάριου Ρολάν [116]

ΓΕΡΜΑΝΙΑ
• περ. 1250 Νάουμπουργκ, Μυστικός Δείπνος [99]

ΙΤΑΛΙΑ
• 1285-97 Τζοβάνι Πιζάνο, Αγγαίος [100]
• περ. 1440 πίνακας του Αγίου Αντωνίου [120]
• 1303-6 Τζότο, Παρεκκλήσι της Αρένας [101, 102]
• (;) δεκαετία του 1440 Ντονατέλο, Δαβίδ [126]
• 1333 Σιμόνε Μαρτίνι, Ευαγγελισμός της Θεοτόκου [108, 109]
• περ. 1450 Μαντένια, Άγιος Ιάκωβος [121]
• 1339 Αμπρότζο Λορεντζέτι, Η καλή διακυβέρνηση [103-6]
• περ. 1460 Πιέρο ντελα Φραντσέσκα, Ανάσταση [122]
• δεκαετία του 1340 Ο ΠΕΤΡΑΡΧΗΣ ΠΡΟΑΣΠΙΖΕΤΑΙ ΤΟΝ «ΟΥΜΑΝΙΣΜΟ»
Νικολό ντελ' Άρκα, Θρήνος [124, 125], περ. 1463 •
1400-80 ΠΡΩΙΜΗ ΑΝΑΓΕΝΝΗΣΗ
Τζεντίλε Μπελίνι, Καθιστός γραφέας [129], περ. 1479 •
• περ. 1416 Γκιμπέρτι, Φραγγέλωση [117]
• περ. 1420 Η ΜΕΘΟΔΟΣ ΤΗΣ ΠΡΟΟΠΤΙΚΗΣ ΤΟΥ ΜΠΡΟΥΝΕΛΕΣΚΙ
Ντονατέλο, Το συμπόσιο του Ηρώδη [118], 1427 •
Μποττιτσέλι, Αλληγορία της Αφθονίας [127], περ. 1482 •
Μαζάτσο, Εκδίωξη από τον Παράδεισο [119], 1427 •
Τζοβάνι Μπελίνι, Madonna degli Alberetti (Παναγία των δέντρων) [128], 1487 •

ΑΝΑΤΟΛΙΚΗ ΕΥΡΩΠΗ
• περ. 1410 Ρουμπλιόφ, Αγία Τριάδα [114]
• 1453 ΟΙ ΟΘΩΜΑΝΟΙ ΚΑΤΑΚΤΟΥΝ ΤΟ ΒΥΖΑΝΤΙΟ

ΑΣΙΑ

ΙΡΑΝ
• 1258 ΟΙ ΜΟΓΓΟΛΟΙ ΛΕΗΛΑΤΟΥΝ ΤΗ ΒΑΓΔΑΤΗ
• Μπιζάντ, Γιουσούφ και Ζουλάικα [130], 1488
μετά το 1300 ΑΝΑΠΤΥΞΗ ΤΗΣ ΠΕΡΣΙΚΗΣ ΖΩΓΡΑΦΙΚΗΣ
• δεκαετία του 1330 Μογγολικό Σαχ Ναμέ [107]
1307-1506 ΕΠΟΧΗ ΤΙΜΟΥΡΙΝΤ ΣΤΗΝ ΠΕΡΣΙΑ

ΙΝΔΙΑ
1206-1526 ΣΟΥΛΤΑΝΑΤΟ ΤΟΥ ΔΕΛΧΙ
• δεκαετία του 1390 ΠΟΙΗΣΗ ΤΟΥ ΚΑΜΠΙΡ

ΙΑΒΑ
1293-1500 ΑΥΤΟΚΡΑΤΟΡΙΑ ΜΑΤΖΑΠΑΧΙΤ
• περ. 1450 Λύχνος Γκαρούντα [133]

ΚΙΝΑ
• περ. 1250 Μου Κι, Έξι διόσπυροι [97]
μετά τη δεκαετία του 1250 Η ΤΣΕΝ (ΖΕΝ) ΖΩΓΡΑΦΙΚΗ ΜΕΤΑΦΕΡΕΤΑΙ ΣΤΗΝ ΙΑΠΩΝΙΑ
1260-1368 ΓΙΟΥΑΝ (ΜΟΓΓΟΛΙΚΗ) ΔΥΝΑΣΤΕΙΑ
1368-1644 ΔΥΝΑΣΤΕΙΑ ΤΩΝ ΜΙΝΓΚ
• 1372 Νι Τσαν, Το εργαστήριο Ρόνγκξι [98]

ΑΜΕΡΙΚΗ
• 1325 ΟΙ ΑΖΤΕΚΟΙ ΙΔΡΥΟΥΝ ΤΟ ΤΕΝΟΧΤΙΤΛΑΝ (ΠΟΛΗ ΤΟΥ ΜΕΞΙΚΟΥ)

ΩΚΕΑΝΙΑ
1200-1500 ΑΝΕΓΕΙΡΟΝΤΑΙ ΤΑ ΜΟΑΪ ΣΤΟ ΝΗΣΙ ΤΟΥ ΠΑΣΧΑ [18, 19]

	1480	1500	1520	1540	1560	1580	1600

ΚΟΣΜΟΣ
- 1492 Ο ΚΟΛΟΜΒΟΣ ΑΠΟΠΛΕΕΙ ΑΠΟ ΤΗΝ ΙΣΠΑΝΙΑ ΜΕ ΠΡΟΟΡΙΣΜΟ ΤΗΝ ΑΜΕΡΙΚΗ
- 1498 ΟΙ ΠΟΡΤΟΓΑΛΟΙ ΦΤΑΝΟΥΝ ΔΙΑ ΘΑΛΑΣΣΗΣ ΣΤΗΝ ΙΝΔΙΑ ΜΕΣΩ ΑΦΡΙΚΗΣ
- 1519-22 Η ΑΠΟΣΤΟΛΗ ΤΟΥ ΜΑΓΓΕΛΑΝΟΥ ΠΕΡΙΠΛΕΕΙ ΤΗΝ ΥΦΗΛΙΟ

ΑΦΡΙΚΗ
μετά τη δεκαετία του 1300 ΤΟ ΚΕΝΤΡΟ ΕΞΟΥΣΙΑΣ ΣΤΗ ΝΙΓΗΡΙΑ ΜΕΤΑΦΕΡΕΤΑΙ ΑΠΟ ΤΟ ΙΦΕ ΣΤΟ ΜΠΕΝΙΝ
- δεκαετία του 1490-δεκαετία του 1560 Οι Σάπι κατασκευάζουν αφροπορτογαλέζικες αλατιέρες [153]

ΕΥΡΩΠΗ

ΙΣΠΑΝΙΑ
- 1516-56 ΒΑΣΙΛΕΙΑ ΤΟΥ ΚΑΡΟΛΟΥ Ε' ΣΤΗΝ ΙΣΠΑΝΙΑ
- Ελ Γκρέκο, *Αγωνία στον κήπο* [163], 1590-95 •

ΚΑΤΩ ΧΩΡΕΣ
- περ. 1505 Μπος, *Ο κήπος των γήινων απολαύσεων* [139, 140]
- 1551 Άρτσεν, *Αποθήκη κρεάτων σε ένα πανδοχείο* [155]
- 1563 Μπρέγκελ, *Ο πύργος της Βαβέλ* [156, 157]
- περ. 1580 ΔΙΑΣΠΑΣΗ Β. ΚΑΙ Ν. ΚΑΤΩ ΧΩΡΩΝ

ΓΕΡΜΑΝΙΑ ΚΑΙ ΕΛΒΕΤΙΑ
- περ. 1492 Ντίρερ, *Αυτοπροσωπογραφία* [136]
- 1529 Χούμπερ, *Τοπίο* [138]
- 1498 Ντίρερ, *Οι τέσσερις καβαλάρηδες* [137]
- 1533 Χόλμπαϊν, *Οι πρεσβευτές* [152]
- 1510 Γκρίνεβαλντ, *Η μικρή σταύρωση* [141]
- 1517 Ο ΛΟΥΘΗΡΟΣ ΑΡΧΙΖΕΙ ΤΗΝ ΠΡΟΤΕΣΤΑΝΤΙΚΗ ΜΕΤΑΡΡΥΘΜΙΣΗ
- δεκαετία του 1560 ΚΑΘΟΛΙΚΗ ΑΝΤΙΜΕΤΑΡΡΥΘΜΙΣΗ

ΙΤΑΛΙΑ
- δεκαετία του 1480-δεκαετία του 1520 ΩΡΙΜΗ ΑΝΑΓΕΝΝΗΣΗ
- 1498-99 Μιχαήλ Άγγελος, *Πιετά* [145]
- 1550-60 Παλάντιο και Βερονέζε, *Έπαυλη Μπάρμπαρο* [161]
- 1550 ΠΡΩΤΗ ΕΚΔΟΣΗ ΤΩΝ *ΒΙΩΝ ΤΩΝ ΚΑΛΛΙΤΕΧΝΩΝ* ΤΟΥ ΒΑΖΑΡΙ
- περ. 1499 Λεονάρντο, Προπαρασκευαστικό σχέδιο για την *Παρθένο και το Θείο Βρέφος* [143]
- περ. 1575 Τισιανός, *Το γδάρσιμο του Μαρσύα* [159]
- περ. 1508 Λεονάρντο, *Η Παρθένος και το Θείο Βρέφος με την Αγία Άννα* [144]
- περ. 1582 ΙΔΡΥΣΗ ΤΗΣ ΑΚΑΔΗΜΙΑΣ ΚΑΡΑΤΣΙ ΣΤΗΝ ΜΠΟΛΟΝΙΑ
- 1508-11 Μιχαήλ Άγγελος, *Καπέλα Σιξτίνα* [146]
- περ. 1510 Τζορτζόνε, *Η καταιγίδα* [142]
- 1582 Τζαμπολόνια, *Η αρπαγή των Σαβίνων* [160]
- 1511 Ραφαήλ, *Σχολή των Αθηνών* [147]
- περ. 1516 Ραφαήλ, *Madonna della Sedia (Παναγία της έδρας)* [148]
- περ. 1584 Ανίμπαλε Καράτσι, *Σχέδιο νέου* [167]
- δεκαετία του 1520-δεκαετία του 1590 ΥΣΤΕΡΗ ΑΝΑΓΕΝΝΗΣΗ Ή ΕΠΟΧΗ ΤΟΥ ΜΑΝΙΕΡΙΣΜΟΥ
- 1524-34 Μιχαήλ Άγγελος, *Παρεκκλήσι των Μεδίκων* [149]
- 1528 Ποντόρμο, *Αποκαθήλωση* [150]
- 1538 Τισιανός, *Αφροδίτη του Ουρμπίνο* [151]

ΡΩΣΙΑ
- 1555-61 Μόσχα, Καθεδρικός του Αγίου Βασιλείου

ΑΣΙΑ

ΤΟΥΡΚΙΑ
- 1520-66 Ο ΣΟΥΛΕΪΜΑΝ ΚΥΒΕΡΝΑ ΤΗΝ ΟΘΩΜΑΝΙΚΗ ΑΥΤΟΚΡΑΤΟΡΙΑ
- 1574 Μαυσωλείο του Σελίμ Β' [162]

ΙΡΑΝ
- 1506-1736 ΚΥΡΙΑΡΧΙΑ ΤΗΣ ΔΥΝΑΣΤΕΙΑΣ ΤΩΝ ΣΑΦΑΒΙΔΩΝ ΣΤΗΝ ΠΕΡΣΙΑ
- περ. 1525 Σουλτάνος-Μοχάμετ, *Η αυλή του Γκαγιουμάρς* [132]

ΙΝΔΙΑ
- 1526–1707 (-1859) ΚΥΡΙΑΡΧΙΑ ΤΗΣ ΔΥΝΑΣΤΕΙΑΣ ΤΩΝ ΜΕΓΑΛΩΝ ΜΟΓΓΟΛΩΝ ΣΤΗ ΒΟΡΕΙΑ ΙΝΔΙΑ
- 1556-1605 ΚΥΡΙΑΡΧΙΑ ΤΟΥ ΑΚΜΠΑΡ
- Μίσκιν, *Κρίσνα Γκοβαρντχαντχάρα* [158], περ. 1590-95 •
- Μαντουράι, *Ναός της Μινάκσι, πύργος-πυλώνας* [165], 1599 •

ΚΙΝΑ
- 1368–1644 ΔΥΝΑΣΤΕΙΑ ΤΩΝ ΜΙΝΓΚ
- 1532 Βεν Τσενγκ-μινγκ, *Εφτά κέδροι* [164]

ΑΜΕΡΙΚΗ

ΜΕΞΙΚΟ
- περ. 1500 Αζτέκικο γλυπτό της Τλαζολτεότλ [134]
- περ. 1500 Πέτρινη κεφαλή, Τότονακ [135]
- 1519 ΟΙ ΙΣΠΑΝΟΙ ΣΥΝΤΡΙΒΟΥΝ ΤΟΥΣ ΑΖΤΕΚΟΥΣ

ΠΕΡΟΥ
- 1532 ΟΙ ΙΣΠΑΝΟΙ ΣΥΝΤΡΙΒΟΥΝ ΤΟΥΣ ΙΝΚΑΣ

ΑΦΡΙΚΗ ΚΟΣΜΟΣ

από τα τέλη του 1500 και μετά ΔΙΑΡΚΩΣ ΑΥΞΑΝΟΜΕΝΟ ΔΟΥΛΕΜΠΟΡΙΟ ΑΠΟ ΤΗΝ ΑΦΡΙΚΗ ΠΡΟΣ ΤΗΝ ΕΥΡΩΠΗ ΚΑΙ ΤΗΝ ΑΜΕΡΙΚΗ

ΑΦΡΙΚΗ

- περ. 1600 Μπενίν, πλάκα με το «Κυνήγι της λεοπάρδαλης» [154]

ΕΥΡΩΠΗ

1618–48 Ο ΤΡΙΑΚΟΝΤΑΕΤΗΣ ΠΟΛΕΜΟΣ ΚΥΡΙΑΡΧΕΙ ΣΤΗΝ ΕΥΡΩΠΑΪΚΗ ΠΟΛΙΤΙΚΗ
- 1648 ΥΠΟΓΡΑΦΗ ΤΗΣ ΣΥΝΘΗΚΗΣ ΤΗΣ ΒΕΣΤΦΑΛΙΑΣ, ΕΔΑΦΙΚΕΣ ΔΙΕΥΘΕΤΗΣΕΙΣ ΣΤΗΝ ΕΥΡΩΠΗ

ΙΣΠΑΝΙΑ

1600–δεκαετία του 1690 ΙΣΠΑΝΙΚΟΣ «ΧΡΥΣΟΣ ΑΙΩΝΑΣ»
- 1635 Θουρμπαράν, Agnus Dei (Δεμένο αρνί) [183]
- 1656 Βελάσκεθ, Las Meninas (Οι δεσποινίδες των τιμών) [186, 187]

ΓΑΛΛΙΑ

- 1639 Κλοντ Λορέν, Λιμάνι [191]
- περ. 1688 Πατέλ, Ανάκτορο των Βερσαλλιών [195]
- 1648 ΙΔΡΥΣΗ ΤΗΣ ΒΑΣΙΛΙΚΗΣ ΑΚΑΔΗΜΙΑΣ ΣΤΟ ΠΑΡΙΣΙ
- περ. 1649 Πουσέν, σχέδιο με Βακχικό όργιο [192]
- 1658 Πουσέν, Βάπτιση [193]
- 1698 Λε Μπρεν, Traité des passions [196, 197]
- 1660–δεκαετία του 1690 Βερσαλλίες

ΟΛΛΑΝΔΙΑ

δεκαετία του 1610–δεκαετία του 1670 ΟΛΛΑΝΔΙΚΟΣ «ΧΡΥΣΟΣ ΑΙΩΝΑΣ»
- 1631 Μπρούβερ, Η πικρή γουλιά [182]
- 1635 Βαν Ντάικ, Ο Τζωρτζ και ο Φράνσις Βίλιερς [174]
- 1638 Ρούμπενς, Αλληγορία των συνεπειών του πολέμου [173]
- δεκαετία του 1650 Ντε Χέεμ, Μεγάλη νεκρή φύση [189]
- 1653 Ρέμπραντ, Οι τρεις σταυροί [185]
- περ. 1660 Βερμέερ, Η γαλατού [188]
- περ. 1660 Ρόιστνταλ, Το εβραϊκό κοιμητήριο [194]
- 1665 Ρέμπραντ, Η εβραία νύφη [184]

ΓΕΡΜΑΝΙΑ

- 1609 Ελσχάιμερ, Η φυγή στην Αίγυπτο [170–72]
- περ. 1620 Βαλς, Επαρχιακός δρόμος [190]

ΙΤΑΛΙΑ

- 1601 Καραβάτζο, Η σταύρωση του Αγίου Πέτρου [168]
- 1647–52 Μπερνίνι, Η έκσταση της Αγίας Θηρεσίας [180]
- 1610 Αρτεμισία Τζεντιλέσκι, Η Σουσάννα και οι πρεσβύτεροι [169]
- δεκαετία του 1610–δεκαετία του 1720 ΜΠΑΡΟΚ (ΣΤΗ ΡΩΜΗ ΚΑΙ ΣΤΗ ΣΥΝΕΧΕΙΑ ΣΕ ΑΛΛΑ ΜΕΡΗ ΤΟΥ ΚΟΣΜΟΥ)
- δεκαετία του 1630 Γκουερτσίνο, σχέδιο γελωτοποιών [181]
- περ. 1700 Μπρουστολόν, βάση για βάζα [198]
- 1632–39 Κορτόνα, τοιχογραφία στην οροφή του Παλάτσο Μπαρμπερίνι [179]
- 1638 Μπορομίνι, θόλος στον Σαν Κάρλο άλε Κουάτρο Φοντάνε [178]

ΑΣΙΑ

ΙΡΑΝ

1588–1629 ΚΥΡΙΑΡΧΙΑ ΤΟΥ ΣΑΧΗ ΑΜΠΑΣ
- περ. 1630 Ρεζά Αμπασί, Εραστές [176]
περ. 1611–30 ΜΕΓΑΛΟ ΤΕΜΕΝΟΣ ΤΟΥ ΙΣΦΑΧΑΝ [177]

ΙΝΔΙΑ

1605–27 ΚΥΡΙΑΡΧΙΑ ΤΟΥ ΤΖΑΧΑΝΓΚΙΡ
- περ. 1620 Γκοβαρντχάν, Ο νεαρός πρίγκιπας και η σύζυγός του [175]
1628–58 ΚΥΡΙΑΡΧΙΑ ΤΟΥ ΣΑΧ ΤΖΑΧΑΝ
- 1631–54 ΤΑΤΖ ΜΑΧΑΛ
1658–1707 ΚΥΡΙΑΡΧΙΑ ΤΟΥ ΑΟΥΡΑΝΓΚΕΜΠ

ΚΙΝΑ

- 1644 ΚΑΤΑΡΡΕΥΣΗ ΤΗΣ ΔΥΝΑΣΤΕΙΑΣ ΤΩΝ ΜΙΝΓΚ
- 1700 Σιχ-τάο (Τάο-τσι), Άνθρωπος σε σπίτι στο βουνό [202]
1644–1910 ΔΥΝΑΣΤΕΙΑ ΤΩΝ ΤΣΙΝΓΚ

ΚΟΡΕΑ

Γιουν Ντου-σο, Αυτοπροσωπογραφία [203], περ. 1710 •

ΙΑΠΩΝΙΑ

- Δεκαετία του 1600 Ο ΣΟΤΑΤΣΟΥ ΑΝΑΠΤΥΣΣΕΙ ΤΗΝ ΤΕΧΝΟΤΡΟΠΙΑ ΡΙΝ-ΠΑ ΓΙΑ ΠΑΡΑΒΑΝ ΣΤΟ ΚΙΟΤΟ
- περ. 1680 Ο Μορονόμπου αρχίζει τα ουκίγιο-ε
1615–1868 ΠΕΡΙΟΔΟΣ ΤΟΚΟΥΓΚΑΒΑ (ΕΝΤΟ)
Ογκάτα Κόριν, Δαμασκηνιές με κόκκινα και λευκά άνθη [200, 201], περ. 1712 •

ΑΜΕΡΙΚΗ

- 1620 ΤΟ ΜΕΪΦΛΑΟΥΕΡ ΦΤΑΝΕΙ ΣΤΗ ΒΟΡΕΙΑ ΑΜΕΡΙΚΗ
- 1630 Λάθαρο Πάρδο δε Λάγος, Οι φραγκισκανοί μάρτυρες στην Ιαπωνία [166]

	1720	1740	1760	1780	1800	1820
ΚΟΣΜΟΣ	δεκαετία του 1700–δεκαετία του 1790 Ο «ΔΙΑΦΩΤΙΣΜΟΣ» ΤΟΥ ΕΥΡΩΠΑΪΚΟΥ ΠΟΛΙΤΙΣΜΟΥ — • 1797 ΑΝΑΠΤΥΞΗ ΤΗΣ ΛΙΘΟΓΡΑΦΙΑΣ από τα μέσα του 18ου αιώνα ΒΙΟΜΗΧΑΝΙΚΗ ΕΠΑΝΑΣΤΑΣΗ, — 1789–1815 ΓΑΛΛΙΚΗ ΕΠΑΝΑΣΤΑΣΗ — Η ΟΠΟΙΑ ΑΡΧΙΖΕΙ ΑΠΟ ΤΗ ΜΕΓΑΛΗ ΒΡΕΤΑΝΙΑ ΚΑΙ ΝΑΠΟΛΕΟΝΤΕΙΟΙ ΠΟΛΕΜΟΙ					
ΑΦΡΙΚΗ	• ανάμεσα στο 1500 και το 1900 ξυλόγλυπτο από τη φυλή Ντόγκον του Μάλι [**199**] — 1791–δεκαετία του 1850 ΚΑΤΑΡΓΗΣΗ ΤΟΥ ΔΟΥΛΕΜΠΟΡΙΟΥ — — δεκαετία του 1700–δεκαετία του 1790 ΑΝΑΠΤΥΣΣΕΤΑΙ ΤΟ ΔΟΥΛΕΜΠΟΡΙΟ ΣΤΙΣ ΑΚΤΕΣ ΤΗΣ ΔΥΤΙΚΗΣ ΑΦΡΙΚΗΣ					

ΕΥΡΩΠΗ

περ. 1710–δεκαετία του 1760 *ΡΥΘΜΟΣ ΡΟΚΟΚΟ ΣΤΗΝ ΕΥΡΩΠΗ* — 1755–68 ΤΑ ΚΕΙΜΕΝΑ ΤΟΥ ΒΙΝΚΕΛΜΑΝ ΠΡΟΩΘΟΥΝ ΤΙΣ ΝΕΟΚΛΑΣΙΚΕΣ ΙΔΕΕΣ

ΙΣΠΑΝΙΑ
- • 1792 Γκόγια, *Το αχυρένιο ανδρείκελο* [**227**]
- Γκόγια, *Τα δεινά του πολέμου* [**230**], περ. 1810–14 •
- Γκόγια, *Ο ηλίθιος* [**231**], 1824–28 •

ΓΑΛΛΙΑ
- από τη δεκαετία του 1760 *ΝΕΟΚΛΑΣΙΚΙΣΜΟΣ ΣΤΗ ΓΑΛΛΙΑ* — δεκαετία του 1810–δεκαετία του 1840 — *ΓΑΛΛΙΚΟΣ ΡΟΜΑΝΤΙΣΜΟΣ*
- • περ. 1716–18 Βατό, *Ο Ζιλ* [**204**]
- • 1734 Σαρντέν, *Η μπακαρένια βρύση* [**205**]
- • 1741 Μπουσέ, τοιχογραφίας με την *Ψυχή* [**208**]
- • 1793 Νταβίντ, *Ο θάνατος του Μαρά* [**229**]
- • 1761 Σαρντέν, *Καλάθι με αγριοφράουλες* [**206**]
- • 1806 Ενγκρ, *Η κυρία Ριβιέρ* [**237**]
- • 1765 Μινιό, *Ναϊάδα* [**221**]
- • 1812 Ζερικό, *Αξιωματικός* [**239**]
- Ντελακρουά, *Σαρδανάπαλος* [**240**], 1828 •
- • 1784 Μπουλέ, *Κενοτάφιο του Νεύτωνα* [**223**]
- • 1784 Νταβίντ, *Ο όρκος των Ορατίων* [**228**]

ΜΕΓΑΛΗ ΒΡΕΤΑΝΙΑ
- • 1735 Χόγκαρθ, *Η πορεία ενός ακόλαστου* [**213**, **214**]
- • 1794 Μπλέικ, *Ο παλαιός των ημερών* [**232**]
- • 1738 Ρουμπιλιάκ, *Γκέοργκ Φρίντριχ Χέντελ* [**215**]
- • 1812 Τέρνερ, *Χιονοθύελλα* [**235**]
- • 1768 Ράιτ, *Ένα πείραμα με αεραντλία* [**216**, **217**]
- • 1768 Η ΒΑΣΙΛΙΚΗ ΑΚΑΔΗΜΙΑ ΕΓΚΑΙΝΙΑΖΕΤΑΙ ΣΤΟ ΛΟΝΔΙΝΟ
- • 1821 Κόνσταμπλ, *Σπουδή του κορμού μιας φτελιάς* [**234**]
- • 1776 Χότζες, *Οταχίτι Πέχα* [**218**, **219**]

ΓΕΡΜΑΝΙΑ
- • 1747–51 Σπίγκλερ, νωπογραφίες στο Τοβίφαλτεν [**210**]
- από τη δεκαετία του 1760 *ΕΞΑΠΛΩΣΗ ΤΟΥ ΝΕΟΚΛΑΣΙΚΙΣΜΟΥ*
- • 1800 Ο ΣΛΕΓΚΕΛ ΠΛΑΘΕΙ ΤΟΝ ΟΡΟ «ΡΟΜΑΝΤΙΣΜΟΣ»
- — 1815–48 *BIEDERMEIER* —
- Φρίντριχ, *Οι ασβεστολιθικοί βράχοι στο Ρίγκεν* [**233**], 1818

ΙΤΑΛΙΑ
- • δεκαετία του 1720 Τσερούτι, *Γυναίκες που φτιάχνουν κοπανέλι* [**207**] • 1761 Πιρανέζι, *Carceri* [**211**]
- • 1725–26 Τιέπολο, *Ο Αβραάμ και οι άγγελοι* [**209**]
- • 1797 Κανόβα, *Έρως και Ψυχή* [**226**]

ΡΩΣΙΑ
- από το 1703 Η ΑΓΙΑ ΠΕΤΡΟΥΠΟΛΗ ΑΝΑΠΤΥΣΣΕΤΑΙ ΩΣ ΝΕΑ ΠΡΩΤΕΥΟΥΣΑ
- • 1766–78 Φαλκονέ, *Ο Μεγάλος Πέτρος* [**222**]

ΑΣΙΑ

ΙΡΑΝ
- — δεκαετία του 1700–94 ΠΟΛΙΤΙΚΗ ΚΑΤΑΡΡΕΥΣΗ ΣΤΗΝ ΠΕΡΣΙΑ —
- — 1794–1925 ΔΥΝΑΣΤΕΙΑ ΤΩΝ ΚΑΤΖΑΡ —
- Αχμάντ, *Ακροβάτιδα* [**236**], περ. 1815 •

ΙΝΔΙΑ
- — δεκαετία του 1650–δεκαετία του 1850 *ΖΩΓΡΑΦΙΚΗ ΠΑΧΑΡΙ ΣΤΗ ΒΟΡΕΙΑ ΙΝΔΙΑ* —
- από τη δεκαετία του 1700 ΠΑΡΑΚΜΗ ΤΩΝ ΜΕΓΑΛΩΝ ΜΟΓΓΟΛΩΝ — • περ. 1780, Κουσάλα, *Η Ράντα μαραζώνει στην ερημιά* [**220**]
- από τη δεκαετία του 1760 ΕΝΑΡΞΗ ΤΗΣ ΒΡΕΤΑΝΙΚΗΣ ΚΥΡΙΑΡΧΙΑΣ ΣΤΗΝ ΙΝΔΙΑ

ΚΙΝΑ
- — 1662–1796 ΚΥΡΙΑΡΧΙΑ ΤΩΝ ΤΣΙΝΓΚ, ΠΕΡΙΟΔΟΣ ΠΟΛΙΤΙΚΗΣ ΣΤΑΘΕΡΟΤΗΤΑΣ —

ΙΑΠΩΝΙΑ
- — 1615–1868 ΠΕΡΙΟΔΟΣ ΤΟΚΟΥΓΚΑΒΑ (ΕΝΤΟ) —
- • δεκαετία του 1730 Τορίι Κιγιοτάντα, *Το σπίτι γκεϊσών Νταϊμοτζίγια* [**212**]
- • περ. 1795 Ουταμάρο, *Καλλονή που κάνει την τουαλέτα της* [**225**]

ΑΜΕΡΙΚΗ

ΒΟΡΕΙΑ ΑΜΕΡΙΚΗ
- από το 1760 ΒΡΕΤΑΝΙΚΗ ΚΥΡΙΑΡΧΙΑ ΣΤΗ ΒΟΡΕΙΑ ΑΜΕΡΙΚΗ
- • 1776 ΔΙΑΚΗΡΥΞΗ ΤΗΣ ΑΜΕΡΙΚΑΝΙΚΗΣ ΑΝΕΞΑΡΤΗΣΙΑΣ

ΝΟΤΙΑ ΑΜΕΡΙΚΗ
- — δεκαετία του 1600–περ. 1800 *ΛΑΤΙΝΟΑΜΕΡΙΚΑΝΙΚΟ ΜΠΑΡΟΚ* — — 1808–25 ΠΟΛΕΜΟΙ ΑΝΕΞΑΡΤΗΣΙΑΣ
- • 1796–99 Λισμπόα («Ο Aleijadinho»), *Το αγκαθωτό στεφάνι* [**224**]

ΩΚΕΑΝΙΑ
- — 1768–79 Ο ΠΛΟΙΑΡΧΟΣ ΚΟΥΚ ΕΞΕΡΕΥΝΑ ΤΟΝ ΕΙΡΗΝΙΚΟ
- • 1788 ΞΕΚΙΝΑ Ο ΑΠΟΙΚΙΣΜΟΣ ΤΗΣ ΑΥΣΤΡΑΛΙΑΣ ΑΠΟ ΤΟΥΣ ΒΡΕΤΑΝΟΥΣ

	1830	1840	1850	1860	1870	1880	1890	1900

ΚΟΣΜΟΣ

1815–1914 ΟΙ ΕΥΡΩΠΑΪΚΕΣ ΔΥΝΑΜΕΙΣ ΚΑΙ ΟΙ ΗΝΩΜΕΝΕΣ ΠΟΛΙΤΕΙΕΣ ΠΡΩΤΟΣΤΑΤΟΥΝ ΣΤΟΝ ΠΑΓΚΟΣΜΙΟ ΕΚΒΙΟΜΗΧΑΝΙΣΜΟ ΚΑΙ ΑΠΟΙΚΙΣΜΟ

• 1826 Νιεπς, η πρώτη φωτογραφία [245]

• 1888 ΕΜΦΑΝΙΣΗ ΤΗΣ ΦΩΤΟΓΡΑΦΙΚΗΣ ΜΗΧΑΝΗΣ KODAK ΚΑΙ ΤΗΣ ΦΩΤΟΓΡΑΦΙΑΣ ΓΙΑ ΤΙΣ ΜΑΖΕΣ

• 1839 Ο ΝΤΑΓΚΕΡ ΔΗΜΟΣΙΟΠΟΙΕΙ ΤΗΝ ΕΦΕΥΡΕΣΗ ΤΗΣ ΦΩΤΟΓΡΑΦΙΑΣ [245]

• 1848 ΕΠΑΝΑΣΤΑΣΕΙΣ ΣΤΗΝ ΕΥΡΩΠΗ — περ. 1870–1914 ΑΝΑΠΤΥΞΗ ΤΟΥ ΕΘΝΙΚΙΣΤΙΚΟΥ ΑΙΣΘΗΜΑΤΟΣ ΣΤΗΝ ΕΥΡΩΠΗ

ΑΦΡΙΚΗ

• περ. 1859 Ακάτι, Αγκόγιε! [252]

1880–δεκαετία του 1900 «ΑΝΤΑΓΩΝΙΣΜΟΣ ΓΙΑ ΤΗΝ ΑΦΡΙΚΗ» ΤΩΝ ΕΥΡΩΠΑΪΚΩΝ ΔΥΝΑΜΕΩΝ

ΕΥΡΩΠΗ

ΓΑΛΛΙΑ

δεκαετία του 1810–δεκαετία του 1840 ΓΑΛΛΙΚΟΣ ΡΟΜΑΝΤΙΣΜΟΣ

1886–δεκαετία του 1900 ΣΥΜΒΟΛΙΣΜΟΣ

• 1834 Ονορέ Ντομιέ, Οδός Τρανονονέν [241]

• περ. 1887–88 Σερά, Παρέλαση [263]

• 1847 Γκρανβίλ, Το τελευταίο όνειρο [242]

• 1888 Γκογκέν, Το όραμα μετά το κήρυγμα [264]

περ. από το 1848 ΡΕΑΛΙΣΜΟΣ

• 1855 Κουρμπέ, Οι κοσκινίστρες του σταριού [248]

1890–1900 NABIS

1845–1859 ΚΕΙΜΕΝΑ ΤΕΧΝΟΚΡΙΤΙΚΗΣ ΤΟΥ ΜΠΟΝΤΛΕΡ

δεκαετία του 1890–δεκαετία του 1900 ΑΡ ΝΟΥΒΟ

• 1863 Μανέ, Το πρόγευμα στη χλόη [254]

1873–δεκαετία του 1890 ΙΜΠΡΕΣΙΟΝΙΣΜΟΣ

• περ. 1897 Σεζάν, Το όρος Σεντ-Βικτουάρ [268]

• 1873 Μονέ, Εντύπωση: ήλιος που ανατέλλει [255]

• 1874 Ρενουάρ, Ο Κλοντ Μονέ ζωγραφίζει [256]

• 1900 Βιγιάρ, Η σούπα της Ανέτ [270]

• 1875 Ντεγκά, Πλας ντε λα Κονκόρντ [257]

Ροντέν, Άνθρωπος που περπατάει [269], 1900 •

ΟΛΛΑΝΔΙΑ

• 1886 ο Βαν Γκογκ εγκαταλείπει την Ολλανδία· ζωγραφίζει την Έναστρη νύχτα, 1889 [265]

ΜΕΓΑΛΗ ΒΡΕΤΑΝΙΑ

1843–78 ΚΕΙΜΕΝΑ ΤΕΧΝΟΚΡΙΤΙΚΗΣ ΤΟΥ ΡΑΣΚΙΝ

δεκαετία του 1880–δεκαετία του 1900 ΚΙΝΗΜΑ ΑΡΤΣ ΕΝΤ ΚΡΑΦΤΣ

1848–δεκαετία του 1870 ΠΡΟΡΑΦΑΗΛΙΤΕΣ

• 1853 Χόλμαν Χαντ, Η αφύπνιση της συνείδησης [247]

1870–1895 ΑΙΣΘΗΤΙΣΜΟΣ

• 1876–80 Μπερν-Τζόουνς, Η χρυσή κλίμακα [259]

ΔΑΝΙΑ

• 1837 Έκερσμπεργκ, Όρθιο γυναικείο γυμνό [238]

Χάμοσχοϊ, Σπονδή γυναίκας [266], 1888 •

ΝΟΡΒΗΓΙΑ

• 1893 Μουνκ, Η κραυγή [267]

ΓΕΡΜΑΝΙΑ

• 1845 Μέντσελ, Δωμάτιο με μπαλκόνι [246]

• 1872–88 ΚΕΙΜΕΝΑ ΤΟΥ ΝΙΤΣΕ

δεκαετία του 1890–δεκαετία του 1900 ΓΙΟΥΓΚΕΝΤΣΤΙΛ

ΡΩΣΙΑ

• 1861 ΑΠΕΛΕΥΘΕΡΩΣΗ ΤΩΝ ΔΟΥΛΟΠΑΡΟΙΚΩΝ

1870–90 ΠΕΡΕΝΤΒΙΖΝΙΚΙ

• 1870–73 Ρέπιν, Βαρκάρηδες του Βόλγα [258]

ΑΣΙΑ

ΙΝΔΙΑ

• 1851 Τάρα, Ο Μαχαραγιάς Σαρούπ Σινγκ παίζει έφιππος γόλι [250]

• 1857 ΟΙ ΒΡΕΤΑΝΟΙ ΑΠΟΚΤΟΥΝ ΤΟΝ ΠΛΗΡΗ ΕΛΕΓΧΟ ΤΗΣ ΙΝΔΙΑΣ

ΚΙΝΑ

1834–60 ΠΟΛΕΜΟΙ ΤΟΥ ΟΠΙΟΥ ΜΕ ΤΗ ΜΕΓΑΛΗ ΒΡΕΤΑΝΙΑ

1851–64 ΕΞΕΓΕΡΣΗ ΤΩΝ ΤΑΪΠΙΝΓΚ

• περ. 1856 Ρεν Σιονγκ, Αυτοπροσωπογραφία [253]

ΙΑΠΩΝΙΑ

• 1840 Χοκουσάι, Το όρος Φούτζι [243]

1868–1912 ΠΕΡΙΟΔΟΣ ΜΕΪΤΖΙ· ΕΚΒΙΟΜΗΧΑΝΙΣΜΟΣ ΤΗΣ ΙΑΠΩΝΙΑΣ

• 1854 ΟΙ ΗΠΑ ΑΝΟΙΓΟΥΝ ΤΗΝ ΙΑΠΩΝΙΑ ΣΤΟ ΔΙΕΘΝΕΣ ΕΜΠΟΡΙΟ

• 1857 Χιροσίγκε, Ένας κούκος που πετάει πάνω απ' το ποτάμι [244]

ΑΜΕΡΙΚΗ

ΗΠΑ

1860–65 ΑΜΕΡΙΚΑΝΙΚΟΣ ΕΜΦΥΛΙΟΣ ΠΟΛΕΜΟΣ

• 1884–86 Μπαρτολντί, Το Άγαλμα της Ελευθερίας [260]

1865–δεκαετία του 1890 ΒΙΟΜΗΧΑΝΙΚΗ ΕΚΡΗΞΗ ΤΗΣ «ΧΡΥΣΗΣ ΕΠΟΧΗΣ»

• 1867 Τσερτς, Οι καταρράχτες του Νιαγάρα [249]

• 1884–1900 Σεντ-Γκόντενς, Το μνημείο Σο [261]

• 1887 Μάιμπριτζ, Η κίνηση των ζώων [262]

ΜΕΞΙΚΟ

1864–67 ΚΥΡΙΑΡΧΙΑ ΤΟΥ ΑΥΤΟΚΡΑΤΟΡΑ ΜΑΞΙΜΙΛΙΑΝΟΥ· ΑΠΟΤΥΧΗΜΕΝΗ ΕΙΣΒΟΛΗ ΤΩΝ ΓΑΛΛΩΝ

Ποσάδα, Καλάβερα [271], 1903 •

ΩΚΕΑΝΙΑ

ΝΕΑ ΖΗΛΑΝΔΙΑ

• 1842 Ραχαρούχι, Αυτοπορτρέτο [251]

ΝΕΑ ΙΡΛΑΝΔΙΑ

• 19ος αιώνας, μάσκα που αναπαριστά ένα πνεύμα των θάμνων [14]

ΑΥΣΤΡΑΛΙΑ

Σπένσερ και Γκίλεν, φωτογραφία των Ουαραμάνγκα [9], 1904 •

	1910	1920	1930	1940

ΚΟΣΜΟΣ

από το 1913 ΑΚΜΗ ΤΟΥ ΧΟΛΙΓΟΥΝΤ ΚΑΙ ΤΗΣ ΔΙΕΘΝΟΥΣ ΜΑΖΙΚΗΣ ΚΟΥΛΤΟΥΡΑΣ • 1929 ΚΡΑΧ ΤΗΣ ΟΥΟΛ ΣΤΡΙΤ· ΠΑΓΚΟΣΜΙΑ ΥΦΕΣΗ
————1914–18 Α΄ ΠΑΓΚΟΣΜΙΟΣ ΠΟΛΕΜΟΣ———— ——1939–45——
• 1917 ΚΟΜΜΟΥΝΙΣΤΙΚΗ ΕΠΑΝΑΣΤΑΣΗ ΣΤΗ ΡΩΣΙΑ Β΄ ΠΑΓΚΟΣΜΙΟΣ ΠΟΛΕΜΟΣ
ΑΤΟΜΙΚΗ ΒΟΜΒΑ ΣΤΗ ΧΙΡΟΣΙΜΑ, 1945 •

ΑΦΡΙΚΗ

ΚΟΝΓΚΟ
• περ. 1914 Ξυλογλύπτης της φυλής Ζάντι, *Μητέρα και παιδί* [**278**]

ΔΥΤΙΚΗ ΑΦΡΙΚΗ
• 1900–25 Ουόπι, *Μάσκα μπου γκλε* [**272**]

ΕΥΡΩΠΗ

ΙΣΠΑΝΙΑ
• 1907 Πικάσο, *Οι δεσποινίδες της Αβινιόν* [**277**]
——————1924–δεκαετία του 1940 *ΣΟΥΡΕΑΛΙΣΜΟΣ*——————
• 1912 Πικάσο, *Ποτήρι και μπουκάλι Σιζ* [**283**]
• 1925 Μιρό, *Η γέννηση του κόσμου* [**296**]
• 1912 Πικάσο, *Κιθάρα* [**284**]
• 1929 Μπουνιουέλ και Νταλί, *Ο ανδαλουσιανός σκύλος* [**297**]
• 1937 Πικάσο, *Γκερνίκα* [**304**]

ΓΑΛΛΙΑ
——1905–περ. 1907 *ΦΩΒΙΣΜΟΣ*——
• 1916 Μπρανκούζι, *Γλυπτό για τους τυφλούς* [**287**]
• 1905 Ματίς, *Γυναίκα με καπέλο* [**275**]
——περ. 1916–δεκαετία του 1920 *ΕΠΑΝΑΦΟΡΑ ΣΤΗΝ ΤΑΞΗ*——
——1909–περ. 1914 *ΚΥΒΙΣΜΟΣ*——
——1925–δεκαετία του 1930 *ΑΡ ΝΤΕΚΟ*——
• 1911 Ματίς, *Το κόκκινο εργαστήριο* [**279**]
• περ. 1925 Σουτίν, *Σφαγμένο βόδι* [**293**]
• 1912 Λαρτίγκ, *Ντελάζ στο Γκραν Πρι* [**281**]
• περ. 1930 Σιπαρί, *Les Girls* [**301**]
• 1912 Ντισάν, *Γυμνό που κατεβαίνει μια σκάλα Νο 2* [**285**]
• 1936 Μπονάρ, *Γυμνό στην μπανιέρα* [**303**]
• 1914 Ντισάν, το πρώτο «ready-made»

ΜΕΓΑΛΗ ΒΡΕΤΑΝΙΑ
• 1933 Χέπγουορθ, *Δύο φόρμες* [**300**]

ΒΕΛΓΙΟ
Μαγκρίτ, *Να μην αναπαραχθεί* [**295**], 1937 •

ΟΛΛΑΝΔΙΑ
——————1917–31 *DE STIJL*——————
• 1921 Μόντριαν, *Πίνακας Ι: με κόκκινο, μαύρο, μπλε και κίτρινο* [**291**]

ΚΕΝΤΡΙΚΗ ΕΥΡΩΠΗ
——1892–δεκαετία του 1910 *«ΑΠΟΣΧΙΣΕΙΣ» ΣΤΟ ΜΟΝΑΧΟ, ΣΤΟ ΒΕΡΟΛΙΝΟ ΚΑΙ ΣΤΗ ΒΙΕΝΝΗ*——

ΓΕΡΜΑΝΙΑ
——1905–14 *«Η ΓΕΦΥΡΑ»*——
——1921–33 *ΜΠΑΟΥΧΑΟΥΣ*——
——1933–45 ΚΥΡΙΑΡΧΙΑ ΤΩΝ ΝΑΖΙ ΣΤΗ ΓΕΡΜΑΝΙΑ——
• 1907 Μόντερσον-Μπέκερ, *Μητέρα και παιδί* [**273**]
——1921–33 *ΝΕΑ ΑΝΤΙΚΕΙΜΕΝΙΚΟΤΗΤΑ*——
• 1937 ΕΚΘΕΣΗ «ΕΚΦΥΛΙΣΜΕΝΗ ΤΕΧΝΗ»
• 1909 Κίρχνερ, *Λουόμενοι* [**276**]
• 1920 Ντιξ, *Χαρτοπαίχτες* [**288**]
——1911–14 *«ΓΑΛΑΖΙΟΣ ΚΑΒΑΛΑΡΗΣ»*——
• 1922 Κλέε, *Μηχανή τιτιβίσματος* [**292**]
• 1913 Καντίνσκι, *Σύνθεση VII* [**280**]
Νούσμπαουμ, *Μέσα στο στρατόπεδο* [**306**], 1940 •

ΕΛΒΕΤΙΑ
• 1916 ΕΜΦΑΝΙΣΗ ΤΟΥ ΝΤΑΝΤΑ ΣΤΗ ΖΥΡΙΧΗ

ΑΥΣΤΡΙΑ
• 1909 Κλιμτ, *Ιουδήθ ΙΙ* [**274**]

ΙΤΑΛΙΑ
——1909–16 *ΦΟΥΤΟΥΡΙΣΜΟΣ*——
——————1922–43 ΦΑΣΙΣΜΟΣ ΣΤΗΝ ΙΤΑΛΙΑ——————
• 1913 Μπάλα, *Αυτοκίνητο που τρέχει* [**282**]

ΡΩΣΙΑ
——1915–18 *ΣΟΥΠΡΕΜΑΤΙΣΜΟΣ* (Μαλέβιτς)——
• 1929/36 Γκάμπο, *Συστροφή* [**299**]
• 1917 ΡΩΣΙΚΗ ΕΠΑΝΑΣΤΑΣΗ
——1932–δεκαετία του 1960 *Ο ΣΟΣΙΑΛΙΣΤΙΚΟΣ ΡΕΑΛΙΣΜΟΣ ΜΕΡΟΣ ΤΗΣ ΚΡΑΤΙΚΗΣ ΠΟΛΙΤΙΚΗΣ*——
• 1919 Τάτλιν, *Μνημείο της Τρίτης Διεθνούς* [**289**]
——1920–δεκαετία του 1930 *ΚΟΝΣΤΡΟΥΚΤΙΒΙΣΜΟΣ*——

ΑΣΙΑ

ΤΟΥΡΚΙΑ
——1908–23 ΚΑΤΑΡΡΕΥΣΗ ΤΗΣ ΟΘΩΜΑΝΙΚΗΣ ΑΥΤΟΚΡΑΤΟΡΙΑΣ——

ΙΡΑΝ
——1905–25 ΚΑΤΑΡΡΕΥΣΗ ΤΗΣ ΔΥΝΑΣΤΕΙΑΣ ΤΩΝ ΚΑΤΖΑΡ——

ΚΙΝΑ
• 1911 ΕΠΑΝΑΣΤΑΣΗ· ΤΕΛΟΣ ΤΗΣ ΔΥΝΑΣΤΕΙΑΣ ΤΩΝ ΤΣΙΝΓΚ

ΙΑΠΩΝΙΑ
——1912–26 *ΠΕΡΙΟΔΟΣ ΤΑΪΣΟ· ΦΙΛΕΛΕΥΘΕΡΙΣΜΟΣ*——
• περ. 1923 Μουραγιάμα, *Έργο στο οποίο έχει χρησιμοποιηθεί λουλούδι και παπούτσι* [**290**]

ΑΜΕΡΙΚΗ

ΗΠΑ
• 1915 Στραντ, *Ουόλ Στριτ* [**286**]
• 1928 Χόπερ, *Νυχτερινά παράθυρα* [**294**]
——1916–21 *ΝΤΑΝΤΑ ΤΗΣ ΝΕΑΣ ΥΟΡΚΗΣ*——
——1935–43 ΟΜΟΣΠΟΝΔΙΑΚΟ ΠΡΟΓΡΑΜΜΑ ΤΕΧΝΗΣ——

ΜΕΞΙΚΟ
——1910–19 ΜΕΞΙΚΑΝΙΚΗ ΕΠΑΝΑΣΤΑΣΗ——
——1921–δεκαετία του 1940 *ΜΕΞΙΚΑΝΙΚΟΣ ΜΟΥΡΑΛΙΣΜΟΣ*——
• 1930 Ριβέρα, *Διασχίζοντας το φαράγγι* [**298**]

ΚΟΥΒΑ
Λαμ, *Η ζούγκλα* [**305**], 1943 •

	1950	1960	1970	1980	1990	2000

ΚΟΣΜΟΣ

–1947–89 «ΨΥΧΡΟΣ ΠΟΛΕΜΟΣ» (ΑΙΩΡΟΥΜΕΝΗ ΑΠΕΙΛΗ ΠΥΡΗΝΙΚΗΣ ΣΥΓΚΡΟΥΣΗΣ) ΑΝΑΜΕΣΑ ΣΤΙΣ ΗΠΑ ΚΑΙ ΤΗ ΡΩΣΙΑ –

περ. από το 1950 ΑΚΜΗ ΤΗΣ ΤΗΛΕΟΡΑΣΗΣ, ΠΡΩΤΑ ΣΤΙΣ ΔΥΤΙΚΟΠΟΙΗΜΕΝΕΣ ΚΟΙΝΩΝΙΕΣ • 1989–90 ΚΑΤΑΡΡΕΥΣΗ ΤΟΥ ΚΟΜΜΟΥΝΙΣΜΟΥ

από τη δεκαετία του 1990 ΑΝΑΠΤΥΣΣΕΤΑΙ ΤΟ ΠΑΓΚΟΣΜΙΟ ΔΙΑΔΙΚΤΥΟ

ΑΦΡΙΚΗ

ΝΟΤΙΑ ΑΦΡΙΚΗ
- • 2002 Μαλάνγκου, *Άτιτλο* [**345**]
- Αλεξάντερ, *Βίσερσοκ* [**346**], 2000 •

ΚΟΝΓΚΟ
- • 20ός αιώνας, ύφασμα των Μπούτι από φλοιό [**13**]

ΤΑΝΖΑΝΙΑ
- • 1965–70 Λουχούμα, *Ξυλόγλυπτο «ουτζαμάα» με την ιστορία των Μακόντε* [**319**]

ΕΥΡΩΠΗ

ΙΣΠΑΝΙΑ
- Μουνιόθ, *Τρεις άντρες* [**347**], 2001 •

ΓΑΛΛΙΑ
- • 1950 Ζαν Ντιμπιφέ, *Γυναικείο σώμα* [**313**]

ΜΕΓΑΛΗ ΒΡΕΤΑΝΙΑ
- • 1947 Σάδερλαντ, *Φύλλα φοίνικα* [**309**]
- • 1953 Μπέικον, *Σπουδή της προσωπογραφίας του Πάπα Ινοκέντιου Γ' του Βελάσκεθ* [**311**]
- • 1987 Ουίλσον, *20:50* [**342**]
- 1990–2000 *ΝΕΟΙ ΒΡΕΤΑΝΟΙ ΚΑΛΛΙΤΕΧΝΕΣ*
- —— 1956–66 *ΒΡΕΤΑΝΙΚΗ ΠΟΠ ΑΡΤ*
- • 1990 Χερστ, *Χίλια χρόνια* [**343**]
- • 1965 Ράιλι, *Καθήλωση 2* [**323**]
- • 1994 Χατούμ, *Corps étranger* [**340, 341**]
- Πατσέκο, *Χώρα χωρίς επιστροφή* [**348**], 2003 •

ΒΕΛΓΙΟ
- • 1990–99 Ντελβουά, *Μπετονιέρα* [**344**]
- • 1992 Τάιμανς, *Διαγνωστική άποψη* [**350**]

ΓΕΡΜΑΝΙΑ
- —— 1960–80 Μπόις, *Aktionen* ——
- • 1965 Πόλκε, *Πατατοκέφαλοι* [**322**]
- • 1981 Κίφερ, *Ίκαρος* [**333**]
- • 1965 Ρίχτερ, *Γυναίκα που κατεβαίνει μια σκάλα* [**332**]
- • 1988 Ρουφ, *Πορτρέτο* [**351**]

ΙΤΑΛΙΑ
- —— 1967–δεκαετία του 1970 *ΑΡΤΕ ΠΟΒΕΡΑ*
- • 1960 Φοντάνα, *Χωρική έννοια* [**317**]
- • 1980–82 Πενόνε, *Δέντρο 12 μέτρων* [**329**]

ΕΛΒΕΤΙΑ
- • 1950 Τζακομέτι, *Σύνθεση* [**312**]

ΑΣΙΑ

ΙΝΔΙΑ
- • 1982 Κακάρ, *Δύο άντρες στην Μπενάρες* [**337**]

ΚΙΝΑ
- • 1965 Βου Χουφάν, *Πανηγυρίστε για την επιτυχία της υπέροχης έκρηξης της ατομικής μας βόμβας!* [**320**]

ΚΟΡΕΑ
- • 1990 Λι Γιου Φαν, *Με ανέμους* [**352**]

ΑΜΕΡΙΚΗ

ΚΑΝΑΔΑΣ
- • 1985 Ουόλ, *Εξάψαλμος* [**336**]

ΗΠΑ
- —— 1945–60 *ΑΦΗΡΗΜΕΝΟΣ ΕΞΠΡΕΣΙΟΝΙΣΜΟΣ*
- • 1973 Όπενχαϊμ, *Δίνη* [**327**]
- • 1950 Πόλοκ, *Αριθμός 32, 1950* [**307**]
- • 1978 Σέρμαν, *Άτιτλα κινηματογραφικά στιγμιότυπα* [**335**]
- • 1950 Ρόθκο, *Λευκό κέντρο* [**308**]
- —— 1979–86 *ΝΕΟ-ΕΞΠΡΕΣΙΟΝΙΣΜΟΣ*
- • 1952–53 Ντε Κούνινγκ, *Γυναίκα και ποδήλατο* [**314**]
- • 1981 Μεντιέτα, *Isla* [**328**]
- • 1955 Ράουσενμπεργκ, *Κρεβάτι* [**315**]
- • 1981 Σέρα, *Κεκλιμένο τόξο* [**339**]
- —— 1962–66 *ΑΜΕΡΙΚΑΝΙΚΗ ΠΟΠ ΑΡΤ*
- • 1982 Μπασκιά, *Πολεμιστής* [**334**]
- • 1964 Σμιθ, *Cubi XXIII* [**318**]
- —— 1986–δεκαετία του 1990 *ΠΡΟΣΟΜΟΙΩΤΙΣΜΟΣ*
- • 1964 Ουόρχολ, *Κουτιά Brillo* [**321**]
- ΤΡΟΜΟΚΡΑΤΙΚΕΣ ΕΠΙΘΕΣΕΙΣ ΣΤΗ ΝΕΑ ΥΟΡΚΗ ΚΑΙ ΣΤΗΝ ΟΥΑΣΙΝΓΚΤΟΝ 2001 •
- —— 1965–69 *ΜΙΝΙΜΑΛΙΣΜΟΣ*
- • 2002 Μεχρέτου, *Διασπορά* [**349**]
- • 1965 Μόρις, *Άτιτλο* [**324**]
- —— 1967–78 *ΕΝΝΟΙΟΛΟΓΙΚΗ ΤΕΧΝΗ*
- —— 1967–δεκαετία του 1980 *ΤΕΧΝΗ ΤΗΣ ΓΗΣ ΚΑΙ ΦΕΜΙΝΙΣΤΙΚΗ ΤΕΧΝΗ (ΣΤΙΣ ΗΠΑ ΚΑΙ ΣΤΗ ΣΥΝΕΧΕΙΑ ΣΕ ΑΛΛΑ ΜΕΡΗ ΤΟΥ ΚΟΣΜΟΥ)*
- • 1968 Κίνγκολτζ, *Το φορητό μνημείο πολέμου* [**331**]
- • 1969 Γκάστον, *Το εργαστήριο* [**330**]
- • 1970 Χέσε, *Άτιτλο* [**325**]
- • 1970 Σμίθσον, *Σπειροειδής προβλήτα* [**326**]

ΑΡΓΕΝΤΙΝΗ
- • 1962 Μπέρνι, *Ο μεγάλος πειρασμός* [**316**]

ΩΚΕΑΝΙΑ

ΑΥΣΤΡΑΛΙΑ
- • 1948 Ντράισντεϊλ, *Οι παίκτες του κρίκετ* [**310**]
- • 1980 Τιμ Λούρα Τζαπαλτζάρι, *Πνεύμα θανάτου του Νάπερμπι που ονειρεύεται* [**338**]

ΠΗΓΕΣ ΚΑΙ ΠΑΡΑΠΟΜΠΕΣ

Κατ᾽ αρχάς, βιβλία που σχετίζονται γενικά με την παγκόσμια ιστορία της τέχνης· έπειτα, βιβλία και συγγραφείς που προσφέρουν αγγλόφωνες ιστορικές μελέτες για την τέχνη σε συγκεκριμένες περιοχές· τέλος, κάποια βιβλία που αναλύουν ζητήματα που πραγματεύομαι σε κάθε κεφάλαιο, μαζί με κείμενα που έχω συμβουλευτεί. Αυτή η μικρή επιλογή αναπόφευκτα παραλείπει αμέτρητες εξαιρετικές μελέτες για την εκάστοτε περίοδο, βιογραφίες καλλιτεχνών και καταλόγους εκθέσεων που μπορούν να αναζητηθούν σε βιβλιοθήκες και βιβλιοπωλεία. Όσοι ψάχνουν σε αυτά τα μέρη μπορούν να αποφασίσουν με ευκολία ποιος τόμος έχει την καλύτερη εικονογράφηση κατά την άποψή τους, συνεπώς το βασικό κριτήριο που χρησιμοποίησα εδώ αφορά το αν το κείμενο είναι καλογραμμένο και προσφέρει ικανοποιητικές ιδέες. Η απουσία αναφοράς σε κάποιο συγκεκριμένο φαινόμενο παραλείπει ή κάποιον συγκεκριμένο καλλιτέχνη οφείλεται στο γεγονός ότι δεν έχω ακόμη διαβάσει κάποιο κείμενο που θα ήθελα πραγματικά να προτείνω. Κατά κανόνα, οι χρονολογίες αναφέρονται στην πρώτη έκδοση.

ΓΕΝΙΚΑ

Αυτό το βιβλίο βρίσκεται στη σκιά δύο μνημειωδών αγγλόφωνων έργων στην ιστορία της τέχνης. Πρώτα ο Ernst Gombrich εξέδωσε το 1950 το *The Story of Art* [ελλ. έκδ.: *Το χρονικό της τέχνης*, μτφρ. Λίνα Κάσδαγλη, Μ.Ι.Ε.Τ., Αθήνα 1998]. Έκτοτε έχουν αλλάξει τόσο πολλά στην ιστορία της τέχνης και του πολιτισμού, ώστε πιστεύω πως μπορούμε να προσεγγίσουμε τον ίδιο βασικό στόχο με διαφορετικό τρόπο· εντούτοις, η διαύγεια, η σοφία και η μεθοδική μελέτη του Gombrich παραμένουν μοναδικές και εμψυχωτικές. Το *A World History of Art* [ελλ. έκδ.: *Ιστορία της τέχνης*, μτφρ. Ανδρέας Παππάς, Υποδομή, Αθήνα 1998] των Hugh Honour και John Fleming εκδόθηκε το 1982· είναι ένα εξαιρετικό και καταπληκτικό βιβλίο, εξίσου βαθύ και ευρύ ως προς την αποτίμηση της τέχνης. Ελπίζοντας να γλιτώσω τον αναγνώστη από τον αποκαρδιωτικό όγκο του τόμου των Honour και Fleming, προσπάθησα να συνυφάνω τις διάφορες ιστορίες ανά περιοχή τις οποίες εκείνοι έχουν διαχωρίσει, αλλά η πιο εκτενέστερη πληροφόρηση το συνιστώ ένθερμα.

Το *Atlas of World Art* (2004), επιμ. John Onians, προσφέρει με ωραίο τρόπο αυτό που υπόσχεται ο τίτλος του. Το *The Dictionary of Art* (1996) είναι η πιο έγκυρη εγκυκλοπαίδεια στο χώρο (διαθέσιμη και στο διαδίκτυο: www.groveart.com). Έναν εκτενή και αξιόπιστο ιστότοπο για την ιστορία της τέχνης προσφέρει το Metropolitan Museum of Art της Νέας Υόρκης: «The Timeline of Art History» στο www.metmuseum.org.

Μεταξύ των πολλών βιβλίων που συμβουλεύτηκα με γενικό θέμα την παγκόσμια ιστορία, ξεχωρίζουν τρία. Το *The Human Web: A Bird's-Eye View of World History* (2003) των William McNeill και J. McNeill αποτελεί έναν συγκλονιστικό άθλο σύμπτυξης. Το *Guns, Germs and Steel: A Short History of Everybody for the Last 13,000 Years* (1997) [ελλ. έκδ.: *Όπλα, μικρόβια και ατσάλι: Οι τύχες των ανθρώπινων κοινωνιών*, μτφρ.

Κατερίνα Γαρδίκα, Κάτοπτρο, Αθήνα 2006] του Jared Diamond είναι μια προκλητική και γοητευτική μελέτη των λόγων για τους οποίους οι κοινωνίες αναπτύχθηκαν με αποκλίνοντες τρόπους. Και στο *The Birth of the Modern World: 1780–1914* (2004) ο C. A. Bayly τοποθετεί με αριστοτεχνικό τρόπο την έννοια της νεωτερικότητας σε παγκόσμια κλίμακα.

Ο εμβριθέστερος σύγχρονος στοχασμός πάνω στη φύση της παγκόσμιας ιστορίας της τέχνης, καθώς και στις φιλοσοφικές διαστάσεις του ζητήματος, υπάρχει στο *Real Spaces: World Art History and the Rise of Western Modernism* που εξέδωσε ο David Summers το 2003. Αν επιθυμείτε μια συνοπτική εξήγηση ως προς το γιατί βιβλία όπως το δικό μου δεν μπορούν (και πιθανός δεν πρέπει) να γράφονται, στραφείτε στο *Stories of Art* (2002) του James Elkins.

ΑΝΑ ΠΕΡΙΟΧΗ

Υπάρχουν τρεις σειρές που αξίζει εν γένει να συμβουλευτείτε αν αναζητάτε πληροφορίες για την τέχνη μιας περιοχής. Για σύντομες θεματικές εισαγωγές που απευθύνονται στο ευρύ κοινό, τα χαρτόδετα βιβλία World of Art των εκδόσεων Thames & Hudson είναι σχεδόν αξεπέραστα. Ο εκδοτικός οίκος Yale University Press, που περιλαμβάνει έναν κατάλογο με λίγο πολύ αξιόπιστα βιβλία, εκδίδει την εξέχουσα και εμβριθή σειρά Pelican History of Art – με μελέτες οργανωμένες ανά περιοχή και περίοδο. Από το 1997 ο εκδοτικός οίκος Oxford University Press κυκλοφορεί τη σειρά Oxford History of Art. Περιλαμβάνει μερικά ενδιαφέροντα κείμενα με πιο σύγχρονες ιστοριογραφικές προσεγγίσεις. Οι παρακάτω κατάλογοι περιλαμβάνουν μερικούς τίτλους από αυτές τις τρεις σειρές, τους οποίους βρήκα ιδιαίτερα χρήσιμους.

Αφρική

Η «αφρικανική ιστορία της τέχνης», καθώς αφορά ένα τεράστιο σύνολο από μικρής έως μεσαίας κλίμακας κοινωνίες νότια του Σαχάρας και χαρακτηρίζεται από μια σχετική έλλειψη γραπτών μαρτυριών, αποτελεί έναν τομέα που δύσκολα μπορεί κανείς να τον προσεγγίσει. Παλαιότερες εισαγωγές, όπως το εξαιρετικό έργο του Frank Willett *African Art* (3η έκδ. 2002), τείνουν να εστιάζουν σε μερικές μικρές περιοχές και να εξάγουν συμπεράσματα από αυτές (όπως κάνει στην πραγματικότητα και τούτο το βιβλίο, που εστιάζει στη δυτική Αφρική). Παρακάτω αναφέρονται κάποιες τολμηρότερες μελέτες που εκτείνονται σε όλη την ήπειρο:

Tom Phillips (επιμ.), *Africa, The Art of a Continent* (κατάλογος έκθεσης, 1999)
M. B. Visona, R. Poynor, H. M. Cole, M. D. Harris, R. Abiodun και S. P. Blier, *A History of Art in Africa* (2000)
Ezio Bassani, *Arts of Africa: 7000 Years of African Art* (2005)

Ευρώπη

Οι μελέτες του Ernst Gombrich (1909–2001) προσφέρουν μια επιβλητική σύλληψη της ιστορίας της ευρωπαϊκής τέχνης πριν από τον 19ο αιώνα. Ακόμα και όταν ο Gombrich απευθύνεται σε συναδέλφους μελετητές παρά

στο ευρύ κοινό που διάβασε το *Story of Art* (ελλ. έκδ.: *Το χρονικό της τέχνης*, ό.π.), η διαύγεια της σκέψης του και το εύρος των αναφορών του εντυπωσιάζουν. Ο Gombrich ανήκε στη γενιά των κυρίως εβραίων ιστορικών της τέχνης οι οποίοι εγκαταστάθηκαν στη Βρετανία και στις ΗΠΑ τη δεκαετία του 1930 για να γλιτώσουν από τη ναζιστική καταδίωξη στην Αυστρία και στη Γερμανία· ένας άλλος ήταν ο Erwin Panofsky (1892–1968), που ακόμα και σήμερα εντυπωσιάζει με τις διαφωτιστικές του μελέτες για την τέχνη του Μεσαίωνα και της Αναγέννησης. Πίσω τους υπάρχει μια μεγάλη γερμανόφωνη πνευματική παράδοση που φτάνει, διαμέσου του Heinrich Wölfflin (1864–1945), στον φιλόσοφο G. W. F. Hegel (1770–1831) και εντέλει στον Johann Joachim Winckelmann (1717–68). Άλλοι συγγραφείς με ισχυρές, προσωπικές αντιλήψεις για τις επονομαζόμενες «Δυτικές παραδόσεις» περιλαμβάνουν τον Henri Focillon (1881–1943) στη Γαλλία και τον Meyer Shapiro (1904–96) στις Ηνωμένες Πολιτείες.

Το «The Web Gallery of Art» είναι μια καλή γενική πηγή για τη δυτικοευρωπαϊκή ζωγραφική και τη γλυπτική ανάμεσα στο 1100 και το 1850: www.wga.hu. Ο Ian Chilvers στο *The Oxford Concise Dictionary of Art and Artists* (1990) [ελλ. έκδ.: *Λεξικό τέχνης και καλλιτεχνών*, τόμ. 1: μτφρ. Ειρήνη Οράτη, τόμ. 2: μτφρ. Κατερίνα Φρουζάκη, Νεφέλη, Αθήνα 1997 και 1998] είναι και αξιόπιστος και βαθιά διασκεδαστικός.

Νοτιοδυτική Ασία

Ο Oleg Grabar είναι ένας από τους πιο αξιόπιστους συγγραφείς σε ό,τι αφορά τη μετάβαση από την αρχαία στην ισλαμική τέχνη σε αυτήν την περιοχή. Πέρα από το *Art and Architecture of Islam, 650–1250* (που συνέγραψε μαζί με τον Richard Ettinghausen, 2001), υπάρχουν οι πολύ ενδιαφέρουσες διαλέξεις του Grabar, συγκεντρωμένες στο *The Mediation of Ornament* (1992). Το *Islamic Art* (1999) του Robert Hillenbrand είναι και συναρπαστικό και εμπεριστατωμένο. Το *Art of Islam* (1976) του Titus Burckhardt παρουσιάζει μια θρησκευτικά ορθόδοξη ερμηνεία.

Το *Peerless Images: Persian Painting and its Sources* (2002) της Eleanor Sims είναι μια θεματική μελέτη με εκπληκτική εικονογράφηση. Ένας μεγάλος αριθμός μελετών που έγραψε ο Stuart Cary Welch μετά τη δεκαετία του 1950 αποτελούν μια πηγή αυθεντίας σε αυτό το πεδίο, καθώς και στην επακόλουθη παράδοση των Μεγάλων Μογγόλων στην Ινδία.

Νότια Ασία

Οι μελέτες του Ananda Coomaraswamy (1877–1947) παραμένουν ένα προκλητικό, αν και αμφιλεγόμενο, ορόσημο αναφορικά με τον τρόπο με τον οποίο ερμηνεύονται οι βουδιστικές και ινδουιστικές καλλιτεχνικές παραδόσεις. Ο B. N. Goswamy, στο *Essence of Indian Art* (1986), παρουσιάζει μια πειστική θεματική προσέγγιση. Οι εν πολλοίς χρονολογικές εισαγωγές στο *Indian Art* της Vidya Dehejia (1997) [ελλ. έκδ: *Ινδική τέχνη*, μτφρ. Πηνελόπη Σταφυλά, Καστανιώτης, Αθήνα 2001] και στο αντίστοιχο βιβλίο του Partha Mitter (2001) είναι επίσης εξαιρετικά χρήσιμος. Ο Philip Rawson, ένας συγγραφέας που αξίζει να αναζητήσετε, έγραψε το *The Art of South–east Asia: Cambodia, Vietnam, Thailand, Laos, Burma, Java, Bali* το 1967.

Ανατολική Ασία

Το *The Arts of China* (1984, τελευταία έκδ. 2000) του Michael Sullivan αποτελεί τη βασική εισαγωγή για τον αγγλόφωνο αναγνώστη: ο Sullivan περιγράφει με θαυμαστά πειστικό και ευαίσθητο τρόπο τα χαρακτηριστικά ανά περιοχή και περίοδο. Απεναντίας, ο Craig Clunas στο *Art in China* (1997) αποδομεί, ή τουλάχιστον υποβαθμίζει, επιδέξια κάθε έννοια «κινεζικής τέχνης» που παρουσιάζει συνεκτικό χαρακτήρα στην περιοχή αυτή. Το *A History of Far Eastern Asia* (1973) του Sherman E. Lee καταπιάνεται με τις σχέσεις μεταξύ Κίνας, Ινδίας, Ινδοκίνας, Κορέας και Ιαπωνίας με έναν τρόπο φιλικό προς τον αναγνώστη. Το *The Art of East Asia* (1999), με επιμέλεια της Gabriele Fahr–Becker, καλύπτει παρόμοιο πεδίο με καλύτερη εικονογράφηση.

Ο Yuheng Bao έχει γράψει αρκετά βιβλία στα οποία διερευνά όψεις της κινεζικής τέχνης, όπως το *Ancient and Classic Art of China* (2004) και το *Renaissance in China: The Culture and Art of the Song Dynasty* (2006). Ο James Cahill έχει γράψει εκτενώς για την κινεζική ζωγραφική μετά τη δεκαετία του 1960 και τα βιβλία του ερμηνεύουν αυτήν την παράδοση εμπεριστατωμένα και εστιάζοντας στην αισθητική. Το *Three Thousand Years of Chinese painting* (2002), με επιμέλεια του Richard Barnhart, περιλαμβάνει πρόσφατες μελέτες και μια καλή επιλογή εικόνων.

Υπάρχουν σχετικά λίγα κείμενα που παρουσιάζουν εισαγωγικά το εύρος των γιαπωνέζικων παραδόσεων, αλλά το *History of Japanese Art* (1993, 2η έκδ. 2004) της Penelope Mason είναι καλό.

Βόρεια Αμερική

Το *American Visions: The Epic History of Art in America* (1997) του Robert Hughes είναι ένα βιβλίο που αξίζει ιδιαίτερα να το διαβάσει κανείς με θέμα τους θορυβώδεις διακανονισμούς των μεγάλων ονομάτων της τέχνης στις Ηνωμένες Πολιτείες, ενώ το *Framing America: A Social History of American Art* (2002) του Frances K. Pohl δημιουργεί έναν αναζωογονητικό διάλογο ανάμεσα στη μεγάλη τέχνη του «κανόνα» και στον μεγάλο πλούτο των «λαϊκών» μορφών της αμερικανικής τέχνης.

Κεντρική και Νότια Αμερική

Ο George Kubler (1912–96) ήταν ο μελετητής που πάσχισε να φέρει την αρχαία (ή «προκολομβιανή») Αμερική στο πεδίο εστίασης της ιστορίας της τέχνης: βλ. το έργο του *Art and Architecture of Ancient America* (1962). Ο ποιητής Octavio Paz έγραψε με γλαφυρό τρόπο για τις εικαστικές παραδόσεις του έθνους του στο *Essays on Mexican Art* (1993). Το *The Arts in Latin America, 1490–1820* (2006) είναι ένας ωραίος κατάλογος μιας έκθεσης στο Museum of Art της Φιλαδέλφειας, την οποία οργάνωσε ο Joseph J. Rishel μαζί με τη Susanne Stratton–Pruitt.

Ωκεανία

Δύο τόμοι της σειράς World of Art είναι χρήσιμοι: το *Oceanic Art* (1995) του Nicholas Thomas και το *Art in Australia* (1997) του Christopher Allen, μια συναρπαστική, εριστική μελέτη για την τέχνη των αποίκων.

ΧΡΟΝΟΛΟΓΙΚΑ

Κεφάλαιο 1 **Ορίζοντας**

Το προϊστορικό παρελθόν αποτελεί το τμήμα του ανθρώπινου χρονικού που υπόκειται κατεξοχήν σε αναθεώρηση. Το *The Human Past: World Prehistory and the Development of Human Societies* (2005), με επιμελητή τον Chris Scarre, είναι μια σύγχρονη επιτομή για την κατάσταση της αρχαιολογικής γνώσης. Η καλύτερη γενική μελέτη της προϊστορικής τέχνης παραμένει το *Cambridge Illustrated History of Prehistoric Art* (1997) του Paul Bahn.

Για τους χειροπέλεκεις, το *As We Know It: Coming to Terms with an Evolved Mind* (1999) είναι μια εξαιρετικά ενδιαφέρουσα θεώρηση της πρόσφατης συλλογιστικής από τον Marek Kohn, δημοσιογράφο σε θέματα επιστήμης. Για τις υποθέσεις που αφορούν το πώς η τέχνη άρχιζε να μεταβάλλεται από δεκαετία σε δεκαετία: το *The Mind in the Cave: Consciousness and the Origins of Art* του αρχαιολόγου David Lewis-Williams τράβηξε έντονα την προσοχή όταν εκδόθηκε το 2002 και διεγείρει ασφαλώς τη σκέψη, αν και προσωπικά προτιμώ το πιο ποιητικό *Blood Relations: Menstruation and the Origins of Culture* (1991) του Chris Knight. Τουλάχιστον ο Knight δηλώνει ρητά ότι υφαίνει έναν ιδεολογικό μύθο. Το *The Prehistory of the Mind: A Search for the Origins of Art, Religion and Science* (1996) είναι μάλλον ασαφές όταν φτάνει στο προς εξέταση θέμα, αλλά ο συγγραφέας του, ο Steven Mithen, είναι ένας διαπρεπής αρχαιολόγος και έχει επίσης γράψει το *After the Ice: A Global Human History, 20,000–5000 BC* (2003).

Υπάρχουν πολλά εντυπωσιακά, από εικαστικής άποψης, βιβλία για την τέχνη των σπηλαίων, όπως το *Return to Chauvet Cave: Excavating the Birthplace of Art* (2003) του γάλλου αρχαιολόγου Jean Clottes. Για τις βραχογραφίες σε όλο τον κόσμο υπάρχουν πολλές πηγές: δείτε ιστότοπους, όπως αυτόν του David Sucec για τις παραστάσεις στο Μπάριερ Κάνιον στη Γιούτα (www.bcsproject.org) ή εκείνον που ανήκει στο Trust for African Rock Art (www.africanrockart.org).

Το *Art in Small-Scale Societies* (1988) του R. L. Anderson είναι μια χρήσιμη εισαγωγή στην παραδοσιακή ανθρωπολογική προσέγγιση της τέχνης. Το παράδειγμα στο οποίο εστίασα υπάρχει στο *The Northern Tribes of Central Australia* (1904) του Baldwin Spencer και του Frank Gillen. Για τα υφάσματα από φλοιούς δέντρων, βλ. R. F. Thompson, *Mbuti Design* (1995). Ένα συναρπαστικό βιβλίο για μια μείζονα μορφή τέχνης που εξετάστηκε ακροθιγώς σε αυτές τις σελίδες είναι το *Ceramics* (1984) του Philip Rawson. Για τις μελέτες των μεγαλιθικών μνημείων, το *Stonehenge Complete* (3η έκδ. 2004) του Christopher Chippindale είναι ένας φάρος σοφίας, και το έργο του Richard Bradley (π.χ. το *Altering the Earth*,

1993) παρουσιάζει επίσης ενδιαφέρον. Για την ιστορία των μοάι στο Νησί του Πάσχα, βλ. το βιβλίο του Jared Diamond *Collapse: How Societies Choose to Fail or Succeed* (2004) [ελλ. έκδ.: *Κατάρρευση: Πώς οι κοινωνίες επιλέγουν να αποτύχουν ή να επιτύχουν*, μτφρ. Σοφία Νικολαΐδου, Βασίλης Σακελλαρίου, Κάτοπτρο, Αθήνα 2007] και το *The Enigmas of Easter Island* (2003) των John Flenley και Paul Bahn, οι οποίοι προσεγγίζουν το θέμα διαφορετικά.

Κεφάλαιο 2 **Η διαμόρφωση του πολιτισμού**

Υπάρχουν αμέτρητα θαυμάσια εικονογραφημένα βιβλία για τους αρχαίους πολιτισμούς – κυρίως για την Αίγυπτο των φαραώ, αλλά τώρα, και λόγω της θεαματικής προόδου που έχει σημειώσει η αρχαιολογία κατά τις πρόσφατες δεκαετίες, όλο και περισσότερα για την αρχαία Κίνα. Η Jessica Rawson είναι μια αυθεντία στην αρχαία τέχνη της αρχαίας Κίνας (π.χ. *Mysteries of Ancient China*, 1996), ενώ το *The Art of Ancient Egypt* (1997) του Gay Robins είναι μια εξαιρετικά γοητευτική και χρήσιμη πηγή για την Αίγυπτο.

Συχνά, ωστόσο, οι μελετητές εστιάζουν το ενδιαφέρον τους τόσο πολύ στο να διερευνήσουν τη γοητευτική παραδοξότητα αυτών των απομακρυσμένων πολιτισμών και να εξηγήσουν τα μυθολογικά τους σχήματα, ώστε δεν κατορθώνουν να απαντήσουν σε ερωτήματα που ενδεχομένως θα αναδείκνυαν τη δημιουργία της τέχνης. Τι είδους επιχειρήματα είχαν οι καλλιτέχνες στα εργαστήρια όπου υπηρετούσαν τους φαραώ; Ποια ήταν τα αισθητικά τους προβλήματα; Ένα βιβλίο που προβάλλει κάποιες υποθέσεις για τα παραπάνω και εξακολουθεί να προκαλεί ερεθίσματα –*Arrest and Movement: An Essay on Space and Time in the Representational Art of the Ancient Near East*– εξέδωσε η Henriette Groenewegen-Frankfort το 1951. Το *The Canonical Tradition in Ancient Egyptian Art* (1990) της Whitney Davis πραγματεύεται το κατά τα φαινόμενα ανιαρό θέμα του με μια καλοδεχούμενη κριτική στάση.

Το Metropolitan Museum of Art της Νέας Υόρκης οργάνωσε το 2003 μια σημαντική έκθεση για τις απαρχές του πολιτισμού στη νοτιοδυτική Ασία και στην ανατολική Μεσόγειο: *Art of the First Cities*. Ο κατάλογός του περιλαμβάνει επίσης σημαντικές πληροφορίες σχετικά με τον προσφάτως ανακαλφθέντα πολιτισμό «ΑΣΒΜ» στην κεντρική Ασία. Ένα καλό πρόσφατο βιβλίο για το αρχαίο Μεξικό είναι το *The Olmecs: America's First Civilization* (2006) του Richard A. Diehl. Στο *The Indus Civilization: A Contemporary Perspective* (2003), ο Gregory L. Possehl ασχολείται με το γρίφο ενός πολιτισμού που μοιάζει να απέφυγε σχεδόν συνειδητά την υψηλή τέχνη.

Κεφάλαιο 3 **Κλασικοί κανόνες**

Για τη «ζωόμορφη τεχνοτροπία», βλ. *The Golden Deer of Eurasia: Scythian and Sarmatian Treasures from the Russian Steppes*, έναν κατάλογο έκθεσης του Metropolitan Museum of Art της Νέας Υόρκης, ο οποίος δημοσιεύτηκε το 2000. Για την Ασσυρία, βλ. το ήδη αναφερόμενο έργο *Arrest and Movement* της Groenewegen-Frankfort, καθώς και το *Assyrian Sculpture* (1999) του Julian Reade. Ο ιστότοπος www.livius.org, που τον διαχειρίζεται ο Jona Lendering, αποτελεί μία από τις καλύτερες πηγές πληροφόρησης για τους κλασικούς πολιτισμούς της Μεσογείου και της δυτικής Ασίας.

Το *Greek Sculpture: An Exploration* (1990) του Andrew Stewart αποτελεί το προσωπικό ιδεώδες μου για την έκδοση ενός βιβλίου ιστορίας της τέχνης: εξονυχιστικά κατατοπιστικό, διανοητικά παθιασμένο, ευφυώς οργανωμένο, πλούσια εικονογραφημένο, γεμάτο λεπτές αποχρώσεις. Με το θέμα αυτό έχουν ωστόσο ασχοληθεί πολλοί εξαίρετοι συγγραφείς, μεταξύ των οποίων ο Martin Robertson, γνωστός για το *History of Greek Art* (1975). Τα διάφορα βιβλία για την αρχαιοελληνική τέχνη των J. J. Pollitt και John Onians έχουν επίσης μεγάλο ενδιαφέρον, όπως και το *Understanding Greek Sculpture* (1997) [ελλ. έκδ.: *Η ελληνική γλυπτική*, μτφρ. Β. Παπαευθυμίου, Α. Θεοχαράκη, Οδυσσέας, Αθήνα 2004] του Nigel Spivey. Ο σερ John Boardman έχει γράψει πολυάριθμα αξιόπιστα βιβλία σε αυτό τον τομέα, όπως το *The Oxford History of Classical Art* (1997). Για την ελληνική αγγειογραφία, ο σερ John Beazley (1885–1970) ήταν για καιρό η κατεξοχήν αγγλόφωνη αυθεντία. Μια εκ του σύνεγγυς πρόσφατη μελέτη ενός κατακερματισμένου ελληνικού αριστουργήματος είναι εκείνη της Jenifer Neils, *The Parthenon Frieze* (2004).

Για την ινδική τέχνη στο Σανσί, στραφείτε στις μελέτες που οι οποίες αναφέρθηκαν παραπάνω για τη συγκεκριμένη περιοχή· ομοίως για την κινεζική τέχνη της δυναστείας των Χαν. Δεν προκαλεί εντύπωση η απουσία εκτεταμένης πρόσφατης βιβλιογραφίας για την τέχνη της κεντρικής Ασίας κατά την κλασική εποχή: η περιοχή βρίσκεται διαρκώς σε πόλεμο μετά το 1980.

Το *Prolegomena to the Study of Roman Art* (1979) του Otto Brendel είναι μια σημαντική μελέτη που μας βοηθά να καταλάβουμε ένα ελαφρώς θολό αντικείμενο. Το *Roman Art: Romulus to Constantine* (4η έκδ. 2004) [ελλ. έκδ.: *Ρωμαϊκή τέχνη*, μτφρ. Χ. Ιωακειμίδου, University Studio Press, Αθήνα 2000) των Nancy H. Ramage και Andrew Ramage είναι ένας χρονολογικός οδηγός για την εξέλιξη της ρωμαϊκής τέχνης γραμμένος με σαφήνεια.

Κεφάλαιο 4 Μεσαιωνικοί κόσμοι
Για την αρχαία Αφρική, οι Gert Chesi και Gerhard Merzeder εξέδωσαν το *The Nok Culture: Art in Nigeria 2500 Years Ago* το 2006. Για τις περουβιανές προσωπογραφίες, βλ. *Moche Art and Archaeology in Ancient Peru* (2001), με επιμέλεια της Joanne Pillsbury.

Η υιοθέτηση του όρου «Ύστερη Αρχαιότητα» για την περίοδο που ακολούθησε την «Κλασική Αρχαιότητα» ανάγεται στο έργο του αυστριακού ιστορικού της τέχνης Alois Riegl (1858–1905). Στα αγγλικά υιοθετήθηκε κυρίως μέσω των διαφωτιστικών μελετών του ιστορικού Peter Brown: το *The World of Late Antiquity: AD 150–750* (1971) αποτελεί μια καλή αρχή. Όποιος αναζητά μια ιστορική εισαγωγή σε όλη τη «μεσαιωνική» περίοδο δεν έχει παρά να στραφεί στα ποικίλα κείμενα του Ernst Kitzinger (1912–2003) – για παράδειγμα, στο *Byzantine Art in the Making*

(1977) [ελλ. έκδ.: *Η βυζαντινή τέχνη εν τω γενέσθαι*, μτφρ. Στέλλα Παπαδάκη, Πανεπιστημιακές Εκδόσεις Κρήτης, Ηράκλειο Κρήτης 2004]. Πιο πρόσφατα, ο ιστορικός της τέχνης Jas Elsner διερεύνησε τις εννοιολογικές μεταβάσεις κατά τους πρώτους αιώνες αυτής της περιόδου σε βιβλία όπως το *Imperial Rome and Christian Triumph* (1998).

Για τη βυζαντινή εικονομαχία –και για όλα όσα θέτουν υπό αμφισβήτηση την εικονιστική παράδοση του «κύριου ρεύματος»– προτείνω το συναρπαστικό, αν και απαιτητικό, βιβλίο του David Freedberg *The Power of Images* (1989). Για τη «νησιωτική» παράδοση, βλ. το *Art of the Celts* (1992) των Lloyd Laing και Jennifer Laing.

Το *The Maya* (1966· 6η έκδ. 1999) του Michael D. Coe είναι ένα από τα πιο αξιόπιστα κείμενα για ένα θέμα που γέννησε αναρίθμητα γοητευτικά βιβλία με εικονογράφηση.

Μεγάλο μέρος όσων αφορούν την Ασία σε αυτό το κεφάλαιο, από το Ισλάμ έως την Ιαπωνία, προσεγγίζονται καλύτερα μέσα από τις μελέτες που αναφέρονται στην ενότητα «Ανά περιοχή» αυτής της βιβλιογραφίας. Η Joanna Williams είναι ειδήμων στην ινδική τέχνη αυτής της περιόδου· βλ. *The Art of Gupta India* (1982). Συναρπαστικές ιδέες για τη μεσαιωνική ισλαμική τέχνη προσφέρει η Gülru Necipoglu στο *The Topkapi Scroll: Geometry and Ornament in Islamic Architecture* (1995), αν και τα συμπεράσματά της τα αντέκρουσε σθεναρά ο Terry Allen στο *Islamic Art and the Argument from Academic Geometry* (2004).

Δεν βρήκα και πολλά κείμενα που να διαφωτίζουν τη μετάβαση στη χριστιανική τέχνη την οποία πιστεύω πως αντιπροσωπεύει ο Εσταυρωμένος του Γκέρο, αλλά το *Ottonian Book Illumination* (1991) του Henry Mayr-Harting παραμένει μια αξεπέραστη μελέτη αυτής της περιόδου. Για τις μεταγενέστερες εξελίξεις στη Δυτική Ευρώπη, ο Meyer Shapiro παραμένει ο πιο εύγλωττος εκπρόσωπος· πρόσφατα επανεκδόθηκαν οι διαλέξεις του υπό τον τίτλο *Romanesque Architectural Sculpture* (2006). Ένας άλλος σαφής και εμβριθής συγγραφέας είναι ο Peter Kidson: βλ. το *The Medieval World* (1967). Νωρίτερα ο Erwin Panofsky είχε δημιουργήσει μια εικόνα της τέχνης του έργου του Αβά Σιζέ στο *Gothic Architecture and Scholasticism* (1951), η οποία άσκησε βαθιά επίδραση. Για τις εξελίξεις προς τα ανατολικά, βλ. Robin Cormack, *Byzantine Art* (2000).

Για τους γλύπτες «Κέι», βλ. Victor Harris και Ken Matsushima, *Kamakura: The Renaissance of Japanese Sculpture* (1991). Για την περίοδο Ίφε, βλ. τα βιβλία που αναφέρθηκαν παραπάνω· το *Nigerian Images* (1963) του William Fagg παραμένει ένα διαφωτιστικό κείμενο.

Κεφάλαιο 5 Είσοδοι και παράθυρα
Το *The Double Screen: Medium and Representation in Chinese Painting* (1997) του Wu Hung ερευνά εμβριθώς τις εννοιολογικές πολυπλοκότητες της κινεζικής παράδοσης. Ο John Hay έχει γράψει ένα ενδιαφέρον βιβλίο για τη ζωγραφική του 14ου αιώνα, το *Boundaries in China* (1994). Κινεζικά κείμενα για την τέχνη έχει συλλέξει η Susan Bush στο *The Chinese Literati on Painting* (1971).

Το *Giovanni Pisano, Sculptor* (1969) του Michael Ayrton είναι μια τολμηρή απόπειρα να

μελετηθεί μια σημαντική προσωπικότητα της τέχνης του 13ου αιώνα. Η βασικότερη πρόσφατη έρευνα στην ιταλική τέχνη αυτής της περιόδου είναι το *Painting in the time of Giotto* (1997) του Hayden Maginnis. Η πιο γλαφυρή διερεύνηση της παράδοσης μιας πόλης είναι το *Sienese Painting* (2003) του Timothy Hyman. Τα παραπάνω προϋποθέτουν μια σειρά προγενέστερων περιγραφών των ιταλικών εξελίξεων με όρους «καλλιτεχνικής προόδου», όπως για παράδειγμα υποδηλώνει ο τίτλος του περίφημου βιβλίου του John White *The Birth and Rebirth of Pictorial Space*, που εκδόθηκε το 1957.

Ο Michael Camille (1958–2002) ήταν ένας καινοτόμος που κατόρθωσε να αναθεωρήσει τις προκαταλήψεις που αφορούσαν τον 13ο και τον 14ο αιώνα με βιβλία όπως το *Image on the Edge: The Margins of Medieval Art* (1992). Το *The Alhambra* (2005) του Robert Irwin ανανέωσε επίσης τις αντιλήψεις σχετικά με ένα αριστούργημα για το οποίο έχουν γραφτεί πολλά.

Το *Northern Renaissance Art: Painting, Sculpture and the Graphic Arts from 1350 to 1575* (1985) του James Snyder είναι μια εξαιρετικά καλή μελέτη που απευθύνεται στο ευρύ κοινό. Με τον Φαν Έικ εισερχόμαστε σε ένα λαβύρινθο τεχνολογικών ζητημάτων που θέτει ο καλλιτέχνης David Hockney στη μοχθηρά πρωτότυπη, εξοργιστικά παρουσιασμένη και (όπως πιστεύω) θεμελιωδώς έγκυρη θέση του στο *Secret Knowledge: Rediscovering the Lost Techniques of the Old masters* (2001).

Ο 15ος αιώνας στην Ιταλία αποτελεί την κεντρική πλατεία στην ιστορία της τέχνης: αφότου ο Τζόρτζο Βαζάρι περιέγραψε τις προσωπικότητες που έδρασαν στη διάρκειά του στους *Βίους των καλλιτεχνών* (1550, αναθεωρημένο το 1568· διαβάζεται ακόμα και τώρα) [ελλ. έκδ.: *Οι βίοι των πλέον εξαίρετων ζωγράφων, γλυπτών και αρχιτεκτόνων*, μτφρ. Κώστας Βαλάκας, Νίκος Σκουτέλης, Νίκος Χατζηνικολάου, Πατάκη, Αθήνα 1997], καμιά άλλη περίοδος δεν έχει ερευνηθεί τόσο εξαντλητικά. Το έργο του Jacob Burckhardt *Civilization of the Renaissance in Italy* (1860) [ελλ. έκδ.: *Ο πολιτισμός της Αναγέννησης στην Ιταλία*, μτφρ. Μαρία Τοπάλη, Νεφέλη, Αθήνα 1997] παραμένει ένα κλασικό κείμενο· το *History of Italian Renaissance Art* (1969, 6η έκδ. 2006) του Frederick Hartt παρουσιάζει με έμφορο και γοητευτικό τρόπο τη συσσωρευμένη σοφία των ειδημόνων πάνω στο θέμα αυτό. Με πολλές εξέχουσες φωνές πίσω του (υπερβολικά πολλές για να τις παραθέσουμε εδώ) ο Michael Baxandall αναζωογόνησε με λαμπρό τρόπο τη συζήτηση στο *Painting and Experience in Fifteenth-Century Italy* (1972). Ένα μεγάλο μέρος όσων έχουν γραφτεί πρόσφατα για αυτό το θέμα χαρακτηρίζεται ωστόσο από μια αισθητική μονοτονία, καθώς προέρχεται από ακαδημαϊκούς που φαίνεται πως αισθάνονται άβολα με την ιδέα ότι η τέχνη μπορεί να ποικίλλει σε ποιότητα και ότι το μεγαλείο αξίζει περισσότερο την προσοχή απ' ό,τι η μετριότητα.

Σε ό,τι αφορά τους αδελφούς Μπελίνι, το *Venetian Colour* (1999) του Paul Hills περιγράφει σχολαστικά και με έμφαση στην αισθητική τις εικαστικές παραδόσεις της Βενετίας. Το *Figurative Art and Medieval Islam: The Riddle of Bizhad of Herat* (2005) του Michael Barry διερευνά εκτεταμένα τις διανοητικές πολυπλοκότητες της περσικής ζωγραφικής. Το *Με λένε Κόκκινο* [ελλ. έκδ., μτφρ. Στέλλα Βρετού, Ωκεανίδα, Αθήνα 2002] του Orhan Pamuk είναι ένα μάλλον εκτεταμένο μυθιστόρημα με το ίδιο θέμα.

Κεφάλαιο 6 **Αναδημιουργώντας τον κόσμο**

Το *Circa 1492* ήταν μια εξαιρετική έκθεση που πραγματοποιήθηκε στη National Gallery of Art της Ουάσινγκτον για την επέτειο των πεντακοσίων ετών από την άφιξη του Κολόμβου στην Αμερική (1992): αξίζει να περιεργαστείτε τον κατάλογό της. Το ίδιο ισχύει και για την έκθεση *Aztecs* στη Royal Academy του Λονδίνου το 2003. Η μετάφραση των στίχων που παρατίθεται προέρχεται από το *Aztec Thought and Culture: A Study of the Ancient Nahuatl Mind* (1963) του Miguel Leon-Portilla.

Το *Life and Art of Albrecht Dürer* (1943) του Erwin Panofsky παραμένει η υπέρτατη μονογραφία για αυτόν τον καλλιτέχνη. Το πιο συναρπαστικό πρόσφατο βιβλίο για την εποχή του Ντίρερ είναι το *The Moment of Self-Portraiture in German Renaissance Art* (1997) του Joseph Leo Koerner. Βλ. επίσης Snyder (*ό.π.*) και Jeffrey Chipps Smith, *The Northern Renaissance* (2004) [ελλ. έκδ.: *Η Αναγέννηση στη Βόρεια Ευρώπη*, μτφρ. Ιωάννα Βετσοπούλου, Καστανιώτης, Αθήνα 2005].

Το *Leonardo: The Marvellous Works of Nature and of Man* (1981, αναθ. έκδ. 2006) του Martin Kemp είναι μια εξαιρετική εισαγωγή στο πνευματικό εύρος αυτού του καλλιτέχνη. Για τον Μιχαήλ Άγγελο, στραφείτε στη φερώνυμη βιογραφία του Howard Hibbard (1985). Το *Artistic Theory in Italy, 1450–1600* (1940) του Anthony Blunt παραμένει χρήσιμο καθώς σκιαγραφεί τις θέσεις και τις δύο αυτών ιδιοφυΐων. Οι Roger Jones και Nicholas Penny εξέδωσαν το *Raphael*, μια γλαφυρή εισαγωγή, το 1983. Τα έργα των Hartt και Gombrich, που παρατέθηκαν ήδη, εξετάζουν σε ικανοποιητικό βαθμό την Ιταλική Ώριμη Αναγέννηση – καθώς και την περίοδο του Μανιερισμού που ακολούθησε. Το *Mannerism* (1967) του John Shearman είναι μια πειστική θεώρηση του ρεύματος αυτού.

Για τις αλατιέρες των Σάπι, βλ. *Africa and the Renaissance: Art in Ivory* (1988) των Ezio Bassani και William Fagg. (Το *Nigerian Images* του τελευταίου είναι ένα καλό βιβλίο για το Μπενίν.) Για τη ζωγραφική των Μογγόλων, βλ. το έργο του Stuart Carry Welch (*ό.π.*) και το πιο πρόσφατο *Painting for the Mughal Emperor* (2002) της Susan Stronge.

Λόγω της ένθερμης αγάπης μου τόσο για τον Μπρέγκελ όσο και για τον Τισιάνο δεν αισθάνομαι ιδιαίτερα την ανάγκη να προτείνω κάτι που να αναφέρεται σε αυτούς, αν και υπάρχουν πολλά καλογραμμένα βιβλία. Όμως το μυθιστόρημα του Michael Frayn για τον Μπρέγκελ, το *Headlong* (2000) [ελλ. έκδ.: *Παραφορά*, μτφρ. Σπύρος Τσούγκος, Νεφέλη, Αθήνα 2000] είναι διασκεδαστικό. Η επαρκής αφήγηση του *Giambologna* (1994) του Charles Avery συμπληρώνεται από τις λαμπρές φωτογραφίες του David Finn. Διαφωτιστικό βρήκα το *Palladio's Villas: Life in the Renaissance Countryside* (1991) του Paul Holberton. Για την Ισταμπούλ, βλ. το *The World of Ottoman Art* (1975) του Michael Levey και τον κατάλογο της

έκθεσης *Turks* (2005) από τη Royal Academy του Λονδίνου.

Κεφάλαιο 7 **Θεατρικές πραγματικότητες**

Η ζωγραφική στη Σουτσού εξετάζεται στο *Parting at the Shore: Chinese Painting of the Early and Middle Ming Dynasty* του James Cahill (1978).

Ο Rudolf Wittkower –ο οποίος, συμπτωματικά, έχει γράψει κι ένα εξαίρετο βιβλίο για τη γλυπτική εν γένει (το *Sculpture*)– έγραψε μία από τις καλύτερες συνολικές επισκοπήσεις για την ιταλική τέχνη και αρχιτεκτονική, το *Art and Architecture in Italy, 1600–1750* (1958), που καλύπτει ένα μεγάλο μέρος αυτού του κεφαλαίου. Η αλήθεια, βέβαια, είναι ότι ο Wittkower έχει μια μικρή εμμονή με τον προσδιορισμό τού τι είναι το «μπαρόκ». Ο αναδρομικός αυτός χαρακτηρισμός τείνει να σβήσει κάθε άλλη περιγραφή της συγκεκριμένης εποχής, μερικές φορές όμως μπορεί να γίνει πολύ διεισδυτικός, όπως συμβαίνει, για παράδειγμα, στο δοκίμιο του John Rupert Martin *Baroque* (1977).

Ως προς τα βιβλία για μεμονωμένους καλλιτέχνες, κατά τη γνώμη μου η πιο οξυδερκής ανάλυση για τον Καραβάτζο είναι το βιογραφικό πείραμα του Peter Robb *M*, παρότι ήταν πολλοί αυτοί που ενοχλήθηκαν με την έντονη χυδαιότητα του συγκεκριμένου βιβλίου. Ένα αντίστοιχο εγχείρημα στην πραγματολογική μυθοπλασία είναι το *Artemisia* της Alexandra LaPierre (2000). Σχετικά με τον Άνταμ Ελσχάιμερ δείτε τη μονογραφία του Keith Andrews (1977). Σχετικά με τον Ρούμπενς, θα πρέπει να αναστρέξετε στη σύντομη εισαγωγή του Kerry Downes (1978), καθώς και τα πρώτα μέρη του *Rembrandt's Eyes* του Simon Schama (2000). Ο Charles Avery και ο David Finn (η ομάδα που έγραψε το βιβλίο *Giambologna*, βλ. παραπάνω) δημοσίευσαν το απολαυστικό βιβλίο *Bernini: Genius of the Baroque* το 1997. Σχετικά με τον Γκουερτσίνο δείτε το *Studies in Seicento Art and Theory* (1971) του Denis Mahon.

Ο Jonathan Brown έχει γράψει πολλά χρήσιμα βιβλία για την ισπανική τέχνη του 17ου αιώνα και ειδικεύεται (όπως και η μελετήτρια Enriqueta Harris πριν απ' αυτόν) στον Βελάσκεθ. Οι πιο ενδελεχείς, όμως, απόψεις που έχω διαβάσει για τον συγκεκριμένο καλλιτέχνη περιλαμβάνονται στο δυσεύρετο στην αγγλική γλώσσα *Introduction to Velázquez*, το οποίο δημοσίευσε ο José Ortega y Gasset το 1943.

Σε ό,τι αφορά την Ολλανδία, το *Dutch Painting, 1600–1800* (1995) του Seymour Slive είναι μια χρήσιμη και φιλική προς τον αναγνώστη επισκόπηση, ενώ η Svetlana Alpers θεωρητικοποιεί αυτό το πεδίο στο *The Art of Describing* (1983), ένα από τα πιο ερεθιστικότερα και σημαντικότερα κείμενα ιστορίας της τέχνης των τελευταίων δεκαετιών. Το *The Embarrassment of Riches: An Interpretation of Dutch Culture* (1987) του Simon Schama ρέει αβίαστα, ενώ αντίθετα η βιογραφία του ίδιου *Rembrandt's Eyes* που αναφέρθηκε παραπάνω μάλλον δεν ρέει και τόσο. Ο Gary Schwartz μόλις δημοσίευσε μια προσιτή σύνοψη των πρόσφατων επιστημονικών απόψεων, το *Rembrandt's Universe*.

Το καλύτερο αυτοτελές δοκίμιο για τον Βερμέερ είναι ακόμα και σήμερα το *Johannes Vermeer* του Lawrence Gowing, το οποίο πρωτοδημοσιεύτηκε το 1952. Το *Looking at the Overlooked* (1991) του Norman Bryson εγκύπτει με ιδιοφυή τρόπο στις παραδόσεις της ζωγραφικής της νεκρής φύσης (με τις οποίες, ομολογουμένως, δεν ασχοληθήκαμε και πολύ εδώ). Το *Claude Lorrain* (1989) της Helen Langdon συνδυάζει τις καλοπροαίρετες επιστημονικές απόψεις με τις ωραίες εικόνες. Για τον Πουσέν έχουν γραφτεί πολλά σπουδαία κείμενα, από τον κριτικό κατάλογο του Anthony Blunt (*The Paintings of Nicholas Poussin*, 1966) ως το *Nicholas Poussin: Dialectics of Painting* του Oskar Bätschmann (1997) και το *The Sight of Death* (2006) του T. J. Clark.

Κεφάλαιο 8 **Διευθετήσεις, διαφωτισμός**

Το *Art and Architecture of France, 1500–1700* (1953) του Anthony Blunt αποτελεί ακόμα και σήμερα την κλασική εισαγωγή στο γενικό πλαίσιο με βάση το οποίο χτίστηκαν οι Βερσαλλίες. Το *The Eloquence of Color* (1993) της Jacqueline Lichtenstein είναι μια παραστατικά διερεύνηση του γαλλικού ακαδημαϊκού κόσμου. Η σύντομη εισαγωγή της Anita Brookner στον Βατό, το *Watteau* (1967), είναι πολύ γλαφυρή. Το *Painting and Sculpture in France, 1700–1789* (1993) του Michael Levey συνεχίζει από εκεί που σταμάτησε ο Blunt, ενώ ο Pierre Rosenberg έχει δημοσιεύσει πολλά κείμενα για τον Μπουσέ και τον Σαρντέν, και οι δύο συγγραφείς όμως ρέπουν περισσότερο προς τη συνηγορία παρά προς την ανάλυση. Αντίθετα, ο Michael Baxandall στο *Shadows and Enlightenment* (1995) χρησιμοποιεί πολλούς τεχνικούς όρους στην εξέταση της οπτικότητας του 18ου αιώνα. Θα μπορούσατε επίσης να δείτε το *The Rococo Interior: Decoration and Social Spaces in Early Eighteenth-Century Paris* (1996) της Katie Scott, καθώς και το *Painters and Public Life in Eighteenth-Century Paris* (1987) του Thomas Crow.

Για τις περιοχές πέρα από το Παρίσι, ο κατάλογος *Painters of Reality: The Legacy of Leonardo and Caravaggio in Lombard Art* (2004, επιμ. Andrea Bayer), περιλαμβάνει ένα από τα ελάχιστα αγγλόφωνα κείμενα που αναφέρονται στον Τζάκομο Τσερούτι. Στο *Tiepolo and the Pictorial Intelligence* (1994) της Svetlana Alpers και του Michael Baxandall δύο κορυφαίοι ιστορικοί της τέχνης ξεκινούν μια συναρπαστική περιπέτεια στο χώρο της κριτικής. Το βασικότερο βιβλίο για τους Ντόγκον είναι το *Conversations with Ogotemmeli: An Introduction to Dogon Religious Ideas* του Marcel Griaule, που πρωτοδημοσιεύτηκε το 1948 (και το οποίο, πρέπει επίσης να σημειώσουμε, περιλαμβάνει πολύ αμφιλεγόμενες απόψεις). Σχετικά με τον Κόριν θα πρέπει να δείτε τον κατάλογο *The Great Japan Exhibition: Art of the Edo Period, 1600–1868* (1981) της Royal Academy του Λονδίνου. Σχετικά με την Κίνα θα πρέπει να δείτε το *Shitao: Painting and Modernity in Early Qing China* (2001) του Jonathan Hay.

Ο Ronald Paulson είναι μια μεγάλη αυθεντία στην τέχνη του Χόγκαρθ, ενώ η βιογραφία της Jenny Uglow για τον Χόγκαρθ (2002) είναι ένα έξοχο ανάγνωσμα. Ο Benedict Nicolson ξαναέφερε στο φως έναν από τους ευφυέστερους ζωγράφους της Μεγάλης Βρετανίας με τη μονογραφία του *Joseph Wright of Derby* (1968). Η μελέτη του *Discourses to the Royal Academy* (1768–82) του Joshua Reynolds, καθώς και του *Philosophical Enquiry into the Origin of our Ideas of the Sublime and the Beautiful* (1757) του Edmund Burke, είναι ακόμα και σήμερα μια απόλαυση· ο πιο εντυπωσιακός, όμως, απ' όλους τους θεωρητικούς της τέχνης του 18ου αιώνα είναι ο Denis Diderot, του οποίου τα *Salons* (1759–81) κάνουν σκόνη όλους τους σημερινούς κριτικούς με την ασεβή τους οξυδέρκεια.

Το *European Vision and the South Pacific* (1985) του σπουδαίου αυστραλού ιστορικού της τέχνης Bernard Smith μάς προσφέρει το γενικό πλαίσιο για το έργο του Ουίλιαμ Χόζες. Ο W. G. Archer (1907–79) ήταν για μεγάλο διάστημα ο διαπρεπέστερος βρετανός μελετητής της ζωγραφικής Παχάρι, ενώ η ιστοσελίδα «Black Peacock» (www.goloka.com) προσφέρει μια χρήσιμη επισκόπηση του θέματος. Το *Flesh and the Ideal: Winckelmann and the Origins of Art History* (1994) του Alex Potts είναι μια βαθυστόχαστη μελέτη των απαρχών του νεοκλασικού αισθητισμού. Σχετικά με την Αγία Πετρούπολη δείτε τη συναρπαστική μελέτη του Alexander Schenker *The Bronze Horseman: Falconet's Monument to Peter the Great* (2003).

Κεφάλαιο 9 Μια αλλαγμένη αλήθεια

Η «νεωτερικότητα» και ο «μοντερνισμός» είναι όροι που βρίσκονται υπό αέναη αμφισβήτηση. Θα μπορέσετε να βρεθείτε στη μέση της όλης λογομαχίας αν διαβάσετε το *Farewell to an Idea: Episodes from a History of Modernism* (1999), το μεγαλοφυές και ιδιόρρυθμο βιβλίο του σπουδαίου T. J. Clark. Οι μεταφράσεις της προσφώνησης του Μπουλέ «Προς τον Νεύτωνα» που χρησιμοποιήθηκαν εδώ προέρχονται από το H. Rosenau, *Boullée and Visionary Architecture* (1976). Τη συγκεκριμένη περίοδο στην Ευρώπη την καλύπτουν με εξαίσιο τρόπο το *Neo-classicism* (1970) του John Fleming και Hugh Honour, και το *Transformations in Late Eighteenth-Century Art* (1967) του Robert Rosenblum. Ο Matthew Craske παρουσιάζει μια διαφορετική επισκόπηση στο *Art in Europe, 1700–1830* (1997)· θεωρεί ότι αποτελεί ένα πολύ ενδιαφέρον παράδειγμα της κοινωνιολογικής προσέγγισης η οποία κυριαρχεί πλέον σ' ένα μεγάλο μέρος της πρόσφατης ιστορίας της τέχνης, παρόλο που δεν συμφωνούν όλοι με αυτήν την άποψη.

Η κοινωνιολογική προσέγγιση διαμορφώνει επίσης το έργο του Henry D. Smith για τα ιαπωνικά χαρακτικά – όπως, για παράδειγμα, το δοκίμιό του «The Floating World in its Edo Locale, 1750–1850», που περιλαμβάνεται στον κατάλογο *The Floating World Revisited* (Portland Art Museum, 1993). Το παραπάνω είναι ένα πολύτιμο συμπλήρωμα στις απόψεις που έχουν διατυπώσει παλιότεροι γνώστες του συγκεκριμένου αντικειμένου – όπως, για παράδειγμα, ο Richard Lane στο *Images from the Floating World* (1978). Και οι ιστοσελίδες για το συγκεκριμένο πεδίο συνεχώς αυξάνονται και πληθύνονται.

Το *Goya* (2003) του Robert Hughes αποτελεί τη συνάντηση ενός συγγραφέα με νευρώδες ύφος μ' έναν από τους πιο ρωμαλέους

ζωγράφους. (Εναλλακτικά, υπάρχει επίσης και η εξαιρετική μελέτη της Janis Tomlinson, *Goya in the Twilight of Enlightenment*, 1992.) Έχω την εντύπωση ότι ο Νταβίντ και η ιστορικός της τέχνης / πεζογράφος Anita Brookner (*Jacques-Louis David*, 1980) είναι ένας αναπάντεχος συνδυασμός, το βιβλίο όμως είναι ένα σπουδαίο ανάγνωσμα. Ως προς τον Νταβίντ θα μπορούσατε επίσης να δείτε το *Farewell* του T. J. Clark (το οποίο παρατίθεται παραπάνω), και ως προς τη «σχολή» του θα μπορούσατε να ανατρέξετε στο *Emulation: Making Artists for Revolutionary France* του Thomas Crow (1997).

Το *Caspar David Friedrich and the Subject of Landscape* (1993) του Joseph Leo Koerner είναι πραγματικά συγκλονιστικό. Το *Romanticism* (1981) του Jean Clay είναι δύσκολο βιβλίο, αλλά προσφέρει μια εντυπωσιακή αφθονία εικόνων και οξυδερκών απόψεων. Αν ψάχνετε καλογραμμένα κείμενα για τους άγγλους καλλιτέχνες, θα πρέπει να διαβάσετε τις διάφορες μελέτες του David Bindman για τον Μπλέικ (λ.χ. το *Blake as an Artist*, 1977), καθώς και το βιβλίο του John Gage *J. M. W. Turner: «A Wonderful Range of Mind»* (1991).

Η γαλλική τέχνη είναι αρκετά μεγάλο πεδίο έρευνας που επιτρέπει μετα-ιστορικές ακαδημαϊκές ονειροπολήσεις όπως το *Absorption and Theatricality* (1980) του Michael Fried και το *Tradition and Desire: From David to Delacroix* (1984) του Norman Bryson. Και τα δύο βιβλία παρουσιάζουν μεγάλο ενδιαφέρον και μπορεί επίσης να εμπεριέχουν και κάποιο ποσοστό αλήθειας. Τα *Ημερολόγια* (*Journals*, 1823–54) του Ντελακρουά είναι ένα συγκλονιστικό ιστορικό ντοκουμέντο. Σχετικά με τις μεταβάσεις αυτής της εποχής δείτε την εξαιρετική συλλογή δοκιμίων των Charles Rosen και Henri Zerner με τίτλο *Romanticism to Realism* (1984). Για περαιτέρω οξυδερκείς απόψεις για τον Ονορέ Ντομιέ δείτε το *Honoré Daumier* (1996) του Bruce Laughton. Αυτό που με έκανε να ενδιαφερθώ για τον Γκρανβίλ ήταν ένα απόσπασμα από τη συναρπαστική και πρωτότυπη περιγραφή του μοντερνισμού από τον Kirk Varnedoe με τίτλο *A Fine Disregard* (1994), το οποίο αναφέρεται και στον Χιροσίγκε.

Κεφάλαιο 10 Η ορμή της βιομηχανίας

Το *Before Photography: Painting and the Invention of Photography* (1981) του Peter Galassi τοποθετεί τον Νιεπς στο γενικό πλαίσιο στο οποίο ανήκε (όπως κάνει, με μια πολύ ευρύτερη έννοια, και το *Secret Knowledge* του Hockney, το οποίο παρατίθεται παραπάνω). Σχετικά με τη φωτογραφία (στην οποία δεν γίνονται αρκετές αναφορές εδώ) δείτε το συναρπαστικό βιβλίο του Ian Jeffrey *Revisions: An Alternative History of Photography* (1999).

Ο H. W. Janson και ο Robert Rosenblum αξιοποίησαν την απεριόριστη περιέργεια και τη δημιουργική γενναιοδωρία τους στο *19th-Century Art* (1984), που κατά τη γνώμη μου είναι η καλύτερη επισκόπηση του είδους. Ως προς τον Μέντσελ, νομίζω ότι το πιο χρήσιμο βιβλίο στην αγγλική γλώσσα μάλλον είναι ο κατάλογος μιας έκθεσης που πραγματοποιήθηκε στη National Gallery of Art της Ουάσινγκτον (1996, επιμ. Claude Keisch), παρότι βέβαια και το *Menzel's Realism* (2002) του Michael Fried είναι εξίσου

ενδιαφέρον. Είναι πολλοί αυτοί που έγραψαν ωραία κείμενα για τη Μεγάλη Βρετανία του 19ου αιώνα – ο καλύτερος όμως όλων, όπως θέλω να πιστεύω, είναι ο πατέρας μου, ο Quentin Bell (*Victorian Artists*, 1967). Σχετικά με τον Κουρμπέ, δείτε τις δύο μελέτες του T. J. Clark, το *The Absolute Bourgeois* και το *Image of the People* (και τα δύο εκδόθηκαν το 1973), καθώς και το έγκυρο βιβλίο της Linda Nochlin *Realism* (1971).

Αν ενδιαφέρεστε για τη δυτική τέχνη του 19ου αιώνα, θα πρέπει να ρίξετε μια ματιά στα κείμενα κριτικής του Μποντλέρ (από το 1845 ως το 1859) και/ή του Ράσκιν (από το 1843 ως το 1878). Αντίστοιχα, το *The Grammar of Ornament* (1856) του Owen Jones διαβάζεται με αμείωτο ενδιαφέρον. Η εντύπωση που σχημάτισα για το πολιτικό πλαίσιο στο οποίο εργαζόταν ο Ακάτι προέρχεται από το *Wives of the Leopard: Gender, Politics, and Culture in the Kingdom of Dahomey* (1998) της Edna G. Bay, ενώ ο κατάλογος της έκθεσης *Transcending Turmoil: Painting at the Close of China's Empire, 1796–1911* που πραγματοποιήθηκε το 1992 στο Art Museum του Φοίνιξ προσφέρει το γενικό πλαίσιο για τον Ρεν Σιονγκ.

Για τον Μανέ έχουν γραφτεί πολλά – ή, μάλλον, πάρα πολλά· νομίζω ότι απλώς αρκούν έξι σελίδες του απαράμιλλου κριτικού Peter Schjeldahl (από την ανθολογία *The Hydrogen Jukebox*, 1991). (Στο συγκεκριμένο βιβλίο περιλαμβάνεται και ένα ιδιοφυές δοκίμιο για τον Μουνκ.) Το *Monet: The Colour of Time* (1992) είναι η μεγαλειώδης μονογραφία που έγραψε η Virginia Spate. Ως προς τον ιμπρεσιονισμό εν γένει, οι διαλέξεις του Meyer Schapiro (οι οποίες εκδόθηκαν μετά το θάνατό του, το 1997) υπερβαίνουν με εξαίσιο τρόπο τα συνηθισμένα κλισέ. Ο Ντεγκά παρουσιάζεται πιο ενδιαφέρων μέσα από τα δικά του λόγια, τα οποία έχει συγκεντρώσει ο Richard Kendall (*Degas by Himself*, 1994).

Σχετικά με τον Ρέπιν δείτε το *Russian Realist Art: The Peredvizhniki and their Tradition* (1989) της Elizabeth Valkenier. Ως προς τον Χάμσοϊ, υπάρχει μια εξαιρετική μονογραφία που δημοσίευσε το 1992 ο Poul Vad· δείτε επίσης και το *Northern Light: Realism and Symbolism in Scandinavian Painting, 1880–1910* (1982) του Kirk Varnedoe.

Το σπουδαιότερο βιβλίο για την τέχνη του 19ου αιώνα είναι τα γράμματα του Βίνσεντ βαν Γκογκ (βλ. τη μετάφραση *Letters of Vincent van Gogh* στη σειρά Penguin Classics, επιμ. R. de Leeuw, μτφρ. Arnold Pomerans, 2003 [ελλ. εκδ.: *Γράμματα του Βικεντίου στον αδελφό του Θεόδωρο*, μτφρ. Σ. Σκιαδαρέσης, Γκοβόστης, Αθήνα χ.χ.]). Ανάμεσα στα πιο ενδιαφέροντα κείμενα για τον Σεζάν είναι αυτά που γράφτηκαν από τον ποιητή Rainer Maria Rilke (*Letters on Cézanne*, 1907) [ελλ. εκδ.: *Γράμματα για τον Cézanne*, μτφρ. Κωνσταντίνα Ψαρρού, εισ.-σημ. Θανάσης Λάμπρου, Ροές, Αθήνα 2000] και το φιλόσοφο Maurice Merleau-Ponty («The Doubt of Cézanne», 1945) [ελλ. εκδ.: *Η αμφιβολία του Σεζάν*, μτφρ. Αλέκα Μουρίκη, Νεφέλη, Αθήνα 1991]. Τρεις απαιτητικές μελέτες που αξίζουν όμως τον κόπο τοποθετούν τον Ροντέν σε σχέση με τη μεταγενέστερη τρισδιάστατη τέχνη του 20ού αιώνα (τον Μπρανκούζι, τον Ντέιβιντ Σμιθ, το μινιμαλισμό κτλ.): το *The Language of Sculpture*

(1974) του William Tucker, το *Passages in Modern Sculpture* (1981) της Rosalind Krauss και το *The Sculptural Imagination* (2001) του Alex Potts.

Κεφάλαιο 11 **Καινοτομία / Αναστολή**

Ο πιο διορατικός επίτομος αφηγηματικός οδηγός για την περίπλοκη φύση της ιστορίας της τέχνης του 20ού αιώνα είναι ακόμα και σήμερα το *Story of Modern Art* (1980) του Norbert Lynton. Το *Art Since 1900: Modernism, Antimodernism, Postmodernism* (2005) [ελλ. έκδ.: *Η τέχνη από το 1900*, μτφρ. Ιουλία Τσολακίδου, επιμ. Μιλτιάδης Παπανικολάου, Επίκεντρο, Αθήνα 2007] είναι μια σπουδαία πολυφωνική και εγκυκλοπαιδική έρευνα που ήρθε να συμπληρώσει το βιβλίο του Lynton. Επειδή είναι σε πνευματική επιφυλακή, το *Art Since 1900* προσφέρεται για μελέτη, παρόλο που η εικαστική περιέργεια των συγγραφέων του (του Hal Foster, της Rosalind Krauss, του Yve-Alain Bois και του Benjamin Buchloh) εξαντλείται πολύ πριν από το τέλος του αιώνα. Ένα άλλο ωραιότατο βοήθημα για τη μελέτη είναι το *Dictionary of Twentieth-Century Art* (1998) του Ian Chilvers, ενώ το *The Avant-Garde in Exhibition* (1994) του Bruce Altshuler μάς ξεναγεί με συναρπαστικό τρόπο στις εντυπωσιακότερες πολιτισμικές στιγμές του αιώνα.

Για την Αφρική σε σχέση με την Ευρώπη, δείτε την ενότητα «Ανά περιοχή» παραπάνω, καθώς και τον κατάλογο της έκθεσης *«Primitivism» and Modern Art* που επιμελήθηκε ο William Rubin και πραγματοποιήθηκε το 1985 στο Museum of Modern Art της Νέας Υόρκης. Την εποχή εκείνη είχε δεχτεί σφοδρή επίθεση, αλλά νομίζω ότι οι επιστημονικές απόψεις του Rubin είναι υποδειγματικές ως προς τη διεισδυτικότητα και την ιστορική τους ευρηματικότητα. Το *German Expressionism* (1991) της Jill Lloyd επίσης καταπιάνεται με πολύ οξυδερκή τρόπο με τις βασικές πτυχές του «πριμιτιβισμού».

Το *A World of Our Own: Women Artists Since the Renaissance* (2000) της Frances Borzello προσφέρει μια πιθανή ιστορία η οποία βρίσκεται στους αντίποδες της ιστορίας που παρουσιάζεται εδώ. Αντίστοιχα, ο κατάλογος της έκθεσης *Vienna 1900: Art, Architecture, and Design* που πραγματοποιήθηκε το 1985 στο Museum of Modern Art, τον οποίο έγραψε ο Kirk Varnedoe, τοποθετεί τον Κλιμτ στο γενικό πλαίσιο στο οποίο ανήκε.

Τα κείμενα κριτικής του Jack Flam, του Lawrence Gowing και του John Elderfield καλύπτουν τα θέματα που αφορούν τον Ματίς, ενώ η δίτομη βιογραφία της Hilary Spurling για τον Ματίς (1998 και 2005) είναι ένα άλλο χρήσιμο βοήθημα. Το τρίτο μέρος της τετράτομης βιογραφίας του John Richardson *Life of Picasso* (1991· 1996· 2007) πρόκειται να εκδοθεί σύντομα· όταν ολοκληρωθεί, σίγουρα θα είναι η σπουδαιότερη απ' όλες τις καλλιτεχνικές βιογραφίες (εδώ τα εγκώμια απλώς δεν αρκούν). Εκτός από το έγκυρο *Cubism* (1959, 3η έκδ. 1988) του John Golding, το *Cubism in the Shadow of War: The Avant-Garde and Politics in Paris, 1905–1914* (1998) του David Cottington ρίχνει νέο φως σ' αυτήν τη πολυσυζητημένη στιγμή της ιστορίας.

Για την ενότητα «Μηχανές» άντλησα

λεπτομέρειες από τη σύντομη περιγραφή του βιβλίου *Constantin Brancusi* (1989) του Eric Shanes, και ακόμα περισσότερες λεπτομέρειες από το *Mavo: Japanese Artists and the Avant-Garde, 1905–1931* (2001) της Gennifer Weisenfeld. Σχετικά με το Νταντά δείτε το *The Avant-Garde* του Altshuler που παρατίθεται παραπάνω· σχετικά με τον Τάτλιν δείτε την υπό έκδοση μονογραφία του Norbert Lynton, η οποία μάλλον θα είναι οριστική.

Το *Painting as Model* (1993) του Yve-Alain Bois περιλαμβάνει ερεθιστικές για τη σκέψη απόψεις για το De Stijl και τον Μόντριαν. Το πιο ενδιαφέρον ανάγνωσμα για τον Κλέε (αλλά και για το φιλο του τον Καντίνσκι) είναι τα κείμενα του ίδιου του καλλιτέχνη, τα οποία υπάρχουν σε διάφορους καταλόγους και ανθολογίες. Σχετικά με τον Σουτίν δείτε την εισαγωγή του David Sylvester για τον κατάλογο της έκθεσης που πραγματοποιήθηκε το 1963 στην Tate Gallery του Λονδίνου, η οποία περιλαμβάνεται στο *About Modern Art* (1997). Ο συγκεκριμένος κορυφαίος κριτικός έγραψε επίσης το *Magritte: The Silence of the World* (1992). Τα πιο ενδιαφέροντα κείμενα για το σουρεαλισμό έχουν γραφτεί από τις κριτικούς Dawn Adès (στο *The Desire Unbound*, επιμ. Jennifer Mundy, 2001, για παράδειγμα) και Rosalind Krauss (*The Optical Unconscious*, 1994).

Η Dawn Adès επιμελήθηκε επίσης τον κατάλογο της έκθεσης *Art and Power: Europe under the Dictators 1930–1945* (1995). Το πρώιμο έργο της Χέπγουορθ εξετάζεται στο *Sculptural Imagination* του Potts (βλ. παραπάνω). Το κλασικό δοκίμιο για την καλλιτεχνική δυσχέρεια της συγκεκριμένης εποχής είναι το «Avant-Garde and Kitsch» του Clement Greenberg (1939) [ελλ. έκδ.: «Πρωτοπορία και κιτς», στο Clement Greenberg, *Τέχνη και πολιτισμός*, μτφρ.–επιμ. Νίκος Δασκαλοθανάσης, Νεφέλη, Αθήνα 2007].

Κεφάλαιο 12 **Πρώτο πλάνο**

Ως προς τον Πόλοκ σάς προτείνω τον κατάλογο έκθεσης που έγραψαν ο Kirk Varnedoe και ο σπουδαίος μελετητής της μοντέρνας τέχνης Pepe Karmel (Museum of Modern Art, Νέα Υόρκη 1998). Σχετικά με τον Ρόθκο δείτε το *Mark Rothko: Subjects in Abstraction* (1989) της Anna Chave. Αξίζει επίσης τον κόπο να διαβάσετε τα δοκίμια κριτικής του Clement Greenberg (όπως, για παράδειγμα, το *Art and Culture*, 1962· ελλ. έκδ.: *Τέχνη και πολιτισμός*, ό.π.). Στην ανθολογία *Abstract Expressionism* (2005, επιμ. David Shapiro και Cecile Shapiro), συγκεντρώνονται αξιομνημόνευτες δηλώσεις αυτής της εποχής, ενώ το *Pollock and After* (αναθ. έκδ. 2000, επιμ. Francis Frascina) προσθέτει τις εκ των υστέρων σκέψεις των κριτικών. Η Dore Ashton κάνει μια επισκόπηση στο *American Art Since 1945* (1982).

Οι συζητήσεις του David Sylvester με τον Φράνσις Μπέικον (*Interviews with Francis Bacon*, 1962–74) [ελλ. έκδ.: *Η ωμότητα των πραγμάτων: Συζητήσεις με τον Φράνσις Μπέικον*, μτφρ. Σπύρος Παντελάκης, Άγρα, Αθήνα 1992²] είναι ένα από τα πιο συγκλονιστικά κείμενα για την τέχνη του 20ού αιώνα· παρομοίως το *Looking at Giacometti* (1997) του ίδιου είναι *το* βιβλίο για τον συγκεκριμένο καλλιτέχνη. Ο Leo Steinberg

γράφει ενδιαφέροντα πράγματα για τον Ράουσενμπεργκ (όπως και για πολλά άλλα θέματα) στο *Other Criteria* (1975). Ως προς τον Μπέρνι δείτε το *Art from Argentina, 1920–1994* (1994) του David Elliott. Ως προς τον Ντέιβιντ Σμιθ δείτε τα τρία βιβλία για τη γλυπτική που αναφέρθηκαν παραπάνω σε σχέση με τον Ροντέν. Σχετικά με την ξυλογλυπτική των Μακόντε δείτε το *Contemporary African Art* (2000) του Sidney Littlefield Kasfir.

Είμαι υπόχρεος στην Julia F. Andrews, συγγραφέα του *Painters and Politics in the People's Republic of China, 1949–1979* (1994), για τις πληροφορίες που παρέχει σχετικά με τον Βου Χουφάν. Για την Ποπ Αρτ θα πρέπει να συμβουλευτείτε τα κείμενα του Marco Livingstone (*Pop Art*, αναθ. έκδ. 2000), ενώ για τον Ουόρχολ σάς προτείνω το άλμπουμ *Songs for Drella* (1990), το οποίο έγραψαν εις μνήμη του οι αλλοτινοί του εννοούμενοι Lou Reed και John Cale.

Το *Minimalism: Art and Polemics in the Sixties* (2004) του James Meyer είναι ένα καλό βιβλίο – όπως υποδηλώνει ο τίτλος του, το συγκεκριμένο κίνημα γέννησε πάρα πολλά έντονα κείμενα, και όχι μόνο αυτά που έγραφαν οι Judd και Morris. Ως προς το συγκεκριμένο κίνημα, καθώς και ως προς τις εξελίξεις μέχρι τη δεκαετία του 1980 στην Αμερική, η μεν Lucy Lippard είναι μια αφοσιωμένη χρονικογράφος (βλ. *Six Years: The Dematerialization of the Art Object*, 1973), ο δε Peter Schjedahl ένας αναπέβλητος κριτικός (βλ. *The Hydrogen Jukebox*, 1991). Το δοκίμιο της Rosalind Krauss «The Originality of the Avant-Garde», το οποίο περιλαμβάνεται στο ομώνυμο βιβλίο, δίνει τον σημαντικότερο ορισμό του «μεταμοντερνισμού» σε σχέση με τον κόσμο της τέχνης. Ένας άλλος τρόπος για να παρακολουθήσετε τις διεθνείς εξελίξεις αυτής της περιόδου είναι να διαβάσετε το εξαιρετικό βιβλίο του Andrew Causey *Sculpture Since 1945* (1998).

Σχετικά με την ινδική ζωγραφική δείτε το *Bhupen Khakhar* (1998) του Timothy Hyman. Σχετικά με τη ζωγραφική των Αβορίγινων δείτε το *Clifford Possum Tjapaltjarri* (2003) της Vivien Johnson.

Ο Ρίτσαρντ Σέρα κατέγραψε τη μάχη για τη Φέντεραλ Πλάζα στο *The Destruction of Tilted Arc: Documents* (1990), από το οποίο προέρχονται τα παραθέματα που χρησιμοποίησα εδώ. Χρησιμοποίησα επίσης παραθέματα από μια συνέντευξη της Τζούλι Μεχρέτου που περιλαμβάνεται στο *Julie Mehretu: Drawing into Painting*, τον κατάλογο της έκθεσης η οποία πραγματοποιήθηκε το 2003 στο Walker Art Center της Μινεάπολης. Τα σχόλια του Matthew Colling (λ.χ. το *Blimey!*, 1997) αποτελούν την πιο ζωντανή παρουσίαση της βρετανικής καλλιτεχνικής σκηνής της δεκαετίας του 1990, ενώ το *Art Today* (2005) του Brandon Taylor είναι η πιο διεισδυτική αποτύπωση της κατάστασης της τέχνης ανά την υφήλιο στις αρχές του 21ου αιώνα που έχω διαβάσει.

Σχετικά με τον Τεχτσίνγκ Χσιε δείτε το άρθρο «Performing Life» του Steven Shaviro (το οποίο μπορείτε να βρείτε στην ηλεκτρονική διεύθυνση shaviro@shaviro.com). Ο καλλιτέχνης Λι Γιου Φαν είναι επίσης ένας γλαφυρός συγγραφέας (βλ. το *The Art of Encounter*, 2005).

ΕΥΧΑΡΙΣΤΙΕΣ

Η φίλη μου Helen Wilks, υπεύθυνη του προγράμματος ανθρωπιστικών σπουδών στο City & Guilds of London Art School, μου πρότεινε να δώσω μια σειρά διαλέξεων που διαμόρφωσαν την αρχική βάση αυτού του εγχειρήματος. Εκεί οι σπουδαστές –τόσο πολλοί ώστε δεν μπορώ να τους ευχαριστήσω εδώ ονομαστικά– διεύρυναν την οπτική μου με την ανταπόκριση και τον ενθουσιασμό τους. Ο Tony Carter, επικεφαλής της σχολής, μου έδωσε γενναιόδωρα το ελεύθερο να ξεκινήσω την έρευνα όταν αποφάσισα να γράψω αυτό το βιβλίο.

Ο Andrew Brown, ο επιμελητής που με ανέλαβε, ήταν εξαιρετικός μαζί μου: επέδειξε σοφία, μέριμνα, σταθερότητα και υπομονή. (Φοβάμαι πως το τελευταίο γνώρισμα ήταν απαραίτητο. Θυμάμαι επίσης τον Νίκο Στάγκο, τον σπουδαίο προκάτοχό του στον οίκο Thames & Hudson, με τον οποίο ξεκίνησα να συζητώ γι' αυτό το βιβλίο πριν από την απόσυρσή του και τον πρόωρο θάνατό του). Ο Sam Wythe υπήρξε ο ιδανικός διορθωτής. Αν δημιουργήσαμε ένα βιβλίο με πλούσιες και ποικίλες εικόνες, αυτό το χρωστάμε στην Katie Morgan, της οποίας η εξαιρετικά εξονυχιστική έρευνα ακολούθησε το στίχο ενός παλιού γκόσπελ: το ενενήντα εννιάμισι τοις εκατό δεν είναι αρκετό.

Πολλοί βοήθησαν με έρευνες σε ειδικότερα θέματα: ευχαριστώ τους Kate Scott, Annie Rosenthal, Masha Karp, Dom Ramos, Elli Miller, Ornan Rotem, Wim Delvoye και την Judith Ryan στην Εθνική Πινακοθήκη της Βικτώρια. Ο δρ Cristopher Chippindale του Αρχαιολογικού Μουσείου του Κέμπριτζ διάβασε το πρώτο κεφάλαιο και έκανε εξαιρετικές και γενναιόδωρες παρατηρήσεις. Αν ευχαριστούσα όσους βοήθησαν τη σύζυγό μου Jenny και εμένα ενόσω ταξιδεύαμε στη διάρκεια της έρευνας, θα χρειαζόμουν άλλο ένα βιβλίο, αλλά ευχαριστώ ιδιαίτερα τους Liadain Sherrard και Denise Sherrard, Morteza Mehrparvar, William Dalrymple και Olivia Frazer, καθώς και τους Andrew και Susie Hanbury.

Ευχαριστώ όλους τους φίλους και γνωστούς μου για την εμπιστοσύνη και την καλοσύνη που επέδειξαν όσο έγραφα αυτό το βιβλίο. Ευχαριστώ ιδιαίτερα τους Robert και Sally Elliott, Michael Cole, Tom Jeffery, Brian Hinton, Joanna Lamb, Mary Rose Beaumont, Simon Watney, Thomas Newbolt, Jane Salvage, Oliver Scott, Francis και Christine Kyle και την Amanda Hemingway. Ο ποιητής Andrew McNeillie μού πρόσφερε κάποιες οξυδερκείς απόψεις. Μία από τις μεγαλύτερες χαρές, όσο σχεδίαζα αυτό το βιβλίο, ήταν οι συζητήσεις μου για την τέχνη του 20ού αιώνα με τον συνάδελφο ζωγράφο Tom Hammick.

Άλλοι, με πρώτη τη σύζυγό μου Jenny, μου πρόσφεραν εξαιρετικές συμβουλές σε ό,τι αφορά τη σύνταξη του κειμένου (ακόμα και αν δεν τις ακολούθησα πάντα). Ο Timothy Hyman, από τον οποίο θα μαθαίνω πάντα, με έσωσε από κάποια χονδροειδή σφάλματα εκτίμησης. Ο καθηγητής Norbert Lynton διάβασε τα τελευταία κεφάλαια και παρείχε σοφές συμβουλές, όπως και η Mary Rose Beaumont, με την εμπειρία της στην τέχνη του 20ού αιώνα. Η Lialin Rotem, από την οποία ζήτησα να σχολιάσει το κείμενό μου ως αναγνώστρια λίγο πολύ νέα σε κείμενα τέχνης, αποδείχτηκε μια άκρως οξυδερκής κριτικός.

Η μητέρα μου, Anne Olivier Bell, μου πρόσφερε μοναδική ζεστασιά, σοφία και υποστήριξη καθ' όλη τη διάρκεια αυτού του εγχειρήματος, και δεν μπορώ να την ευχαριστήσω αρκετά. Τα παιδιά μου, Kate, Tom και Sophy με ενθάρρυναν διαρκώς, με περισσότερους τρόπους απ' όσους μπορώ να εκφράσω εδώ. Ήταν ευτυχία για μένα το γεγονός ότι διεξήγαγα την έρευνα γι' αυτό το βιβλίο συντροφιά με τη σύζυγό μου Jenny: ο έρωτας της ζωής μου διεύρυνε διαρκώς την οπτική μου. Αυτό το βιβλίο αφιερώνεται σ' εκείνη.

ΚΑΤΑΛΟΓΟΣ ΕΙΚΟΝΩΝ

Οι μετρήσεις δίνονται σε εκατοστά, εκτός και αν προσδιορίζονται αλλιώς. Το ύψος προηγείται του πλάτους.

σ. 1 (από αριστερά προς τα δεξιά): Kitagawa Utamaro (Κιταγκάουα Ουταμάρο), *Καλλονή που κάνει την τουαλέτα της*, περ. 1795 (λεπτομέρεια του **225**). Hans Holbein, *Οι πρεσβευτές*, 1533 (λεπτομέρεια του **152**). Albrecht Dürer, *Αυτοπροσωπογραφία με το κεφάλι να ακουμπά στο χέρι*, περ. 1492 (λεπτομέρεια του **136**). «El Rey», κολοσσιαία κεφαλή από βασάλτη, περ. 1000 π.Χ. (λεπτομέρεια του **21**).

σ. 2 (από αριστερά προς τα δεξιά): Τούθμωσης, προτομή της Νεφερτίτης, περ. 1340 π.Χ. (λεπτομέρεια του **38**). Artemisia Gentileschi, *Η Σουσάννα και οι πρεσβύτεροι*, 1610 (λεπτομέρεια του **169**). Jacques-Louis David, *Ο θάνατος του Μαρά*, 1793 (λεπτομέρεια του **229**). Άγνωστος καλλιτέχνης από το Ίφε, ορειχάλκινη κεφαλή, περ. 1200 (λεπτομέρεια του **95**).

σ. 3 (από αριστερά προς τα δεξιά): Ανθρωπόμορφη φιάλη από το Τλατίλκο, Μεξικό, 1200–800 π.Χ. (λεπτομέρεια του **39**). Τισιανός, *Αφροδίτη του Ουρμπίνο*, 1538 (λεπτομέρεια του **151**). Caravaggio, *Η σταύρωση του Αγίου Πέτρου*, 1601 (λεπτομέρεια του **168**). Jokei (Τζόκεϊ), *Οίνγκιο*, άγαλμα φρουρού, περ. 1203 (λεπτομέρεια του **93**).

σ. 4 (από αριστερά προς τα δεξιά): Αγγείο πορτρέτο, πολιτισμός Μότσε, Περού, 200–500 μ.Χ. (λεπτομέρεια του **66**). Giovanni Bellini, *Madonna degli Alberetti* (*Παναγία των δέντρων*), 1487 (λεπτομέρεια του **128**). Raharuhi Rukupo (Ραχαρούχι Ρουκούπο), *Αυτοπορτρέτο*, 1842 (λεπτομέρεια του **251**). Rogier van der Weyden, *Προσωπογραφία μιας κοπέλας*, περ. 1455 (λεπτομέρεια του **123**).

σ. 5 (από αριστερά προς τα δεξιά): Σενέμπ και Σεντγιότες με το γιο και την κόρη τους, περ. 2300 π.Χ. (λεπτομέρεια του **27**). Μενκαουρέ και Χαμερερνεμπτί, περ. 2490–2472 π.Χ. (λεπτομέρεια του **26**). Yun Du-so (Γιουν Ντου-σο), *Αυτοπροσωπογραφία*, περ. 1710 (λεπτομέρεια του **203**). Γκοπούρα, από το ναό της Μινάκσι, Μαντουράι, 17ος αιώνας (λεπτομέρεια του **165**).

1 Αποκατάσταση σπηλαιογραφίας στο Καβάλς, Ισπανία, 5000–2000 π.Χ. Φωτογραφία: Archivo Iconografico, S.A./Corbis.

2 Χειροπέλεκυς που βρέθηκε στο Νόρφολκ, μεταξύ του 250.000 και του 100.000 π.Χ. Πυριτόλιθος, μήκος 13. Cambridge University Museum of Archaeology, Κέμπριτζ.

3 Ειδώλιο που βρέθηκε στο Μπέρεκχατ Ραμ, Ισραήλ, και η ηλικία του ανάγεται τουλάχιστον στα 250.000 χρόνια. Τόφος, ύψος 2,5. Φωτογραφία: Alexander Marshack.

4 Λάξευμα ενός θηριανθρώπου, από το Χόλενσταϊν-Στάντελ, Γερμανία, περ. 31.000 π.Χ. Οστό μαμούθ, ύψος 29. Ulmer Museum, Ουλμ, Γερμανία.

5, 6 Παραστάσεις από το σπήλαιο Σοβέ, περ. 28.000 π.Χ. (λεπτομέρεια). Βραχογραφία, Βαλόν Ποντ ντ' Αρκ, Άρδεις, Γαλλία. Regional Direction for Cultural Affaires-Rhônes-Alpes, Department of Archaeology.

7 Θραύσμα λαξευμένου ελαφίσιου κέρατος, περ. 14.000 π.Χ. Μήκος 10,1. Musée des Antiquités Nationales, Σεν Ζερμέν αν Λε.

8 Βραχογραφία από τη Μεγάλη Αίθουσα, Φαράγγι Χόρσου, μεταξύ του 7000 και του 2000 π.Χ. Canyonlands National Park, Γιούτα. Φωτογραφία: David Muench/ Corbis.

9 Τελετουργικό ζωγραφικής στην άμμο των Οναραμούγκα της κεντρικής Αυστραλίας. Φωτογραφία των Baldwin Spencer και Frank Gillen, *The Northern Tribes of Central Australia*, 1904.

10 Βραχογραφία με ποιμένες και βοοειδή, Τασίλι, περιοχή Ναχέρ, Αλγερία, περ. 5000 π.Χ.

11, 12 Ανάγλυφη λάξευση που απεικονίζει έναν κάπρο και πέντε πουλιά, Γκομπεκλί Τεπέ, Τουρκία, περ. 9600 π.Χ.

13 Ύφασμα των Μπούτι από φλοιό, 20ός αιώνας. 96 x 52. Φωτογραφία: Heini Schneebeli και Brian Forest.

14 Τελετουργική μάσκα από τη Νέα Ιρλανδία, 19ος αιώνας. Φωτογραφία: Museo Nazionale Preistorico ed Etnografico «L. Pigorini», Ρώμη. Με την άδεια του Ministero per i Beni e le Attività Culturali, Ρώμη.

15 Αγγείο Τζόμον από τη Νιιγκάτα, Ιαπωνία, περ. 2500 π.Χ. Κεραμικό με εγχάρακτη και επιχρωμένη διακόσμηση, 61 x 55,8. Cleveland Museum of Art, Οχάιο.

16 «Η Γυναίκα του Πάζαρτζικ», περ. 4500 π.Χ. Κεραμικό. Naturhistorisches Museum, Βιέννη. Φωτογραφία: Alice Schumacher.

17 Κυκλαδικό ειδώλιο, περίπου 2000 π.Χ. Μάρμαρο. Μουσείο Κυκλαδικής Τέχνης Ν. Π. Γουλανδρή, Αθήνα.

18, 19 Μοάι (μεγαλιθικές κεφαλές) στο Νησί του Πάσχα, Ειρηνικός, 900–1500 μ.Χ. Φωτογραφία: Fred Picker.

20 Πέτρινη σφαίρα από το Τόουι, Αμπερντινσίρ, Σκοτία, περ. 3200–2500 π.Χ. Όφιτης, διάμετρος 7. National Museum of Antiquities, Εδιμβούργο.

21 «El Rey», περ. 1000 π.Χ. Κολοσσιαία κεφαλή από βασάλτη, ύψος περ. 300. Museo de Antropología de la Universidad Veracruzana, Τζαλάπα, Μεξικό.

22 «El Lanzón», λαξευμένος μονόλιθος από τις αίθουσες του Παλιού Ναού στο Τσαβίν ντε Χουαντάρ, Περού, περ. 900 π.Χ. Φωτογραφία: Charles και Josette Lenars, Corbis.

23 Τσονγκ (ή τσουνγκ) από νεφρίτη, περ. 3200–2200 π.Χ. Ύψος 4,5. Από τον τύμβο M9 στο Γιαοσάν, Γιουχάνγκ, Ζετζιάνγκ. Zhejiang Provincial Institute of Archaeology, Χανγκτσού, Κίνα.

24 Ανδρικός κορμός, περ. 2200 π.Χ. Ερυθρός ίασπις, ύψος 8,9. National Museum, Νέο Δελχί, Ινδία.

25 Πήλινο αποτύπωμα από σουμεριακό σφραγιδόλιθο, περ. 2800 π.Χ. British Museum, Λονδίνο.

26 Ο Μενκαουρέ και η Χαμερερνεμπτί, περ. 2470 π.Χ. Διορίτης, 142,2 x 57,1 x 55,2. Museum of Fine Arts, Βοστώνη.

27 Ο Σενέμπ και η Σεντγιότες με το γιο και την κόρη τους, περ. 2300 π.Χ. Ασβεστόλιθος, 34 x 22,5. Egyptian Museum, Κάιρο.

28, 29 Στήλη του Ναράμ-σιν, βασιλιά της Ακκάδ, περ. 2250 π.Χ. Ροζ ασβεστόλιθος, 200 x 105. Musée du Louvre, Παρίσι.

30 Κεφαλή πέλεκυ, περ. 2000 π.Χ. Ασήμι και επιχρύσωση, ύψος 15. Metropolitan Museum of Art, Νέα Υόρκη. Αγορά, Harris Brisbane Dick Fund και James N. Spear and Schimmel Foundation Inc. Gifts, 1982 (1982.5).

31 Γιου, τελετουργικό αγγείο, περ. 1050 π.Χ. Ορείχαλκος, ύψος 14,3. Sumitomo Museum, Κιότο.

32–36 «Μικρογραφική ζωφόρος του στόλου» από το Ακρωτήρι, Θήρα, Ελλάδα, περ. 1550 π.Χ. Νωπογραφία, 43 x 390. Αίθουσα 5, νότιος τοίχος. Φωτογραφία: Χ. Ιωσηφίδης και Γ. Μουτεβέλης.

37 Μπεκ, ανάγλυφο του Ακενατόν και της οικογένειάς του, περ. 1375 π.Χ. Ασβεστόλιθος, 32,5 x 39. Ägyptisches Museum, Βερολίνο.

38 Τούθμωσης, προτομή της βασίλισσας Νεφερτίτης, περ. 1340 π.Χ. Επιχρωματισμένος ασβεστόλιθος, ύψος 50,8. Ägyptisches Museum, Βερολίνο.

39 Ανθρωπόμορφη φιάλη από το Τλατίλκο, Μεξικό, 1200–800 π.Χ. Πηλός, 35,5 x 17. Museo Nacional de Antropología, Πόλη του Μεξικού.

40 Σκυθική ορειχάλκινη πλακέτα, περ. 750 π.Χ. Kyzyl State Museum, Τούβα, Ρωσία.

41 Λέαινα που καταβροχθίζει ένα αγόρι, περ. 750 π.Χ. Ένθετη διακόσμηση από ελεφαντοστό, 10,4 x 10,2 x 2,5. British Museum, Λονδίνο.

42 Κυνηγημένοι όνοι, περ. 640 π.Χ. Ασσυριακό ανάγλυφο από τη Νινευή, Ιράκ. British Museum, Λονδίνο.

43 Αρχαϊκός κούρος από την Αττική, περ. 590 π.Χ. Μάρμαρο, ύψος 193. Metropolitan Museum of Art, Νέα Υόρκη. Fletcher Fund, 1932 (32.11.1).

44 «Ο Έφηβος του Κριτίου», περ. 480 π.Χ. Μάρμαρο, ύψος 116,7. Μουσείο Ακροπόλεως, Αθήνα.

45 Ζωγράφος του Τριπτόλεμου, κύλικα, περ. 480 π.Χ. Royal Scottish Museum, Εδιμβούργο (No.A.1887.213).

46 Ανάγλυφο από κλιμακοστάσιο της Αίθουσας Συμβουλίου στην Περσέπολη, Ιράν, περ. 470 π.Χ. Oriental Institute, Πανεπιστήμιο του Σικάγου.

47 Ιππείς που συμμετέχουν στην πομπή των Παναθηναίων, τμήμα της ζωφόρου του Παρθενώνα, 447–432 π.Χ. Βόρεια όψη, τμήματα XLII και XLIII. British Museum, Λονδίνο.

48 Επιτύμβιο ανάγλυφο με νεαρό κυνηγό, περ. 330 π.Χ. Μάρμαρο, 168 x 110. Εθνικό Αρχαιολογικό Μουσείο, Αθήνα.

49 Ο «Έφηβος του Μαραθώνα», περ. 330 π.Χ. Ορείχαλκος, ύψος 130. Εθνικό Αρχαιολογικό Μουσείο, Αθήνα.

50 Η Νίκη της Σαμοθράκης, περ. 190 π.Χ. Ύψος 240. Musée du Louvre, Παρίσι. Φωτογραφία: Hirmer Fotoarchiv, Μόναχο.

51 Μια σαλαμπχαντζίκα από το εξωτερικό της Μεγάλης Στούπα στο Σάνσι, περ. 50 π.Χ. Φωτογραφία: akg-images/Jean-Louis Nou.

52 Ορειχάλκινη κεφαλή από τη Δήλο, περ. 90 π.Χ. Ύψος 32,4. Εθνικό Αρχαιολογικό Μουσείο, Αθήνα.

53 Τοιχόπαντης, περ. 150 π.Χ. Υφαντό μαλλί: τμήμα με κένταυρο 55 x 45, τμήμα με πολεμιστή 52 x 48. Xinjiang Uygar Autonomous Region Museum, Κίνα.

54 Σκεύος καύσης θυμιάματος, περ. 120 π.Χ. Ορείχαλκος με ένθετο χρυσό, 26 x 15,5. Hebei Provincial Museum, Σιγιατσουάνγκ.

55 «Ιπτάμενο άλογο», περ. 120 μ.Χ. Ορείχαλκος, 35,4 x 45. Gansu Provincial Museum, πόλη Λαντσού, Κίνα.

56, 57 Εγχάρακτο πήλινο πλακίδιο, δυναστεία Χαν (206 π.Χ.–220 μ.Χ.). Ύψος 41,9. Τσενγκντού, Σετσουάν, Κίνα. Richard Rudolf Collection, Καλιφόρνια.

58-61 Τοιχογραφία από την έπαυλη του Αγρίππα, Μποσκοτρεκάζε, περ. 11 μ.Χ.

d'amour espris, φύλλο 2r. Österreichische Nationalbibliothek, Βιέννη.

132 Sultan-Muhammad (Σουλτάνος-Μοχάμετ), *Η αυλή του Γκαγιουμάρς*, περ. 1525. Σελίδα από το *Sahnama* του Tahmasp. Ιδιωτική συλλογή.

133 Ορειχάλκινος κρεμαστός λύχνος από την ανατολική Ιάβα, 15ος αιώνας. Ορείχαλκος, ύψος 33,5. Society of Friends of Asiatic Art, επί δανείω στο Rijksmuseum, Άμστερνταμ.

134 Η Τλαζολτεότλ γεννά το θεό του καλαμποκιού. Γλυπτό σε στιλ Αζτεκικό από γρανίτη-Παρίσι, περ. 1890, 20 x 12 x 15. Dumbarton Oaks Museum, Ουάσινγκτον.

135 Κεφαλή των Τότονακ, περ. 1500. Πέτρα, 44,5 x 22,5. Museo de Antropología de la Universidad Veracruzana, Τζαλάπα, Μεξικό.

136 Albrecht Dürer, *Αυτοπροσωπογραφία με το κεφάλι να ακουμπά στο χέρι*, περ. 1492. Πενάκι και σινική, Universitätsbibliothek Erlangen, Νυρεμβέργη.

137 Albrecht Dürer, *Οι τέσσερις καβαλάρηδες της Αποκάλυψης*, 1498. Ξυλογραφία, 39,3 x 28,3. Metropolitan Museum of Art, Νέα Υόρκη.

138 Wolf Huber, *Τοπίο με ένα μεγάλο δέντρο*, 1529. Πενάκι και μαύρη σινική, 22 x 31. Herzog Anton Ulrich-Museum, Μπραουνσβάγκ.

139, 140 Hieronymous Bosch, *Κόλαση*, από τον *Κήπο των γήινων απολαύσεων*, περ. 1505. Λάδι σε ξύλο, 219 x 96. Museo del Prado, Μαδρίτη.

141 Matthias Grünewald, *Η μικρή σταύρωση*, περ. 1510. Λάδι σε χαρτόνι, 61,3 x 46. Samuel H. Kress Collection, National Gallery of Art, Ουάσινγκτον.

142 Giorgone, *Η καταιγίδα*, περ. 1510. Λάδι σε μουσαμά, 78 x 72. Galleria dell'Academia, Βενετία.

143 Leonardo da Vinci, Προπαρασκευαστικό σχέδιο για την *Παρθένο και το Θείο Βρέφος με την Αγία Άννα*, περ. 1499. Πενάκι και σινική και επίχρισμα, τονισμένο με λευκό, πάνω σε μαύρη κιμωλία, 26,7 x 20,1. British Museum, Λονδίνο.

144 Leonardo da Vinci, *Η Παρθένος και το Θείο Βρέφος με την Αγία Άννα*, περ. 1508. Λάδι σε ξύλο, 168 x 130. Musée du Louvre, Παρίσι.

145 Michelangelo Buonarroti, *Πιετά*, 1498–99. Μάρμαρο, 174 x 195. Basilica di San Pietro, Βατικανό.

146 Michelangelo Buonarroti, *Η μέρα χωρίζεται από τη νύχτα*, 1511. Νωπογραφία, Capella Sistina, Βατικανό, Ρώμη. Φωτογραφία: akg-images/Erich Lessing.

147 Raffaelle Sanzio, *Σχολή των Αθηνών*, 1511. Νωπογραφία, 500 x 770. Βατικανό, Ρώμη. Φωτογραφία: akg-images.

148 Raffaelle Sanzio, *Madonna della Sedia (Παναγία της έδρας)*, περ. 1516. Λάδι σε ξύλο, πλάτος 71,1. Palazzo Pitti, Φλωρεντία.

149 Michelangelo Buonarroti, *Ηώ*, 1524–34. Μάρμαρο, μήκος 185. Capella Medici, S. Lorenzo, Φλωρεντία.

150 Jacopo da Pantormo, *Αποκαθήλωση*, 1525–28. Λάδι σε ξύλο, 313 x 192. Capella Capponi, S. Felicità, Φλωρεντία.

151 Tiziano Vecellio, *Αφροδίτη του Ουρμπίνο*, 1538. Λάδι σε μουσαμά, 119 x 165. Galleria degli Uffizi, Φλωρεντία.

152 Hans Holbein, *Οι πρεσβευτές*, 1533. Λάδι σε ξύλο, 207 x 209,5. National Gallery, Λονδίνο.

153 Αλατιέρα του Σάπι, περ. 1500–1530. Ελεφαντοστό, ύψος 24,3. Museum für Völkerkunde, Βιέννη.

154 «Τεχνίτης του κυνηγιού λεοπάρδαλης»,

ορειχάλκινη ανάγλυφη πλάκα με την παράσταση ενός άνδρα που σημαδεύει ένα πουλί, περ. 1600. 45,7 x 53,3. Ethnologisches Museum, Βερολίνο.

155 Pieter Aertsen, *Αποθήκη κρεάτων σε ένα πανδοχείο, με την Παρθένο να προσφέρει ελεημοσύνη*, 1551. Λάδι σε ξύλο, 123,3 x 150. University Art Collections, Uppsala University, Σουηδία.

156, 157 Pieter Bruegel, *Ο πύργος της Βαβέλ*, 1563. Λάδι σε ξύλο, 114 x 155. Kunsthistorisches Museum, Βιέννη.

158 Miskin (Μίσκιν), *Κρίσνα Γκοβαρντγιανγτάρα*, περ. 1590–95. Αδιαφανής ακουαρέλα σε χαρτί, 28,9 x 20. Metropolitan Museum of Art, Νέα Υόρκη, Αγορά, Edward C. Moore, Jr. Δωρεά (28.63.1).

159 Tiziano Vecellio, *Το γδάρσιμο του Μαρσύα*, περ. 1575. Λάδι σε μουσαμά, 212 x 207. Archbishop's Palace, Kroměříž, Δημοκρατία της Τσεχίας.

160 Giambologna, *Η αρπαγή των Σαβίνων*, 1582. Μάρμαρο, ύψος 410. Loggia dei Lanzi, Φλωρεντία.

161 Paolo Veronese, νωπογραφία σε κόγχη, με μορφές και ένα τοπίο, περ. 1560. Stanza di Bacco, Villa Barbaro, Μάζερ. Φωτογραφία: Araldo de Luca.

162 Κεραμική σύνθεση από το Μαυσωλείο του Σελίμ Β', 1574, Ισταμπούλ. Φωτογραφία: akg-images/Gérard Degeorge.

163 El Greco, *Αγωνία στον κήπο*, 1590–95. Λάδι σε μουσαμά, 102,2 x 113,6. Toledo Museum of Art, Οχάιο.

164 Wen Zhengming (Βεν Τσενγκ-μινγκ), *Εφτά κέδροι*, 1532 (λεπτομέρεια). Κύλινδρος, μελάνι σε χαρτί, 22,8 Χ 362. Honolulu Academy of Arts, Χαβάη.

165 Κορυφή ενός γκοπούρα (πύργου-πυλώνα) στο ναό της Μινάκσι, Μαντουράι, 1599. Ζωγραφισμένο κεραμικό. Φωτογραφία: Henri Stierlin.

166 Lázaro Pardo de Lagos, *Οι φραγκισκανοί μάρτυρες στην Ιαπωνία*, 1630. Λάδι σε καμβά. La Recoleta, Κούσκο, Περού.

167 Annibale Carracci, *Σχέδιο νέου που κρατάει βέργα*, περ. 1584. Κόκκινη κιμωλία τονισμένη με λευκή κιμωλία σε κρεμ χαρτί, 25,2 x 22,9. Galleria dell'Accademia, Βενετία.

168 Caravaggio, *Η σταύρωση του Αγίου Πέτρου*, 1601. Λάδι σε καμβά, 232 x 201. Capella Cerasi, S. Maria del Popolo, Ρώμη.

169 Artemisia Gentileschi, *Η Σουσάννα και οι πρεσβύτεροι*, 1610. Λάδι σε καμβά, 170 x 121. Schloss Weissenstein, Πομερσφέλντεν, Γερμανία.

170–172 Adam Elsheimer, *Η φυγή στην Αίγυπτο*, 1609. Λάδι σε χαλκό, 31 x 41. Alte Pinakothek, Μόναχο.

173 Peter Paul Rubens, *Αλληγορία των συνεπειών του πολέμου*, 1638. Λάδι σε καμβά, 206 x 345 εκατοστά. Palazzo Pitti, Φλωρεντία.

174 Anthony van Dyck, *Ο Τζορτζ και ο Φράνσις Βίλιερς*, 1635. Λάδι σε καμβά, 137,2 x 127,7. The Royal Collection, Ουίντσορ. Φωτογραφία: The Royal Collection 2007, Her Majesty Queen Elizabeth II.

175 Govardhan (Γκοβαρντχάν), *Ο νεαρός πρίγκιπας και η σύζυγός του σε εξώστη*, περ. 1620. Φωτογραφία: The Trustees of the Chester Beatty Library, Δουβλίνο/Bridgeman Art Library.

176 Riza Abbasi (Ρεζά Αμπασί), *Εραστές*, περ. 1630. Τέμπερα και φύλλο χρυσού σε χαρτί,

18,1 x 11,9. Metropolitan Museum of Art, Νέα Υόρκη.

177 Οροφή του κεντρικού θόλου του Μαστζίντ-ε-Σαχ («Μαστζίντ-ε-Ιμάμ-Χομεϊνί»), Ισφαχάν, Ιράν, περ. 1611–30. Φωτογραφία: Henri Stierlin.

178 Francesco Borromini, εσωτερικό του θόλου του S. Carlo alle Quattro Fontane, Ρώμη, 1638. Φωτογραφία: Alinari.

179 Pietro da Cortona, *Ο θρίαμβος των Μπαρμπερίνι*, 1632–39. Νωπογραφία. Palazzo Barberini, Ρώμη. Φωτογραφία: Canali Photobank, Καπριόλο.

180 Gianlorenzo Bernini, *Η έκσταση της Αγίας Θηρεσίας*, 1647–52. Μάρμαρο, ύψος περ. 350 εκατοστά. Capella Cornaro, S. Maria della Vittoria, Ρώμη.

181 Guercino, σχέδιο των γελωτοποιών της κομέντια ντελ' άρτε, δεκαετία του 1630. Πενάκι και υδρόχρωμα, 18,3 x 27 εκατοστά. Devonshire Collection, Τσάτσγουερθ.

182 Adriaen Brouwer, *Η πικρή γουλιά*, 1631. Λάδι σε ξύλο, 47,5 x 35,5. Städelsches Kunstinstitut, Φρανκφούρτη του Μάιν. Φωτογραφία: BPK, Βερολίνο, 2007/Kurt Haase.

183 Francisco de Zurbarán, *Agnus Dei (Δεμένο αρνί)*, 1635. Λάδι σε καμβά, 38 x 62 εκατοστά. Museo del Prado, Μαδρίτη.

184 Rembrandt, *Η εβραία νύφη*, περ. 1665. Λάδι σε καμβά, 121,5 x 166,5 εκατοστά. Rijksmuseum, Άμστερνταμ.

185 Rembrandt, *Οι τρεις σταυροί*, 1653. Τέταρτο δοκίμιο, ακιδογραφία, χάραξη με καλέμι, 38,5 x 45. British Museum, Λονδίνο.

186, 187 Diego Velázquez, *Las Meninas (Οι δεσποινίδες των τιμών)*, 1656. Λάδι σε καμβά, 318 x 276 εκατοστά. Museo del Prado, Μαδρίτη.

188 Johannes Vermeer, *Η γαλατού*, περ. 1660. Λάδι σε καμβά, 45,5 x 41. Rijksmuseum, Άμστερνταμ.

189 Jan Davidsz. de Heem, *Μεγάλη νεκρή φύση*, δεκαετία του 1650. Λάδι σε καμβά, 75 x 105 εκατοστά. Museum Boijmans-van Beuningen, Ρότερνταμ.

190 Gottfried Wals, *Επαρχιακός δρόμος πλάι σε σπίτι*, περ. 1620. Λάδι σε χαλκό, διάμετρος 23,5. Kimbell Art Museum, Φορτ Ουόρθ, Τέξας.

191 Claude Lorrain, *Λιμάνι στο ηλιοβασίλεμα*, 1639. Λάδι σε καμβά, 103 x 137. Musée du Louvre, Παρίσι.

192 Nicolas Poussin, *Βακχικό όργιο μπροστά σε ναό*, περ. 1649. Πενάκι και καφέ μελάνι, σκούρα καφέ λαζούρα. Musée Condé, Σαντιγί.

193 Nicolas Poussin, *Βάφτιση*, 1658. Λάδι σε καμβά, 96,2 x 135,6. Philadelphia Museum of Art. Φωτογραφία: Philadelphia Museum of Art/Corbis.

194 Jacob van Ruisdael, *Το εβραϊκό κοιμητήριο*, περ. 1660. Λάδι σε καμβά, 84 x 95 εκατοστά. Gemäldegalerie, Δρέσδη.

195 Pierre Patel, *Άποψη του Ανακτόρου των Βερσαλλιών το 1668*, περ. 1668. Λάδι σε καμβά, 115 x 161. Musée du Château, Βερσαλλίες.

196 Charles Le Brun, μελέτη των κινήσεων του ματιού, από την *Traité des passions*, 1698. Musée du Louvre, Παρίσι.

197 Charles Le Brun, *Απόλυτη απόγνωση*, χαρακτικό από την αγγλική μετάφραση της *Traité des passions*, 1734.

198 Andrea Brustolon, βάση για βάζα που απεικονίζει τον Ηρακλή, κάποιους Μαυριτανούς και ορισμένους ποτάμιους θεούς, περ. 1700. Πύξος και έβενος. Ca' Rezzonico, Βενετία. Φωτογραφία: Andrea Jemolo.

199 Ξυλογλύπτης από τη φυλή Ντόγκον, *Καθισμένο ζευγάρι*, 16ος–19ος αιώνας. Ξύλο και μέταλλο, ύψος 73. Metropolitan Museum of Art, δωρεά του Lester Wunderman, 1977 (1977.394.15). Φωτογραφία: Metropolitan Museum of Art 1987, Νέα Υόρκη.

200, 201 Ogata Korin (Ογκάτα Κόριν), *Δαμασκηνιές με κόκκινα και λευκά άνθη*, περ. 1712. Ζεύγος παραβάν. Χρώματα σε φύλλο χρυσού και φύλλο αργύρου πάνω σε χαρτί· διαστάσεις του κάθε παραβάν 106 x 172. Atami Art Museum, περιφέρεια Σιτζουόκα, Ιαπωνία.

202 Shitao (Daoji) (Σιχ-τάο [Τάο-τσι]), *Άνθρωπος σε σπίτι στο βουνό*, περ. 1700. Μελάνι και χρώματα σε χαρτί, 23,8 x 27,5. C. C. Wang Collection, Νέα Υόρκη.

203 Yun Du-so (Γιουν Ντου-σο), *Αυτοπροσωπογραφία*, περ. 1710. Απαλό χρώμα σε μετάξι, 38,5 x 20,5. Yun Yong-son Collection, Χαενάμ, επαρχία της νοτίου Τσόλα, Νότια Κορέα.

204 Antoine Watteau, *Ο Ζιλ*, περ. 1716–18. Λάδι σε καμβά, 185 x 150. Musée du Louvre, Παρίσι.

205 Jean-Siméon Chardin, *Η μπακιρένια βρύση*, 1734. Λάδι σε καμβά, 28 x 23. Musée du Louvre, Παρίσι.

206 Jean-Siméon Chardin, *Καλάθι με αγριοφράουλες*, 1761. Λάδι σε καμβά, 38 x 46. Ιδιωτική συλλογή.

207 Giacomo Cerutti, *Γυναίκες που φτιάχνουν κοπανέλι*, δεκαετία του 1720. Λάδι σε καμβά, 150 x 200. Ιδιωτική συλλογή, Μπρέσα. Φωτογραφία: akg-images/Electa.

208 François Boucher, *Η άφιξη της Ψυχής στο ανάκτορο του Έρωτα*, 1741. Τοιχογραφία(;), 351 x 581. Royal Collections, Στοκχόλμη. Φωτογραφία: Håkan Lind.

209 Giambattista Tiepolo, *Ο Αβραάμ και οι άγγελοι*, 1725–26. Τοιχογραφία, 400 x 200. Palazzo Arcivescovile, Ούντινε. Φωτογραφία: akg-images/Electa.

210 Franz Joseph Spiegler, *Το όραμα του Αγίου Βενέδικτου*, 1747–51. Οροφογραφία στο αβαείο του Τσβίφαλτεν. Φωτογραφία: Werner Neumeister.

211 Giovanni Battista Piranesi, εικόνα XIV από το *Carceri*, δεύτερο δοκίμιο, 1761. Χαρακτικό.

212 Torii Kiyotada (Τορίι Κιγιοτάντα), *Το σπίτι γκεϊσών Νταϊμοτζίγια*, δεκαετία του 1730. Ξυλογραφία. British Museum, Λονδίνο.

213, 214 William Hogarth, *Η πορεία ενός ακόλαστου*, 1735. Εικόνα I, τονική οξυγραφία σε χαρτί, 31,8 x 38,7.

215 Louis-François Roubillac, *Γκέοργκ Φρίντριχ Χέντελ*, 1738. Λευκό μάρμαρο. Victoria and Albert Museum, Λονδίνο.

216, 217 Joseph Wright of Derby, *Ένα πείραμα με αεραντλία*, 1768. Λάδι σε καμβά, 182,9 x 243,9. National Gallery, Λονδίνο.

218, 219 William Hodges, *Άποψη του κόλπου Οταχίτι Πέχα*, 1776. Λάδι σε καμβά, 92,7 x 138,4. National Maritime Museum, Λονδίνο.

220 Khusala (Κουσάλα) (αποδιδόμενο), *Η Ράντα μαραζώνει στην ερημιά*, περ. 1780. Μελάνι και αδιαφανές υδρόχρωμα σε χαρτί, 16,5 x 26,6. Collection Anita Spertus.

221 Pierre-Philippe Mignot, *Ναϊάδα*, 1765. Πέτρινο ανάγλυφο, Fontaine des Haudriettes, Παρίσι.

222 Etienne-Maurice Falconet, *Ο Μεγάλος Πέτρος*, 1766–78. Ορείχαλκος πάνω σε βάση από κόκκινο γρανίτη. Ύψος του ορείχαλκου περ. 5 μέτρα. Αγία Πετρούπολη.

223 Etienne-Louis Boullée, *Κενοτάφιο του Νεύτωνα*, 1784. Σχέδιο με μελάνι και λαζούρα, 39,4 x 64,8. Bibliothèque Nationale, Παρίσι.

224 Antonio Lisboa («O Aleijadinho»), *Το αγκαθωτό στεφάνι*, 1796–99. Χρωματισμένο ξύλο κέδρου. Bom Jesus de Matosinhos, Κονγκόνιας ντο Κάμπο, Βραζιλία. Φωτογραφία: © AISA

225 Kitagawa Utamaro (Κιταγκάουα Ουταμάρο), *Καλλονή που κάνει την τουαλέτα της*, περ. 1795. Ξυλογραφία. National Museum, Τόκιο.

226 Antonio Canova, *Έρως και Ψυχή*, 1797. Μάρμαρο, 155 x 168. Musée du Louvre, Παρίσι. Φωτογραφία: Mimmo Jodice/Corbis.

227 Francisco de Goya, *Το αχυρένιο ανδρείκελο*, 1792. Λάδι σε καμβά, 267 x 92. Museo del Prado, Μαδρίτη.

228 Jacques-Louis David, *Ο όρκος των Ορατίων*, 1784. Λάδι σε καμβά, 330,2 x 421,6. Musée du Louvre, Παρίσι.

229 Jacques-Louis David, *Ο θάνατος του Μαρά*, 1793. Λάδι σε καμβά, 160 x 124,5. Musée Royale des Beaux-Arts, Βρυξέλλες.

230 Francisco de Goya, *Γι' αυτό γεννηθήκατε*, περ. 1810–14. Εικόνα XII από τα *Δεινά του πολέμου*. Οξυγραφία. British Museum, Λονδίνο.

231 Francisco de Goya, *Ο ηλίθιος*, 1824–28. Μαύρη κιμωλία, 19,1 x 15.Gerstenberg Collection, Hermitage Museum, Αγία Πετρούπολη.

232 William Blake, *Ο παλαιός των ημερών*, 1794/1824. Οξυγραφία με πενάκι και καφέ μελάνι, υδρόχρωμα και χρυσό αδιαφανές χρώμα, 23 x 17. Whitworth Art Gallery, University of Manchester.

233 Caspar David Friedrich, *Οι ασβεστολιθικοί βράχοι στο Ρίγκεν*, 1818. Λάδι σε καμβά, 90,5 x 71. Museum Oskar Reinhart am Stadtgarten, Βίντερτουρ.

234 John Constable, *Σπουδή του κορμού μιας φτελιάς*, 1821. Λάδι σε χαρτί, 30,6 x 24,8. Victoria and Albert Museum, Λονδίνο.

235 Joseph William Mallord Turner, *Χιονοθύελλα: ο Αννίβας και ο στρατός του διασχίζουν τις Άλπεις*, 1812. Λάδι σε καμβά, 146 x 237,5. Tate Gallery, Λονδίνο.

236 Ahmad (Αχμάντ), *Ακροβάτιδα*, περ. 1815. Λάδι σε κάρτον. Φωτογραφία: V & A Images/Victoria and Albert Museum, Λονδίνο.

237 Jean-Auguste-Dominique Ingres, *Η κυρία Ριβιέρ*, 1806. Λάδι σε καμβά, 116 x 90. Musée du Louvre, Παρίσι.

238 Christoffer Eckersberg, *Όρθιο γυναικείο γυμνό*, 1837. Λάδι σε καμβά, 125 x 76,5. Danish Academy of Fine Arts, Κοπεγχάγη.

239 Théodore Géricault, *Αξιωματικός του ιππικού σε έφοδο*, 1812. Λάδι σε καμβά, 349 x 266. Musée du Louvre, Παρίσι.

240 Eugène Delacroix, *Ο θάνατος του Σαρδανάπαλου*, 1828. Λάδι σε καμβά, 395 x 495. Musée du Louvre, Παρίσι.

241 Honoré Daumier, *Οδός Τρανσνονέν, 15 Απριλίου του 1834*, 1834. Λιθογραφία, 29,2 x 44,8. Ιδιωτική συλλογή.

242 Jean-Jacques Grandville, *Το τελευταίο όνειρο του Γκρανβίλ·* δημοσιεύτηκε το 1847 στο *Le Magasin Pittoresque*, Γαλλία.

243 Hokusai (Χοκουσάι), *Το όρος Φούτζι ιδωμένο μέσα απ' τον ιστό μιας αράχνης*, 1840. Μονοχρωματική ξυλογραφία.

244 Hiroshige (Χιροσίγκε), *Ένας κούκος που πετάει πάνω απ' το ποτάμι*, 1857. Ξυλογραφία ομπάν, 36,3 x 24,6. Art Institute of Chicago.

245 Nicéphore Niépce, *Άποψη από το παράθυρο*

στο Λε Γκρα, 1826. Μεταλλική πλάκα, 16,5 x 20. Gernsheim Collection. Harry Ransom Humanities Research Center, University of Texas, Όστιν.

246 Adolph Menzel, *Δωμάτιο με μπαλκόνι*, 1845. Λάδι σε χαρτόνι, 58 x 47. Nationalgalerie, Βερολίνο.

247 William Holman Hunt, *Η αφύπνιση της συνείδησης*, 1853. Λάδι σε καμβά, 76 x 56. Tate Gallery, Λονδίνο.

248 Gustave Courbet, *Οι κοσκινίστρες του σταριού*, 1855. Λάδι σε καμβά, 131 x 167. Musée des Beaux-Arts, Νάντη.

249 Frederic Edwin Church, *Οι καταρράχτες του Νιαγάρα από την αμερικανική πλευρά*, 1867. Καμβάς, 260 x 231. National Galleries of Scotland, Εδιμβούργο.

250 Tara (Τάρα), *Ο Μαχαραγιάς Σαρούπ Σινγκ παίζει έφιππος χόλι στο ανάκτορο της πόλης*, 1851. Γκουάς σε χαρτί, 91,4 x 125,7. City Palace Museum, Ουνταϊπούρ.

251 Raharuhi Rukupo (Ραχαρούχι Ρουκούπο), ξυλόγλυπτο αυτοπορτρέτο, 1842. Από το σπίτι Te Hau ki Turanga, Museum of New Zealand Te Papa Tongarewa, Ουέλινγκτον.

252 Akati Akpele Kendo (Ακάτι Ακπέλε Κέντο), *Αγκόγιε! (Γκου, ο θεός του πολέμου)*, περ. 1859. Σίδηρος. Musée du Louvre, Παρίσι.

253 Ren Xiong (Ρεν Σιονγκ), *Αυτοπροσωπογραφία*, περ. 1856. Κάθετο κύλινδρος, μελάνι και χρώμα σε χαρτί, 177,4 x 78,5. Palace Museum, Πεκίνο.

254 Édouard Manet, *Το πρόγευμα στη χλόη*, 1863. Λάδι σε καμβά, 210 x 260. Musée d'Orsay, Παρίσι.

255 Claude Monet, *Εντύπωση: ήλιος που ανατέλλει*, 1873. Λάδι σε καμβά, 48 x 63. Musée Marmottan, Παρίσι.

256 Auguste Renoir, *Ο Κλοντ Μονέ ζωγραφίζει στον κήπο του στο Αρζεντέιγ*, 1874. Λάδι σε καμβά, 46 x 60. Wadsworth Atheneum, Χάρτφορντ, Κονέκτικατ.

257 Edgar Degas, *Πλας ντε λα Κονκόρντ*, 1875. Λάδι σε καμβά, 78 x 117. Hermitage Museum, Αγία Πετρούπολη.

258 Ilya Repin (Ίλια Ρέπιν), *Βαρκάρηδες του Βόλγα*, 1870–73. Λάδι σε καμβά, 131 x 281. Russian Museum, Αγία Πετρούπολη.

259 Edward Burne-Jones, *Η χρυσή κλίμακα*, 1876–80. Λάδι σε καμβά, 269,2 x 116,8. Tate Gallery, Λονδίνο.

260 Frédéric Bartholdi, *Το Άγαλμα της Ελευθερίας*, 1884–86. Λίμπερτι Άιλαντ, Νέα Υόρκη. Χαλκός, χάλυβας και σίδηρος πάνω σε πέτρινη βάση· ύψος του αγάλματος περ. 46 μέτρα. Φωτογραφία: Bob Krist/Corbis.

261 Augustus Saint-Gaudens, *Το Μνημείο Σο*, Beacon Street, Βοστόνη, Μασαχουσέτη, 1884–1900. Φωτογραφία: Peter Newark Military Pictures/Bridgeman Art Library.

262 Eadweard Muybridge, *Άνδρας (γυμνός) που ανεβαίνει σκάλες*, 1887. Εικόνα 88 από την *Κίνηση των ζώων*, 1887.

263 Georges Seurat, *Παρέλαση (Το θέαμα του τσίρκου)*, 1887–88. Λάδι σε καμβά, 99,7 x 149,9. Metropolitan Museum of Art, Νέα Υόρκη.

264 Paul Gauguin, *Το όραμα μετά το κήρυγμα*, 1888. Λάδι σε καμβά, 73 x 92. National Galleries of Scotland, Εδιμβούργο.

265 Vincent van Gogh, *Έναστρη νύχτα*, 1889. Λάδι σε καμβά, 73,7 x 92,1. Museum of Modern Art, Νέα Υόρκη.

266 Vilhelm Hammershøi, *Σπουδή γυναίκας*,

1888. Λάδι σε καμβά, 63,5 x 55,5. Statens Museum for Kunst, Κοπεγχάγη.

267 Edvard Munch, *Η κραυγή*, 1893. Τέμπερα και λαδοπαστέλ σε χαρτόνι, 91 x 73,5. Nasjonalgalleri, Όσλο. © Munch Museum/Munch-Ellingsen Group, BONO, Όσλο/DACS, Λονδίνο 2007.

268 Paul Cézanne, *Το όρος Σεντ-Βικτουάρ από το Λατομείο Μπημπεμίς*, περ. 1897. Λάδι σε καμβά, 64,8 x 81,3 εκατοστά. Baltimore Museum of Art.

269 Auguste Rodin, *Άνθρωπος που περπατάει*, 1900. Ορείχαλκος. Musée d'Orsay, Παρίσι.

270 Édouard Vuillard, *Η σούπα της Ανέτ*, 1900. Musée de l'Annonciade, Σεν Τροπέ, Γαλλία.

271 José Guadalupe Posada, *Καλάβερα ενός στρατιώτη από την Οαχάκα*, 1903. Οξυγραφία, 14,4 x 27,3. Collection A. V. Arroyo.

272 Uopie (Ουόπι) [;], *Μάσκα μπου γκλέ*, περ. 1900–25. Ξύλο, ύψος 23. Ιδιωτική συλλογή.

273 Paula Modersohn-Becker, *Μητέρα και παιδί*, 1907. Λάδι σε λινό, 82 x 124,7. Ιδιωτική συλλογή, Βρέμη.

274 Gustav Klimt, *Ιουδήθ II*, 1909. Λάδι σε καμβά, 178 x 46 εκατοστά. Galleria d'Arte Moderna, Βενετία.

275 Henri Matisse, *Γυναίκα με καπέλο*, 1905. Λάδι σε καμβά, 80,7 x 59,7. San Francisco Museum of Modern Art, κληροδότημα της Elise S. Haas. © Succession H. Matisse, Παρίσι/DACS 2007.

276 Ernst Ludwig Kirchner, *Λουόμενοι που πετούν καλάμια*, 1909. Ξυλογραφία, 20 x 28,9. Brücke Museum, Βερολίνο. Φωτογραφία: bpk, Βερολίνο.

277 Pablo Picasso, *Οι δεσποινίδες της Αβινιόν*, 1907. Λάδι σε καμβά, 243,9 x 233,7. Museum of Modern Art, Νέα Υόρκη. Αποκτήθηκε χάρη στο κληροδότημα της Lillie P. Bliss. © Succession Pablo Picaso/DACS 2007.

278 Ξυλογλύπτης της φυλής Ζάντε, *Μητέρα και παιδί*, περ. 1914. Ξύλο, ύψος 60,2. American Museum of Natural History, Νέα Υόρκη.

279 Henri Matisse, *Το κόκκινο εργαστήριο*, 1911. Λάδι σε καμβά, 181 x 219,1. Museum of Modern Art, Νέα Υόρκη. Mrs. Simon Guggenheim Fund. © Succession H. Matisse, Παρίσι/DACS 2007.

280 Vasily Kandinsky (Βασίλι Καντίνσκι), *Σύνθεση VII*, 1913. Λάδι σε καμβά, 200 x 300. Tretyakov Gallery, Μόσχα. © ADAGP, Παρίσι και DACS, Λονδίνο 2007.

281 Jacques-Henri Lartigue, *Ντελάζ στο Γκραν Πρι*, 1912. © Ministère de la Culture – Γαλλία/AAJHL.

282 Giacomo Balla, *Αυτοκίνητο που τρέχει*, 1913. Λάδι και μεικτά μέσα σε χαρτί και πεπιεσμένο χαρτί, 73 x 104. Ιδιωτική συλλογή. © DACS 2007.

283 Pablo Picasso, *Ποτήρι και μπουκάλι Σιζ*, 1912. Κολλημένο χαρτί, γκουάς και κάρβουνο, 65,4 x 50,2. Washington University Gallery of Art, Σεντ Λούις. © Succession Pablo Picaso/DACS 2007.

284 Pablo Picasso, *Κιθάρα*, 1912. Κατασκευή από χαρτόνι, σπάγγο και σύρμα, 65,1 x 33 x 19. Museum of Modern Art, Νέα Υόρκη. Δωρεά του καλλιτέχνη. © Succession Pablo Picaso/DACS 2007.

285 Marcel Duchamp, *Γυμνό που κατεβαίνει μια σκάλα Νο 2*, 1912. Λάδι σε καμβά, 147 x 89,2. Philadelphia Museum of Art. © Succession Marcel Duchamp/ADAGP, Παρίσι και DACS, Λονδίνο 2007.

286 Paul Strand, *Ουόλ Στριτ*, 1915. © 1971 Aperture Foundation Inc., Paul Strand Archive.

287 Constantin Brancusi, *Γλυπτό για τους τυφλούς*, 1916. Μάρμαρο, 17 x 29 x 18,1. Philadelphia Museum of Art. The Louise and Walter Arensberg Collection, 1950. © ADAGP, Παρίσι και DACS, Λονδίνο 2007.

288 Otto Dix, *Χαρτοπαίχτες*, 1920. Λάδι σε καμβά με κολάζ, 110 x 87. Ιδιωτική συλλογή, επί δανείω στη Staatsgalerie, Στουτγάρδη. © DACS 2007.

289 Vladimir Tatlin (Βλαντιμίρ Τάτλιν), *Μνημείο της Τρίτης Διεθνούς*, 1919. Ξύλο, σίδηρος και γυαλί (το έργο έχει καταστραφεί). Φωτογραφία: National Museum, Στοκχόλμη. © DACS 2007.

290 Tomoyoshi Murayama (Τομογιόσι Μουραγιάμα), *Έργο στο οποίο έχει χρησιμοποιηθεί λουλούδι και παπούτσι*, περ. 1923. Κατασκευή με μεικτά μέσα (το έργο θεωρείται χαμένο). Φωτογραφία από το φυλλάδιο της πρώτης έκθεσης της ομάδας Μάβο.

291 Piet Mondrian, *Πίνακας I: με κόκκινο, μαύρο, μπλε και κίτρινο*, 1921. Λάδι σε καμβά, 103 x 100. Haags Gemeentemuseum, Χάγη. © 2007 Mondrian/Holtzman Trust, c/o HCR International, Ουόρεντον, Βιρτζίνια, ΗΠΑ.

292 Paul Klee, *Μηχανή τιτιβίσματος*, 1922. Χαλκομανία, λάδι, μελάνι και υδρόχρωμα σε χαρτί, 63,8 x 48,1. Museum of Modern Art, Νέα Υόρκη. © DACS 2007.

293 Chaim Soutine, *Σφαγμένο βόδι*, περ. 1925. Λάδι σε καμβά, 140,3 x 82,2. Albright-Knox Gallery, Μπάφαλο, Νέα Υόρκη. © ADAGP, Παρίσι και DACS, Λονδίνο 2007.

294 Edward Hopper, *Νυχτερινά παράθυρα*, 1928. Λάδι σε καμβά, 73,7 x 86,4. Whitney Museum of Modern Art, Νέα Υόρκη. Δωρεά του John Hay Whitney.

295 René Magritte, *Να μην αναπαραχθεί*, 1937. Λάδι σε καμβά, 81 x 65. Museum Boymans-van Beuningen, Ρότερνταμ. © ADAGP, Παρίσι και DACS, Λονδίνο 2007.

296 Joan Miró, *Η γέννηση του κόσμου*, 1925. Λάδι σε καμβά, 250,8 x 200. Museum of Modern Art, Νέα Υόρκη. © Succession Miró/ADAGP, Παρίσι και DACS, Λονδίνο 2007.

297 Luis Buñuel και Salvador Dalí, *Ο ανδαλουσιανός σκύλος*, 1929. Καρέ κινηματογραφικής ταινίας. © Salvador Dalí, Gala-Salvador Dalí Foundation, DACS, Λονδίνο 2007.

298 Diego Rivera, *Διασχίζοντας το φαράγγι*, 1930. Palacio de Cortés, Κουερναβάκα, Μεξικό. © Banco de México, Diego Rivera & Frida Kahlo Museums Trust.

299 Naum Gabo, *Συστροφή*, 1929, ανακατασκευάστηκε το 1936. Πλεξιγκλάς, 35,2 x 41 x 40. Tate Gallery, Λονδίνο. The works of Naum Gabo. © Nina Williams.

300 Barbara Hepworth, *Δύο φόρμες*, 1933. Αλάβαστρος και ασβεστόλιθος, 26 x 29,6 x 17,6. Tate Gallery, Σεντ Άιβς. © Bowness, Hepworth Estate.

301 Demètre Chiparus, *Les Girls*, περ. 1930. Ορείχαλκος και ελεφαντοστό. Ιδιωτική συλλογή. © ADAGP, Παρίσι και DACS, Λονδίνο 2007.

302 Vera Mukhina (Βέρα Μούχινα), *Βιομηχανικός εργάτης και εργάτρια της κολεκτίβας*, 1935. Ορείχαλκος, 158,5 x 106 x 112. Πρόπλασμα ενός συμπλέγματος που παρουσιάστηκε το 1937 στη Διεθνή Έκθεση

του Παρισιού. Russian Museum, Αγία Πετρούπολη. © DACS 2007.

303 Pierre Bonnard, *Γυμνό στην μπανιέρα*, 1936. Λάδι σε καμβά, 93 x 147. Musée du Petit Palais, Παρίσι. © ADAGP, Παρίσι και DACS, Λονδίνο 2007.

304 Pablo Picasso, *Γκερνίκα*, 1937. Λάδι σε καμβά, 349 x 776. Museo Reina Sofía, Μαδρίτη. © Succession Picasso/DACS 2007.

305 Wilfredo Lam, *Η ζούγκλα*, 1943. Γκουάς σε χαρτί που έχει επικολληθεί πάνω σε καμβά, 239,4 x 229,9. Museum of Modern Art, Νέα Υόρκη. © ADAGP, Παρίσι και DACS, Λονδίνο 2007.

306 Felix Nussbaum, *Μέσα στο στρατόπεδο*, 1940. Λάδι σε καμβά, 47 x 42,5. Deutsches Historisches Museum, Βερολίνο. © DACS 2007.

307 Jackson Pollock, *Αριθμός 32, 1950*, 1950. Σμάλτο σε καμβά, 269 x 457,5. Kunstsammlung Nordrhein-Westfalen, Ντίσελντορφ. © ARS, Νέα Υόρκη και DACS, Λονδίνο 2007.

308 Mark Rothko, *Λευκό κέντρο (Κίτρινο, ροζ και βιολετί σε ροζ)*, 1950. Λάδι σε καμβά, 206,8 x 141. Ιδιωτική συλλογή. © Kate Rothko Prizel & Christopher Rothko/ARS, Νέα Υόρκη και DACS, Λονδίνο 2007.

309 Graham Sutherland, *Φύλλα φοίνικα*, 1947. Γκουάς και κιμωλία σε χαρτί, 32 x 35. © Estate of Graham Sutherland. Η φωτογραφία είναι ευγενική παραχώρηση του British Council, Αίγυπτος.

310 Russell Drysdale, *Οι παίκτες του κρίκετ*, 1948. Λάδι σε καμβά, 76 x 101,5. Ιδιωτική συλλογή.

311 Francis Bacon, *Σπουδή της προσωπογραφίας του Πάπα Ινοκέντιου Ι' του Βελάσκεθ*, 1953. Λάδι σε καμβά, 153 x 118,1. Des Moines Art Center, Αϊόβα. © Estate of Francis Bacon/DACS 2007.

312 Alberto Giacometti, *Σύνθεση με τρεις μορφές κι ένα κεφάλι*, 1950. Ορείχαλκος, 55,3 x 56,3 X 41,9. Alberto Giacometti Foundation, Ζυρίχη. © ADAGP, Παρίσι και DACS, Λονδίνο 2007.

313 Jean Dubuffet, *Γυναικείο σώμα (Φανταχτερός μπελάς)*, 1950. Λάδι σε καμβά, 116 x 89. Emily Fischer Landau Collection. © ADAGP, Παρίσι και DACS, Λονδίνο 2007.

314 Willem de Kooning, *Γυναίκα και ποδήλατο*, 1952–53. Λάδι σε καμβά, 194,3 x 124,5. Whitney Museum of American Art, Νέα Υόρκη. © Willem de Kooning Foundation, Νέα Υόρκη/ARS, Νέα Υόρκη και DACS, Λονδίνο 2007.

315 Robert Rauschenberg, *Κρεβάτι*, 1955. Μεικτά μέσα, 188 x 79. Museum of Modern Art, Νέα Υόρκη. © DACS, Λονδίνο/VAGA, Νέα Υόρκη 2007.

316 Antonio Berni, *Ο μεγάλος πειρασμός*, 1962. Υδρόχρωμα, χαρτί, μεταλλικό ύφασμα και μεικτά μέσα σε ξύλο, 240 x 240. Collection Eduardo F. Constantini, Μπουένος Άιρες. Ευγενική παραχώρηση του José και της Inés Berni.

317 Lucio Fontana, *Χωρική έννοια (Αναμονή)*, 1960. Πλαστικό χρώμα σε καμβά, 100 x 81. Ιδιωτική συλλογή. Fondazione Lucio Fontana, Μιλάνο.

318 David Smith, *Cubi XXIII*, 1964. Στιλβωμένος ανοξείδωτος χάλυβας, 193,7 x 439,1 x 67,9. Φωτογραφία: Dan Budnik. © Estate of David Smith/VAGA, Νέα Υόρκη και DACS, Λονδίνο 2007.

319 Alumasi Luhuma (Αλουμάσι Λουχούμα), *Ξυλόγλυπτο «ουτζαμάα» με την ιστορία των Μακόντε*,

1965–70. Collection Madan Sapra, Ναϊρόμπι, Κένυα.

320 Wu Hufan (Βου Χουφάν), *Πανηγυρίστε για την επιτυχία της υπέροχης έκρηξης της ατομικής μας βόμβας!*, 1965. Κάθετος κύλινδρος, μελάνι και χρώμα σε απορροφητικό χαρτί, 135 x 67. Shanghai Chinese Painting Academy.

321 Andy Warhol, *Κουτιά Brillo*, 1964/69. Μεταξοτυπία σε κόντρα-πλακέ· 45 κουτιά, διαστάσεις του κάθε κουτιού: 50,8 x 50,8 x 43,2. Norton Simon Museum, Πασαντίνα, Καλιφόρνια. © Με την άδεια του Andy Warhol Foundation for the Visual Arts, Inc/ARS, Νέα Υόρκη και DACS, Λονδίνο 2007.

322 Sigmar Polke, *Πατατοκέφαλοι (ο Μάο και ο Λ. Μπ. Τζ.)*, 1965. Τεχνητή ρητίνη σε καμβά, 91 x 116. Ευγενική παραχώρηση του Frieder Burda, Μπάντεν-Μπάντεν. © ο καλλιτέχνης.

323 Bridget Riley, *Καθήλωση 2*, 1965. Ακρυλικό σε λινό, 195 x 190. © η καλλιτέχνιδα. Nelson-Atkins Museum of Art, Κάνσας Σίτι, Μισούρι.

324 Robert Morris, *Άτιτλο*, 1965/71. Καθρέφτης πάνω σε ξύλο· 4 κύβοι, διαστάσεις του κάθε κύβου 91,5 x 91,5 x 91,5. Tate Gallery, Λονδίνο. © ARS, Νέα Υόρκη και DACS, Λονδίνο 2007.

325 Eva Hesse, *Άτιτλο*, 1970. Λατέξ, σκοινί, σπάγγος, σύρμα, διαστάσεις μεταβλητές. Whitney Museum of American Art, Νέα Υόρκη. © The Estate of Eva Hesse. Hauser & Wirth, Ζυρίχη και Λονδίνο.

326 Robert Smithson, *Σπειροειδής προβλήτα*, 1970. Λάσπη, καθίζημα κρυστάλλων άλατος, βράχοι. Μεγάλη Αλμυρή Λίμνη, Γιούτα. Φωτογραφία © Tom Smart. © Estate of Robert Smithson/VAGA, Νέα Υόρκη/DACS, Λονδίνο 2007.

327 Dennis Oppenheim, *Δίνη (Το μάτι της καταιγίδας)*, 1973. Λευκός καπνός από αεροσκάφος πάνω από την ξηρή λίμνη Ελ Μιράζ, Νότια Καλιφόρνια. Ευγενική παραχώρηση του καλλιτέχνη.

328 Ana Mendieta, *Isla*, 1981. Ασπρόμαυρη φωτογραφία. Ευγενική παραχώρηση της Galerie Lelong, Νέα Υόρκη. © The Estate of Ana Mendieta Collection.

329 Giuseppe Penone, *Δέντρο 12 μέτρων*, 1980–82. Ξύλο, 600 x 50 x 50. Tate Gallery, Λονδίνο. © ADAGP, Παρίσι και DACS, Λονδίνο 2007.

330 Philip Guston, *Το εργαστήριο*, 1969. Λάδι σε καμβά, 121,9 x 106,7. Ιδιωτική συλλογή, Νέα Υόρκη. Ευγενική παραχώρηση της McKee Gallery, Νέα Υόρκη.

331 Ed Kienholz, *Το φορητό μνημείο πολέμου*, 1968. Κατασκευή-περιβάλλον με αυτόματο μηχάνημα πώλησης Coca-Cola εν λειτουργία, 289 x 243,8 x 975,4. Museum Ludwig, Κολωνία. © Nancy Reddin Kienholz.

332 Gerhard Richter, *Γυναίκα που κατεβαίνει μια σκάλα*, 1965. Λάδι σε καμβά, 200,7 x 129,5 Art Institute of Chicago. Roy J. & Frances R. Friedman Endowment· δωρεά του Lannan Foundation, 1997.176. © Gerhard Richter (CR 92).

333 Anselm Kiefer, *Ίκαρος (Άμμος του Μαρτίου)*, 1981. Λάδι, γαλάκτωμα, γομαλάκα, άμμος και φωτογραφία σε καμβά, 290 x 360. Ευγενική παραχώρηση του καλλιτέχνη.

334 Jean-Michel Basquiat, *Πολεμιστής*, 1982. Ακρυλικό και ελαιόχρωμα σε μορφή στικ σε ξύλο, 180 x 120. Collection José Mugrabi. © ADAGP, Παρίσι και DACS, Λονδίνο 2007.

335 Cindy Sherman, *Άτιτλα κινηματογραφικά στιγμιότυπα αρ. 13*, 1978. Ασπρόμαυρη φωτογραφία, 25,4 x 20,3. Ευγενική παραχώρηση της καλλιτέχνιδας και της Metro Pictures, Νέα Υόρκη.

336 Jeff Wall, *Εξάψαλμος*, 1985. Διαφάνεια σε φωτοτράπεζα, 205 x 229. Ευγενική παραχώρηση της Marian Goodman Gallery, Νέα Υόρκη.

337 Bhupen Khakhar (Μπουπέν Κακάρ), *Δύο άντρες στην Μπενάρες*, 1982. Λάδι σε καμβά, 175 x 175. Ιδιωτική συλλογή.

338 Tim Leura Tjapaltjarri και Clifford Possum Tjapaltjarri, *Πνεύμα θανάτου του Νάπερμπι που ονειρεύεται*, 1980. Συνθετικό πολυμερές σε καμβά, 213 x 701. National Gallery of Victoria, Μελβούρνη.

339 Richard Serra, *Κεκλιμένο τόξο*, 1981. Αδιαβροχοποιημένος χάλυβας, περ. 3,7 x 37 μέτρα. Είχε εγκατασταθεί στη Federal Plaza της Νέας Υόρκης (καταστράφηκε το 1989). Collection General Services Administration, Ουάσινγκτον. Φωτογραφία: Glenn Steigelman. © ARS, Νέα Υόρκη και DACS, Λονδίνο 2007.

340, 341 Mona Hatoum, *Corps étranger*, 1994. Βιντεοεγκατάσταση με κυλινδρική ξύλινη κατασκευή, βιντεοπροβολέα, ενισχυτή και τέσσερα ηχεία. Centre Pompidou, Παρίσι. Φωτογραφία: Philippe Migeat. © η καλλιτέχνιδα.

342 Richard Wilson, *20:50*, 1987. Χρησιμοποιημένο λάδι μηχανής, χάλυβας και ξύλο, διαστάσεις μεταβλητές (από την εγκατάσταση στη Matt's Gallery, Λονδίνο 1987). The Saatchi Collection, Λονδίνο. Ευγενική παραχώρηση του καλλιτέχνη και της Matt's Gallery, Λονδίνο. Φωτογραφία: Edward Woodman.

343 Damien Hirst, *Χίλια χρόνια*, 1990. Γυαλί, χάλυβας, φύλλο MDF, κεφάλι αγελάδας, εντομοπαγίδα, δοχεία με ζαχαρόνερο, 213,4 x 426,7 x 213,4. Ευγενική παραχώρηση της Jay Jopling/White Cube, Λονδίνο.

344 Wim Delvoye, *Μπετονιέρα*, 1990–99. Σκαλισμένο στο χέρι ξύλο τικ, 681 x 325 x 225. Συλλογή του καλλιτέχνη.

345 Esther Mahlangu, *Άτιτλο*, 2002. Κοπριά και ακρυλικό χρώμα σε καμβά, 103 x 109. Ευγενική παραχώρηση της 34 Long Gallery, Κέιπ Τάουν, Νότια Αφρική.

346 Jane Alexander, *Βίσερσοκ*, 2000. Φωτομοντάζ, χρωστική ουσία σε βαμβακερό χαρτί, 29,5 x 40. Ευγενική παραχώρηση της καλλιτέχνιδας.

347 Juan Muñoz, *Τρεις άντρες με κίτρινη μπάλα*, 2001. Ρητίνη, λάδι και χάλυβας, 128 x 62 x 55. Ευγενική παραχώρηση του Juan Muñoz Estate και της Lisson Gallery, Λονδίνο.

348 Ana Maria Pacheco, *Χώρα χωρίς επιστροφή*, 2003 (λεπτομέρεια). Πολυχρωματικό ξύλο, 193 x 540 x 660. Ιδιωτική συλλογή. Φωτογραφία: Colin M. Harvey. Ευγενική παραχώρηση του Pratt Contemporary Art, Σέβενουκς, Κεντ.

349 Julie Mehretu, *Διασπορά*, 2002. Μελάνι και ακρυλικό σε καμβά, 228,6 x 365,8. Collection Nicolas & Jeanne Greenberg Rohatyn, Νέα Υόρκη. Ευγενική παραχώρηση του The Project, Νέα Υόρκη.

350 Luc Tuymans, *Διαγνωστική άποψη*, 1992. Λάδι σε καμβά, 58 x 42. Ευγενική παραχώρηση της Zeno X Gallery, Αμβέρσα. Φωτογραφία: Felix Tirry.

351 Thomas Ruff, *Πορτρέτο*, 1988. Ευγενική παραχώρηση του καλλιτέχνη. © DACS, 2007 .

352 Lee U-fan (Λι Γιου Φαν), *Με ανέμους*, 1990. Λάδι σε καμβά, 227,5 x 182. The Kenneth & Yasuko Myer Collection of Contemporary Asian Art. Αγοράστηκε το 1998 με πόρους από τον Michael Simcha Baevski και με τη βοήθεια του Queensland Art Gallery Foundation. Η φωτογραφία αναπαράγεται με την άδεια της Collection of the Queensland Art Gallery, Μπρισμπέην. © ο καλλιτέχνης.

ΕΥΡΕΤΗΡΙΟ

Η σελιδαρίθμηση με *πλάγια στοιχεία* αναφέρεται στις εικόνες και στις σχετικές λεζάντες.

Η σελιδαρίθμηση με το *v* αναφέρεται στις υποσημειώσεις.